¿HABLA español?

Essentials
FIFTH EDITION

Instructor's Annotated Edition

¿HABLA español?

Essentials
FIFTH EDITION

TERESA MÉNDEZ-FAITH
Saint Anselm College

MARY McVEY GILL

Holt, Rinehart and Winston
Harcourt Brace College Publishers
Fort Worth Philadelphia San Diego New York Orlando Austin
San Antonio Montreal Toronto London Sydney Tokyo

Publisher:	Ted Buchholz
Senior Acquisitions Editor:	Jim Harmon
Senior Developmental Editor:	Jeff Gilbreath
Project Editor:	Monotype Composition Company
Production Manager:	Tad Gaither
Photo Research:	Judy Mason

Méndez-Faith, Teresa
    Habla español? : essentials/Teresa Méndez-Faith, Mary McVey
Gill.—5th ed.
        p.   cm.
    Includes index.
    ISBN 0-15-500677-0
    1. Spanish language—Textbooks for foreign speakers—English.
I. Gill, Mary McVey.   II. Title.
PC4129.E5M46   1994c
468.2'421—dc20   93–36981
                                                                                      CIP

Requests for permission to make copies of any part of the work should be mailed to: Permissions Department, Harcourt Brace & Company, 8th Floor, Orlando, Florida 32887.

Carmen Lomas Garza
«Cumpleaños de Lala y Tudi»
(Lala and Tudi's birthday party)
Oil on Canvas, 36" x 48"
©1989 Carmen Lomas Garza
Photo by Wolfgang Dietze
from the Collection of Paula Maciel Benecke & Norbert Benecke, Aptos, CA.

Printed in the United States of America

This book is printed on acid-free paper.

ISBN: 0-15-500 677-0

4 5 6 7 8 9 0 1 2 3   0 4 8   9 8 7 6 5 4 3 2 1

Introduction

¿Habla español? Essentials Fifth Edition, consists of sixteen chapters, an introductory **Capítulo preliminar,** and a supplementary chapter. The text is designed for a two-semester or three-quarter beginning Spanish class. The book is ideal for instructors who favor eclectic teaching methods; there is ample material for developing all language skills. The amount of content included in specific courses, however, will depend on the number of class meetings per week and the length of each class period. A fifty-minute class that meets three days a week for one semester, or five days a week for one quarter, will have approximately forty to fifty sessions available for instruction. A class that meets five days a week for one semester will have about seventy-five sessions.

The materials provided here are meant to be adapted by individual instructors according to their personal teaching styles and syllabi. As needed, instructors should shorten, lengthen, or eliminate exercises and activities; change sequences; and transform textbook sentences in order to make the material more interesting to the students. The key is contextualization—that is, putting language items into a context relevant to the students, whether by using humor, asking an opinion, or personalizing an abstract statement or question. A dual process is at work: (1) students and instructor enter into the contexts provided by the textbook; and (2) instructor (and, if possible, students) draws elements out of the textbook world and merges them with the dynamic flow of classroom interaction, focusing on real or imaginary issues and situations.

Notes to New Instructors

POLICIES

It's a good idea to make sure students understand what your policy is regarding:

1. kinds and frequency of examinations. Will there be unannounced quizzes? What's the policy for make-up exams?

2. absences.

3. evaluation. What weight is given to written or oral tests, written homework, and class participation? What elements constitute class participation?

4. the language laboratory and workbook/lab manual. Do you check their work? If so, when? What weight does this have in the overall evaluation?

5. students' responsibilities besides the active vocabulary and grammar structures. Will vocabulary recognition be included in your tests? Will students be expected to know the contents of the readings? The cultural notes? The language functions? Other vocabulary or information you present in class?

6. student errors during different segments (exercises, conversation, activities, etc.) of the class.

7. the role of English in the class. How much or little English will you use or allow students to use?

OFFICE HOURS

Students need to know the location of your office and the hours you can be found there.

FEEDBACK

Your school may have some process by which students evaluate you and the course. Before the end of the term, perhaps halfway through, it is useful to have some sort of feedback, perhaps in the form of a short questionnaire. The questions could deal with the pace of the class, the course as a whole, and how satisfied students are with the way speaking, listening, reading, and writing skills are handled. If you have good rapport with your students, of course, some of the feedback will occur in daily oral interaction.

Notes in This Instructor's Annotated Edition

The marginal notes in this instructor's edition of *¿Habla español? Essentials* offer many strategies for using the material. Many of the activities in the text may be used in multiple ways, such as listening instead of reading, or large group instead of pair practice. *¿Habla español?* provides a treasure chest of ideas—draw from them as you see fit. We wish you all an enjoyable language learning experience.

Planning Lessons

Following is ONE suggested way of presenting the **Capítulo preliminar** and **Capítulo uno** of *¿Habla español? Essentials.* This plan can vary with the individual teacher. You may want to skip some sections entirely and put more emphasis on others; however, it will provide you with a starting point for organizing your own syllabus. You can adapt these techniques to the following chapters of the book.

CAPÍTULO PRELIMINAR

DAY 1

Classroom management   (10–15 minutes)

1. Introduce yourself to the class.
2. Take attendance.
3. Distribute the syllabus and explain it thoroughly.
4. Discuss course objectives and procedures.
5. Answer student questions. Make sure they purchase books by the next meeting if they have not already.

I. Las presentaciones   (15–20 minutes)

1. Model the first (formal) conversation several times while students listen and look at the words. Use your own name rather than that of Elvira García.
2. Call upon a student to answer using his or her own name.

3. Have the class repeat the phrases after you several times.
4. Call upon other students to introduce themselves using the expressions in the conversation (Exercise A).
5. Present the second (informal) conversation. Have students repeat the lines after you. Then break the class into two large groups: one takes the part of Joaquín and one takes the part of Francisca. Have them say the lines several times, then change roles.
6. Call upon two students to perform the conversation using their own names. Then have them work in pairs to practice the conversation (Exercise B).
7. If time permits, have students read the conversations for comprehension. In any case, point out the use of the tilde, inverted question mark, and written accents.

El alfabeto (10 minutes)

Have students repeat the letters and example words after you. Point out the differences between the Spanish and English alphabets: **ch, ll, ñ,** and **rr.**

Assignment (2–5 minutes)

Assign the box **El alfabeto** as homework. Ask students to practice spelling their own names.

DAY 2

Classroom management (3–5 minutes)

1. Take attendance.
2. Make announcements.

} For all subsequent days.

Review (10 minutes)

1. Review **Las presentaciones.**
2. Review **El alfabeto.** Explain that there are pronunciation exercises on the tape that accompanies the workbook/lab manual and that Appendix I has detailed information about pronunciation. They will have many opportunities to practice pronunciation as a natural part of learning the language.
3. Have students do the exercise on the alphabet, practicing spelling their own names (if desired).

II. *El mundo hispano* (15 minutes)

1. Have students work in groups to take the quiz. After they finish, tell them they can check their own answers (in the **Respuestas** section) as homework.
2. Do Exercise A. You will probably have to repeat the examples several times. Assign B and C as homework if desired.

III. *En clase: Expresiones útiles* (10–15 minutes)

1. Model the expressions at the beginning of this section, making sure to show the students **un libro** and **una puerta.**
2. Point to various objects in the classroom and model the names several times.

3. Point to classroom objects and quiz students (they should have their books closed) by asking **¿Es el libro? ¿Sí o no?** If the answer is **no,** ask: **¿Qué es esto?** Students answer in phrases (such as **la ventana, la pared**); there is no need for complete sentences at this point, especially since a phrase would be a natural response.

4. Have students do Exercises A and B or assign A as homework if there is insufficient time.

Assignment (2–3 minutes)

1. Assign "Recognizing Cognates" and the following exercise on classroom expressions as homework.
2. Have students read the explanation of **estar** and subject pronouns as homework.

DAY 3

Classroom management (2–3 minutes)
Reviews (5–10 minutes)

Go over the exercise(s) that you assigned from **III. En clase: Expresiones útiles.**

IV. *Estar* and Subject Pronouns; Negation; Yes/No Questions (20–25 minutes)

1. Present the dialogue by having students first listen, then repeat the lines after you, then take roles (as a class and/or individually).
2. Briefly explain the verb **estar** and subject pronouns. Explain the grammar terms if necessary or desired. Discuss negation and yes/no questions.
3. Have students answer the questions on the dialogue. You might want to have them write out the answers in complete sentences as homework.
4. Do Exercises A, B, and C, at the end of this section (or as many as time permits).

Assignment (2–3 minutes)

1. Assign Exercise D, p. 11, on numbers as homework.
2. Have students read the explanation and example sentences of the **Funciones y actividades** and study the **Vocabulario activo** for the **Capítulo preliminar.**

DAY 4

Classroom management (2–3 minutes)
Review (10–12 minutes)

1. Go over Exercise D (p. 11).
2. If you did not finish the exercises on **estar** and subject pronouns on Day 3, you can do these now with the class.

Funciones y actividades (30–35 minutes)

The **funciones** sections are generally optional, and the amount of time you want to spend on them can vary. The authors feel this material is extremely important—in many ways more important than the structures of the language—and we encourage instructors to draw from the notional-functional lists of expressions in these sections and make use of them in any way they can. They are a great resource for extra conversational activities and very useful in general conversation.

A note on the importance of conversation: conversational interaction should involve more than teacher-directed questions and student answers about a certain topic. Remember that:

1. Conversations occur for a reason—e.g., to convey information, express emotion, or relate in some other meaningful way. If the reason one initiates or continues a conversation is to obey or please the instructor, the activity is a disguised drill. Students must be motivated to speak, and this requires planning.

2. Real conversation involves more than just questions and answers—it involves clarification, interruption, rephrasing, and repetition of a segment of the other participant's utterance as both parties cooperate and compete in choosing and guiding the topic. Ordinary classroom discourse with the instructor in control does not give students practice in using these strategies. These sections of the text should make it possible for real conversation to occur—especially later on in the course, when students have more vocabulary.

3. Dividing students into pairs or small groups can immediately transform the classroom into an interactive environment. Anxiety is reduced, and more students have the opportunity to speak. Instructors accustomed to a class in which they can correct errors at any time will need to adjust their expectations when using the small-group format. For small-group activities, always make sure the instructions are clear. Set a time limit—e.g., five to ten minutes, and stick to it. Move around the room to answer questions and provide help as needed.

In presenting the **Funciones y actividades** section of the **Capítulo preliminar:**

1. Have students repeat the expressions after you. They should have read these the previous night.
2. Do Exercise A if desired.
3. Have students work in pairs and do Exercise B. You might have some of the stronger students perform their conversations for the class. They could also put them on tape and/or write them and add them to a portfolio of their work for the course, if you are having them keep a portfolio. (See page AIE 12 for information on using portfolios in the foreign language classroom.)

Assignment   (1–2 minutes)

You may want to have students write a short dialogue based on the **Funciones y actividades** section as homework.

CAPÍTULO UNO
DAY 1
Classroom management   (3–5 minutes)
Review   (3–5 minutes)

Go over the homework assignment from the previous day.

La familia de Juan   (15–20 minutes)

1. You might say something about the concept of the extended family in Spanish-speaking countries. For example, grandparents often live with their children and grandchildren.
2. Explain the family tree. For example:

Catalina y José son esposos. Catalina es la esposa de José. José es el esposo de Catalina. Catalina y José son los padres de Alicia y Víctor. Catalina es la madre de Alicia y Víctor. José es el padre. Alicia y Rafael son esposos. Víctor y Ana son esposos también. Alicia y Víctor son los hijos de Catalina y José: Alicia es la hija y Víctor es el hijo. Alicia y Víctor son hermanos: Alicia es la hermana de Víctor y Víctor es el hermano de Alicia, etc.

3. Check students' comprehension by means of a **¿Sí o no?** exercise: **¿Ana es la tía de Víctor? No.**
4. Do the exercises.
5. Have students work in pairs, taking turns describing their families. Have them use **se llaman** when giving more than one name.

I.   The Present Tense of Regular -*ar* Verbs   (10–15 minutes)

1. Model the dialog as students listen. You might have students pick out the cognates. Then you might have them repeat the lines after you, then take roles (as a class and/or individually).
2. Briefly explain the grammar if desired.
3. Do the exercises for this section. If you do not finish, you might want to assign some of them as homework.
4. Optional: Using the **-ar** verbs in this section, students must ask a partner five personalized questions that can be answered with **sí** or **no.**

Assignment (3–5 minutes)

1. Assign any exercises on the present tense of regular **-ar** verbs that you did not do in class.
2. Have students read over Sections II and III of the chapter.

DAY 2
Classroom management   (3–5 minutes)
Review   (5 minutes)

Briefly review **-ar** verbs and go over any homework on them that you assigned.

II.   Articles and Nouns: Gender and Number   (10–15 minutes)

1. Present the dialogue.
2. Briefly explain the grammar if desired.
3. Do Exercises A and B in class. Assign C as homework.

III.   Cardinal Numbers 0–99; *hay*   (10–15 minutes)

1. Model the numbers several times.
2. Have the class repeat them after you.
3. Do Exercises A and B. If there is a lack of time, assign Exercise B for written homework.
4. Briefly explain the impersonal expression **hay** and do Exercise C (**¿Verdadero o falso?**). Do Exercises D and E if time permits.

PLANNING LESSONS   **AIE 7**

Assignment   (3–5 minutes)

Assign Exercise C, Section II, and any exercises in Section III that you did not do. (For D and E of Section III simply ask students to be prepared to do them in class at the next meeting.)

DAY 3
Classroom management   (3–5 minutes)
Review   (2–10 minutes)

Go over the previous day's homework and do any other exercises you need to do to complete Sections II and III.

IV.   Interrogative Words and Word Order in Questions   (8–10 minutes)

1.   It's a good idea to vary your presentation of dialogues. You might mention that there are many ways to answer the telephone in Spanish: in Spain, one normally hears **Dígame,** in Mexico it's **Bueno,** etc., and that this will be covered later in the chapter.
2.   Briefly explain the grammar if desired.
3.   Do Exercises A and B in class.

Viñeta cultural: En Madrid, la capital de España   (3 minutes)

1.   You might briefly paraphrase the **Notas culturales** that follow the dialogue or give some prereading (prelistening) information about it.
2.   Do the section labeled **Antes de leer** and assign the reading as homework.

Para escuchar   (2–15 minutes)

1.   Tell students not to worry if they don't understand every word of these conversations; after all, in real life people don't always understand every word of a foreign language they have studied. Have them read the exercise instructions carefully and make sure they understand them. Tell them to listen to a conversation once all the way through without stopping. If they cannot do the exercise, they should listen again, all the way through. They don't need to understand everything—just the information they need in order to complete the exercise. This should help develop their ability to recognize key words and expressions while disregarding other parts of a message. They can mark the answers in any way they like—by circling or checking a letter or number in their books, by writing on a separate sheet of paper, etc. The purpose of these sections is to give them extra listening practice using the theme, vocabulary, and usually the language functions of the chapter.
2.   Assign the exercises for homework or do them in class, depending on what skills you are emphasizing in the course. You can collect their work or just go over the answers in class the next day. If you are having students create a portfolio of their work, they can add the answers to these exercises to their portfolios.

Assignment   (3–5 minutes)

1.   Have students read the long dialogue. You might have students answer the questions in writing.
2.   Have students do the **Para escuchar** section if you have not done it in class.
3.   Have students read over the expressions and explanation in the **Funciones y actividades** section.

DAY 4

Classroom management   (3–5 minutes)

Review   (8–10 minutes)

Go over the homework for the previous day.

Funciones y actividades   (15–30 minutes)

There will probably not be time to do all of the exercises in these sections; choose those you wish to present. You might have them tape record and/or write any conversations they create for these sections. If you are having students keep a portfolio of their work in the course, they could add the conversations to their portfolios.

Para escribir   (2 minutes—optional)

If more writing practice is desired, assign this activity as homework. If you are having students create portfolios of their work, they can add this assignment to their portfolios.

Assignment   (1–2 minutes)

1.   Assign the **Vocabulario activo** for **Capítulo uno.**
2.   Assign one or more of the **Actividades** if you have not covered them or **Para escribir** if desired.

Additional Practice

For additional oral practice in this chapter, if time remains, describe your own family tree or that of a famous personality (Hispanic, if possible) and ask comprehension questions on it.

NOTE: Be sure to include a variety of activities that allows for all learning styles—from the very cognitive, analytical learner to the student who responds better to affective or communicative exercises. Clearly, the activities chosen should be among the most practical for your students' needs. Make sure all students participate at some level during the class hour, and keep the pace lively. Set clear time limits for all pair and group work and try to avoid wasting time between activities.

Portfolios

As an assessment tool, many teachers may want to have students keep a portfolio of their work. The portfolio can include:
1.   the **Para escribir** assignment.
2.   the answers to **Para escuchar**.
3.   conversations that students have created in the role-play exercises of the **Funciones y actividades** sections, on tape or in writing.
4.   any other written work that you have assigned, including material from the workbook/lab manual.
5.   a short self-evaluation, in which students answer the following questions for each chapter:
      Have you learned the chapter's active vocabulary? Have you mastered the language functions of the chapter so that you can use them communicatively? Have you completed all written material that was assigned?

TESTING PROGRAM

Evaluating students' progress is crucial to the success and overall quality of language learning. The *Testing Program* to accompany *¿Habla español? Essentials* Fifth Edition, provides two chapter tests for each of the chapters in the book, i.e., for the **Capítulo preliminar,** the 16 regular chapters and the supplementary chapter. The testing program also includes cumulative tests. The program comes in a bound book with perforated pages so that the tests may be easily reproduced. Answer keys for all tests are found at the end of the program. An answer key for textbook exercises is also found in the testing program.

Each test includes sections evaluating mastery of chapter vocabulary and grammatical structures as well as listening, reading comprehension, and writing skills. (The *Situation Cards for Oral Evaluation* described in the next section may be used to test speaking skills.)

Since student performance is affected by the degree of consistency between what is done in class and what is tested, the tests include the types of activities stressed in the textbook and the workbook/lab manual: contextualized grammar and vocabulary exercises, reading passages with comprehension checks, and listening comprehension activities.

The *¿Habla español? Essentials* testing program is also available in ExaMaster™, a computerized testing program which allows the instructor to print out the tests as they are or to customize his/her own tests. ExaMaster™ is available in IBM or Macintosh formats.

SUGGESTIONS

• Point values may be adjusted depending upon what you have actually stressed in class.
• You might want to use only certain sections of the tests, which could be added to your own testing material.

SITUATION CARDS FOR ORAL EVALUATION

A set of 144 situation cards may be used to evaluate students' oral proficiency. Each card contains a situation to which the student is to react orally in Spanish. The situations are written in English so that students are not given key Spanish vocabulary and structures. The booklet accompanying the cards contains useful suggestions for evaluating speaking ability.

Correlation of situation cards to text chapters

Chapter	Situation Cards
Preliminar	1, 2, 12
1	5, 6, 7, 8, 12, 13, 20, 23, 24, 47, 109
2	8, 9, 10, 14, 15, 16, 17, 18, 19, 20, 33, 34, 35, 36, 41, 47
3	4, 7, 14, 17, 18, 19, 20, 21, 22, 23, 25, 30, 32, 42, 47, 81, 82, 93, 94, 96, 114
4	15, 18, 19, 25, 26, 27, 28, 69, 88, 139
5	36, 49, 87, 129, 132, 133, 134
6	6, 29, 30, 97, 98, 103, 109, 118, 119, 124, 125, 126
7	5, 6, 8, 11, 13, 16, 21, 23, 24, 25, 41, 63, 64, 65, 66, 67, 68, 69, 70, 71, 72, 82
8	46, 48, 49, 50, 51, 52, 53, 54, 55, 56, 58, 59, 60, 61, 90, 97, 98, 129
9	9, 22, 83, 84, 85, 86, 89, 90, 91, 92, 93, 99, 104
10	15, 31, 32, 44, 69, 70, 101, 104, 115, 116, 117, 118, 119, 120, 124, 125, 126, 127, 135, 136

11	62, 95, 111, 121, 122, 123
12	12, 23, 24, 29, 30, 40, 45, 46, 51, 55, 56, 109
13	40, 45, 46, 47, 51, 55, 56, 87, 95, 100, 101, 102, 103, 107, 108, 110, 112
14	26, 27, 29, 36, 39, 51, 56, 64, 109, 110, 113, 114, 115, 116, 117, 118, 130, 131, 132, 133, 134, 142, 143, 144
15	36, 72, 91, 92, 93, 95, 114, 124, 127, 128
16	63, 129, 137, 138, 139, 140, 141, 142, 143, 144
Suplementario	33, 38, 41, 83, 105, 106

SUGGESTIONS

- Use the situation cards as the speaking sections of your chapter tests or for teacher-student or student-student speaking practice.
- Correlate cards to *¿Habla español?* chapters both by theme and by grammatical structures necessary to react to the specified situations.
- When using the situation cards to evaluate students' oral proficiency, use a variety of cards. In doing so, you will reduce the chances that any student will have advance knowledge of his or her situation.
- Another good way to evaluate speaking ability is the oral interview, which might include personalized questions or picture descriptions related to the chapter theme. Oral interviews are in themselves a real form of communication and thus are valid—i.e., they test students' ability to communicate in an interview. Because of this "face validity" and because they allow for a personalization of the testing process, oral interview tests are appropriate in a course that focuses on communication.

VIDEO

Video is a superlative medium for letting students experience the richness of Hispanic culture. A new 115-minute videocassette, *¡Platiquemos!,* is now available, which correlates directly with *¿Habla español? Essentials.* The video program is proficiency-based and highlights language and situations students would actually encounter abroad. Each of the 20 chapters (each approximately five minutes long) includes two or three theme-related scenes. The short dialogues were filmed in Spanish-speaking countries and stress survival situations such as ordering a meal in a restaurant and checking into a hotel. There is also a short segment dealing with the culture of the countries or cities presented in each chapter of *¿Habla español? Essentials.* The *Viewer's Manual* that accompanies the video program contains written and oral activities for students. The complete script with suggestions to the instructor is also available.

Correlation of *¡Platiquemos!* video Chapters and Scenes to text chapters

NOTE: C = Capítulo, CP = Capítulo Preliminar, E = Escena. The number in parentheses following each video chapter or scene refers to the time code which appears on the screen of the *¡Platiquemos!* video.

Text Chapter	Video-Culture	Video-Functions
Preliminar	CP1 (0:00:32)	CP1/E1 (0:01:28), CP1/E2 (0:02:22), CP1/E3 (0:02:55)
1	C1 (0:03:52)	C1/E1 (0:05:26), C1/E2 (0:06:43), C1/E3 (0:08:00)
2	C2 (0:09:27)	C2/E1 (0:10:22), C2/E2 (0:12:09)
3	C3 (0:13:11)	C3/E1 (0:14:41), C3/E2 (0:15:50)
4	C4 (0:17:30)	C4/E1 (0:19:36), C4/E2 (0:21:51), C4/E3 (0:23:02)

5	C5 (0:24:06)	C5/E1 (0:25:02), C5/E2 (0:26:42)
6	C7 (0:33:12)	C12/E1 (1:04:42), C12/E2 (1:06:30)
7	C8 (0:37:40)	C8/E1 (0:38:32), C8/E2 (0:40:55), C2/E2 (0:12:09)
8	C6 (0:28:05)	C6/E1 (0:29:48), C6/E2 (0:31:23)
9	C15 (1:20:47)	C11/E1 (0:56:13), C11/E2 (1:00:50)
10	C12 (1:01:28)	C7/E1 (0:39:49), C7/E2 (0:36:018)
11	C11 (0:56:13)	C14/E1 (1:17:01), C14/E2 (1:18:58)
12	C14 (1:15:27)	C13/E1 (1:10:24), C13/E2 (1:11:48), C13/E3 (1:12:56)
13	C9 (1:09:01)	C18/E1 (1:44:11), C16/E2 (1:32:10)
14	C18 (1:42:31)	C15/E1 (1:22:25), C15/E2 (1:24:38), C15/E3 (1:26:10)
15	C16 (1:28:11)	C16/E1 (1:29:53), C16/E2 (1:32:10), C9/E1 (0:43:47), C9/E2 (0:45:59), C9/E3 (0:47:29)
16	C17 (1:35:24)	C17/E1 (1:37:22), C17/E2 (1:39:00), C17/E3 (1:41:02)
Suplementario	C19 (1:46:01)	C19/E1 (1:48:05), C19/E2 (1:50:22)

¿HABLA ESPAÑOL? ESSENTIALS TROUBLESHOOTERS™ TEXT-SPECIFIC SOFTWARE

New from Holt, Rinehart and Winston at no charge to users of *¿Habla español? Essentials*—text-specific software for your students. The TroubleShooters™ program allows your students to practice crucial structures at home or in the lab, thus enabling them to spend more time actually communicating in class. The program contains numerous exercises, including rewrites, substitutions, transformations, translations, fill-in-the-blank, etc. corresponding to the text. Also included in the program are overviews of the keyboard to aid with accents, model sentences, extensive introductions, error analysis capabilities, a simple scoring system, and a flexible, "user-friendly" format.

The program is available in DOS 5 1/4, DOS 3 1/2, Windows, and Macintosh versions. Please contact your Holt, Rinehart and Winston representative for more details or to obtain a demonstration copy of the software.

SPANISH MICROTUTOR™ SOFTWARE

Available as an option from Holt, Rinehart and Winston is the award-winning Spanish MicroTutor,™ an interactive microcomputer grammar tutorial for the IBM PC. The program contains 30 generic lessons that can supplement *¿Habla español? Essentials,* Fifth Edition. Each lesson includes an on-line dictionary and help screen, as well as a pre-test, tutorial, exercises, and post-test. Most lessons take 30 to 50 minutes to complete. Six diskettes cover all first-semester topics, and the remaining four cover all second-semester topics. The student diskette allows the student to track his/her progress and is also useful for student review.

Please contact your Holt, Rinehart and Winston representative for more details or to obtain a free demonstration copy of the software.

SUGGESTIONS

- Depending upon the computer facilities at your school, make the software available to students as freely as possible. You might want to put a copy on reserve at your school's computer center.
- Software can be used by students as a general drill, a review or as a tutorial for specific problem structures.

OVERHEAD TRANSPARENCIES

A set of 62 full-color overhead transparency acetates contains a variety of materials: visual representations of vocabulary items arranged thematically (such as food, sports, school subjects); scenes for description; and cartoons and cultural materials. The transparencies can be used in class in a number of ways.

SUGGESTIONS

- Thematic groups of items can be used to introduce or to drill new vocabulary words.
- Depictions of scenes can be used for oral discussion and description or as topics for in-class compositions. Students might also be asked to role-play the characters in a scene.
- Cartoons and cultural materials can be used for class discussions which might focus on cross-cultural similarities and differences.

SUPPLEMENTARY ACTIVITIES:
TARGETING SPECIFIC GRAMMAR POINTS by Douglas Morgenstern, Massachusetts Institute of Technology

1.   Pobrecitos.   This game can be used for practice with the present perfect tense, or with the **hace** plus time construction. Students are seated in a close circle. The instructor gives each one a predetermined number of markers such as **palillos** (*toothpicks*). Each player tries to prove that he or she is the most **pobrecito** (**-a**) in the group; the object is to collect more markers than the others. The round starts with one student, who laments that he or she has never performed a certain action, been to a certain place, etc., or that it has been a long time since he or she has done it. For instance, Pedro says: «Nunca he ido a Europa». Students who have not gone do nothing, but the more privileged world travelers have to give Pedro a **palillo.** Then the student to his left offers a sentence. Players quickly get the idea that they have to aim at certain groups—e.g., males saying that they have never worn dresses, and students enjoy themselves trying to outdo each other. You can have playoffs with the winners of each team, perhaps allowing teammates to offer strategic advice.

2.   El reto   (*The Challenge*). This game is suitable for practice with commands and also with the present subjunctive (e.g., **Dudo que ustedes sepan. . .**). Students form competing teams and prepare for the game by coming up with intellectual, artistic, or physical feats that their rivals will not be able to perform—but which they themselves can accomplish, if challenged. If they meet the challenge, the originating team receives double the points, but if not the challenging team receives them. Examples (created by students): **Quiero que uno de ustedes haga maromas** (*cartwheels*); **Dudo que Carlos sepa el nombre de la capital de Honduras**; **Queremos que todos ustedes se besen**.

TARGETING SPECIFIC SITUATIONAL CONTEXTS

1.   El mesero sociable.   This is typical of role-play activities that give instructions to the participants in order to create anomalous (and comic) interaction. In this activity, the waiter or waitress is to move gradually from friendliness to intrusiveness (and absurdity *a la* Monty Python) by making too many suggestions, sitting down with customers and reversing roles, interfering in their conversations, etc. Other restaurant scenarios can be based on waiters who are inexperienced (first day on the job) and customers who keep changing their minds. There are two formats: (1) participants receive private instructions and interact spontaneously; (2) participants receive a general idea and prepare a short skit for later presentation.

2. El consultorio surrealista. Essentially the same as above, with the interaction set in the doctor's office. Scenarios include: **el doctor loco, el doctor sin experiencia, el doctor codicioso, el paciente quejumbroso** and **el paciente pudoroso (and/or their respective female counterparts).**

TARGETING SPECIFIC SKILLS

1. Carrera. A fast-moving game aimed at developing students' ability to paraphrase and communicate with limited resources, this is a race among teams of about five players each who work huddled in front of different sections of the blackboard. One member of each team leaves the classroom. The instructor writes a sentence on the board containing vocabulary and structures at the current competence level, the students memorize it, and it is erased. The missing members return to their respective teams and must reconstruct the sentence based on the hints (paraphrase, examples—anything except English, or the original words) the others provide as rapidly and efficiently as possible. The game is a reverse of charades; the clues are verbal rather than visual. A different student from each team leaves, a new sentence is given, and the game continues up to a predetermined point or time limit.

2. Sutileza. The difficulty of this activity makes it suitable for the last part of a first-year course. It concentrates on steering the topic of a conversation. Each student is given a group of cards; each card contains a word or phrase. All items should be from different contexts (for example, **dolor de cabeza; Costa Rica; tengo zapatos feos; la guitarra eléctrica; el perro besó...; cinco Coca-Colas**). Students move around the room and establish conversational exchanges with one or two other students at a time, subtly steering the topic of the conversation so that they can use their words and phrases as subtly as possible. There are two formats: (1) Mellow—students try to employ their words unobtrusively, not letting the other students know. During periodic interruptions of the activity, the others try to recall and guess what the items were; (2) Riotous—students "dump" their cards, giving them to the conversational partner as soon as the words or phrases are said. Students try to get rid of their cards, but they are constantly receiving new ones from their conversational partners.

HIGHLY CONTEXTUALIZED ACTIVITIES

These activities are more elaborate (and time-consuming) than the preceding ones and require more complex preparation and interaction.

1. The Arbitrary Market Survival Game. This is a simulation that conveys cultural information experientially. Students are given a sheet detailing the activity: they are citizens of a mythical Hispanic-American country with a limited number of products and services, and their task is to survive. The cards can be designed by the students as an assignment, or you can make them. Any combination of about fifteen products, realistic or highly imaginative, is possible. Some sort of play money is also needed, such as that from a Hispanic version of Monopoly, or you might design your own. Packets of four or five cards, chosen at random, along with varying quantities of money, are given to students. The written instructions tell them to barter, buy and sell from each other, and deal with the **Banco Nacional** (you, barricaded behind several desks) which opens and closes periodically. To win, students must possess one card for each of the fifteen products, and more money than anyone else.

However, there are hidden agendas. The **Banco** starts to change the rules after a few minutes. Announce that one of the products is no longer needed to win, and that double of another are now necessary. "Generously" buy the useless product and sell the doubled product to the highest bidders (the bank has plenty of extra cards and money.) Shortly afterwards, reverse yourself or add new twists, causing difficulties for those who have cooperated. Repeat this process until the level of frustration justifies that you announce a revolution. Bring out new currency (with a revolutionary motif—for example, **Tierra y pan**) that you had designed and kept hidden and redistribute the wealth. The scenario can continue with a military counterrevolution. The high point is for you to allow students to take over (rapidly set election rules). When one student or group of students runs the bank, take the role of a troublemaker and circulate among the other citizens, wheeling and dealing, fomenting discontent, and spreading rumors. As patterns of cooperation and competition appear and disappear, students become involved enough with their strategies and scramblings to forget that they are in a Spanish class.

2.   El cóctel de los locos.   This is a challenging role-play activity that will be effective in a class atmosphere that encourages self-expression and permits uninhibited behavior. Bring to class an envelope containing a few more slips of paper than the anticipated number of students (in case a few students are hesitant to perform the roles they receive). Each slip should contain a rather unusual instruction and description of a new identity, such as the following:

—Eres un(a) vendedor(a) de seguros desesperado(-a). Tienes que venderle a cualquier participante una póliza de seguros, o vas a perder tu empleo.

—Eres un individuo que tiene un tipo muy raro de paranoia. Crees que todo el mundo te ve como una fruta: una manzana, por ejemplo. Piensas que en cualquier momento alguien va a tratar de comerte. Tienes que convencer a los otros participantes que no deben hacer eso.

—Eres un individuo con muchísima hambre… Sufres decepciones *(delusions)*. Piensas que las otras personas son… frutas.

—Eres detective. Alguien en la fiesta ha robado unas joyas valiosas. Tratas de interrogar a todo el mundo («¿Que hacía Ud. anoche a las once?», etc.).

—Estás convencido(-a) de que alguien en el grupo va a tratar de asesinarte—porque eres un dictador (una dictadora) muy poderoso(-a). Tu actitud es de desconfianza.

—Eres un(a) asesino(-a) muy capaz, pagado(-a) por un grupo de terroristas. Tienes que encontrar al dictador (a la dictadora) y ponerle veneno en su trago.

—Eres agente de una sociedad filantrópica. Quieres regalarle a alguien un millón de dólares. Pero primero investigas si la persona necesita, o merece, el dinero.

—Eres un individuo que está contento solamente cuando los demás están peleando o discutiendo. Tratas de incitar peleas; dices que un estudiante ha dicho cosas malas de otro, etc.

—Crees que todos los otros son diferentes instrumentos musicales de una orquesta y que tienes que ponerlos en forma para un concierto importante—porque eres el director (la directora).

—Crees que todos los demás no son alumnos universitarios sino niños de 5 o 6 años en el kinder. Deben portarse bien porque tú eres el maestro (la maestra) y pronto viene un oficial importante a observar la clase. No quieres desorden.

—Eres un(a) jardinero(-a) muy dedicado(-a) y todos los invitados son tus plantas. Quieres que se pongan altas y verdes y por eso te preocupas de darles suficiente sol y agua.

—Cuando alguien dice la palabra «agua» o un concepto relacionado, te pones furioso(-a) porque crees que están acusándote de ser un pez.

—Te fascinan los codos. Haces todo lo posible para ver y tocar los codos de los otros invitados.

—Crees que esta fiesta es la boda de tus hijas. Todas las mujeres en la fiesta son hijas tuyas y los hombres, sus esposos. Los felicitas y les ofreces consejos.

—Crees que estás hecho(-a) de vidrio. Si alguien te toca o te grita *(shouts)* te puedes romper en pedazos.

Tapescript for *Para escuchar* Listening Strand

CAPÍTULO uno

¿Usted o tú? Listen to the segments of conversations on your tape and then match and write the number of each conversation next to the appropriate illustration. Determine whether the speakers are addressing each other in a formal or informal manner and circle **usted** for formal or **tú** for informal.

1. —Buenas tardes, señor Castro. ¿Cómo está usted? ¿Y cómo está la familia?
   —Nosotros estamos bien, gracias. Y usted, ¿cómo está, señorita?
2. —Hola, Roberto. ¿Qué tal?
   —Bien. ¿Y tú, Elena?
3. —¿Cómo está usted, doña Carmen?
   —Bien, gracias, Raúl. ¿Y usted?
4. —Hola, Julio. Habla Jorge.
   —Hola, Jorge. ¿Estás en Madrid? ¿No viajas a Italia hoy?
   —No, viajo a Roma mañana.

Respuestas. (p. 33)

1. upper left: Conversación 4; tú
2. upper right: Conversación 1; usted
3. lower left: Conversación 2; tú
4. lower right: Conversación 3; usted

CAPÍTULO dos

Dos presentaciones. Jenny, a student from the United States, is planning to spend the summer in Buenos Aires with the Gambarinis. Jenny and the Gambarinis' daughter, Beatriz, have sent each other cassettes describing themselves. First, listen to what each one says, then choose the correct ending for each sentence in your textbook.

Beatriz

¡Hola, Jenny! Me llamo Beatriz Gambarini Raggio y soy tu futura «hermana» argentina. Vivo con mis padres en Buenos Aires y estudio inglés en un instituto cultural de estudios ingleses. En casa hablamos español y también italiano porque mis padres son de origen italiano. En realidad, ellos son de aquí, de Buenos Aires, pero mis cuatro abuelos son de Italia. Creo que deseas una descripción de tu futura hermana argentina, ¿no? ¿Cómo soy yo? ¡Qué pregunta difícil! Pues, soy alta y practico muchos deportes. Papá y mamá creen que soy inteligente. Y mis amigos, que son muy buenos amigos, también creen que soy sensible, bonita ¡y muy simpática! Y tú, Jenny, ¿cómo eres... y cuándo llegas a Buenos Aires? ¡Chau, «hermana» yanqui!

Jenny

¡Mucho gusto, Beatriz! Soy Jenny Blais y estudio español y ciencias políticas en la Universidad de Massachusetts, en Boston. También estoy en el programa de estudios latinoamericanos. Mi familia vive en Manchester, New Hampshire. En casa hablamos francés porque mis padres son de origen francés: Mamá es de París y papá es de Montreal. Viajo mucho a Francia y a Canadá para visitar a mis abuelos y tíos. Tú preguntas cómo soy yo. Bueno, creo que soy una persona realista y muy práctica. Mis padres y amigos también creen que soy bonita, elegante, inteligente y sociable. Mi profesora de español siempre comenta que soy una estudiante muy trabajadora y que escribo muy bien el español. ¿Y cuál es tu opinión, Beatriz...? ¿Crees que mi pronunciación es buena, mediocre o mala? Bueno, ahora debo contestar tu pregunta: llego a Buenos Aires el sábado 15, ¡en tres semanas! Entonces, «chau» y ¡hasta pronto, Beatriz!

Respuestas. (p. 58)

BEATRIZ:	1. a	2. b	3. b	4. a
	5. b	6. a	7. b	

JENNY:	1. b	2. a	3. a	4. a
	5. c	6. b	7. a	

CAPÍTULO tres

A. En la librería. Teresa is shopping in Mexico City for presents to bring home to the United States. She notices some attractive calendars in a bookstore window and goes in to inquire about the prices. Listen to the conversation. What does Teresa buy?

—Señorita, ¿necesita ayuda?

—Sí, gracias. Busco regalos para mis amigos de Estados Unidos. Creo que usted tiene calendarios muy lindos.

—Sí, señorita.Tenemos varios.

—¿Cuánto cuesta el calendario con fotos del Museo de Antropología?

—¿Desea el precio en dólares o en pesos mexicanos...?

—En dólares, por favor.

—Pues, para sus amigos, ¡un precio especial!: 31 dólares con 50 centavos.

—¿Y cuál es el precio del calendario con fotos de las pirámides de Teotihuacán?

—Para usted, un poco menos, señorita: 30 dólares con 60 centavos.

—¿Y cuánto cuesta el otro que tiene la foto grande del calendario azteca?

—¡Ah! ¡Mi calendario favorito...! Para sus amigos, sólo 25 dólares con 50 centavos cada uno...

—¡Gracias! Entonces llevo tres de sus calendarios favoritos. ¿Cuánto es el total...?

—Bueno, el total es 76 dólares con 50 centavos... Pero para usted..., ¡los tres calendarios por 75 dólares!

Respuestas.   (p. 85)

1. b   2. a   3. c

B. ¿Y el total?   Listen to the conversation again. What is the total amount that Teresa pays?

Respuesta.   (p. 85)

El total que Teresa paga es 75 dólares.

CAPÍTULO cuatro

A. Situaciones.   Listen to the three conversations, which involve small talk between strangers. Match the numbers (1, 2, and 3) with the pictures. Write the number of the conversation in the box to the left of the appropriate picture.

Conversación 1

A: ¿Usted va a Valparaíso o a Viña del Mar?

B: A Valparaíso. Voy a visitar a la familia.

A: ¿A qué hora llegamos?

B: A las cinco, creo.

Conversación 2

A: ¿Tú también estudias biología?

B: Sí, estoy en la clase del profesor Ortega.

A: ¿Qué tal la clase?

B: Más o menos.

Conversación 3

A: ¡Qué calor!, ¿verdad?

B: Sí, hace mucho sol.

A: Vamos a tener un verano caluroso, ¿no crees?

B: Posiblemente. ¿Tú estudias aquí en la universidad?

Respuestas.   (p. 105)

1. top: Conversación 1
2. lower left: Conversación 3
3. lower right: Conversación 2

B. La respuesta apropiada.   You will hear the first line of each conversation again. Choose an appropriate response.

1. ¿Usted va a Valparaíso o a Viña del Mar?
2. ¿Tú también estudias biología?
3. ¡Qué calor!, ¿verdad?

Respuestas.   (p. 106)

1. b   2. c   3. a

C. El tiempo.   Listen to the weather report. Match the type of weather to the city or place.

Buenos días, señores y señoras. Son las ocho de la mañana. Hoy el tiempo para Viña del Mar: sol y calor, con una temperatura máxima de 30 grados. En la capital, nublado, con una máxima de 25 grados. En Punta Arenas, lluvia, con una máxima de 11 grados. En la Isla de Pascua, niebla local.

Respuestas.   (p. 106)

1. b   2. a   3. c   4. d

CAPÍTULO cinco

A. Situaciones.   Look back at ads **a, b,** and **c** on page 125. Then listen to the three conversations, which involve problems. Match the conversations to the ads by writing the letters of the ads in the blanks.

Conversación 1

A: Llegamos a la casa con intención de comprarla. Hacemos una o dos preguntas, pero el hombre nos contesta. «Decidimos no venderla».
B: ¡Qué barbaridad!...
A: Porque somos puertorriqueños.
B: ¡Pero eso es ilegal!

Conversación 2

A: Doña Alicia, mi hijo está muy mal.
B: Pobrecito. ¿Qué tiene?
A: Tiene la temperatura muy alta... ¡104 grados! ¿Qué hago?
B: ¡Diós mío! Hay que llevarlo al hospital.

Conversación 3

A: Consuelo, ¿tienes tiempo para hablar ahora?
B: Sí, claro. Para una amiga como tú, siempre hay tiempo.
A: Tengo un gran problema con Eduardo. Todos los días sale temprano de la casa y no regresa hasta muy tarde. Y toma mucho.
B: Eso debe ser terrible. ¿Qué vas a hacer?
A: Quiero el divorcio.
B: Mira, primero necesitas un buen abogado. Conozco a uno que es excelente.

Respuestas.   (p. 126)

Conversación 1:   c
Conversación 2:   a
Conversación 3:   b

B. La respuesta apropiada.   You will hear the first line of each conversation again. Choose an appropriate response.

1. Llegamos a la casa con intención de comprarla. Hacemos una o dos preguntas, pero el hombre nos contesta, «Decidimos no venderla».
2. Doña Alicia, mi hijo está muy mal.
3. Consuelo, ¿tienes tiempo para hablar ahora?

Respuestas.   (p. 127)
1. b   2. b   3. c

CAPÍTULO seis

A. Situaciones.   Listen to the three conversations, which involve three different kinds of transportation. Match them to the pictures. Write the number of the conversation (1, 2, or 3) in the box to the left of the appropriate picture.

Conversación 1

A: ¿A qué hora sale el próximo autobús para Barranquilla?
B: A las dos y media.
A: Un boleto de ida y vuelta, por favor.
B: Son diecinueve mil pesos.

Conversación 2

A: El boleto, por favor... (*pausa*) ¿Va a Bogotá?
B: Sí. ¿Hay algún asiento libre cerca de la ventana?
A: Creo que sí ... A ver ... Sí, el número 15-A. ¿Tiene dos maletas?
B: Sí.
A: El avión sale por la puerta número 8 a las tres y cuarto.

Conversación 3

A: Perdón, señorita, ¿cuánto cuesta el viaje a Cali?
B: ¿Ida y vuelta?
A: Sí.
B: Treinta mil pesos... primera clase.
A: ¿Y el de segunda clase?
B: Veintidós mil pesos.
A: Hmm... un boleto de segunda clase, por favor.
B: El próximo tren sale a las cinco.
A: Está bien.

Respuestas.   (p. 150)
Conversación 1:   bus
Conversación 2:   plane
Conversación 3:   train

B. ¿A qué hora?   Listen to the three conversations again. For each conversation, write the departure time and the price of the ticket or gate (door) number.

Respuestas.   (p. 150)

1. Hora de partida: 2:30
    Precio del boleto: $19.000 pesos
2. Hora de partida: 3:15
    Puerta de salida: 15-A
3. Hora de partida: 5:00
    Precio del boleto: $22.000 pesos

CAPÍTULO siete

A: Situaciones.   Listen to the three conversations, which take place in a women's clothing shop. Match the conversations to the pictures. Write the number of the conversation (1, 2, or 3) in the box under the appropriate picture.

Conversación 1
LAURA: ¿En qué puedo servirle, señora?
ALICIA: Busco un vestido elegante. ¿Tiene vestidos negros?
LAURA: Pues... tengo éste de color negro y café. Los colores son muy discretos.
ALICIA: Es verdad. Es estupendo.
LAURA: ¿Lo busco en su talla, señora?
ALICIA: Sí, por favor. Uso talla 40.
LAURA: Voy a buscarlo en el lugar de los vestidos. Un momento.

Conversación 2
IRENE: ¿En qué puedo servirle, señorita?
LUCÍA: Bueno... busco zapatos para el verano.
IRENE: Aquí tengo éstos de color rosa. Este modelo es muy moderno.
LUCÍA: Sí, son bonitos.
IRENE: También son muy cómodos.

Conversación 3
LAURA: Buenas tardes, señor. ¿En qué puedo servirle?
ALFREDO: Busco un perfume para mujeres.
LAURA: Aquí tengo uno muy fino con aroma de jasmín.
ALFREDO: Umm... no, no creo.
LAURA: Aquí hay otro con aroma de rosas.
ALFREDO: No, es muy floral.

LAURA: ¿Y éste, que se llama «Niebla»?
ALFREDO: ¿«Niebla»? ¡Qué interesante! A ver... Creo que lo voy a comprar. Gracias.

Respuestas.   p. (173)

(From left to right) Conversación 2, Conversación 3, Conversación 1

B. Comprensión.   You will hear five statements based on the conversations. For each statement, circle **V (verdadero)** or **F (falso).** If the statement is false, be prepared to explain why.

1. La señora busca una falda elegante.
2. Ella usa talla 40.
3. La señorita busca zapatos para el verano.
4. Ella compra zapatos blancos.
5. El señor compra un perfume que se llama «Lluvia».

Respuestas.   (p. 173)

1. F   **2.** V   **3.** V   **4.** F   **5.** F

CAPÍTULO ocho

A. Situaciones.   Listen to the three conversations, which involve ordering food. Match the numbers (1, 2, and 3) with the pictures. Write the number of the conversation in the box to the left of the appropriate picture.

Conversación 1
CLIENTE: Un sándwich de queso, por favor.
CAMARERO: Viene con papas fritas y café o té.
CLIENTE: Café, por favor. ¿Puede traerme una ensalada de frutas también?
CAMARERO: Cómo no, señora.

Conversación 2
CLIENTE: Un taco, por favor.
DEPENDIENTE: ¿De pollo o de carne de vaca?
CLIENTE: De pollo.
DEPENDIENTE: ¿Y para tomar?
CLIENTE: Pues... una Coca-Cola.
DEPENDIENTE: ¿Para llevar o para comer aquí?
CLIENTE: Para llevar.

Conversación 3
CAMARERO: Buenas noches, señora. ¿Quiere pedir ahora?

CLIENTE:	Pues... Me es difícil decidir. ¿Cuáles son los platos especiales del día?
CAMARERO:	Tenemos pescado a la parrilla..., un salmón de Alaska muy rico. También servimos arroz con pollo.
CLIENTE:	¿Está fresco el salmón?
CAMARERO:	Sí, señora.
CLIENTE:	Está bien. Bueno, creo que necesito un poco más de tiempo para poder decidir.
CAMARERO:	Mmm... ¿Le puedo traer una bebida? Tenemos unos vinos excelentes.

Respuestas.   (p. 194)

Conversación 1:   right
Conversación 2:   middle
Conversación 3:   left

B.   La respuesta apropiada.   You will hear the first line of each conversation again. Choose an appropriate response.

1.   Un sándwich de queso, por favor.
2.   Un taco, por favor.
3.   Buenas noches, señora. ¿Quiere pedir ahora?

Respuestas.   (p. 194)

1. b   2.   a   3.   c

CAPÍTULO nueve

A.   ¿Quién habla?   Listen to the three conversations, which take place on a bus during a tour of Andalusia. For each conversation, tell who is talking.

a.   a husband and wife
b.   a guide and tourist
c.   a man and woman who are attracted to each other

Conversación 1

GUÍA:	Aquí, en Sevilla, vamos a ver el Barrio de Santa Cruz, que era un barrio judío durante los siglos de dominio árabe. Los árabes dominaron España hasta 1492. El rey Fernando III retomó Sevilla de los moros en 1248.
TURISTA:	Perdón, pero... ¿vamos a almorzar aquí después?

GUÍA:	Sí, claro.
TURISTA:	¿Cuánto tiempo vamos a tener para almorzar?
GUÍA:	Pues... depende de ustedes. Como decía, los árabes tuvieron una gran influencia en España...

Conversación 2

UNA SEÑORA:	¡Cómo habla el tipo! ¡Hace una hora que habla de Sevilla!
UN SEÑOR:	Pero dice cosas que yo no sabía. Por ejemplo, que la Giralda, la torre de la catedral, era parte de una mezquita árabe. Eso es interesante.
LA SEÑORA:	Para ti, quizás. Yo venía con la idea de comprar recuerdos, como sabes.
EL SEÑOR:	Pero tenemos el mejor de los recuerdos de aquí. ¡Nos conocimos en este lugar, Sofía! ¿Recuerdas?
LA SEÑORA:	Sí, hace cien años.
EL SEÑOR:	¡Hace exactamente veintiséis años! Siempre recuerdo que te vestías de blanco, como un ángel...

Conversación 3

UN JOVEN:	¿Te gusta Sevilla?
UNA JOVEN:	Me encanta. El Barrio de Santa Cruz me pareció especialmente hermoso.
EL JOVEN:	A mí me interesó mucho la catedral, con la tumba de Fernando III. Y... ¿qué vas a hacer por la tarde, Inés?
LA JOVEN:	No sé. Pensaba dar un paseo por el centro. Es que... primero necesito ir a comprar película para la cámara.
EL JOVEN:	No es necesario. Tengo dos rollos extras...
LA JOVEN:	Oh, gracias.
EL JOVEN:	No hay de qué. ¿Vamos a dar un paseo juntos...?

Respuestas.   (p. 218)

Conversación 1:   b
Conversación 2:   a
Conversación 3:   c

B.   Para completar.   Listen to the conversations again. Choose the best response to each item.

1.   Las personas de las conversaciones están en...

2. El Barrio de Santa Cruz era un barrio...
3. Los árabes dominaron España hasta...
4. La Giralda es...
5. La tumba de Fernando III, que retomó Sevilla de los moros, está en...

Respuestas. (p. 219)

1. c   **2.** a   **3.** c   **4.** c   **5.** a

CAPÍTULO diez

A. Un anuncio.   Los señores Díaz hacen un viaje desde Ciudad de México hasta Mérida, en la Península de Yucatán. En la habitación de su hotel oyen el siguiente anuncio de turismo en la radio. Escuche el anuncio y conteste esta pregunta: ¿De qué sitio de interés hablan en el anuncio?

Para una experiencia magnífica, visite la zona arqueológica de Chichén-Itzá. Situada a 120 kilómetros al este de la ciudad de Mérida, Chichén-Itzá es una maravillosa ciudad maya. Suba al Castillo, con sus 365 escalones que representan los 365 días del año, y observe una vista incomparable.

Hay varios autobuses de Mérida a Chichén-Itzá. Un autobús de primera clase sale de Mérida a las 8 y 45 y regresa a las 14 horas. Un autobús de segunda clase sale a cada hora desde las 5 hasta las 14 horas. ¡No pierda la oportunidad de visitar la maravillosa zona arqueológica de Chichén–Itzá! Para más información, llame al 24–92–90 o visite el Centro de Información Turística de Mérida.

Respuesta. (p.239)

B. Para completar.   Escuche el anuncio otra vez. Escoja (*Choose*) las palabras que mejor completan las frases.

1. La zona arqueológica de Chichén-Itzá está a...
2. Para ver bien el sitio, uno puede subir...
3. Un autobús de primera clase sale de Mérida para Chichén-Itzá...
4. El autobús que regresa a las 14 horas es...
5. Un autobús de segunda clase sale...

Respuestas.   (p. 239)

1. b   **2.** b   **3.** c   **4.** a   **5.** c

CAPÍTULO once

A. Reportajes.   Escuche los tres reportajes que siguen. Coordine los números (1, 2, y 3) con las fotos y titulares correspondientes. Escriba el número apropiado a la izquierda de cada foto o titular.

Reportaje 1
Seis de cada diez centroamericanos sufren de hambre, el 57 por ciento no tiene empleo y el 40 por ciento no tiene acceso a servicios de salud, reportó la Organización de las Naciones Unidas para la Infancia*, o UNICEF.

La crisis de la década pasada deterioró las condiciones de vida de los habitantes de la región, dijo un informe. Al mismo tiempo, en varios países centroamericanos hubo un aumento en los gastos militares. Uno de cada diez niños de la región muere antes de llegar a los cinco años y, de los nueve que sobreviven, seis están desnutridos.

Reportaje 2
Hoy siguió el clamor contra la Escuela de las Américas. Mientras sus críticos la llaman «Escuela de los dictadores», un informe del ejército de Estados Unidos afirmó que la escuela siempre dio importancia a los derechos humanos. La escuela, que está en Atlanta, Georgia, es financiada por el gobierno de Estados Unidos. Ha tenido estudiantes como Manuel Noriega, el ex-dictador de Panamá; el general argentino Leopoldo Galtieri, que provocó una guerra contra Gran Bretaña, y cinco de los militares salvadoreños acusados de asesinar a seis jesuitas y a dos mujeres en 1989.

Reportaje 3
Miles de salvadoreños celebramos ayer una fecha muy importante: el 15 de septiembre, cuando Centroamérica declaró su independencia y se separó de España. Aquí en San Salvador las diferentes actividades comenzaron desde temprano. Un gran desfile terminó en la plaza principal, donde hubo diversos actos culturales.

Respuestas (p. 259)

Reportaje 1: upper right
Reportaje 2: upper left
Reportaje 3: lower right

B. ¿Y la verdad? Escuche los reportajes otra vez. Para cada uno, hay tres afirmaciones en su libro de texto; dos son falsas y una es verdadera. ¿Cuál es la verdadera?

Respuestas. (p. 260)

Reportaje 1: a (falsa) b (verdadera) c (falsa)
Reportaje 2: a (falsa) b (falsa) c (verdadera)
Reportaje 3: a (verdadera) b (falsa) c (falsa)

C. Resúmenes. *Answers will vary.*

CAPÍTULO doce

A. Una fiesta de quince años. Hoy Concepción cumple quince años. Ella y sus amigos celebran su cumpleaños con una gran fiesta bailable. Antonio, el primo favorito de Concepción, no ha podido venir y por eso los amigos filman la fiesta en un videocasete para enviársela a Antonio. Escuche lo que dice Raúl, el narrador.

¡Hola, Antonio! Estamos aquí en el patio de la casa de Concepción. Aquí la ves a ella a mi derecha, y a mi izquierda está Catalina. Los otros amigos bailan en la sala ahora. Sin duda puedes oír la música... Espero que puedas oírme con tanto ruido. Como tú sabes, hoy es un gran día para Concepción: ¡es su cumpleaños de quince! Sentimos que no estés con nosotros porque esto está realmente muy lindo. Empezamos la celebración esta tarde con una misa en la iglesia San Miguel. Vinieron todos, es decir, toda la familia y las quince amigas, los quince amigos..., etcétera, etcétera. Después de la misa, vinimos aquí y cuando entramos, la orquesta empezó a tocar «Las Mañanitas». Luego, todos bailamos por una hora más o menos. A propósito..., no vas a creerlo, pero Jorge bailó con la hermana de Manuel. Parece que es un nuevo romance... De todas maneras, a las ocho sirvieron la torta y los refrescos. Fue una torta fantástica, muy grande y

deliciosa. Comí demasiado, pero el hermano menor de Rafael comió tanto que se enfermó y su mamá tuvo que llevarlo a la casa... Pero la fiesta continuó. Elena tocó la guitarra y cantamos algunas de nuestras canciones favoritas. Luego volvimos a bailar. Todos nos divertimos, excepto tu prima Estela. Felipe no bailó con ella y por eso la polore estuvo furiosa y dejó la fiesta... Pobre Estela..., pero estoy seguro que va a estar bien mañana. Ahora voy a llamar a todos para que te digan algo... Un momento... Concepción...

Respuestas. (p. 283)
Listening exercise only.

B. En orden cronológico. Escuche el video-casete otra vez. Ponga en orden cronológico las siguientes declaraciones que cuentan los eventos del día.

Respuestas. (p. 283)
Correct order: 3, 4, 1, 2, 6, 5

CAPÍTULO trece

A. Una llamada telefónica. Antonia no está bien. Habla con su médico. Escuche la conversación. ¿Cuáles son los síntomas de Antonia?

MÉDICO: Y bien, ¿cuáles son algunos de los síntomas que tiene, Antonia?

ANTONIA: Pues, me duele mucho la espalda... y estoy muy nerviosa.

MÉDICO: ¿Tiene fiebre?

ANTONIA: No, me tomé la temperatura y no tengo fiebre. Pero me duele también la cabeza.

MÉDICO: ¿Duerme bien en estos días?

ANTONIA: En realidad, no. Anoche dormí muy poco. Creo que tengo insomnio.

MÉDICO: En general, ¿cómo está su salud?

ANTONIA: Pues, estaba bien hasta ahora. Pero no sé, me siento muy nerviosa. Es que tengo mucho trabajo... ya vienen los exámenes finales y...

MÉDICO: Bueno, Antonia, su salud es muy importante. Es necesario que descanse.

ANTONIA: Pero, ¿si no puedo dormir?

MÉDICO: Recomiendo que no tome cafeína—café, té, chocolate. También le aconsejo que no duerma durante el día y que se acueste a la misma hora todas las noches. Un baño tibio antes de acostarse también da sueño. Si no puede dormir, tome un vaso de leche caliente, lea alguna novela o algún libro divertido. Si tiene dolor de cabeza, tome aspirina, pero no creo que necesite otros medicamentos.

ANTONIA: Bien. ¿Puedo tomar una copa de vino para dormirme?

MÉDICO: No, por ahora no está bien que tome ninguna clase de alcohol. El alcohol perturba el sueño... Si no se siente mejor en dos o tres días, quiero que me llame, ¿de acuerdo?

Respuestas.   (p. 303)

Listening exercises only.

A.   Síntomas: Le duele la espalda.
Tiene dolor de cabeza.
Está nerviosa.
Tiene insomnio.

B.   Consejos: El médico le recomienda que descanse, que no tome cafeína, que no duerma durante el día y que se acueste a la misma hora todas las noches, etc., etc.

CAPÍTULO catorce

Para escuchar
A.   El cuarto.   Escuche la conversación. ¿Quiénes hablan?

DUEÑA: Bueno días, señor. ¿En qué puedo servirle?

ESTUDIANTE: Quisiera alquilar un cuarto. Soy de España, y estaré aquí durante tres meses.

DUEÑA: Está bien. Tenemos un cuarto muy bonito, con vista a la calle. Venga conmigo y se lo enseñaré. (...) ¿Usted trabaja aquí cerca?

ESTUDIANTE: No, estoy estudiando arqueología en la Universidad de San Marcos.

DUEÑA: Mire, pintamos toda la pensión hace una semana, y este cuarto tiene muebles antiguos. El escritorio es del siglo XVIII.

ESTUDIANTE: Sí, son muy bonitos los muebles... me gusta también la alfombra. Pero es un poco pequeño el cuarto... ¿Qué le pasó al estante de libros?

DUEÑA: Está roto. Estamos arreglándolo.

ESTUDIANTE: ¿Cuánto es el alquiler?

DUEÑA: Mil nuevos soles por mes.

ESTUDIANTE: ¿Y cuánto deberé pagar por la electricidad?

DUEÑA: Está incluida.

ESTUDIANTE: ¿Tendré que hacer un depósito?

DUEÑA: No. Pero querré el alquiler el primero del mes...

ESTUDIANTE: ¿Tiene aire acondicionado?

DUEÑA: No. Pero ya verá cómo el sol entra por la mañana y no por la tarde...

ESTUDIANTE: ¿Y el baño?

DUEÑA: Lo encontrará al final del pasillo.

ESTUDIANTE: Gracias. Voy a necesitar tiempo para pensarlo. La llamaré mañana, ¿de acuerdo?

Respuestas.   (p. 327)

Listening exercises only.

A.   3.   un estudiante y la dueña de una pensión

B.   Ventajas: Tiene vista a la calle.
Tiene muebles antiguos.
La electricidad está incluida en el alquiler.
No se necesita un depósito.
Tiene sol por la mañana.

Desventajas: Es un poco pequeño.
El estante de libros está roto.
El alquiler se debe pagar el primero del mes.
No tiene aire acondicionado.
El baño está lejos del cuarto.

CAPÍTULO quince

A. «Pájaro Chogüí», una canción paraguaya.
Escuche la carta y la canción.

¡Hola, Teddy!

Siento mucho no poder mandarte las canciones de protesta que me pediste. Es que, como ya te dije en la carta, durante la dictadura del general Stroessner era muy difícil hacer ese tipo de música. ¡Lo siento, mi amor! Pero te mando «Pájaro Chogüí», una de mis canciones favoritas. En la carta te comenté que está inspirada en una leyenda guaraní. Es una historia triste y trágica, pero muy emocionante, que cuenta cómo un niño guaraní se transformó en un hermoso pájaro de color entre azul y verde. Según la leyenda, un indiecito guaraní se había subido a un árbol. Allí estaba cuando escuchó el grito de su madre que lo llamaba. El niño se asustó tanto que se cayó del árbol y se murió. Después, mientras su madre lo tenía en brazos, el cuerpo del indiecito se transformó, mágicamente, en un pájaro: el pájaro chogüí, y empezó a volar hacia el cielo. Según la leyenda, cuando oímos al pájaro chogüí en realidad estamos oyendo el canto del indiecito guaraní. ¿Verdad que es una hermosa leyenda, Teddy? Ahora debes leer la letra de la canción antes de escuchar la música. También te aconsejo que escuches la canción por lo menos dos veces. ¡Y es mejor que leas la letra mientras oyes la música! Para eso te la mando. Bueno, aquí va la canción...

Respuestas. (p. 351)
Listening exercises only.

A. «Pájaro chogüí», una canción paraguaya.
Escuche la carta y la canción. Par poder comprender mejor la canción, antes de empezar el casete, lea por lo menos una vez la letra (*lyrics*) que está en la página 349.

B. Para completar. Va a oír ocho frases incompletas basadas en lo que acaba de escuchar. Complételas marcando con un círculo las terminaciones correspondientes.

1. «Pájaro Chogüí» es una de las canciones favoritas de...
2. Es una canción inspirada en una leyenda...
3. Cuenta la muerte de un...
4. Según la leyenda, el indiecito se asustó cuando escuchó el grito de...
5. Cuando se cayó del árbol, el indiecito...
6. Después de morirse el indiecito se transformó en...
7. El canto de los pájaros chogüís es un canto...
8. La fruta que más les gusta a estos pájaros es...

Respuestas. (p. 351):

1. Jane
2. guaraní
3. niño guaraní
4. su mamá
5. se murió
6. un pájaro
7. alegre
8. la naranja

CAPÍTULO dieciséis

A. De compras. Maricruz y Alejandro van a viajar a Boston. Necesitan hacer unas compras. Escuche las conversaciones y conteste las preguntas.

Conversación 1: En la Sección Informes del Centro Comercial Catedral

MARICRUZ: Señorita, ¿me podría decir dónde puedo encontrar pantalones de lana, chaquetas y ropa de invierno en general?

DEPENDIENTE: ¿Para damas o para caballeros?

MARICRUZ: Para damas.

DEPENDIENTE: Pues, la sección damas está en el tercer piso... ¿Puedo ayudarla en algo más?

MARICRUZ: Sí, por favor. ¿En qué piso están los zapatos?

DEPENDIENTE: También en el tercer piso. ¿Alguna otra cosa?

MARICRUZ: ¿Aceptan tarjetas de crédito?

DEPENDIENTE: Sí, aceptamos casi todas... y también se puede pagar con cheque o al contado, claro.

MARICRUZ: Muchísimas gracias, señorita.

(Now answer the question for Conversación 1, Exercise A, p. 373)

Conversación 2: En la Sección Damas del Centro Comercial Catedral

VENDEDORA: Ese color le va bien, señorita.

MARICRUZ: Gracias, pero creo que estos pantalones son un poco chicos para mí...

VENDEDORA: ¿Qué talla usa?

MARICRUZ:	En general, uso talla 38 y éstos son 36.
VENDEDORA:	¿Por qué no se los pone? Tal vez le vayan bien...
MARICRUZ:	*(Unos minutos después.)* Pues usted tenía razón. Estos pantalones me van muy bien y los voy a llevar.
VENDEDORA:	¿Le puedo mostrar alguna otra cosa? Tenemos unas blusas muy lindas...
MARICRUZ:	En realidad, blusas no necesito, pero zapatos sí.
VENDEDORA:	¿Qué número calza... y qué tipo de zapatos busca?
MARICRUZ:	Calzo 36 y busco unos zapatos cómodos, mocasines si los tienen.
VENDEDORA:	Creo que tengo exactamente lo que busca, señorita. *(Va y vuelve en unos minutos.)* Mire qué elegantes son estos mocasines. Póngaselos y va a ver lo cómodos que son.
MARICRUZ:	Son realmente muy cómodos. Me los llevo también.
VENDEDORA:	¿Se los lleva puestos o se los envuelvo?
MARICRUZ:	Los mocasines me los llevo puestos pero envuélvame los pantalones, por favor. ¿Cuánto es todo?
VENDEDORA:	Pues... los pantalones están rebajados a mil novecientos cincuenta... y esos mocasines cuestan dos mil seiscientos; entonces el total es cuatro mil quinientos cincuenta bolívares. ¿Cómo lo quiere pagar, señorita...?
MARICRUZ:	Con mi tarjeta VISA, por favor.

(Now answer the question for Conversación 2, Exercise A, p. 373)

Conversación 3: En el Centro Artesanal Hannsi

DEPENDIENTE:	Parece que usted está de viaje, señor... ¿o tal vez colecciona artesanías típicas de aquí?
ALEJANDRO:	Pues, mi esposa y yo viajamos a Boston la semana próxima y queremos llevarles algunos regalos a nuestros amigos.
DEPENDIENTE:	Esos tápices con pájaros y flores son muy bonitos y gustan mucho. Los que usted tiene allí son los últimos que nos quedan. Ayer vendí

	más de cincuenta a unos turistas de Miami. Y los pájaros y animales en madera también se venden mucho. No son pesados, son muy baratos ¡y no se rompen en el viaje!
ALEJANDRO:	Tiene usted razón. Me gustaría llevar también algo en cerámica.
DEPENDIENTE:	Pues esos pueblitos andinos en miniatura son típicos de aquí. El problema es que como son de cerámica, se le pueden romper.
ALEJANDRO:	Es cierto... y para evitar problemas, mejor no llevo cerámica. Pero sí voy a comprarle sus últimos cuatro tápices y diez pájaros de madera. ¿Cuánto le debo en total?
DEPENDIENTE:	Los tápices están en oferta, a doscientos cincuenta bolívares cada tapiz; y esos pájaros de madera cuestan cien bolívares cada uno. Su total es entonces... exactamente dos mil bolívares.
ALEJANDRO:	Aquí los tiene, dos mil bolívares ¡al contado! Y muchas gracias por su ayuda.
DEPENDIENTE:	¡Gracias a usted y que tenga muy buen viaje!

(Now answer the question for Conversación 3, Exercise A, p. 373.)

Respuestas.

1. b   **2.** b   **3.** a

B. ¿Verdadero o falso?   Escuche las conversaciones otra vez. Conteste **V (verdadero)** o **F (falso)**.

Conversación 1
1. La sección damas del Centro Comercial Catedral está en el tercer piso.
2. El Centro Comercial Catedral no acepta tarjetas de crédito.

Conversación 2
3. En total, Maricruz gasta menos de cinco mil bolívares.
4. Maricruz paga con tarjeta de crédito.

Conversación 3

5. La dependiente dice que ayer vendió cinco tápices a unos turistas de Miami.
6. Alejandro paga su cuenta al contado.

Respuestas.   (p. 373)

1. Verdadero.
2. Falso. (El Centro Comercial acepta casi todas las tarjetas de crédito.)
3. Verdadero.
4. Verdadero.
5. Falso. (La dependiente dice que ayer vendió más de cincuenta tápices a unos turistas de Miami.)
6. Verdadero.

CAPÍTULO suplementario

A. Las islas fascinantes del Archipiélago de Colón.
Escuche el siguiente informe sobre las Islas Galápagos.

Las islas del Archipiélago de Colón, también conocidas como las Islas Galápagos, están situadas a 622 millas de la costa pacífica de Ecuador. En total son trece islas grandes, seis más pequeñas, y más de cuarenta isletas. Son de origen volcánico y la mayor parte de ellas están al sur de la línea ecuatorial. Fueron descubiertas por Tomás de Berlanga, un obispo español, mientras viajaba entre Panamá y Perú. Varias de las islas tienen nombres ingleses que les fueron dados por los marineros y piratas que buscaron allí refugio durante los siglos XVII y XVIII.

Las islas tienen un gran valor científico y el área es ahora un parque nacional. El famoso naturalista inglés Charles Darwin llegó a las islas en 1835. Las curiosas formas biológicas que existían en el archipiélago le inspiraron para escribir su obra revolucionaria: El origen de las especies por medio de la selección natural. Algunas de las especies más famosas que se encuen-tran en el archipiélago son la iguana marina y la tor-tuga gigante o galápago, que puede pesar más de 500 libras. Algunas especies antárticas como los pingüinos y las focas conviven con las especies tropicales. Hay también muchísimas especies de plantas. Es posible vi-ajar al archipiélago por avión o por barco. Si le in-teresa la biología y le encanta la naturaleza, algún día tendrá que hacer un viaje a esas islas fascinantes.

Respuestas.   (p. 391)

Listening exercise only.

B. Preguntas.   Escuche las siguientes preguntas y marque con un círculo la letra de la respuesta correcta.

1. ¿Quién llegó a las islas en 1835?
2. ¿Qué pesa más de 500 libras?
3. ¿Cuál es el título de la obra revolucionaria de Darwin?
4. ¿Por qué tienen nombres ingleses algunas de las islas?
5. ¿Cuál es una especie antártica que hay en las islas?

Respuestas.   (p. 391)

1. b   2. c   3. b   4. a   5. a

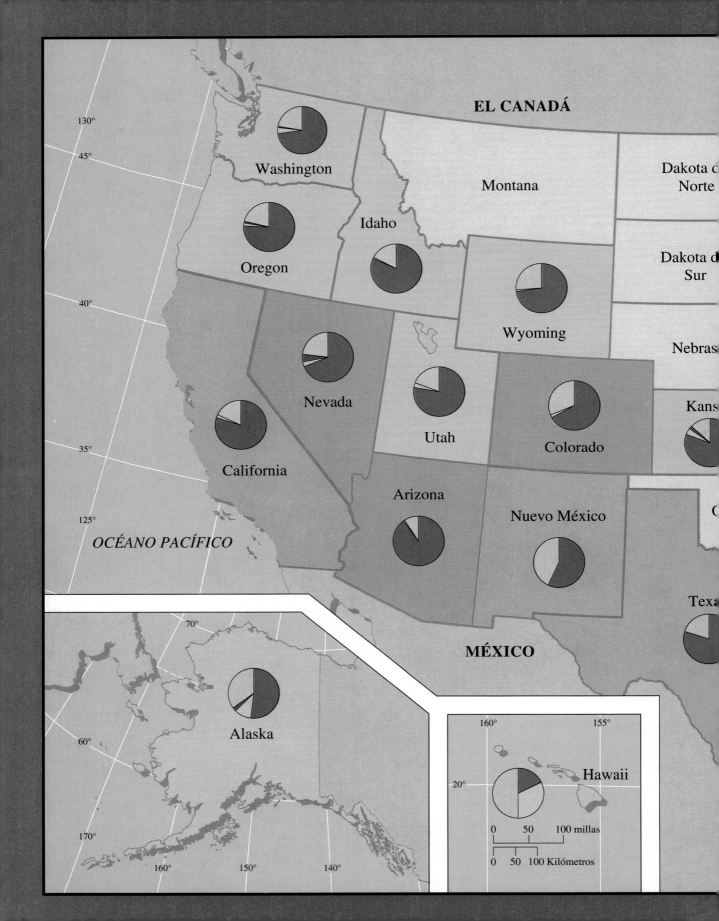

EL CANADÁ

Washington

Montana

Dakota ó Norte

Idaho

Dakota d Sur

Oregon

Wyoming

Nebras

Nevada

Utah

Colorado

Kans

California

Arizona

Nuevo México

C

125°

OCÉANO PACÍFICO

Texa

MÉXICO

70°

Alaska

160°   155°

20°   Hawaii

0   50   100 millas

0   50   100 Kilómetros

130°

45°

40°

35°

60°

170°

160°   150°   140°

AMÉRICA DEL SUR

BELICE
HONDURAS
NICARAGUA
EL SALVADOR
ATEMALA
PANAMÁ
COSTA RICA

Lago de Managua

MAR CARIBE

Maracaibo
Barranquilla
Cartagena
Caracas
Lago de Maracaibo

San Cristóbal

Río Orinoco

Georgetown
Paramaribo

GUAYANA
SURINAM
Cayena

OCÉANO ATLÁNTICO

Río Magdalena

VENEZUELA

Medellín

✪ Bogotá
Cali

Boa Vista

GUAYANA FRANCESA

ECUADOR

COLOMBIA

✪ Quito

ECUADOR

AS LAPAGOS

Guayaquil
Cuenca
Iquitos

Río Amazonas

A M A Z O N A S

PERÚ

LOS ANDES

BRASIL

Machu Picchu
Lima ✪
Ayacucho
Cuzco

Lago Titicaca

BOLIVIA

✪ La Paz
Santa Cruz
Sucre
Potosí

Brasilia ✪

CHILE

LOS ANDES

PARAGUAY
Asunción

Río Paraná

Río de Janeiro

São Paulo

OCÉANO PACÍFICO

Córdoba

Iguazú

Río Uruguay

OCÉANO ATLÁNTICO

Viña del Mar
Valparaíso
Santiago

URUGUAY
Montevideo ✪

Concepción

ARGENTINA
Buenos Aires
Bahía Blanca

Río de la Plata

Viedma

ISLAS MALVINAS (Br.)

| 0 | 200 | 400 | 600 | 800 | 1,000 MILLAS |

| 0 | 400 | 800 | 1,200 | 1,600 KILÓMETROS |

Estrecho de Magallanes

TIERRA DEL FUEGO

ÁFRICA

NIGERIA

ÁFRICA

CAMERÚN

Malabo ✪

GUINEA ECUATORIAL

GABÓN

ECUADOR

| 0 | MILLAS | 500 |

| 0 | KILÓMETROS | 800 |

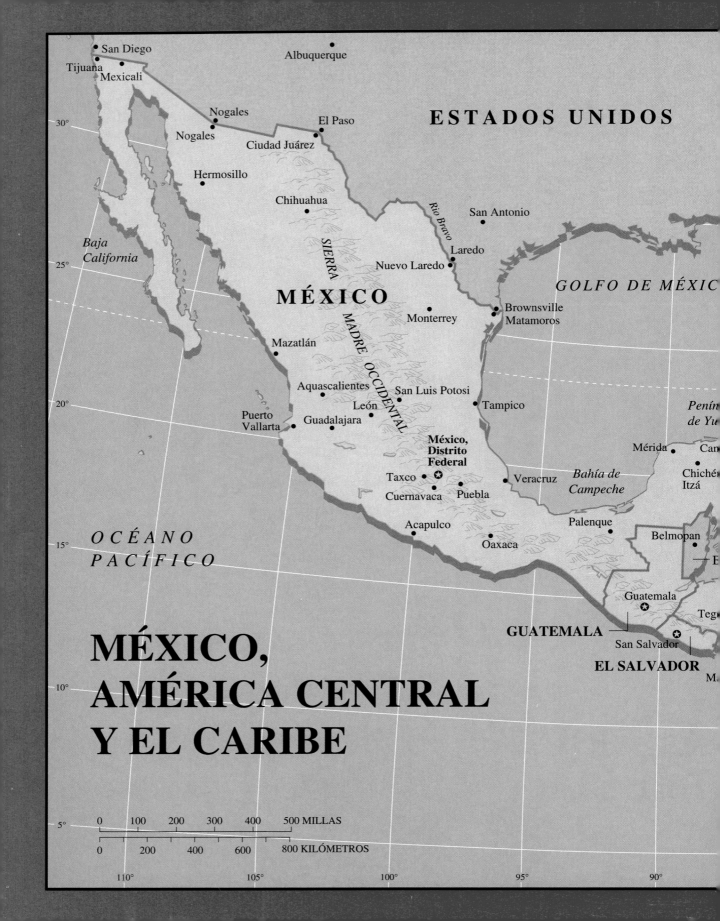

MÉXICO, AMÉRICA CENTRAL Y EL CARIBE

San Diego
Tijuana
Mexicali
Albuquerque
Nogales
Nogales
El Paso
Ciudad Juárez
Hermosillo
Chihuahua

ESTADOS UNIDOS

30°

Baja California

25°

Río Bravo
San Antonio
Laredo
Nuevo Laredo

SIERRA

MÉXICO

Mazatlán

MADRE OCCIDENTAL

Monterrey
Brownsville
Matamoros

GOLFO DE MÉXIC

20°

Aquascalientes
León
Puerto Vallarta
Guadalajara
San Luis Potosi
Tampico

Pení
de Yu

Mérida
Can

Bahía de Campeche

Chiché
Itzá

México, Distrito Federal
Taxco
Cuernavaca
Puebla
Veracruz
Palenque
Belmopan

Acapulco
Oaxaca

OCÉANO PACÍFICO

15°

Guatemala

GUATEMALA
San Salvador
EL SALVADOR

Teg

M.

10°

5°

| 0 | 100 | 200 | 300 | 400 | 500 MILLAS |
| 0 | 200 | 400 | 600 | 800 KILÓMETROS |

110°   105°   100°   95°   90°

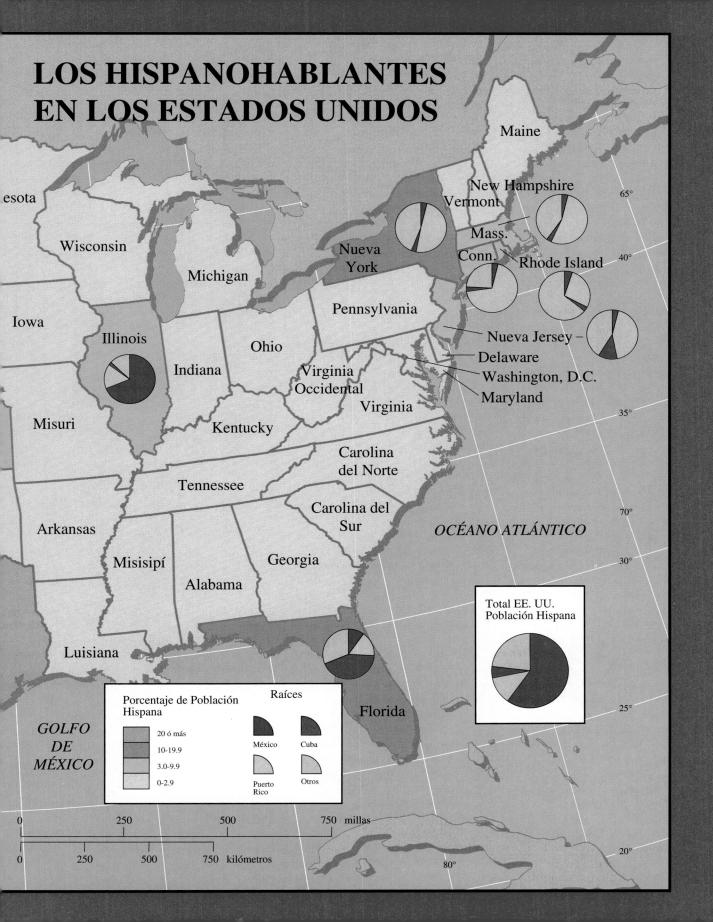

LOS HISPANOHABLANTES
EN LOS ESTADOS UNIDOS

Maine

Wisconsin

esota

Michigan

New Hampshire
Vermont

Mass.

Conn.   Rhode Island

Nueva
York

Iowa

Illinois

Ohio

Pennsylvania

Nueva Jersey

Indiana

Delaware

Washington, D.C.

Maryland

Virginia
Occidental

Misuri

Kentucky

Virginia

Arkansas

Tennessee

Carolina
del Norte

Misisipí

Carolina del
Sur

OCÉANO ATLÁNTICO

Georgia

Alabama

Total EE. UU.
Población Hispana

Luisiana

Florida

GOLFO
DE
MÉXICO

Porcentaje de Población
Hispana

Raíces

20 ó más

10-19.9   México   Cuba

3.0-9.9

0-2.9   Puerto   Otros
                Rico

| 0 | 250 | 500 | 750 | millas |

| 0 | 250 | 500 | 750 | kilómetros |

65°

40°

35°

70°

30°

25°

20°

80°

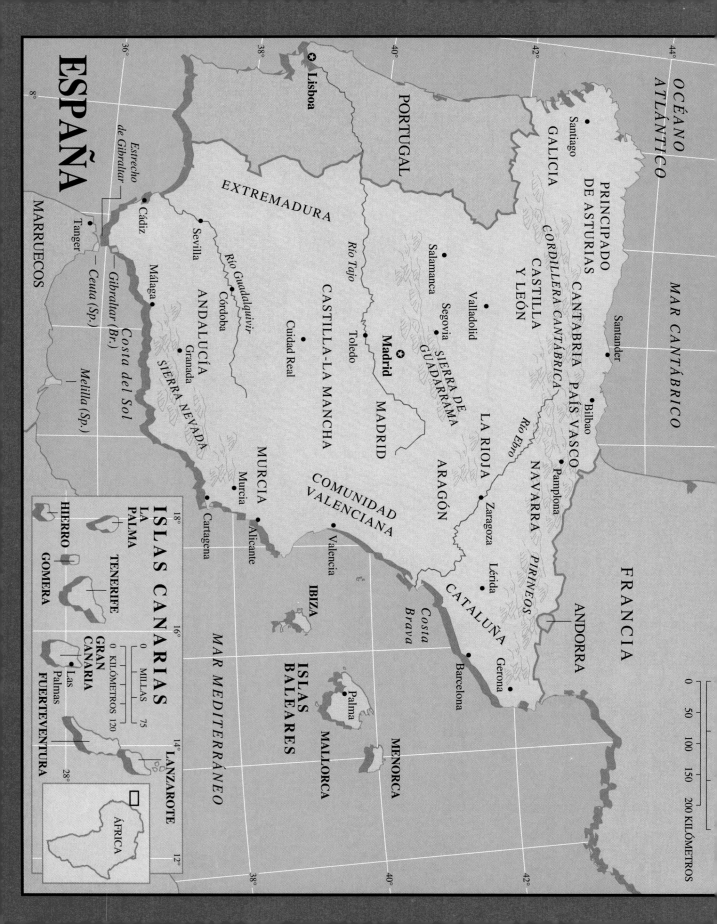

¿HABLA español?

español?

Essentials
FIFTH EDITION

To
Victoria González and Fredesvinda Méndez
Richard McVey and the memory of Mary Elizabeth McVey

¿HABLA español?

Essentials
FIFTH EDITION

TERESA MÉNDEZ-FAITH
Saint Anselm College

MARY McVEY GILL

Holt, Rinehart and Winston
Harcourt Brace College Publishers
Fort Worth Philadelphia San Diego New York Orlando Austin
San Antonio Montreal Toronto London Sydney Tokyo

Publisher:	Ted Buchholz
Senior Acquisitions Editor:	Jim Harmon
Senior Developmental Editor:	Jeff Gilbreath
Project Editor:	Monotype Composition Company
Production Manager:	Tad Gaither
Photo Research:	Judy Mason

Méndez-Faith, Teresa.
    Habla español? : essentials/Teresa Méndez-Faith, Mary McVey Gill.—5th ed.
        p.   cm.
    Includes index.
    ISBN 0-15-500650-9
    1. Spanish language—Textbooks for foreign speakers—English.
I. Gill, Mary McVey.   II. Title.
PC4129.E5M46   1994c
468.2'421—dc20
                                                                                            93-36981
                                                                                                 CIP

Carmen Lomas Garza
«Cumpleaños de Lala y Tudi»
(Lala and Tudi's birthday party)
Oil on Canvas, 36" x 48"
©1989 Carmen Lomas Garza
Photo by Wolfgang Dietze
from the Collection of Paula Maciel Benecke & Norbert Benecke, Aptos, CA.

Printed in the United States of America

This book is printed on acid-free paper.

ISBN: 0-15-500650-9

4567890123 048 987654321

Preface _____

This fifth edition of **¿Habla español? Essentials,** a widely used program for first-year college Spanish, has been carefully revised in response to the advice and suggestions of reviewers. As in previous editions, it presents the basic grammar of Spanish, introduces the culture of the contemporary Hispanic world, and provides for the development of listening, speaking, reading, and writing skills with a range of communicative activities for the classroom.

Organization

The fifth edition consists of a preliminary lesson and sixteen chapters, plus an optional, supplementary chapter. There are also six illustrated cultural readings (i.e. one after every third chapter). The preliminary lesson emphasizes introductions, practical classroom vocabulary, **estar** and subject pronouns, negation, yes/no questions and Spanish word order, and an overview of pronunciation. Each of the following chapters focuses on a theme and a particular Hispanic country or one of the Hispanic communities of the United States and follows this sequence:

1. Objectives of study and some basic information about the country or geographical area covered begin the chapter.

2. An illustrated presentation of thematic vocabulary with exercises and activities follows.

3. Three to five grammar topics are each introduced by a minidialogue, passage, or piece of realia showing the structure in a natural context. Grammar explanations are clear, concise, and thoroughly illustrated with example sentences. A broad spectrum of activities follows, from controlled to open ended. Exercise instructions are in Spanish beginning with Chapter 10. Personalized questions, interviews, and small-group activities at the end of the sequence encourage students to internalize the structure and take a step toward genuine communication. Many of the activities lend themselves to pair or small-group work.

4. **Viñeta cultural**—in the form of an interview, a letter, a short piece of literature, a long dialogue, etc.—presents further insight into Hispanic life. Exercises or activities follow. Cultural notes in English accompany the long dialogues and some of the other **Viñetas** and describe customs and points of interest. Many of the **Viñetas culturales** are accompanied by exercises that present reading skills (skimming, scanning, and so on).

5. A section called **Para escuchar,** which is on tape, provides students with practice in listening comprehension. They can do this section on their own or in class; the tape accompanies the student textbook. Many types of listening exercises are included, such as listening for main ideas, making inferences, listening for specific information, and so on. Answers to this section are included in the corresponding tapescript section contained in the Instructor's Annotated Edition.

6. The section called **Funciones y actividades** presents and practices language functions, such as agreeing and disagreeing, expressing sympathy, asking for and understanding directions, and so on. Many of the exercises are interactive, such as pair or small-group activities.

7. Following the section on language functions is an optional writing activity called **Para escribir.**

8. A list of active vocabulary concludes the chapter. The list begins with cognates that have been introduced at least twice in the chapter; these words are not defined, as students are encouraged to recognize them. Other cognates may be used in the chapter, but if they are used only once they are not included in the active vocabulary list. Following the cognates section are verbs, thematic vocabulary, **Otras palabras y frases, Expresiones útiles** (which include those expressions from the functions sections that are practiced within the chapter), and, in some chapters, **Cognados falsos,** or false cognates.

The dialogues, passages, realia, example sentences, contextualized exercises, and communicative activities in a chapter all focus on the chapter's theme, country or region, and vocabulary, leading to a highly integrated language experience. Six optional **Lecturas culturales** survey cultural and historical matters spanning the entire Hispanic world.

At the back of the text are appendixes detailing Spanish rules of pronunciation and word stress; information on the future and conditional perfect tenses and the present and past perfect subjunctive; verb tables; a Spanish-English vocabulary, and an index to the grammar and functions of the book. Entries in the Spanish-English vocabulary include the number of the chapter where the word or expression first occurs (in the case of active vocabulary only).

Changes in the Fifth Edition

1. Many of the long dialogues have been replaced in the section called **Viñeta cultural.** In addition to dialogues, the **viñetas** include letters, short pieces of literature, and interviews; this provides more variety to the students' experience with the language. Many of the **viñetas** are accompanied by exercises that focus on teaching reading skills, such as scanning, making inferences, guessing meaning from context, or getting main ideas.

2. A section called **Para escuchar** has been added. This is a taped section that practices the vocabulary and, in most cases, the functions of the chapter. The tape accompanies the student book. **Para escuchar** exercises practice listening comprehension with natural, contextualized language.

3. Many of the minidialogues have been rewritten or replaced to provide higher interest or more authentic language. They now include passages other than dialogues, such as short letters or notes, a weather report, cartoons or other realia, etc. This provides more variety of input, more authentic language, and more kinds of language experiences.

4. An activity called **Para escribir** has been added, featuring a writing exercise based on the theme and vocabulary of the chapter.

5. The number of **lecturas** has been decreased to six. They have been rewritten and updated as necessary.

6. The exercises have been revised to include new contextualized activities; some of the simpler drills and most translations have been eliminated.

7. Basic information about each of the countries or regions featured has been added to the chapter opener.

8. One chapter was eliminated, and another was changed to become an optional supplementary chapter.

9. All material has been updated as necessary.

10. A new design features many new color photographs, realia, and other illustrations.

Acknowledgments

The authors would like to thank the following people from Holt, Rinehart and Winston for their help on this fifth edition: Jim Harmon for his advice in shaping the new edition and Jeff Gilbreath for his excellent editing and review of the manuscript. Thanks also to Danica Lorincz and John Budz of Monotype for their work on the production of the book; to the artist, Axelle Fortier, to Cristina Cantú Díaz for procuring the permissions; to Christine Wilson for preparing the index and the answers to the exercises, and to Joan Banna for her work on the end vocabulary. Finally, we would like to express our appreciation to the following reviewers, whose comments, both favorable and critical, were instrumental in the development of this edition:

Eleodoro Febres, Indiana University - South Bend
Shirley Friedman, Grambling State University
Ronald Freeman, California State University - Fresno
Carlos Arce, Cerritos College
Richard Signes, Framingham State College
Fran Jacob-Diccicco, Bucks County Community College
Fernando Barroso, James Madison University
Charles Javins, University of Miami
Hildegard Cooper, San Jacinto College
Stanley L. Rose, University of Montana
Vivana Brodey, Chaminade University
Peter Alfieri, Salve Regina University
Patricia Cano, Western New Mexico University
Roger Gilmore, Colorado State University
Judy Holzman, Kennesaw State University
Suzanne Lipp, Kutztown University
Hilda Losada, Evergreen Valley College

Contents _____

¿HABLA español?

espanol?

Essentials
FIFTH EDITION

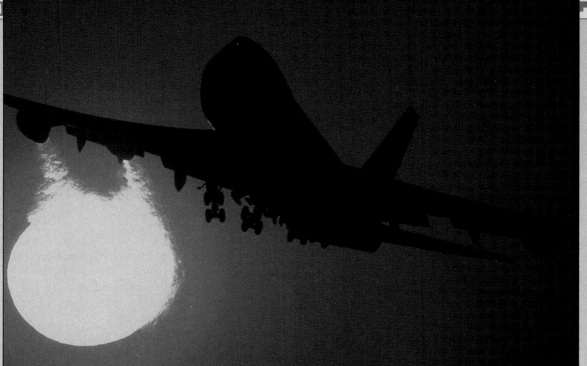

¡BIENVENIDOS AL MUNDO HISPANO!

VOCABULARIO. In this preliminary chapter you will use expressions for basic communication and classroom interaction.

GRAMÁTICA. You will discuss and use:

- Subject pronouns (corresponding to *I, you,* etc.)
- The verb **estar,** *to be*
- Negation
- *Yes/no* questions

CULTURA. This chapter gives an introduction to the cultural variety of the Hispanic world.

FUNCIONES

- Greetings and introductions
- Useful classroom expressions

I. LAS PRESENTACIONES *(INTRODUCTIONS)*

Formal

Point out that upon meeting for the first time, Spanish speakers shake hands **(dar la mano)**. Male friends shake hands when they meet; female friends give each other a hug **(un abrazo)** and usually a kiss.

—Buenos días. Me llamo Elvira García.
—¿Cómo se llama usted, señorita?*
—Me llamo Elena Ramírez.
—Mucho gusto, señorita.
—El gusto es mío, señora García.

Informal

—Hola. Me llamo
    Joaquín.
— Yo me llamo
    Francisca.
—Mucho gusto.
—Igualmente.

---

*Note that an inverted question mark precedes a question in Spanish. Also, an inverted exclamation mark precedes an exclamation: **¡Bienvenidos al mundo hispano!** *Welcome to the Hispanic world!*

EJERCICIOS

A. Conversación 1. Practice the first conversation with your instructor, using real names. Listen carefully and imitate your instructor's pronunciation.

el señor	*man, Mr., Sir*	Buenos días.	*Good morning. Hello.*
la señorita	*young lady, Miss*	Buenas tardes.	*Good afternoon.*
la señora	*lady, Mrs., Ma'am*	Buenas noches.	*Good evening.*
(There is no equivalent for *Ms.*)		(generally used after sundown)	

B. Conversación 2. Work with a partner and practice the second (informal) conversation. Use your real names.

Follow up by having students switch partners and introduce themselves to someone new.

El alfabeto

The Spanish alphabet has four more letters than the English alphabet: **ch, ll, ñ,** and **rr.** In dictionaries and vocabulary lists, **ch** comes after **c**, **ll** after **l**, **ñ** after **n**, and **rr** after **r**. The letters **k** and **w** appear only in words borrowed from other languages. Listen to your instructor and try to imitate his or her pronunciation. Appendix I has detailed information about pronunciation, and there are pronunciation exercises in your laboratory manual.

a (a)	Ana, mamá		**n** (ene)	no, Nicaragua
b (be)	Bogotá, Bárbara		**ñ** (eñe)	señor, español
c (ce)	Cecilia, Carlos		**o** (o)	Óscar, Antonio
ch (che)	Chile, cha-cha-chá		**p** (pe)	Pablo, papá
d (de)	día, Eduardo		**q** (cu)	Quito, Enrique
e (e)	Elena, Teresa		**r** (ere)	Patricia, profesor
f (efe)	Francisco, elefante		**rr** (erre)	terrible, error[*]
g (ge)	Gerardo, Santiago		**s** (ese)	Silvia, sí
h (hache)	Hugo, hotel		**t** (te)	Tomás, Vicente
i (i)	sí, Cristina		**u** (u)	Cuba, universal
j (jota)	Jorge, Jalisco		**v** (ve)	Víctor, Bolivia
k (ka)	kilogramo, kilómetro		**w** (doble ve)	Washington, whisky
l (ele)	Lima, Manuela		**x** (equis)	exterior, examen
ll (elle)	llama, Sevilla		**y** (i griega)	Yolanda, y
m (eme)	Marta, Miguel		**z** (zeta)	Venezuela, plaza

[*] At the beginning of a word or after **l, n,** or **s, r** sounds like **rr: Rosa, alrededor** *(around)*, **Enrique, Israel.**

EJERCICIO

Me llamo...   Practice spelling your first and last names in Spanish. Then work in pairs and write your partner's name as he or she spells it.

To begin, you can write a word or a name on the board and have students spell it; then erase and write each letter as students produce it.

> **MODELO**   **Me llamo Jane Meyer: jota-a-ene-e   eme-e-i griega-e-ere.**

• •

II. EL MUNDO HISPANO

Cuestionario

Just for fun, see if you can answer any of these questions about the Spanish-speaking world. Work with a partner or in groups. Guess at each question, even if you aren't sure of the answer.

1. What are the four most-spoken languages in the world today?
2. About how many Hispanics are there in the United States?
3. About how many newspapers and magazines are published in Spanish in the United States at this time?
4. Can you identify any of these areas of the Spanish-speaking world?

a.   b.   c.

d.   e.   f.

Identification of photos: a. Machu Picchu, Perú b. Panama Canal c. the pyramids at Teotihuacán, Mexico d. the Alhambra in Granada, Spain e. *Gauchos* on the pampas of Argentina f. Lake Titicaca; on the border of Perú and Bolivia

5. Complete this map with the names of the Spanish-speaking countries that are missing. Write the names in the blanks.

Respuestas *(Answers)*

1. Mandarin, Hindi, English, Spanish (in that order).
2. According to the 1990 census, there were 20 million Hispanics in the United States, although some Hispanic groups say that this number is low because not all Hispanics were counted. The United States now has the fourth largest Spanish-speaking population in the world!
3. There are 145 Spanish-language and 30 bilingual (Spanish-English) newspapers and magazines published in the United States today. There are 200 radio and 50 TV stations with some Spanish news or other programming.
4. a. Machu Picchu, Peru, an abandoned Inca city. b. the Panama Canal. c. pyramids (**pirámides**) at Teotihuacán, Mexico. d. the Alhambra, Granada, Spain—a Moorish castle. e. Argentinean **pampas** (grasslands) with **gauchos** (cowboys). f. Lake Titicaca (**el lago Titicaca**), the largest lake in South America, located between Peru and Bolivia.
5. Missing are: Mexico (south of the United States), Panama (which joins Central and South America), Venezuela (northeast of Colombia), Bolivia (east of Peru and Chile), Argentina (east of Chile), and Cuba (the large island south of Florida).

EJERCICIOS

A. La pronunciación. Listen as your instructor pronounces the names of these countries in Spanish. Then answer the questions that follow.

Honduras	Argentina	Jamaica	España
las Antillas	Venezuela	México	Paraguay

1. What letter is silent in Spanish?
2. What English letter represents the sound of the Spanish **j**? The Spanish **ll**? The Spanish **z**?
3. What letter in Spanish sounds like *ny* in English?
4. Compare the words **Argentina** and **Paraguay.** What two sounds does **g** have in Spanish? (It has one sound before **a, o,** or **u** and another sound before **e** or **i.**)

B. En español. Go to a nearby library and ask about periodicals published in Spanish. Are there any local Spanish newspapers or magazines? If so, try to obtain a copy to take to class.

C. En la radio o en la televisión. Is there any Spanish programming available in your area? If so, try listening to the news or reading a newspaper in English; then watch or listen to the news in Spanish. You'll be amazed how much you can understand! Later on in the course, you might want to listen to the radio or watch TV as a way of acquiring vocabulary and improving your listening comprehension skills.

• •

III. EN CLASE: EXPRESIONES ÚTILES

You might want to introduce **el escritorio,** *desk.*

—¿Qué es esto?
—Es el libro.

—¿Cómo se dice *door* en español?
—Se dice «puerta».
—Excelente.

EJERCICIOS

Variation. Bring different objects to class and teach names.

A. ¿Cómo se dice en español...?

1.   2.   3.   4.

5. 6. 7. 8.

B. **¿Qué es esto?** Working in pairs, one student points out an object and the other tells what it is. Take turns.

MODELO ESTUDIANTE 1 **¿Qué es esto?**
ESTUDIANTE 2 **Es el libro. Y... ¿qué es esto?**
ESTUDIANTE 1 **Es la silla.**

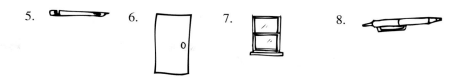

Recognizing Cognates

Cognates are words that are similar in spelling and meaning in two languages.

A. Some Spanish cognates are identical to English words: **chocolate, final, capital, doctor, horrible.**

B. Sometimes the words differ in minor or predictable ways.

1. Except for **cc, rr, ll,** and **nn,** double consonants are not used in Spanish: **oficial, profesor.**
2. Many English words beginning with *s* have cognates beginning with **es: especial, español, escuela, esquí.**
3. The endings **-ción** or **-sión** in Spanish correspond to the English endings *-tion* or *-sion*: **constitución, nación, televisión.**
4. The Spanish ending **-dad** corresponds to the English *-ty*: **actividad, realidad, universidad.**
5. The Spanish endings **-ente** and **-ante** generally correspond to the English endings *-ent* and *-ant*: **presidente, accidente, restaurante, importante.**
6. The Spanish ending **-mente** generally corresponds to the English *-ly*: **finalmente, rápidamente.**

Also **-tad,** as in **libertad.**

C. **En clase.** Each of the following classroom expressions in Spanish contains at least one cognate. You don't need to memorize these expressions, but you should be able to understand them when your instructor uses them. Match the Spanish expressions with their English equivalents.

1. Repitan, por favor.
2. No comprendo.
3. En voz alta.
4. Conteste en español.
5. Abran el libro en la página 10.
6. Muy bien. Excelente.

a. I don't understand (comprehend).
b. Open your books to page 10.
c. Repeat, please.
d. Very good. Excellent.
e. Out loud (in a loud voice).
f. Answer in Spanish.

Follow up by asking students to generate and pronounce correctly any other Spanish words they may know, such as **taco, enchilada, patio, rancho,** and place names in the Southwest (**Los Ángeles, San Francisco, Santa Clara, Soledad, Colorado, Arizona,** etc).

IV. *ESTAR* AND SUBJECT PRONOUNS; NEGATION; YES/NO QUESTIONS

Un autobús en Toledo, España

**Aural comprehension.
¿Verdadero o falso?**
1. María está en la sala de clase. **2.** El papá y la mamá de María están mal. (Act out **mal.**) **3.** La familia del señor Hernández está bien.

SR. HERNÁNDEZ	Hola, María. ¿Cómo *estás?*
MARÍA	Estoy muy bien, señor Hernández, gracias.
SR. HERNÁNDEZ	Y la familia, ¿*está* bien?
MARÍA	Papá *no está* aquí. *Está* en Barcelona. Mamá *está* más o menos. ¿Y *ustedes?*
SR. HERNÁNDEZ	Nosotros *estamos* bien, gracias.
MARÍA	Bueno... Adiós, señor Hernández.
SR. HERNÁNDEZ	Adiós, María.

MR. HERNÁNDEZ: Hi, María. How are you? MARÍA: I'm fine, Mr. Hernández, thank you.
MR. HERNÁNDEZ: And the family, how are they? MARÍA: Dad isn't here. He's in Barcelona. Mom's so-so (literally, "more or less"). And you? MR. HERNÁNDEZ: We're fine, thanks. MARÍA: Well . . . Good-bye, Mr. Hernández. MR. HERNÁNDEZ: Good-bye, María.

A. Estar *(to be)* is an infinitive verb form. It is conjugated by removing the **-ar** ending and adding other endings to the **est-** stem.

estar *to be*						
person		Singular			Plural	
1st	yo*	estoy	*I am*	nosotros nosotras	estamos	*we are*
2nd	tú	estás	*you are*	vosotros† vosotras	estáis	*you are*
3rd	él		*he is*	ellos		
	ella	está	*she is*	ellas	están	*they are*
	usted		*you are*	ustedes		*you are*

B. Subject pronouns are used far less frequently in Spanish than in English, since in Spanish the verb endings indicate the subject of the sentence. Subject pronouns are used in Spanish mainly to avoid confusion or for the sake of emphasis.

Estoy bien.	I'm fine. *(statement of fact)*
Yo estoy bien.	I'm fine. *(emphatic)*
Ella está aquí.	She *is* here. *(clarification)*

Point out that **usted** and **ustedes,** when not omitted, convey added courtesy. Also, in Hispanic American usage, pronouns (especially **yo** and **tú**) are often used without intending to clarify or emphasize.

C. There are several ways of saying *you* in Spanish. The familiar singular form, **tú,** is used in speaking to friends, young children, and family members. It corresponds roughly to "first-name basis" in English. Students usually address each other with the **tú** form. The **usted** form (abbreviated **Ud.** or **Vd.**) is used in more formal situations, such as with older people, people you do not know, or people in authority. Students usually address their teacher with the **usted** form. If you are in a situation where you are unsure which form to use, it is usually better to use the **usted** form unless the native speaker requests otherwise. In most parts of Spain, the plural of **tú** is **vosotros** (masculine), **vosotras** (feminine). However, in Latin America, **ustedes** (abbreviated as **Uds.** or **Vds.**) is used as the plural of both **tú** and **usted.**

¿Ud. está con Manuel?	*You are with Manuel?*
¿Vds. están bien?	*You are fine?*

D. The subject pronouns **él, ella, nosotros, nosotras, vosotros, vosotras, ellos,** and **ellas** show gender, either masculine or feminine. In speaking about two or more males, or a mixture of males and females, the masculine forms **nosotros, vosotros** and **ellos** are used. The feminine forms **nosotras, vosotras,** and **ellas** are used only to refer to two or more females.

Ellos (Juan y José) están en Madrid.	*They (Juan and José) are in Madrid.*
Ellos (Juan y María) están en clase.	*They (Juan and María) are in class.*
Ellas (Rita y Teresa) están en México.	*They (Rita and Teresa) are in Mexico.*
Nosotros (Elena, Ricardo y yo) estamos en casa.	*We (Elena, Ricardo, and I) are at home.*

---

*Notice that **yo,** the first-person singular subject pronoun, is not capitalized.
†Since the **vosotros** form is not widely used except in Spain, it is not practiced extensively in this book.

E. To make a sentence negative, place **no** before the verb.

Papá no está en el hospital.	*Dad is not in the hospital.*
No me llamo Roberto.	*My name is not Roberto.*

F. Spanish word order is especially flexible in questions. The most common way of asking a yes/no question is to invert the normal order of subject and verb:

Ellos están con Marta. ¿Están ellos con Marta?	*Are they with Marta?*
Ana está en clase. ¿Está Ana en clase?	*Is Ana in class?*

G. Sometimes, however, the normal word order for statements is used in a question, but the voice rises at the end of the sentence to make it clear that a question is being asked.

¿Ellos están con Marta?	*They're with Marta?*
¿Ana está en clase?	*Ana is in class?*

H. In negative questions, **no** normally precedes the verb.

¿Juan no está en casa?	*Juan isn't home?*
¿No está Juan en casa?	*Isn't Juan home?*

EJERCICIOS

A. Los pronombres *(pronouns).*   Read each of the following phrases and then provide the corresponding subject pronouns.

MODELOS   Sara y Pepe   **ellos**
           tú y el profesor   **ustedes** (or **vosotros,** in Spain)

1. Josefina
2. Carlos
3. Carmen y Beatriz
4. Eduardo y yo
5. Elena y yo
6. Amalia, Alicia, Ana y Arturo
7. tú y Marta
8. tú y yo

B. La señora Ramos. Mrs. Ramos always likes to know where everyone is and how they are. Answer her questions in the affirmative and use subject pronouns, as in the example.

MODELO   ¿Eva está en Guatemala?
              Sí, ella está en Guatemala.

1. ¿Ana y Jorge están en Madrid?
2. ¿Pedro está en San Francisco?
3. ¿Alberto y Elena están aquí?
4. ¿Usted y Ricardo están bien?
5. ¿Eva y Luisa están con Marta?
6. ¿La señora López está en casa?

C. **¿Cómo? No comprendo muy bien...** You're not sure you heard correctly. Ask questions in two ways to confirm the information.

MODELO   Usted se llama Martín.
¿Usted se llama Martín? ¿Se llama usted Martín?

1. Carmen está en España.
2. Paco está con el profesor.
3. Nosotros estamos muy bien.
4. Elena no está en clase.
5. La Paz no está en Ecuador.
6. La Paz está en Bolivia.

D. **¿Está(n)...?** Work with a partner. Look back at the photos on page 4 or at other photos in the book. Ask and answer questions, following the model. Student 1 asks a question that has incorrect information. Student 2 gives the correct answer. Take turns.

Warm-up. Ask students questions based on local geography. For example: **¿Está San Diego en Florida? ¿Está Las Vegas en Nevada? ¿Está San Antonio en Nueva York?**

MODELO   ESTUDIANTE 1   **¿Está Machu Picchu en Ecuador?**
ESTUDIANTE 2   **No, no está en Ecuador. Está en Perú.**

1. los gauchos
2. el canal
3. las pirámides de Teotihuacán
4. el lago Titicaca
5. la Alhambra
6. las pampas

FUNCIONES *y actividades*

GREETINGS AND INTRODUCTIONS

In Spanish, as in English, there are many ways to say the same thing, some more formal than others and some appropriate only to very specific circumstances. In the **Funciones y actividades** sections, you'll see different ways to express various language functions, or uses—in this case, greetings and introductions. What do you say to someone to open a conversation? That depends on the circumstance.

1. With a friend or in an informal situation:

Hola, Miguel. ¿Cómo estás?   *Hi, Miguel. How are you?*
Hola. ¿Qué tal?   *Hi. How's it going?*

¿Qué tal? has many uses and meanings. Basically, it just means *How are things?* But combined with other words, it has other meanings; for instance, **¿Qué tal el examen?** *How did the exam go?* **¿Qué tal la familia?** *How's the family?*

2. With a stranger or in a more formal situation:

Buenos días. ¿Cómo está?	*Good morning (good day). How are you?*
Buenas tardes.	*Good afternoon. (until about sunset)*
Buenas noches.	*Good night. (used mainly after sunset)*

And what do you say in response to the question *¿Cómo está(s)?* Here are some possible answers:

Muy bien, gracias.	*Very well, thanks.*
Más o menos.	*So-so.*
Bien.	*Good.*
Mal.	*Bad.*
No muy bien.	*Not too well.*

Remind students that Spanish speakers shake hands when meeting for the first time.

3. You meet someone for the first time:

Hola. Me llamo...	*Hi. My name is . . .*

When meeting someone for the first time, you can say:

Mucho gusto.	*Glad to meet you.*

And in reply:

Igualmente.	*Same here.*
El gusto es mío.	*The pleasure is mine.*

Actividades

A. Una expresión apropiada.   Give an appropriate expression for each drawing. Refer to the **Vocabulario activo** at the end of this chapter for help.

1.   2.   3.

4.   5.   6.

B. Situación. With a partner, create a short conversation for the following situation. You meet a friend on the street. Say hello and ask how things are going ("How are things?"). Your friend responds, "So-so." He or she asks you how the exam went. "Badly," you say. "How's the family?" you ask, and he or she replies that they are well. Both of you say good-bye.

VOCABULARIO ACTIVO

Cognados *(Cognates)*

la clase*	el, la estudiante	la familia	el profesor, la profesora
el ejercicio	el examen	hispano	
el español	excelente	el hospital	

En la sala de clase *(In the classroom)*

el bolígrafo	*ballpoint pen*
el capítulo	*chapter*
el cuaderno	*notebook*
el lápiz	*pencil*
el libro	*book*
la mesa	*table*
la página	*page*
el papel	*paper*
la pared	*wall*
la pizarra	*chalkboard*
la puerta	*door*
la silla	*chair*
la ventana	*window*

Otras palabras *(Other words)*

aquí	*here*
la casa	*house*
en casa	*at home*
con	*with*
de	*of, from*
el día	*day*
estar	*to be*
estar bien (mal, más o menos)	*to be well (unwell, so-so)*
o	*or*
el señor	*man; Sir; Mr.*
la señora	*lady; Ma'am; Mrs.*
la señorita	*young lady; miss; Miss*
sí	*yes*
y	*and*

*In the vocabulary lists in this text, definite articles (**el, la, los, las**) are given with all nouns to indicate gender.

Expresiones útiles   (Useful expressions)

Adiós.	Good-bye.
Bien. Muy bien.	Good. Very well.
Bienvenidos.	Welcome.
Buenas noches.	Good night.
Buenas tardes.	Good afternoon.
Buenos días.	Good morning. Good day.
¿Cómo está(s)?	How are you?
¿Cómo se dice...?	How do you say . . . ?
¿Cómo se llama...?	What is the name of . . . ?
Conteste en español.	Answer in Spanish.
Gracias.	Thank you.
El gusto es mío.	The pleasure is mine.
Hola.	Hello. Hi.
Igualmente.	Likewise.
Me llamo...	My name is . . .
Mucho gusto.	Glad to meet you.
Por favor.	Please.
¿Qué es esto? Es...	What is this? It's . . .
¿Qué tal?	How are things?
¿Qué tal el examen?	How was the exam?
Repitan.	Repeat.

Don't forget: Subject pronouns, page 9

CAPÍTULO *uno* LA FAMILIA

VOCABULARIO. In this chapter you will talk about family relationships.

GRAMÁTICA. You will discuss and use:

- The present tense of verbs ending in **-ar**
- The gender and number of nouns and articles
- Cardinal numbers 0–99; The verb **hay** *(there is, there are)*
- Interrogative words and word order in questions

CULTURA. This chapter focuses on Spain.

FUNCIONES

- Asking for information
- Using the telephone
- Ending a conversation

ESPAÑA

Capital: Madrid
Población *(Population)*: aproximadamente 39 millones de habitantes *(inhabitants)*
Ciudades principales: Madrid, Barcelona, Valencia, Sevilla, Bilbao, Málaga
Moneda *(Currency)*: la peseta

¿Sabía usted que...? *(Did you know that . . . ?)*
1. After Switzerland, Spain is the most mountainous country in Europe.

2. Although Spanish is the official language of the country, three other languages are spoken in certain regions: **catalán** in Cataluña, **gallego** in Galicia, and **vasco** in the Basque region.

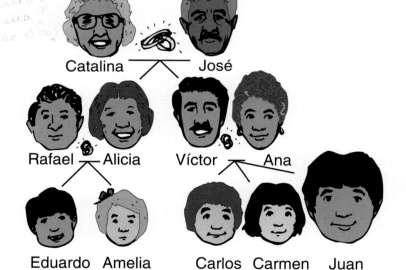

LA FAMILIA DE JUAN

Las personas

hombre	*man*
mujer	*woman*
niño	*boy*
niña	*girl*
papá	*dad, papa*
mamá	*mom, momma*
parientes	*relatives*

Catalina y José

esposos	*spouses* (esposo *husband,* esposa *wife*)
padres	*parents* (padre *father,* madre *mother*)
abuelos	*grandparents* (abuelo *grandfather,* abuela *grandmother*)
suegros	*mother- and father-in-law* (suegro *father-in-law,* suegra *mother-in law*)

Ana y Rafael

cuñados	*sister- and brother-in-law* (cuñado *brother-in-law*, cuñada *sister-in-law*)
tíos	*aunt and uncle* (tío *uncle*, tía *aunt*)

Juan y Amelia

hijos	*children* (hijo *son*, hija *daughter*)
nietos	*grandchildren* (nieto *grandson*, nieta *granddaughter*)
sobrinos	*nephews and nieces* (sobrino *nephew*, sobrina *niece*)
hermanos	*brothers and sisters* (hermano *brother*, hermana *sister*)
primos	*cousins* (primo *male cousin*, prima *female cousin*)

Optional activity. Have students draw their own family tree and then explain who the people are to other classmates.

La familia de Juan.   Choose the correct answer.

1. Catalina es *(is)* la (abuelo, abuela, tía) de Juan.
2. Carlos y Carmen son *(are)* los (tíos, hermanos, primos) de Juan.
3. Carmen es la (hermana, tío, prima) de Eduardo.
4. Víctor es el (padre, primo, hermano) de Alicia.
5. Rafael es el (padre, tío, abuelo) de Eduardo y Amelia.
6. Rafael y Alicia son los (tíos, abuelos, primos) de Juan.

Preguntas

1. Ana y Víctor son los padres (la madre y el padre) de Juan. ¿Cómo se llaman los padres de Amelia?   2. Catalina es la esposa de José. ¿Cómo se llama el esposo de Alicia?   3. ¿Cómo se llaman los primos de Carmen?   4. ¿Cómo se llama la madre de Víctor y Alicia?   5. Eduardo y Amelia son los hijos de Rafael y Alicia. ¿Cómo se llaman los hijos de Ana y Víctor?

• •

I. THE PRESENT TENSE OF REGULAR -*AR* VERBS

La Universidad de Madrid, España

**Aural comprehension.
¿Verdadero o falso?**
1. Andrea no estudia
sociología. 2. Susana
estudia la familia
hispana. 3. La profesora
de Susana habla sobre
la situación de las
mujeres en España. 4. La
profesora de Andrea se
llama Graciela Villegas.

En la Universidad de Madrid.

ANDREA ¿Tú también *estudias* sociología, Susana?

SUSANA Sí, ahora *estudiamos* la familia hispana en la clase de «Familia y sociedad».

ANDREA ¿Sí? ¡Qué interesante! Yo *busco* información sobre «la liberación de la mujer». *Necesito* un libro... o ¿*habláis* vosotros en clase sobre la situación de las mujeres en España? ¿Cómo se llama el profesor de sociología?

SUSANA La <u>profesora</u>, Andrea. Se llama Graciela Villegas y mañana *habla* sobre la situación de las mujeres aquí en España. ¡Qué suerte!, ¿no? ¿Por qué no *visitas* la clase?

ANDREA ¡Buena idea! ¡Hasta mañana!

1. ¿Estudia sociología Susana?   2. ¿Estudian ahora «la liberación de la mujer» en clase?   3. ¿Busca Andrea información sobre los profesores en España?   4. ¿Mañana hablan sobre la situación de las mujeres en México?

At the University of Madrid. ANDREA: Are you studying sociology too, Susana? SUSANA: Yes, now we're studying the Hispanic family in the class "Family and Society." ANDREA: Yes? ("Really?") How interesting! I'm looking for information about the liberation of women (women's lib). I need a book . . . or do you talk in class about the situation of women in Spain? What is the sociology professor's name? SUSANA: The woman professor, Andrea. Her name is Graciela Villegas, and tomorrow she's talking about the situation of women here in Spain. What luck, right? Why don't you visit the class? ANDREA: Good idea! See you tomorrow!

• •

Point out that verbs
whose infinitives end in
-ar are called first-
conjugation verbs.

A. Verbs that end in **-ar** in Spanish are referred to as **-ar** verbs. Regular **-ar** verbs are conjugated by removing the infinitive ending **-ar** and replacing it with the endings **-o, -as, -a, -amos, -áis, -an.*** **Hablar** *(to speak)* is a regular **-ar** verb:

hablar *to speak*			
yo	habl**o**	nosotros(-as)	habl**amos**
tú	habl**as**	vosotros(-as)	habl**áis**
él		ellos	
ella	habl**a**	ellas	habl**an**
usted		ustedes	

* **Estar,** which you saw in the preliminary lesson, is an irregular **-ar** verb; that is, it has its own special forms.

estás bien

B. Other common regular **-ar** verbs are:

buscar *libros*   *to look for*
desear *exámenes*   *to want*
enseñar *español* *to teach*
escuchar *la radio*   *to listen to*
estudiar *mucho*   *to study*
hablar *inglés*   *to speak, talk*
llegar *a clase*   *to arrive*

llevar *papeles* *to carry; to take*
mirar *televisión* *to look (at)*
necesitar *dinero*   *to need*
pasar *papeles*   *to pass; to spend (time)*
trabajar *aquí*   *to work*
viajar *a México*   *to travel*

Nosotros buscamos un hotel.	*We're looking for a hotel.*
Papá no desea viajar por avión.*	*Dad doesn't want to travel by plane.*
El esposo de Graciela necesita un pasaporte.†	*Graciela's husband (the husband of Graciela) needs a passport.*
¿Llevas los libros?	*Are you carrying the books?*
El niño mira por la ventana.	*The child is looking out the window.*
¿Estudian la lección dos?	*Are you studying lesson two?*

C. Notice that the present tense in Spanish can have more than one English equivalent.

Hablo español.
  { *I speak Spanish.*
  { *I do speak Spanish.*
  { *I am speaking Spanish.*

Remind students of the dialogue: **...mañana habla sobre la situación de las mujeres...**, whose English equivalent is *will speak*.

D. The present tense is also often used in place of the future tense to imply that the action will take place in the immediate future.

Estudian con nosotros hoy.	*They're studying (will study) with us today.*
El hermano de Juan lleva un regalo también.	*Juan's brother is taking (will take) a present, too.*

E. Verbs of motion, such as **viajar** and **llegar,** require the preposition **a** before a noun that indicates a destination, but not otherwise.

Ellos no viajan a Los Ángeles; viajan a Nueva York.	*They're not traveling to Los Angeles; they're traveling to New York.*
Hola, Juan. Estoy allí en veinte minutos. ¡Hasta muy pronto!	*Hi, John. I'll be there in twenty minutes. See you very soon!*
El avión llega a Madrid hoy.	*The plane arrives (is arriving, will arrive) in Madrid today.*

---

* Notice that an infinitive can follow a conjugated verb directly.
† The preposition **de** (*of* or *from*) is used to show possession in Spanish; for instance, to say "Graciela's husband," you say **el esposo de Graciela** (*the husband of Graciela*).

EJERCICIOS

A. **Nosotros dos.** Francisco is taking his twin brother Alejandro to class today. Change his statements about his usual routine to include Alejandro.

MODELO Llevo los libros a la universidad.
Llevamos los libros a la universidad.

1. Busco la cámara.
2. Necesito un cuaderno.
3. Llego a la clase.
4. Miro el libro.
5. Estudio la lección.
6. Hablo con el profesor.

Vary or continue this exercise by having students ask these and similar questions, interviewing each other in pairs.

B. **Conversaciones breves.** Work with a classmate and take turns answering and asking questions to have short conversations. Follow the model and add your own ideas whenever possible.

MODELO tomar café (no, Coca-Cola)
ESTUDIANTE 1: **¿Tomas café?**
ESTUDIANTE 2: **No, no tomo café. Tomo Coca-Cola.**

1. estudiar inglés (no, italiano)
2. necesitar un lápiz (no, bolígrafo)
3. mirar «Los Simpson» en la televisión (no, «Veinticuatro horas»)
4. bailar mucho (no, poco)
5. visitar San Francisco (no, Nueva York)

C. **En acción.** Describe to a classmate what the following people are doing.

MODELO El profesor y los estudiantes...
El profesor enseña y los estudiantes trabajan en la clase.

1. Pablo, Ana y Felipe...

2. Nosotros...

3. El abuelo...

4. Tía Teresa...   5. Tú...   6. Papá...

Preguntas ─────────────────────────────

1. ¿Estudia usted español? ¿Desea hablar bien el español?   2. ¿Hablamos español ahora? ¿Habla mucho el profesor (la profesora)?   3. ¿Lleva usted los libros a clase? 4. ¿Viaja usted mucho? ¿Desea viajar a España? ¿a México? ¿a Sudamérica?   5. ¿Mira mucho la televisión? ¿Escucha mucho la radio?

• •

II. ARTICLES AND NOUNS: GENDER AND NUMBER

En el aeropuerto de Barajas, en Madrid.

AGENTE Buenos días. *Los* pasaportes, por favor.
RAMÓN *Un* momento... aquí están.
ISABEL Ramón, ¿dónde está *la* cámara? ¿Y *los* regalos para *las* hijas de Juan?
RAMÓN ¡Dios mío! ¡Están en *el* avión!

1. ¿Necesita los pasaportes el agente?   2. ¿Lleva los pasaportes Ramón?   3. ¿Dónde están la cámara y los regalos para las hijas de Juan?   4. ¿Dónde están Isabel y Ramón?

At the Barajas Airport in Madrid. AGENT: Good morning. Passports, please. RAMÓN: Just a moment . . . here they are. ISABEL: Ramón, where is the camera? And the presents for Juan's daughters? RAMÓN: Good grief! They're on the plane!

• •

A. In Spanish all nouns are either masculine or feminine. An article in Spanish is also either masculine or feminine, to reflect the gender of the noun it modifies. The definite article has four forms:

*Anticipate confusion on the part of students with no experience in any foreign language. Explain that in most cases the gender of a noun is unrelated to any inherent characteristic; for example, there is nothing female about **cámara** or male about **regalo**.*

	Singular		*Plural*	
Masculine	**el** regalo	*the gift*	**los** regalos	*the gifts*
Feminine	**la** cámara	*the camera*	**las** cámaras	*the cameras*

B. The indefinite article in Spanish also has four forms:

*Point out that **unos (unas)** is often omitted. For example, **Hay libros en la mesa.***

	Singular		*Plural*	
Masculine	**un** primo	*a cousin*	**unos** primos	*some (a few) cousins*
Feminine	**una** familia	*a family*	**unas** familias	*some (a few) families*

Notice that **unos (unas)** can mean *some* or *a few*.

*Point out that nouns of Greek origin ending in **-ma, -pa,** or **-ta** and having cognates in English are masculine. For example, **el drama, el sistema, el programa, el tema, el mapa, el poeta.***

C. Most Spanish nouns ending in **-o** in the singular are masculine. Most nouns ending in **-a** in the singular are feminine.

el aeropuerto	*the airport*	la farmacia	*the drugstore, pharmacy*
el abuelo	*the grandfather*	la abuela	*the grandmother*

Some exceptions are **el día** (the day), **el problema** (the problem), and **la mano** (the hand).

D. With nouns that do not end in **-o** or **-a** in the singular, it can be helpful to learn the definite article when you learn the noun. Notice that most nouns ending in **-dad** and **-ión** are feminine. (**El avión** is an exception.)

el hotel	*the hotel*	la verdad	*the truth*
el viaje	*the trip*	la dirección	*the address*
el inglés	*English*	la ciudad	*the city*
el restaurante	*the restaurant*	la capital	*the capital (city)*

E. The gender of many nouns that refer to people can be changed by changing the noun ending and the article.

el primo	*the (male) cousin*	la prima	*the (female) cousin*
el señor	*the man, gentleman*	la señora	*the woman, lady*
un hijo	*a son*	una hija	*a daughter*
un amigo	*a (male) friend*	una amiga	*a (female) friend*

Additional examples for professions and political affiliations are: **artista, agente, dentista, economista, socialista, comunista.**

However, for some nouns the ending does not change, and so the gender of the person the noun refers to is shown by the gender of the article.

un turista	*a (male) tourist*	una turista	*a (female) tourist*

F. The plural of most nouns ending in a vowel is formed by adding **-s: libro, libros; mesa, mesas; viaje, viajes.** The plural of most nouns ending in a consonant is formed by adding **-es: hotel, hoteles; ciudad, ciudades; dirección, direcciones.***
A final **z** must be changed to **c** before adding **-es: lápiz, lápices.** The masculine plural of nouns referring to people may include both genders.

el niño	*the boy*
el señor González	*Mr. González*
el tío	*the uncle*
los niños	*the boys* or *the boys and girls*
los señores González	*Mr. and Mrs. González*
los tíos (el tío y la tía)	*the aunt and uncle*

G. The definite article is used with titles such as **señor, señora,** or **señorita** when you are talking or asking about an individual.

Un estudiante habla con el señor Martínez.	*A student is talking to Mr. Martínez.*
El doctor García necesita unas semanas de vacaciones.†	*Dr. García needs a few weeks of vacation.*

The definite article is not used with titles when you are speaking to the person directly.

Buenos días, señor Martínez.	*Good morning (Good day), Mr. Martínez.*
¿Cómo está usted, doctora Vilas?	*How are you, Dr. Vilas?*
Hasta luego, señorita Soler.	*See you later, Miss Soler.*

EJERCICIOS

A. Preguntas y respuestas. With a classmate, create questions and answers by replacing the nouns with appropriate words from the list given.

> **MODELO**   ESTUDIANTE 1   **¿Están aquí *los turistas*?**   (ciudad)
> ESTUDIANTE 2   **No, los turistas están en *la ciudad*.**

---

*Notice that there is no accent mark on **direcciones,** since the emphasis falls naturally on the next-to-the-last syllable.
†*Vacation* (singular) in English is always expressed by **vacaciones** (plural) in Spanish.

	ESTUDIANTE 1	ESTUDIANTE 2
1.	pasaportes	
2.	aviones	aeropuerto/clase/hospital/
3.	estudiantes	universidad/casa/hotel
4.	profesores	

MODELO   ESTUDIANTE 1   **¿Buscas *un lápiz*?**   (bolígrafo)
              ESTUDIANTE 2   **No, busco *un bolígrafo*.**

	ESTUDIANTE 1	ESTUDIANTE 2
1.	farmacia	
2.	cuaderno	cámara/libro/pizarra/
3.	regalo	silla/restaurante/radio
4.	papel	

Have students repeat the exercise in pairs, asking each other if they need the items listed.

B.   **¿Qué necesitan...?**   Marta and the Garcías have a list of things they need. Tell what they need, following the model.

MODELO   silla
           Marta necesita una silla. Los García necesitan unas sillas.

1.	cuaderno	5.	libro
2.	lápiz	6.	mesa
3.	radio	7.	cámara
4.	papel	8.	semana de vacaciones

C.   **Formación de frases.**   Make up sentences using the following words. Provide the definite articles, as in the model.

MODELO   abuelo de Pablo/hablar/con/señorita González
           El abuelo de Pablo habla con la señorita González.

1. niño/buscar/regalo
2. doctor/viajar/a/ciudad
3. estudiantes/hablar/con/
   profesor
4. mamá de Ana/llevar/
   pasaportes
5. tú/estudiar/lecciones
6. nosotros/mirar/pizarra
7. primo de Juan/llegar/a/capital
8. turistas/estar/en/hotel

III. CARDINAL NUMBERS 0–99; *HAY*

Hotel Santa Cruz

Avenida Lope de Vega 55

41   82   69

Direcciones y teléfonos de interés

Urgencias		Teléfonos	
Policía	**091**		
Doctor	**42**	**10**	**35**
Taxi	**41**	**50**	**86**
Restaurante Santa Cruz,			
Avenida Lope de Vega 57	**41**	**55**	**08**
Salón de belleza Santa Cruz,			
Avenida Lope de Vega 60	**54**	**69**	**81**
Oficina de turismo,			
Avenida Toledo 65	**41**	**16**	**02**
Aerolíneas Iberia,			
Plaza Mayor 3	**55**	**91**	**83**
Farmacia José Antonio,			
Avenida Toledo 74	**23**	**31**	**75**

direcciones *addresses*   **urgencias** *emergencies*   **el salón de belleza** *beauty salon*
las aerolíneas *airlines*

1. ¿Hay *(Is there)* un restaurante en la Avenida Lope de Vega? ¿Cómo se llama?
2. ¿Hay una farmacia en la Avenida Toledo? ¿Cómo se llama?   3. ¿Está la oficina de turismo en la Plaza Mayor?

• •

A. Cardinal numbers 0–99.

0 cero	14 catorce	28 veintiocho
1 uno (un, una)	15 quince	29 veintinueve
2 dos	16 dieciséis	30 treinta
3 tres	17 diecisiete	31 treinta y uno
4 cuatro	18 dieciocho	(un, una)
5 cinco	19 diecinueve	32 treinta y dos
6 seis	20 veinte	33 treinta y tres,
7 siete	21 veintiuno (-ún, -una)	*etc.*
8 ocho	22 veintidós	40 cuarenta
9 nueve	23 veintitrés	50 cincuenta
10 diez	24 veinticuatro	60 sesenta
11 once	25 veinticinco	70 setenta
12 doce	26 veintiséis	80 ochenta
13 trece	27 veintisiete	90 noventa

Notice the accents on **dieciséis, veintidós, veintitrés,** and **veintiséis,** all of which end in **-s.** The compound **veintiún** also takes an accent. **Uno** becomes **un** before a masculine noun and **una** before a feminine noun.

B. Hay is the impersonal form of **haber;** it means *there is* or *there are* and can be used with singular or plural nouns.

Hay treinta y una personas en la sala de clase.	*There are thirty-one people in the classroom.*
Hay siete días en una semana.	*There are seven days in a week.*
Hay un hotel en la Avenida Balboa.	*There is a hotel on Balboa Avenue.*
Hay veintiún hombres aquí.	*There are twenty-one men here.*

EJERCICIOS

In groups, have students ask each other math problems.

A. Cero, uno, dos, tres...   Count to fifty, each student taking a turn. Then count to fifty by twos, by threes, by fives, and by tens.

B. Números y más números...   Read each of the following expressions.

1. 11 hombres
2. 81 libros
3. 52 semanas
4. 1 avión
5. 70 primos
6. 31 ciudades
7. 45 mujeres
8. 90 universidades
9. 65 páginas

Follow-up exercise. Have students answer questions about the book. For example, **¿Qué hay en la página 000?, ¿Hay dos estudiantes en la página 000?** or **¿Hay un diálogo en la página 000?.**

C. ¿Verdadero o falso?   If the statement is true, say **Verdadero.** If it is false, say **Falso** and restate it, giving the correct answer.

> **MODELO**   Hay tres estudiantes en la clase.
> **Falso. Hay veintiún estudiantes en la clase.**

1. Hay cinco profesores en la clase.
2. Hay doctores en un hospital.
3. Hay quince sillas en la clase.
4. Hay una pizarra en la pared.

5. Hay veinticuatro horas *(hours)* en un día.
6. Hay tres ventanas y cuatro puertas en la clase.
7. Hay aviones en un aeropuerto.
8. Hay pasaportes en una farmacia.
9. Hay veinte días en abril *(April)*.
10. Hay nueve días en una semana.

D. En el hotel.   Look at the hotel directory from the Hotel Santa Cruz at the beginning of this section. In pairs, ask and give addresses and phone numbers.

MODELO	ESTUDIANTE 1	**¿Hay una farmacia en la Avenida Toledo?**
	ESTUDIANTE 2	**Sí, la Farmacia José Antonio está en la Avenida Toledo, número 74.**
	ESTUDIANTE 1	**¿Número de teléfono?**
	ESTUDIANTE 2	**23 31 75.**

E. Entrevista *(Interview).*   In pairs, ask and give your own addresses and phone numbers. You can make up the information if you like. Give the numbers in groups of two when possible.

MODELO	ESTUDIANTE 1	**¿Dirección?**
	ESTUDIANTE 2	**101 (Uno cero uno) Walnut.**
	ESTUDIANTE 1	**¿Teléfono?**
	ESTUDINATE 2	**323-0985. (Tres veintitrés cero nueve ochenta y cinco.)**

IV. INTERROGATIVE WORDS AND WORD ORDER IN QUESTIONS

In Spain, you may also hear **¿Sí?** when someone answers the telephone.

Aural comprehension. **¿Verdadero o falso?** **1.** La señora Ribera desea hablar con Teresa. **2.** Teresa está en la universidad. **3.** Miguel está bien. **4.** Teresa estudia con Marta y Juan. **5.** Miguel pasa por la casa de Teresa en unos minutos.

En el teléfono, en la Avenida Toledo, en Madrid.

SRA. RIBERA	Dígame.
MIGUEL	Hola. ¿Está Teresa en casa?
SRA. RIBERA	Sí..., pero *¿quién* habla?
MIGUEL	Habla Miguel.
SRA. RIBERA	¡Ah, Miguel! Un momento, por favor.
TERESA	Hola, Miguel, *¿Cómo* estás?
MIGUEL	Bien, gracias. ¿Estudias ahora?
TERESA	Sí. Estudio con Adela. ¿Deseas estudiar con nosotras?
MIGUEL	Sí. Paso por ahí en unos minutos, *¿de acuerdo?*
TERESA	De acuerdo. Hasta luego.
MIGUEL	Adiós.

1. ¿Quién *(Who)* desea hablar con Teresa?   2. ¿Está Teresa en casa?   3. ¿Cómo está Miguel?   4. ¿Con quién estudia Teresa?   5. Miguel desea estudiar con ellas, ¿verdad?   6. ¿Cuándo pasa Miguel por la casa de Teresa?

Un muchacho madrileño
habla por teléfono

On the telephone, on Toledo Avenue in Madrid. MRS. RIBERA: Hello. (literally, "Tell me.") MIGUEL: Hello. Is Teresa home? MRS. RIBERA: Yes . . . but who is this? MIGUEL: This is Miguel speaking. MRS. RIBERA: Oh, Miguel! Just a minute, please. TERESA: Hello, Miguel. How are you? MIGUEL: Fine, thanks. Are you studying now? TERESA: Yes. I'm studying with Adela. Do you want to study with us? MIGUEL: Yes. I'll come by there in a few minutes, okay? TERESA: Fine. See you later. MIGUEL: Good-bye.

• •

A. Statements can be made into questions by adding "confirmation tags," such as **¿de acuerdo?, ¿verdad?,** or **¿no?.**

Estudiamos ahora, ¿de acuerdo?	*We'll study now, okay?*
Ustedes viajan a España, ¿verdad?	*You are traveling to Spain, aren't you?*
Abuela llega hoy, ¿no?	*Grandmother is arriving today, isn't she?*
Hasta mañana (luego), ¿no?	*See you tomorrow (later), right?*

¿No? is not used after a negative sentence. Notice that **¿de acuerdo?** *(okay?, agreed?)* is most often used when an action is proposed.

Point out that the adverbial conjunctions **donde, cuando, como** have no written accent. Adverbial conjunctions are introduced in Chapter 15.

B. Questions can also be formed with interrogative words. Some common interrogative words are:

¿Cómo?	How?	¿Por qué?	Why?
¿Cuál? ¿Cuáles?	Which? Which one(s)? What?	¿Qué?	What?
		¿Quién? ¿Quiénes?	Who? Whom?
¿Cuándo?	When?		
¿Dónde?	Where?		
¿Adónde?	To what place? Where?		
¿De dónde?	From where?		

Note that **¿Por qué?** is two words: **porque** (because) is one word:

¿Por qué no viajas a Barcelona? *Why aren't you traveling to Barcelona?*
 Porque ahora necesito estar en *Because I need to be in Madrid now.*
 Madrid.

Explain that **¿cuál(es)?** is used when the questioner asks for a selection from a list of possibilities. Although **¿cuál(es)?** is a pronoun, many Spanish speakers use it as an adjective.

C. The word order for Spanish questions is interrogative word + verb + subject (if any) + remainder (if any). The voice normally falls at the end of a question with an interrogative word.

¿Cómo viajan los señores a Segovia?	*How are the gentlemen traveling to Segovia?*
¿Qué buscan los niños?	*What are the children looking for?*
¿Por qué estudias francés?	*Why are you studying French?*
¿Quién *(singular)* visita la clase?	*Who (singular) is visiting the class?*
¿Quiénes *(plural)* estudian inglés?	*Who (plural) is studying English?*
¿Dónde están los mapas? —¿Cuáles?	*Where are the maps? —Which ones?*
¿Adónde viaja tío Juan?	*Where is Uncle Juan traveling?*
¿Cuál es el avión a Sevilla?	*Which one is the plane to Seville?*

D. Notice that question words always have a written accent and that both **¿quién?** and **¿cuál?** have plural forms. **¿Quién (quiénes)?** is also used after prepositions:

¿A quién escuchas? *To whom are you listening?*
¿Con quién estudias? *With whom are you studying?*

EJERCICIOS

A. ¿Verdad...? You and a classmate are preparing for a test and are a little unsure about the following information. Ask for confirmation by adding **¿no?**, **¿verdad?**, or **¿de acuerdo?**, as appropriate.

MODELO Granada está en España.
 Granada está en España, ¿no?

1. Ahora estudiamos el vocabulario activo.
2. *City* se dice «ciudad» y *trip* se dice «viaje» en español.
3. El libro se llama *¿Habla español?*.
4. Sevilla no está en México.
5. Miramos la televisión.
6. En Puerto Rico no hablan francés.

B. ¿Qué información necesita? Use the following interrogative words to form questions that will correspond to the answers given. Follow the model.

> **MODELO** **¿Qué?**
> Pablo busca el mapa de España.
> **¿Qué busca Pablo?**

1. **¿Qué?**
    a. Miguel busca los libros.
    b. Ana y José estudian francés.
    c. María necesita un pasaporte.
2. **¿Quién? ¿Quiénes?**
    a. Miguel busca los libros.
    b. Ana y José estudian francés.
    c. María necesita un pasaporte.
3. **¿Con quién? ¿Con quiénes?**
    a. La señora Rodríguez está con los niños.
    b. Viajan con el profesor.
    c. Juan estudia con Manuel.
4. **¿Dónde? ¿Adónde?**
    a. Estela está en la universidad.
    b. Viajan a Madrid.
    c. Felipe está en Barcelona.
5. **¿Cuándo? ¿Cómo?**
    a. El avión llega en un momento.
    b. Me llamo Marta Hernández.
    c. Llegamos en unos minutos.
6. **¿Por qué?**
    a. No están aquí porque están en clase.
    b. Llevan los pasaportes porque viajan a Bolivia.
    c. Busca un teléfono porque desea hablar con Teresa.

Follow up by asking students the names of other capital cities. For example, Nicaragua: Managua; Honduras: Tegucigalpa; Bolivia: La Paz; Argentina: Buenos Aires, etc. Refer students to maps on inside covers, if necessary.

C. Conversación. Complete the following conversation between Pedro and Miguel with the appropriate interrogative words.

MIGUEL Hola, Pedro. ¿ _____ estás?

PEDRO No muy bien, Miguel. ¿ _____ es *(is)* el examen de geografía *(geography exam)*?

MIGUEL Mañana. ¿Deseas estudiar con nosotros?

PEDRO ¿Con _____ estudias?

MIGUEL Con Teresa y Adela.

PEDRO ¿ _____ estudian hoy?

MIGUEL Hoy deseamos estudiar Costa Rica.

PEDRO Costa Rica..., ¿ _____ está Costa Rica?

MIGUEL En América Central.

PEDRO ¿Y _____ se llama la capital de Costa Rica?

MIGUEL ¡San José! Pedro, tú necesitas estudiar mucho, ¿no?

D. Entrevista *(Interview).*   Ask a classmate the following questions in Spanish. Some possible answers are given on the right. Your classmate should answer without looking at the book.

1.	what his or her name is	Me llamo Martín (Laura).
2.	with whom he or she studies	Con un(-a) amigo(-a).
3.	where he or she wants to travel	A México.
4.	with whom he or she wants to travel	Con Madonna (Michael J. Fox).
5.	what he or she needs	Una semana de vacaciones.

Viñeta cultural

EN MADRID,
LA CAPITAL
DE ESPAÑA

La Puerta del Sol

Use the dialogue for pronunciation practice, first with the whole class repeating difficult words and phrases, then with students taking turns in pairs or small groups. You can also use it to review grammar points (have students locate **-ar** verbs, contractions **al** and **del,** etc.) Students can also work in groups and take the parts of the speakers to present the dialogue as a drama.

Janet and her cousin Susan have just arrived in Madrid from **Estados Unidos.** *They are in* **La Puerta del Sol,** *an important square in the heart of the old part of the city.*

En Madrid, la capital de España.

JANET	Perdón, señor, deseamos visitar el Museo del Prado.[1] ¿Qué autobús° tomamos°?	*bus/should we take*
SR. RUIZ	Pero hoy es lunes..., y los lunes todos° los museos están cerrados°. Muchos lugares° turísticos están cerrados los lunes°.	*all* / *closed/places* / **los...** *on Mondays*
SUSAN	¡Qué lástima!°	**¡Qué...** *What a pity!*
SR. RUIZ	¿Por qué no caminan° por° el centro de la ciudad?	*walk/through*
SUSAN	Necesitamos un mapa de Madrid. Señor, perdone..., ¿Hay una librería° aquí cerca?	*bookstore*
SR. RUIZ	Sí. Hay una muy buena en la Calle Mayor.[2]	
JANET	Necesitamos comprar° unos libros..., un diccionario... ¡y el mapa!	*to buy*
SR. RUIZ	Yo también necesito comprar dos o tres libros. Los cursos de la universidad comienzan° el lunes.	*start*
SUSAN	¿Es usted estudiante de la universidad de Madrid?	
SR. RUIZ	No, señorita, yo no soy estudiante; soy profesor de la universidad de Salamanca.[3]	
JANET	¿Y qué enseña usted en la universidad, señor...?	
SR. RUIZ	Manuel Ruiz, a sus órdenes°, señoritas. Enseño filosofía.	**a...** *at your service*
JANET	¡Ah! Mucho gusto. Me llamo Janet y ella es mi amiga Susan.	
SUSAN	¡Hola! Mucho gusto...	
SR. RUIZ	El gusto es mío, señoritas. Pues...,[4] ¿caminamos a la librería ahora?	
JANET Y SUSAN	Bueno, de acuerdo°.	**Bueno...** *Well, OK*
SR. RUIZ	Vale, vamos...°	**Vale...** *OK, let's go*

Note that the subject pronouns are used here for emphasis.

Student adaptation. Have students change the dialogue to have a Spaniard looking for a museum in a local city.

Begin by asking a few questions of the class yourself. Then have the students work in pairs or small groups, taking turns asking and answering the questions.

Preguntas

1. ¿Qué museo desean visitar Janet y Susan?   2. Están cerrados hoy los museos?   3. ¿Qué necesitan comprar Janet, Susan y el señor Ruiz?   4. ¿Trabaja en Madrid el señor Ruiz? ¿En qué universidad trabaja? ¿Qué enseña?

Notas Culturales

1. **El Museo del Prado** is an art museum in Madrid that houses the world's richest and most comprehensive collection of Spanish painting. The most important works of Velázquez are there, as well as major works by El Greco and Goya. The Prado also contains an impressive selection of other schools of European painting, especially Italian and Flemish art.

2. **La Calle Mayor** is one of the several main streets of Madrid that converge at the Puerta del Sol, the heart of Madrid and location of the central metro station.

3. **La Universidad de Salamanca,** located in the city of Salamanca in western Spain, is one of Spain's leading universities. From its founding in 1218 until the end of the sixteenth century, the university was a leading center of learning in Europe, ranking with the universities of Paris and Oxford.

4. **Pues** and **bueno** are often used in Spanish when a person is momentarily at a loss for words. English speakers most often say *well, uh,* or *um.* Other ways to express hesitation are discussed in Chapter 7.

 PARA ESCUCHAR

Bring in pictures corresponding to the information in the **Notas culturales:** The Prado, reproductions of paintings there, Toledo, Salamanca, etc. Show them in a certain order, then mix them up and have students identify them.

¿Usted o tú...?   Listen to the segments of conversations on your tape and then match and write the number of each conversation next to the appropriate illustration. Determine whether the speakers are addressing each other in a formal or informal manner and circle **usted** for formal or **tú** for informal.

usted/tú

usted/tú

usted/tú

usted/tú

FUNCIONES *y actividades*

In this chapter, you have seen examples of the following language functions, or uses. Here is a summary and some additional information about these functions of language:

Asking for information

To ask for information, you can use confirmation tags or interrogative words, as you have seen in this chapter.

Confirmation tags:

¿de acuerdo?   ¿verdad?   ¿no?

Remember that **¿no?** is not used after a negative sentence and that **¿de acuerdo?** is often used when some kind of action is proposed. In Spanish, just as in English, these tags can be used when you simply want to confirm an answer (that you think you know) or when you do not know the answer to your question. Remember, too, that the most common way of asking yes/no questions is to invert the normal order of the subject and verb:

¿Viaja usted a Sevilla mañana?

Interrogative words:

Review the interrogative words on page 29 of this chapter.

Using the telephone

In the conversation at the beginning of Section IV, Mrs. Ribera (who is Spanish) answers the telephone by saying, **«Dígame.»** In Mexico and Central America, however, people are likely to say **«Bueno,»** and in some areas you may hear **«Aló.»** The most common expression is **«Hola.»** Notice that Mrs. Ribera asks who is calling by saying **«¿Quién habla?,»** but she might also say **«¿De parte de quién?»** *(On behalf of whom?)*. With either question, you may say **Habla** and then your name—for example, **«Habla Ana.»** *This is Ana (Ana speaking).*

Ending a conversation

Adiós.	*Good-bye.*
Hasta luego.	*See you later.*
Hasta mañana.	*See you tomorrow.*
Hasta (muy) pronto.	*See you (very) soon.*

Feliz fin de semana.	*Have a good weekend.* (literally, "Happy end of week.")
Bueno, nos vemos.	*Well, see you.* (Literally, "Well, we'll see each other [soon].")

There are other ways to say good-bye, but the above are the most common. In the southern part of South America, where there has been a lot of Italian influence, people often just say, **¡Chau!.**

Actividades

A. ¿Qué dicen? *(What are they saying?).*   Tell what the people in the following drawings are probably saying.

1. 2. 3. 4.

B. Adiós.   Study the following situations where you would want to end a conversation. Which expression(s) would be appropriate for each?

1.   You see your friend Pablo on campus. He lives in your dorm. You chat for a few minutes and then say good-bye before you go to class.
2.   You ask your professor a question after class and then say good-bye until tomorrow's class.
3.   You meet a visiting lecturer, congratulate her on her presentation, and then say good-bye.
4.   You call a friend to say that you've been delayed, but that you'll arrive at his house soon. Before you hang up, you say . . .
5.   On Friday, you say good-bye to your classmate Ana. You'll see her again on Monday.

C. El metro.   You and a friend are tourists in Madrid and you need to verify that you are interpreting the Metro map correctly. Study the map below to determine on which of the ten Metro lines each of the following stations is located (**línea** 1, 2, 3, etc.). Then use confirmation tags to form questions. Your partner will confirm or correct your questions.

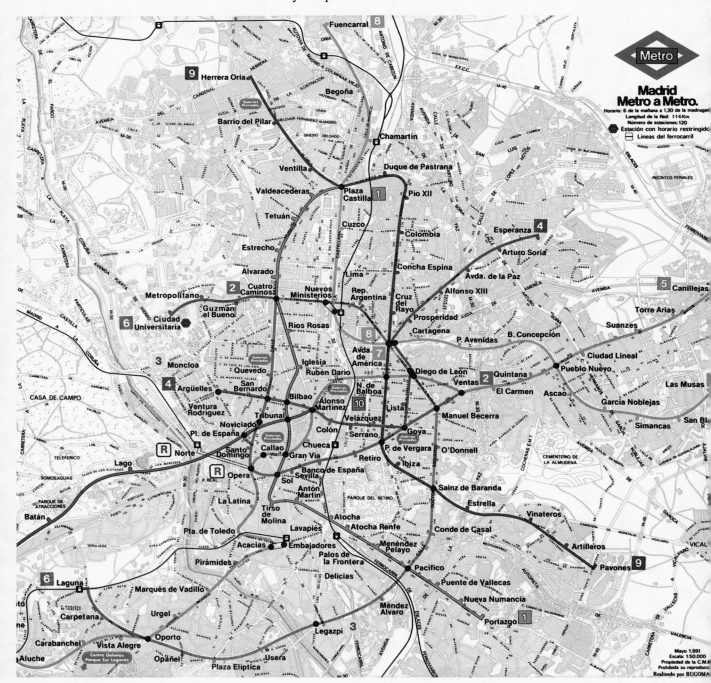

MODELO   ESTUDIANTE 1   **(Atocha) Atocha está en la línea 1, ¿no?**
ESTUDIANTE 2   **Sí, Atocha está en la línea 1.**

1. Plaza Castilla
2. Ciudad Universitaria
3. Banco de España
4. Retiro

5. Embajadores
6. Esperanza
7. Plaza de España
8. [Puerta del] Sol

D. Mini-drama.   In small groups, create a conversation for the following situation.

1. You and a friend are in a café in Madrid. You talk for a while, then your friend suggests visiting the **Museo del Prado.** You ask someone who is sitting at a table next to you if the museum is near or far from there. He/she answers, "It is very far and it is probably closed **(probablemente cerrado)** today." "What a pity!" («**¡Qué lástima!**»), you reply. Then you thank him/her for the information. As an alternative, your friend suggests, "What if («**¿Qué tal si...?**») we visit the city of Toledo today?" You say, "OK, but we need a car. We'll take Uncle Jorge's car . . ." Your friend answers "OK," and you both leave the café.

PARA ESCRIBIR

Use the vocabulary and expressions learned in this chapter to tell about your family, including as many relatives as possible. Work out of class on your own, or in class with a friend. If the exercise is done in class, each of you should write your description separately. Next take turns reading your compositions aloud to each other. Correct any mistakes you hear and then prepare a final draft (in class or at home, according to your instructor's preference). Use a format similar to the one below.

Mi *(My)* **familia**

Mi madre (padre, hermano(-a), etc.) se llama...
Es de...
Habla... (inglés, francés, italiano,...)
Ahora está en...
Él/Ella... (trabaja en casa, enseña, viaja mucho,...)
Estudia...
Desea... (estudiar español, viajar a España,...)

VOCABULARIO ACTIVO

Cognados

el aeropuerto	falso	el inglés	nervioso	el restaurante	el, la turista
la avenida	la farmacia	la lección	la oficina	la situación	la universidad
la cámara	el hotel	la liberación	el pasaporte	el teléfono	las vacaciones
la capital	la información	el mapa	la radio	la televisión	

Verbos

buscar	*to look for; to search*
desear	*to want, wish*
enseñar	*to teach*
escuchar	*to listen to*
estudiar	*to study*
hablar	*to talk, speak*
hay (*impersonal form of* haber)	*there is, there are*
llegar	*to arrive*
llevar	*to carry; to take*
mirar	*to look at*
necesitar	*to need*
pasar	*to pass; to spend time*
trabajar	*to work*
viajar	*to travel*
visitar	*to visit*

La familia

la abuela	*grandmother*
el abuelo	*grandfather*
la esposa	*wife*
el esposo	*husband*
la hermana	*sister*
el hermano	*brother*
la hija	*daughter*
el hijo	*son*
la madre	*mother*
el niño, la niña	*child*
el padre	*father*
los padres	*parents*
los parientes	*relatives*
el primo, la prima	*cousin*
la tía	*aunt*
el tío	*uncle*

Otras palabras y frases

a	*at, to*
ahora	*now*
allí (*or* allá)	*there*
el amigo, la amiga	*friend*
el avión	*airplane*
la ciudad	*city*
la dirección	*address*
en	*in, on, at*
el fin de semana	*weekend*
el francés	*French*

el hombre	*man*
hoy	*today*
mañana	*tomorrow*
mucho	*much; many; a lot*
la mujer	*woman*
muy	*very*
el número de teléfono	*telephone number*
para	*for; in order to*
pero	*but*
por	*by; for; through; because of*
porque	*because*
la pregunta	*question*
el regalo	*gift*
la semana	*week*
sobre	*on, about*
también	*also, too*
la verdad	*truth*
verdadero	*true; real*

Expresiones útiles

¿de acuerdo?	*okay?, all right?, agreed?*
Hasta luego.	*See you later.*
Hasta mañana.	*See you tomorrow*
Hasta (muy) pronto.	*See you (very) soon.*
¿verdad?	*right?, true?*

Don't forget: Definite articles, page 22; Indefinite articles, page 22; Cardinal numbers 0–99, page 26; Interrogative words, page 29

El obelisco de la Avenida 9 de Julio, en Buenos Aires

CAPÍTULO dos

DESCRIPCIONES

VOCABULARIO. In this chapter you will describe people, places, and things.

GRAMÁTICA. You will discuss and use:

- The present tense of **ser,** a second verb corresponding to *to be*
- Adjectives
- **Ser** versus **estar**
- The contractions **al** and **del**
- The personal **a**

CULTURA. This chapter focuses on Argentina.

FUNCIONES

- Making descriptions (1)
- Expressing admiration
- Describing locations

ARGENTINA

Capital: Buenos Aires
Población: aproximadamente 32 millones de habitantes
Ciudades principales: Buenos Aires, Córdoba, Mendoza, Rosario, Tucumán, Mar del Plata
Moneda: el peso

¿Sabía usted que...?

1. Buenos Aires was the first Latin American city to revolt against Spanish rule in 1810.

2. It also has the oldest subway system (called **el subterráneo**) in South America (built in 1913).

Point out that **sensible** is a false cognate. So is **sensitivo,** which refers only to the senses.

Esteban es... argentino, sociable, sensible (*sensitive*).
Él es muy cortés (*polite*) también.
Está en un restaurante con Pedro, Luis y Alicia.

Point out that **contento** is always used with **estar**.

Maricruz es... joven (*young*), idealista, optimista, altruista.
Está en (la) clase. Está contenta.
Los estudiantes están contentos también.

Marta es... realista, responsable, inteligente, simpática (*nice*).
Está en la universidad.

Additional adjectives for Esteban: **agradable, amable;** for Marta: **intelectual, seria:** for Maricruz: **extrovertida, entusiasta;** for **el museo:** **moderno, impresionante.**

El museo es... importante, grande (*large*), interesante.
Está en la ciudad.

Antónimos *(Antonyms).*   Give the opposite of each word.

1. realista
2. insociable
3. irresponsable
4. pesimista

5. aburrido *(boring)*
6. pequeño *(small)*
7. insensible
8. descortés

9. estúpido
10. viejo *(old)*
11. egoísta *(selfish)*
12. malo *(bad)*

Preguntas

1. ¿Es optimista Esteban? ¿Maricruz? ¿Marta?   2. ¿Están contentos los estudiantes? ¿Está contenta Maricruz?   3. ¿Está Maricruz en (la) clase o en un restaurante?   4. ¿Es usted optimista o pesimista? ¿idealista o realista? ¿responsable o irresponsable?   5. ¿Están ustedes en (la) clase?   6. ¿Está la universidad Cornell en una ciudad grande o pequeña? ¿y Harvard? ¿y la universidad de ustedes?   7. ¿Qué adjetivo(s) asocia usted *(do you asso-ciate)* con Michael Jackson? ¿con Madonna? ¿con Julia Roberts? ¿con Johnny Carson? ¿con Whoopi Goldberg? ¿con el profesor (la profesora) de español? ¿con los estudiantes de la clase?   8. ¿Qué personas asocia usted con estos *(these)* adjetivos: descortés, idealista, popular, pesimista, intelectual?

I. THE VERB *SER*

La Avenida Lavalle, en el centro de Buenos Aires

En un café de la Avenida Lavalle, en Buenos Aires.

PEDRITO	¿De dónde *son* ustedes, señor Larkin?
SR. LARKIN	La doctora Silva y yo *somos* de Estados Unidos. Yo *soy* de Tejas.
PEDRITO	Usted habla muy bien el español.
SR. LARKIN	Gracias, *eres* muy amable.
PEDRITO	Y usted, doctora Silva, ¿*es* también de Tejas?
DRA. SILVA	No, yo *soy* de Nevada, Pedrito.
PEDRITO	¡Ah! ¡Tejas y Nevada!... ¡Dos estados con nombres en español! ¡Por eso ustedes hablan bien el español!

1. ¿Dónde están Pedrito, el señor Larkin y la doctora Silva? 2. ¿De dónde es el señor Larkin? 3. ¿Habla español el señor Larkin? 4. ¿De dónde es la doctora Silva? Y Pedrito, ¿de dónde es? 5. Según (*According to*) Pedrito, ¿por qué hablan bien el español el señor Larkin y la doctora Silva? 6. ¿De dónde es usted?

In a café in Buenos Aires. PEDRITO: Where are you from, Mr. Larkin? MR. LARKIN: Dr. Silva and I are from the United States. I'm from Texas. PEDRITO: You speak Spanish very well. MR. LARKIN: Thanks, you're very nice. PEDRITO: And you, Dr. Silva, are you also from Texas? DR. SILVA: No, I'm from Nevada, Pedrito. PEDRITO: Ah! Texas and Nevada! . . . Two states with names in Spanish! That's why you speak Spanish well!

• •

ser *to be*			
yo	soy	nosotros(-as)	somos
tú	eres	vosotros(-as)	sois
él		ellos	
ella	es	ellas	son
usted		ustedes	

Somos estudiantes.	*We are students.*
Eduardo es argentino.	*Eduardo is an Argentinean.*
Ricardo es agente de viajes.	*Ricardo is a travel agent.*

Note that after **ser** the indefinite article is not used with a profession or nationality unless it is modified by an adjective, as you will see later on in the book.

EJERCICIOS

Follow-up activities.
1. Have students in pairs
ask about someone
else. For example: **¿Es
usted profesor(a)? ¿Es
usted de California?**,
etc. **2.** Have students in
small groups ask
questions and then
report back to the whole
class using first-person
plural and third-person
forms. For example:
**Somos estudiantes. Juan
es de Nueva York. Gloria
y María son de Montreal**,
etc.

A. A que eres de Chile... (*I'll bet you're from Chile . . .*).   Professor Benítez is a specialist in regional accents. Every time she hears someone speak, she guesses where the speaker is from. Make up questions she would ask, following the model.

MODELO   José/España
          ¿De dónde es José? ¿Es de España?

1. el doctor Lombardi/Argentina
2. los señores García/Cuba
3. Teresa/Paraguay
4. la profesora/Colombia
5. usted/Puerto Rico
6. los amigos de Susana/Chile
7. el profesor/Uruguay
8. ustedes/México

B. ¿Verdadero o falso?   If the statement is true, say **Verdadero.** If it is false, say **Falso** and restate it to make it correct.

1. Buenos Aires es la capital de Bolivia.
2. Yo soy Julio Iglesias.
3. Managua es la capital de Guatemala.
4. Ochenta y cinco más (*plus*) quince son noventa y cinco.
5. Fidel Castro es de Venezuela.
6. Ustedes son estudiantes.
7. Usted es primo (prima) de Jane Fonda.

C. ¿Quién soy? Pues...   Tell a group of three or four classmates a few things about yourself.

MODELOS   ESTUDIANTE 1   **Soy Catalina. Soy estudiante de español. Soy de California. ¿Y tú?**

          ESTUDIANTE 2   **Soy Ricardo. No soy de aquí. Soy de Montreal. Hablo inglés y francés. También soy estudiante de español. ¿Y tú?**

D. Personas famosas.   Work with a classmate to describe four famous personalities and tell where they are from. Use the list of adjectives below in your descriptions.

Provide the names of
some famous person-
alities yourself and solicit
others from your students
who may enjoy being
more up-to-date than
you are on popular
singers, etc.

MODELO   **Ralph Nader es idealista y sensible. Es de Connecticut.**

pesimista	responsable	amable	cortés	altruista
optimista	irresponsable	sensible	descortés	popular
egoísta	idealista	insensible	intelectual	aburrido

II. ADJECTIVES

El Congreso, Buenos Aires

En una avenida de Buenos Aires.

ANA Allí está Patricia, una amiga de Chile.
NINA ¿Es *chilena?* Andrés también es *chileno*.
ANA Patricia es muy *simpática—cortés, sensible, trabajadora...*
NINA Pues, Andrés también es *simpático—cortés, sensible, trabajador...*
ANA ¡Una pareja *perfecta!* Quizás Andrés y Patricia...
JUAN Un momento, chicas. ¡Andrés es hermano de Patricia!

Have students compose their own variations on this dialogue, changing the names and the adjectives, using famous people, using antonyms for uncomplimentary portraits, etc.

1. ¿Es mexicana Patricia?, ¿y Andrés?   2. ¿Cómo es Patricia?, ¿y Andrés?   3. Según Juan, ¿quién es Andrés?

On an avenue in Buenos Aires. ANA: There's Patricia, a friend from Chile. NINA: She's Chilean? Andrés is also Chilean. ANA: Patricia is very nice—polite, sensitive, hardworking . . . NINA: Well, Andrés is nice too—polite, sensitive, hard-working . . . ANA: A perfect couple (pair)! Perhaps Andrés and Patricia . . . JUAN: Just a moment, girls. Andrés is Patricia's brother!

A. Agreement of adjectives

1. In Spanish, adjectives must agree both in number and in gender with the nouns they modify. The most common singular endings for adjectives are **-o** (masculine) and **-a** (feminine).

un doctor famoso	a *famous doctor*	una doctora famosa	a *famous doctor*
un estudiante mexicano	a *Mexican student*	una estudiante mexicana	a *Mexican student*
un regalo bonito	a *pretty present*	una ciudad bonita	a *pretty city*
un plato muy delicioso	a *very delicious dish*	una comida muy deliciosa	a *very delicious meal*
un chico indio	an *Indian boy*	una chica india	an *Indian girl*

2. Adjectives of nationality that end in consonants and adjectives that end in **-dor** are made feminine by adding **-a.**

un turista inglés*	an *English tourist*	una turista inglesa	an *English tourist*
un chico trabajador	a *hard-working boy*	una chica trabajadora	a *hard-working girl*

3. With very few exceptions (which are not presented in this book), adjectives that don't end in **-o, -a,** or **-dor** have the same forms in the masculine and the feminine.

un examen difícil	a *difficult exam*	una lección difícil	a *difficult lesson*
un chico joven	a *young boy*	una chica joven	a *young girl*
un examen fácil	an *easy exam*	una lección fácil	an *easy lesson*

4. To form the plural of an adjective that ends in a vowel, add **-s.** To form the plural of an adjective that ends in a consonant, add **-es.**

las ciudades grandes	the *big cities*	los pasajeros franceses	the *French passengers*
unos exámenes difíciles	some *difficult exams*	unas lecciones fáciles	some *easy lessons*

B. Position of adjectives

1. Most adjectives are descriptive—that is, they specify size, shape, color, type, nationality, and so forth. Descriptive adjectives usually follow the nouns they modify.

un hombre hispano	a *Hispanic man*	la chica norteamericana	the *North American girl*
unos señores amables	some *nice gentlemen*		

---

*Remember that the written accent on the last syllable of the masculine form will not be necessary after you change the adjective to the feminine. Note also that adjectives of nationality are not capitalized.

2. However, adjectives that specify quantity usually precede the nouns they modify.

dos semanas	*two weeks*	mucho progreso	*a lot of progress*
muchos regalos	*many presents*		

3. Bueno(-a) (*good*) and **malo(-a)** (*bad*) may be placed before or after a noun.

una buena comida
una comida buena } *a good meal*

una mala niña
una niña mala } *a bad girl*

4. Before a masculine singular noun, **bueno** is shortened to **buen** and **malo** to **mal.**

un buen restaurante	*a good restaurant*
un mal ejemplo	*a bad example*

Grande becomes **gran** before a singular noun of either gender; it normally means *great* when it precedes a noun and *large* when it follows a noun.

un gran libro	*a great book*
un libro grande	*a big book*
una gran universidad	*a great university*
una universidad grande	*a large university*

EJERCICIOS

A. Las invitadas *(The guests).* Ana's friends are giving her a surprise party (for women only). Who will be the guests? Follow the model to find out.

MODELO una prima (bueno y trabajador)
Una prima buena y trabajadora.

1. una estudiante (español)
2. una profesora (mexicano)
3. una señora (argentino)
4. una mujer (hispano)
5. una gran amiga (italiano)
6. una chica (inteligente y responsable)
7. una doctora (amable y simpático)
8. una señora (elegante y popular)
9. una tía (egoísta y aburrido)

B. Una familia interesante. The Padillas are an interesting and unusual family. None of the children take after their parents. In fact, they are their exact opposites! Tell what each of them is like, following the models.

MODELOS El señor Padilla es sociable. La señora Padilla es cortés.
Los hijos son insociables. **Las hijas son descorteses.**

1. El señor Padilla es cortés y sensible.
2. La señora Padilla es idealista.
3. El señor Padilla es responsable.
4. La señora Padilla es altruista.
5. El señor Padilla es optimista.

Follow this presentation with some practice, giving students clues to elicit descriptions of familiar things. For example: **La universidad es...** (grande/pequeña; nueva/vieja, etc.); La ciudad de... es... (interesante/aburrida; grande/pequeña, etc.) Follow each with: **¿Es una gran universidad?** and **¿Es una gran ciudad?**

Additional adjectives or pairs of adjectives can be supplied. For example: **perezoso** to go with **trabajador; alegre/ triste; guapo/feo; alto/ bajo; delgado/gordo; fuerte/débil.**

C. ¿Cómo es el amigo (la amiga) ideal? Describe the ideal friend to a classmate and then have your classmate describe him/her to you. Refer to the **Vocabulario activo** for help.

Preguntas

1. ¿Hay buenos restaurantes mexicanos aquí? ¿españoles? ¿argentinos? ¿italianos? ¿Dónde? 2. ¿Prepara usted comida típica norteamericana? ¿mexicana? 3. ¿Cómo es la comida de la cafetería de la universidad? (¿Buena o mala? ¿deliciosa? ¿horrible?) 4. ¿Cómo son los estudiantes de la universidad? (¿Inteligentes? ¿responsables? ¿buenos? ¿malos? ¿trabajadores? ¿sensibles? ¿simpáticos? ¿sociables?) 5. ¿Cómo es la clase de español? (¿Fácil o difícil? ¿interesante o aburrida? ¿grande o pequeña?)

• •

III. *SER* VS. *ESTAR*

El Teatro Colón de Buenos Aires

Aural comprehension.
¿Verdadero o falso?
1. Roberto busca el Hotel Continental. 2. Roberto es de Bariloche. 3. El Teatro Colón está lejos. 4. Es fácil llegar al Teatro Colón. 5. El Teatro Colón está cerca de la universidad.

En la Avenida Córdoba, en Buenos Aires.

ROBERTO Por favor, señor, ¿dónde *está* el Teatro Colón?

RAMÓN *Está* en la Avenida 9 de Julio. Usted no *es* de aquí, ¿verdad?

ROBERTO No, *soy* turista. *Estoy* aquí con unos amigos. *Somos* de Bariloche y *estamos* perdidos.

RAMÓN Pues, el teatro no *está* lejos. *Es* fácil llegar allí. *Es* muy grande y *está* cerca de una plaza muy linda.

1. ¿Dónde está Roberto?   2. ¿Está el teatro en la Avenida Córdoba?   3. ¿Quién es Roberto? ¿Con quiénes está él? ¿De dónde son ellos?   4. ¿Cómo es el teatro? ¿Está lejos?

On Córdoba Avenue in Buenos Aires. ROBERTO: Please, sir, where is the Colón Theater? RAMÓN: It's on 9 de Julio Avenue. You're not from here, are you? ROBERTO: No, I'm a tourist. I'm here with some friends. We're from Bariloche, and we're lost. RAMÓN: Well, the theater isn't far. It's easy to get there. It's very big, and it's near a very pretty plaza.

• •

A. Ser is used:

[handwritten: to tell what something or someone is   predicate nouns.]

1. To link the subject to a noun (or to an <u>adjective used as a noun</u>).

Silvia es italiana.	*Silvia is (an) Italian.*
Jorge y Luis son amigos.	*Jorge and Luis are friends.*
El señor García es agente de viajes.	*Mr. García is a travel agent.*

2. With **de** to indicate origin (where someone or something is from).

Soy de (los) Estados Unidos. —¡Bienvenido!	*I'm from the United States. —Welcome!*
¿De dónde es el regalo? —Es de México.	*Where is the present from? —It's from Mexico.*

3. To indicate where an event takes place.

[handwritten: El examen es aquí.   El examen está aquí]

La ópera es en el Teatro Colón.	*The opera is in the Colón Theater.*
La exposición es en el museo.	*The exhibit is in the museum.*

4. With **de** to describe what something is made of.

¿Es de oro el reloj?	*Is the watch (made of) gold?*
La mesa es de madera.	*The table is wooden (made of wood).*

5. With **de** to indicate possession.

Point out to students that in Spanish there is no apostrophe used to indicate possession.

El reloj es de Ricardo.	*The watch is Ricardo's.*
La cámara es de la señora italiana.	*The camera is the Italian woman's.*

6. With an adjective that is considered normal or characteristic of the subject.

Marta es trabajadora.	*Marta is hardworking.*
El señor Torres es amable.	*Mr. Torres is nice.*

B. Estar is used:

1. To indicate location or position.

El hotel está en la avenida Colón.	The hotel is on Colón Avenue.
Nosotros estamos enfrente de «La Casa Mexicana».	We are in front of "La Casa Mexicana."
Están de vacaciones en Bogotá.	They are on vacation in Bogotá.
¿Dónde está la agencia de viajes? ¿A la izquierda o a la derecha?	Where is the travel agency? On the left or on the right?

2. To indicate the condition of a person or thing at a particular time or with adjectives that are thought of as true of the subject at a particular time, but not always. (This is often the result of a change.)

¿Cómo estás? —Estoy bien, gracias.	How are you? —I'm fine, thanks.
A veces el aire está contaminado.	At times the air is polluted.
Adela está nerviosa hoy.	Adela is nervous today (though not always).
Otra vez estamos perdidos.	We are lost again.

EJERCICIOS

A. ¿Ser o estar? Complete the sentences, using the appropriate forms of **ser** or **estar.**

1. Los profesores ingleses __son__ amables.
2. Tú __estás__ nervioso hoy, ¿verdad?
3. Juan __está__ allí otra vez.
4. ¿ __Es__ el examen de Rubén?
5. Nosotros __somos__ italianos.
6. Ustedes __están__ en la clase de español.
7. Carmen __está__ perdida.
8. Yo __soy__ de Argentina.
9. La silla __es__ de madera.

B. Clarificación. You are not sure what you heard. In pairs, ask and answer questions, following the models.

MODELOS ¿Los viajes? ¿interesantes?
ESTUDIANTE 1 **¿Son interesantes los viajes?**
ESTUDIANTE 2 **Sí, los viajes son interesantes.**

¿Tomás? ¿en clase?
ESTUDIANTE 1 **¿Está Tomás en clase?**
ESTUDIANTE 2 **Sí, Tomás está en clase.**

1. ¿Los López? ¿de vacaciones?
2. ¿La universidad? ¿grande?
3. ¿Los abuelos? ¿bien?
4. ¿Nosotros? ¿estudiantes?
5. ¿Yo? ¿de Nueva York?
6. ¿El (La) estudiante? ¿perdido(-a)?
7. ¿El libro? ¿de papel especial?
8. ¿Tú? ¿aburrido(-a) hoy?
9. ¿El concierto? ¿Teatro Nacional?

C. **Las vacaciones de papá y mamá.** Complete the following paragraph using the appropriate forms of **ser** and **estar.**

Ahora yo (1) _estoy_ en la clase de español. Pepito (2) _está_ en casa porque no (3) _está_ bien. El y yo (4) _somos_ hermanos pero no (5) _estamos_ con mamá y papá ahora. Ellos (6) _están_ en Buenos Aires. (Ellos) (7) _Están_ en un hotel grande. Mamá (8) _está_ muy contenta allí. La ciudad (9) _es_ bonita y el hotel (10) _es_ de estilo colonial. Se llama Hotel Continental y (11) _está_ cerca de la oficina de turismo. Papá y mamá (12) _están_ de vacaciones. No (13) _están_ aburridos en Buenos Aires. (14) _Son_ unas vacaciones interesantes, ¿verdad?

D. **Juan Ramírez.** With a classmate, take turns making sentences about Juan Ramírez. Use the words shown below, and **ser** or **estar** as appropriate.

MODELO Es inteligente.

1. de Córdoba
2. doctor
3. en el hospital
4. altruista
5. bien
6. argentino
7. de vacaciones
8. en Mar del Plata ahora
9. nervioso
10. amigo del presidente

Preguntas

1. ¿Es usted norteamericano(-a)? ¿Es de Nueva York? ¿de California? ¿De dónde es usted? 2. ¿Es usted inteligente? ¿trabajador(a)? ¿optimista? ¿Cómo es usted? 3. ¿Está usted nervioso(-a) hoy? ¿Por qué? ¿Cómo está usted hoy? 4. ¿Dónde están los estudiantes que no están en clase hoy? (¿en casa? ¿en la cafetería? ¿en otra clase?) 5. ¿Está lindo el día?

IV. THE CONTRACTIONS *AL* AND *DEL*

En un autobús, en la Avenida Córdoba.

UNA TURISTA	¿Cómo llegamos *al* Restaurante *La Chacra*? ¿Por qué no preguntas?
EL ESPOSO	Por favor, señor, ¿dónde está el Restaurante *La Chacra*? ¿Está cerca o lejos de aquí?
UN SEÑOR	Muy cerca. Está allí a la izquierda, *al* lado *del* Café Córdoba.
LA TURISTA	Gracias, señor. (*Al* esposo) ¿Qué tal si bajamos *del* autobús ahora...?

1. ¿Dónde están los turistas?   2. ¿Está el Restaurante *La Chacra* a la izquierda o a la derecha? ¿Está cerca?   3. ¿Está al lado del café o al lado del hotel?

On a bus on Córdoba Avenue. WOMAN TOURIST: How do we get to the *La Chacra* Restaurant? Why don't you ask? HER ("THE") HUSBAND: Excuse me, sir. Where is the *La Chacra* Restaurant? Is it near or far from here? A GENTLEMAN: Very near. It's there on the left, beside the Córdoba Café. WOMAN TOURIST: Thank you, sir. (To her husband) How about if we get off the bus now . . . ?

a + el = al   de + el = del

The definite article **el** contracts with **a** to form **al** and with **de** to form **del.** The other articles do not contract.

Las chicas llegan al teatro (a la ciudad, a Estados Unidos, al país).	*The girls arrive at the theater (at the city, in the United States, in the country).*
Estamos lejos del museo (de la universidad, de los hoteles, de las agencias).	*We're far from the museum (from the university, from the hotels, from the agencies).*

EJERCICIOS

A. Una lección de geografía argentina. Look at the map below. Then react to the following statements with **Verdadero** or **Falso.** If the statement is false, correct it.

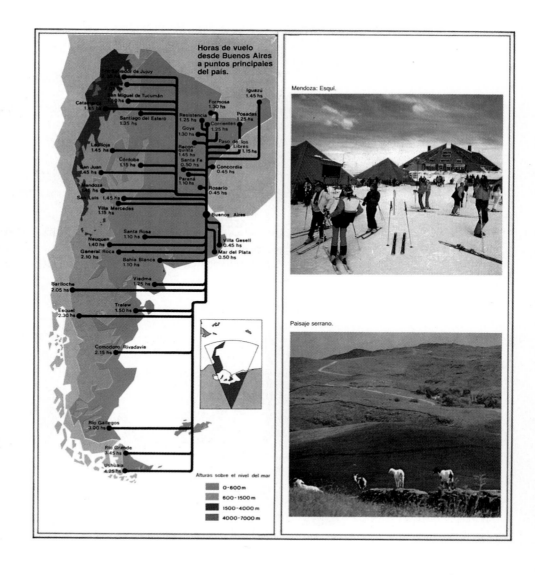

Horas de vuelo desde Buenos Aires a puntos principales del país.

Mendoza: Esquí.

Paisaje serrano.

1. Mendoza está al oeste de Rosario.
2. Mar del Plata está al sur de Buenos Aires.
3. Bariloche está en Chile.

4. Córdoba está al norte de Santiago del Estero.
5. Buenos Aires está lejos de Ushuala.
6. Iguazú está cerca de Río Grande.

B. Imaginación y lógica. Form sentences for each group of words, using them in the order given.

MODELO   hotel / izquierda / aeropuerto
El hotel está a la izquierda del aeropuerto.

1. restaurante / lado / universidad
2. hospital / izquierda / farmacia
3. universidad / cerca / teatro

4. museo / derecha / agencia
5. aeropuerto / lejos / ciudad

Entrevista

Work with a classmate and take turns asking and answering the following questions.

Follow up question **4** with ¿**de un restaurante italiano (mexicano, español, argentino, etc.)? ¿Es bueno? ¿Es interesante?, etc.**

1. ¿Deseas viajar a México? ¿a Perú? ¿Adónde deseas viajar?   2. ¿Llevas pasaporte cuando viajas a Canadá? ¿a Argentina? ¿a Tejas? ¿a Nueva York?   3. En la clase de español, ¿estás cerca o lejos de la puerta? ¿Quién está a la derecha de X *(name a student)*? ¿a la izquierda?   4. ¿Está la universidad lejos o cerca del aeropuerto? ¿de un buen restaurante?

• •

V. THE PERSONAL A

El señor mira a la señorita.

El señor mira los precios.

Do = receives the action of the verb

Elena busca *al* niño.   Elena busca el Hotel Nacional en el mapa.

The personal **a** must precede a direct object that refers to a person or persons. The direct object is the word that indicates the person or thing that is acted upon (or that receives the action of the verb directly). In the sentence *I give the book to Jim, the book* is what is given—it is the direct object. In the sentence *I see Jim, Jim* is the person who is seen—he's the direct object. In Spanish, direct objects that refer to people must be preceded by the personal **a.** Compare:

Teresa visita a los señores Navarro.	*Teresa is visiting Mr. and Mrs. Navarro.*
Necesitamos a la doctora.	*We need the doctor.*

but:

Teresa visita el Museo de Historia Natural.	*Teresa is visiting the Natural History Museum.*
Necesitamos una casa grande.	*We need a big house.*

Like **visitar, mirar,** and **buscar,** the verb **llamar** *(to call)* often requires the personal **a:**

Llama al profesor.   *He (She) calls the professor.*

Point out that the personal **a** is omitted in most uses of the verb **tener** (introduced in Chapter 3), but not in cases like **Tengo al hermano de Rosa aquí con nosotros.**

EJERCICIOS

For additional oral practice, give responses to elicit questions. For example: 1. A la profesora (al profesor) Benítez ¿A quién llama(s)? 2. La universidad ¿Qué busca(s)?

A. Un detective. Alfonso is an amateur detective. Tell what (or whom) he's looking for, using the cues.

   MODELO   el hotel/los turistas
   Alfonso busca el hotel y también busca a los turistas.

1. la casa de Luis/Luis
2. el pasaporte/una dirección
3. el señor Méndez/un restaurante
4. los abuelos/una mujer italiana
5. las cámaras/los pasajeros
6. los estudiantes/el profesor Ruiz

B. Traducción. Give the Spanish equivalent of the following sentences.

1. Juan looks at Adela.
2. They are looking for a good restaurant.
3. The student visits the museum.
4. I want to visit Mr. Flores.
5. The travel agent is calling the tourists now.

Entrevista

Ask a classmate the following questions and report the information back to the class.

1. ¿Visitas a unos amigos hoy? ¿al (a la) profesor(a) de español? 2. ¿Llamas mucho a los amigos? ¿a un(a) amigo(-a) en particular? ¿A quién deseas llamar hoy? ¿mañana? 3. ¿Miras televisión? ¿Miras a veces *(sometimes)* al presidente en la televisión? 4. Cuando estás de vacaciones, ¿qué visitas? (¿museos? ¿teatros? ¿otras ciudades?) ¿A quién(es) visitas? (¿a amigos? ¿a la familia? ¿a otras personas?)

Viñeta Cultural

EN BUENOS AIRES, EL PARÍS DE SUDAMÉRICA

Vista de Buenos Aires, Argentina

En un autobús. Los señores Smith están de vacaciones en Buenos Aires. Buscan el Museo de Historia Natural.[1]

SR. SMITH	¡Dios mío!, el tráfico está horrible y el aire está contaminado.
SRA. SMITH	Es el precio del progreso. Pero los porteños[2] son amables y la ciudad es bonita, ¿no?
SR. SMITH	Sí, pero es muy grande. Estoy perdido... ¿Cómo llegamos al museo?
SRA. SMITH	¿Por qué no preguntamos?
SR. SMITH	Buena idea. *(Habla con un pasajero.)* Por favor... ¿dónde está el Museo de Historia Natural?
EL PASAJERO	Está lejos. Ustedes no son de aquí, ¿verdad?
SRA. SMITH	No, somos ingleses.
EL PASAJERO	¡Ah!, son de Inglaterra°. Pues... bienvenidos al París de Sudamérica. *England* ¿Por qué desean visitar el museo?

SRA. SMITH	Para mirar las exposiciones sobre los animales[3] típicos del país, sobre la cultura de los indios y sobre...
EL PASAJERO	Un momento, por favor. Me llamo Emilio Discotto[4] y soy agente de viajes. Por casualidad° estamos enfrente de la agencia *Viajes Discotto.* ¿Por qué no bajamos?
SR. SMITH	¿Para visitar el museo?
EL PASAJERO	No. Pero es posible visitar una estancia° moderna, visitar a los gauchos[5] y...
SRA. SMITH	Gracias, señor. Otro día, quizás. Hoy deseamos visitar el famoso Museo de Historia Natural.
EL PASAJERO	Bueno, adiós... ¡Y buena suerte!

Por... *By chance*

ranch

El señor Discotto baja del autobús. Los señores Smith no bajan.

SR. SMITH	¿Por qué no preguntas otra vez?
SRA. SMITH	Buena idea. *(A un pasajero)* Por favor... ¿dónde está el Museo de Historia Natural?
EL PASAJERO	Está lejos. Ustedes no son de aquí, ¿verdad?...

Preguntas

1. ¿Dónde están los señores Smith?   2. ¿De dónde son ellos?   3. ¿Qué buscan?   4. ¿Qué pregunta el señor Smith?   5. ¿Cómo se llama el pasajero?   6. ¿Por qué desean visitar el museo los señores Smith?   7. ¿Es agente de viajes el señor Discotto?   8. ¿Adónde desea llevar él a los señores Smith?   9. Al final *(In the end),* ¿llegan al museo?   10. ¿Visita usted museos con frecuencia *(frequently)*?

Notas Culturales

1. The **Museo de Historia Natural,** known also as the **Museo de la Plata,** is in the city of La Plata, about 40 miles from Buenos Aires. It is a famous museum of natural history, science, anthropology, and ethnology.

2. **Porteño** (*literally,* port dweller) is the usual term for someone who lives in Buenos Aires, Argentina's capital and main port of the **Río de la Plata.** **Porteños** call their city the "Paris of South America."

3. Because of the variety of its terrain, Argentina has a number of unusual animals, like the **jaguar;** the **cóndor,** the largest bird of flight; and the **carpincho,** the largest living rodent, which sometimes attains a weight of 100 pounds and in some parts of South America is hunted by natives for food.

4. If you think the name Discotto sounds more Italian than Spanish, you are correct. A large number of Argentineans are of Italian descent. The British, French, and Germans have also contributed to Argentina's population. Many Europeans settled in Argentina during the country's economic expansion during the second half of the nineteenth century.

5. The **gaucho,** or Argentine cowboy, is now more a legendary figure than a real one. In the early 1800s thousands of these men led a nomadic life on the **pampas** *(dry grasslands)*, living off the wild herds of cattle and horses that had descended from those of the Spanish conquistadors. The word is also used for the descendants of the original **gauchos** who now work as ranchhands on the large **estancias** *(Argentine ranches)* and preserve some of the old traditions.

PARA ESCUCHAR

Dos presentaciones.   Jenny, a student from the United States, is planning to spend the summer in Buenos Aires with the Gambarinis. Jenny and the Gambarinis' daughter, Beatriz, have sent each other cassettes describing themselves. First listen to what each one says, then choose the correct ending for each sentence in your textbook.

Vocabulario   (Beatriz): **tu** *your*   **vivo** *I live*   **en realidad** *actually*
creo que *I believe (that)*   **alta** *tall*   **deportes** *sports*

Beatriz

1.   Beatriz vive con   a) sus *(her)* padres.   b) su hermana.   c) unos ingleses.
2.   Ella estudia inglés en   a) la universidad.   b) un instituto cultural.   c) casa.
3.   Beatriz habla español y también   a) francés.   b) italiano.   c) alemán.
4.   Los padres de Beatriz son de Buenos Aires pero los abuelos son de   a) Italia.   b) Estados Unidos.   c) Canadá.
5.   Beatriz es alta y practica *(practices)*   a) el piano.   b) deportes.   c) el violín.
6.   Según los padres de Beatriz, ella es   a) inteligente.   b) yanqui.   c) difícil.
7.   Según los amigos de Beatriz, ella es   a) idealista.   b) simpática.   c) sociable.

Vocabulario   (Jenny): **vive** *lives*   **práctica** *practical*   **siempre** *always*
escribo *I write*   **sábado** *Saturday*

Jenny

1.   Jenny estudia en   a) Manchester, NH.   b) Boston.   c) Montreal.
2.   La familia de Jenny vive en   a) Manchester, NH.   b) Boston.   c) Montreal.
3.   La mamá de Jenny es de París y el papá es de   a) Montreal.   b) Buenos Aires.   c) París.
4.   Ella viaja mucho para visitar a   a) los abuelos.   b) los amigos.   c) su papá.
5.   Según Jenny, ella es una persona   a) idealista.   b) altruista.   c) realista.
6.   Según los padres y amigos de Jenny, ella es   a) sensible.   b) elegante.   c) práctica.
7.   Según la profesora de español de Jenny, ella es   a) trabajadora.   b) bonita.   c) argentina.

FUNCIONES *y actividades*

In this chapter you have seen examples of the following language functions, or uses. Here is a summary and some additional information about these functions of language.

Making descriptions (1)

In this chapter you've seen how to use adjectives with both **ser** and **estar.** Consult the **Vocabulario activo** for a complete list of adjectives from this chapter.

Expressing admiration

A common way to express admiration is with an exclamation containing an adjective. To form exclamations, you can use the word **¡Qué...!** + an adjective. The adjective should agree with the noun it describes in gender and number.

¡Qué interesante! (el libro)   ¡Qué lindos! (los relojes)

To include a noun in the exclamation, use **¡Qué...!** + noun (+ **más**) + adjective.

¡Qué niño (más) cortés!   *What a polite child!*
¡Qué señora (más) simpática!   *What a nice lady!*
¡Qué chicos (más) trabajadores!   *What hardworking young people!*
¡Qué casas (más) bonitas!   *What pretty houses!*

Describing locations

Here are some prepositions referring to place or position that you have seen so far in this book.

a la derecha   *on (to) the right*   cerca (de)   *near*
a la izquierda   *on (to) the left*   detrás (de)   *behind*
al lado de   *beside, next to*   enfrente (de)   *in front of*
lejos (de)   *far from*

Actividades _____

A.   **Descripciones.**   Use **¡Qué...!** + noun (+ **más**) + adjective to describe these pictures. You may want to choose from these adjectives: **grande, pequeño, elegante, delicioso, interesante, difícil, viejo, cortés.**

MODELO      ¡Qué pasajeros (más) corteses!

1.

2.

3.

4.

5.

6.

B. En la Avenida Sante Fe.   Describe the picture using prepositions. Include answers to the following questions.

El doctor habla con el conductor *(driver)* del autobús. ¿Quién está más cerca de ellos: el policía *(the policeman)* o la señora? ¿Está el doctor a la izquierda o a la derecha del auto? ¿Quién está detrás del auto: la señora o el conductor? ¿Dónde están los pasajeros? ¿Y el conductor?

C. **Una foto** *(A photo).* For this activity, bring to class 1–2 photo(s) of your family or friends (preferably taken at a birthday or graduation party, or at some other celebration). In pairs, take turns describing your photo(s) to each other. For example: **Aquí estamos en mi fiesta de graduación. Mamá está a la izquierda de papá y yo estoy con Kittie, la gata** *(cat)* **de mi hermana Anita. Anita no está en la foto pero ¡está aquí...!** (and shows the second photo he/she brought), etc. Then, if time allows, each student should describe to the class who is who in one of his/her partner's photos.

D. **Situaciones.** Role-play the following situations.

1. Your boyfriend or girlfriend has called you the following things during a fight; selfish, rude, insensitive, and so on. A friend calls you, and you describe the conversation: _____ **dice que yo soy...** ([name] *says that I am . . .*). Your friend tells you that these things aren't true—you're not really selfish, rude, insensitive, and so on.

2. You and a friend are on a bus in La Plata, near Buenos Aires. "What a beautiful city!," your friend says. You ask another passenger where the Museum of Natural History is and if it is far. The passenger replies, "No, it's nearby." You have a short conversation with the passenger, who asks you who you are, where you are from, and so forth. The passenger compliments you on your Spanish, and you say, "Thank you, you're very nice." "The Museum of Natural History is there on the left," says the passenger. You say good-bye and get off.

Give students a list of cognate adjectives they might use in their poems: e.g., **cruel, bilingüe, (des)obediente, monolingüe, especial, interesante, increíble, generoso(-a), fabuloso (-a),** etc. You can also give them some ideas for the first line of their poems: e.g., **El doctor (La doctora) X** *(Student provide the name)*/**La hermana (El hermano) de X /Mi auto favorito/Mi gato Tom/El libro de español,** etc.

PARA ESCRIBIR

Poema. In small groups write a short poem about someone you know (or something you like, such as a favorite book, a pet, or similar topic). Use the following guidelines if you wish.

Line 1:	Subject(s)	La profesora Valdés
Line 2:	two adjectives that describe the subject(s)	simpática, inteligente
Line 3:	a place you associate with the subject(s)	en la clase
Line 4:	a descriptive phrase	de español
Line 5:	other adjectives	amable y cortés

VOCABULARIO ACTIVO

Cognados

el aire	famoso	irresponsable	pesimista
altruista	la idea	italiano	popular
argentino	idealista	mexicano	el, la presidente
colombiano	indio	moderno	el progreso
contento	insociable	el museo	realista
chileno	intelectual	norteamericano	responsable
delicioso	inteligente	la ópera	el teatro
el doctor, la doctora	interesante	optimista	típico
elegante	internacional	la persona	el tráfico
el estado			

Verbos

bajar de	*to get off*
estar de vacaciones	*to be on vacation*
llamar	*to call*
preguntar	*to ask*
preparar	*to prepare*
ser	*to be*

Adjetivos

aburrido	*boring*
amable	*nice, friendly*
bonito	*pretty*
bueno	*good*
contaminado	*polluted*
cortés	*courteous, polite*
descortés	*impolite*
difícil	*difficult*
egoísta	*selfish*
fácil	*easy*
grande	(**gran** before a masculine singular noun) *big, tall; great*
insensible	*insensitive*
joven	*young* (plural: **jóvenes**)
lindo	*pretty, good looking*
malo	*bad; sick*
nuevo	*new*
pequeño	*small, little*
perdido	*lost*
sensible	*sensitive*
simpático	*nice*
trabajador	*hardworking*
viejo	*old*

Otras palabras y frases

la agencia de viajes	*travel agency*
el, la agente de viajes	*travel agent*
el autobús	*bus*
la comida	*food; meal*
la chica	*girl, young person*
el chico	*boy, guy, young person*
la exposición	*exhibit*
la madera	*wood*
el oro	*gold*
otra vez	*again, once more*
otro	*other, another*
el país	*country*
el pasajero, la pasajera	*passenger*
el plato	*plate; dish*
el precio	*price*
quizás	*perhaps*
el reloj	*watch; clock*
según	*according to*

Expresiones útiles

a la derecha	*on (to) the right*
a la izquierda	*on (to) the left*
al lado (de)	*beside, next to*
cerca (de)	*near*
detrás (de)	*behind*
enfrente (de)	*in front (of); across (from), opposite*
lejos (de)	*far (from)*

LECTURA I

El mundo hispánico

¿Desea usted hablar español y pasar unas semanas estupendas? Bueno, un viaje a tierras° hispánicas es una idea excelente. Siempre° es posible viajar con la imaginación, ¿no...?

    Primero llegamos a México, al sur de Estados Unidos. En el centro hay una meseta° donde está la capital, Ciudad de México, una ciudad grande, moderna, con

lands, countries/Always

plateau

Ciudad de México, capital del país

muchos parques° y museos. En los pueblos° hallamos° tradiciones antiguas°, comidas regionales deliciosas ¡y mucha hospitalidad!

    ¿Visitamos ahora el Caribe°? En tres de las islas° del Caribe la gente° habla español: los cubanos en Cuba, los puertorriqueños en Puerto Rico y los dominicanos en República Dominicana.

parks/towns/we find/ancient

*The Caribbean/islands/
  people*

San Juan, Puerto Rico

Have a few students read this selection aloud. Be prepared for some pronunciation interference at this early stage.

Point out some cognates in the first paragraph—**estupendas, hispánicas, idea, excelente, posible, imaginación**—and encourage students to look for cognates when reading. Ask them to find cognates in the other paragraphs.

Al sur de México está Centroamérica (América Central). Es una región tropical con muchas montañas y volcanes activos. En seis de las pequeñas repúblicas (Guatemala, El Salvador, Honduras, Nicaragua, Costa Rica y Panamá) la gente habla español. En Belice hablan inglés.

Llegamos luego° a los nueve países° hispanos de Sudamérica (América del Sur): al norte, Venezuela, Colombia y Ecuador; en el centro, Perú, Bolivia y Paraguay; y al sur, Chile, Argentina y Uruguay. Brasil y las Guayanas no son países hispanos.

then / countries

Note that the language of Brazil is **portugués** and that it is part of *Latin* America but not of *Spanish* America.

There are a few nouns that end in **-dad** and **-ión** here. Remind students that these words are usually feminine and have them find some in the reading.

Note that **Ecuador** means *equator* and that the country's name reflects its geographical location. Also note the nonexistence of **qua** in Spanish, and the reversion to *t* in adjective forms: **ecuatorial, ecuatoriano.**

Parinacota, volcán
de los Andes, Chile

Sudamérica es un mundo de contrastes geográficos donde es posible visitar ruinas de civilizaciones muy antiguas y también ciudades muy modernas y cosmopolitas.

Finalmente, cruzamos° el Océano Atlántico y llegamos a España°, un país de regiones muy diferentes. En la costa del Mediterráneo, el clima° es ideal. La capital, Madrid, está en la meseta central donde las temperaturas son extremas. Andalucía, al sur, es famosa por sus° ciudades históricas y su música.

Y ahora, ¿cuál de los países del mundo hispánico desea visitar usted?

we cross / Spain

climate

por... *for its*

Note the use of **el clima** to review that most nouns ending in **-ma, -pa,** or **-ta** (that have a cognate in English) are masculine: **el problema, el mapa, el poeta.**

Un pueblo típico de Andalucía, España

Preguntas

1. ¿Cómo es la capital de México? ¿Qué hallamos en los pueblos?   2. ¿Cuáles son las tres islas del Caribe donde la gente habla español?   3. ¿Cuántas repúblicas hispanas forman Centroamérica?   4. En Sudamérica, ¿qué países hispanos están al norte? ¿en el centro? ¿y al sur?   5. ¿Qué países de Sudamérica no son hispanos?   6. ¿Qué es posible visitar en Sudamérica?   7. ¿Por qué es famosa Andalucía?

A.   Breve repaso de geografía *(Brief geography review).*   Complete the following sentences by circling the correct words or phrases. If you don't know the answers, a glance at the maps at the front of the book will provide them.

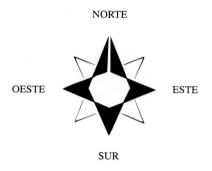

1. La ciudad de Madrid está: a. en el norte de España   b. en el centro de España   c. en el sur de España
2. Los Pirineos separan España de: a. África   b. Portugal   c. Francia
3. En España la ciudad de Granada está en Andalucía, famosa por la música flamenca *(gypsy music).* Una ciudad que está cerca es: a. Montevideo   b. Sevilla   c. San José
4. El estrecho *(strait)* de Gibraltar separa España de: a. África   b. Portugal   c. Francia
5. La península de Yucatán está en: a. Chile   b. España   c. México
6. La capital de Bolivia es: a. La Paz   b. Asunción   c. Quito
7. Dos islas del Caribe son: a. Cuba y Belice   b. Cuba y Puerto Rico   c. El Salvador y República Dominicana
8. La capital de Puerto Rico es: a. Managua   b. Jalapa   c. San Juan
9. La ciudad de Tegucigalpa está en: a. México   b. Perú   c. Honduras
10. Los Andes están: a. en el oeste de Sudamérica   b. en el centro de Sudamérica   c. en el este de Sudamérica
11. Argentina está al este de: a. Uruguay   b. Paraguay   c. Chile
12. Los dos países sin *(without)* comunicación directa con el Atlántico o el Pacífico son: a. Paraguay y Uruguay   b. Ecuador y Bolivia   c. Bolivia y Paraguay

B.   Un pequeño examen geográfico.   With one or more classmates, quiz each other on the geography of the Hispanic world. For example, you could use questions like: **¿Cuál es la capital de...?, ¿En qué país está...?,** etc.

La biblioteca de la UNAM, Ciudad de México

ESTUDIOS Y PROFESIONES

VOCABULARIO. In this chapter you will talk about university studies as well as various professions and occupations.

GRAMÁTICA. You will discuss and use:

- How to tell time
- The present tense of regular **-er** and **-ir** verbs
- Possessive adjectives
- The present indicative of **tener**
- The verbs **hacer, poner, salir,** and **venir**

CULTURA. This chapter focuses on Mexico.

FUNCIONES

- Telling time
- Expressing incomprehension

MÉXICO

Capital: México, D.F. (Distrito Federal)
Población: aproximadamente 82 millones de habitantes
Ciudades principales: Ciudad de México, Guadalajara, Monterrey, Puebla, Ciudad Juárez, Tijuana, Mérida, Chihuahua
Moneda: el peso

TIJUANA · CIUDAD JUÁREZ · CHIHUAHUA · MONTERREY · MAZATLÁN · TAMPICO · VERACRUZ · GUADALAJARA · MÉXICO, D.F. · PUEBLA · MÉRIDA

¿Sabía usted que...?

1. Mexico City is the largest city in the world, with approximately 20 million inhabitants.

2. Originally known as **Tenochtitlán** and built by the Aztecs on a lake, Mexico City is the oldest capital in North and South America.

Note the variation for female titles. Often the more recent forms ending in **-a (la médica, la presidenta,** etc.) sound jarring to those unaccustomed to such usage.

el abogado, la abogada

el escritor, la escritora

el doctor, la doctora
(el médico, la médica)

Also: **el** or **la pastor (pastora** means *shepherdess*); **el monje, la monja** *(monk, nun):* **el hermano, la hermana; el rabino, la rabina.** Note that **la cura** means *cure.* There are many nuns working in Spanish American countries, but other female clergy are rare.

el vendedor,
la vendedora

el cura (el sacerdote)

el camarero, la camarera
(el mesero, la mesera)

Note that **el ama** is feminine and functions like **el agua, el arte, el alma,** etc. Thus, **la buena ama de casa, las amas de casa.**

el, la músico

el policía, la mujer policía

el ama de casa

Point out the variations in the feminine titles, especially **la mujer policía** and **la música,** where **la policía** means *the police force* and **la música** is *music* in a general sense.

Additional occupations are: **el, la cantante; el, la secretario(-a); el, la programador(a); el bombero** *(fireman);* **el, la carpintero(-a); el, la pintor(a); el, la plomero(-a)** *(plumber);* **el, la cocinero(-a); el, la mecánico (la mecánica** means *mechanics);* **la modista** *(fashion designer);* **la costurera** *(seamstress);* **el sastre** *(tailor).*

el ingeniero,
la ingeniera

el, la agente de viajes

el, la comerciante
(el hombre / la mujer
de negocios)

Follow up with other famous people familiar to students or ask **¿Quién es un(a) músico famoso(-a)?,** etc.

Preguntas

1. ¿Cuál es la profesión de Bruce Springsteen? ¿de F. Lee Bailey? ¿de Donald Trump? ¿de Benjamin Spock? ¿de Gabriel García Márquez? 2. ¿Cómo se llama la persona que trabaja en un restaurante? ¿en una boutique? ¿en una agencia de viajes? 3. ¿Qué profesión asocia usted con Perry Mason? ¿con Angela Lansbury (del programa "Murder She Wrote")? 4. ¿Qué materia *(subject)* asocia usted con Sigmund Freud? *(See drawing on page 69.)* ¿con Marie Curie? ¿con Miguel de Cervantes? ¿con Margaret Mead? ¿con Albert Schweitzer? ¿con John Locke? ¿con Blaise Pascal? ¿con Bill Clinton? 5. ¿Estudia usted historia? ¿ciencias políticas? ¿español? 6. ¿Qué estudia usted? ¿Qué desea estudiar en el futuro?

Remind students that the indefinite article is usually omitted following a form of **ser** if the noun is not modified.

En la librería universitaria.   In the university bookstore, students from the Universidad Nacional Autónoma de México (UNAM) are looking for books. Say what field each is studying.

> **MODELO**   Consuelo busca libros sobre *(about)* las civilizaciones de Sudamérica.
> **Consuelo estudia antropología.**

Additional items. **1.** Adela busca libros sobre la vida y la verdad. **2.** Gloria busca libros sobre la Revolución Norteamericana. **3.** Juan busca libros sobre las relaciones interpersonales. **4.** Enrique busca libros de COBOL y BASIC.

1. Lola busca libros con muchas ecuaciones ($24x + 6y = 150$).
2. Sofía busca libros de Cervantes y de Shakespeare.
3. Chepa busca libros de Freud.
4. Maruja busca libros sobre los gobiernos *(governments)* de Sudamérica.
5. Manuel busca libros sobre la estructura del átomo.
6. Rosalía busca libros sobre los animales y las plantas.

Entrevista

Work with a classmate and take turns using these questions to interview each other about your studies.

Begin by asking one or two questions yourself. Have students report to the class what their classmate is studying. Follow up selected answers with **¿Por qué?** If time allows, and/or review numbers and reinforce the new vocabulary by taking a quick survey of how many students take what courses. Have the students raise their hands and then count aloud the number of hands raised for each course.

1. ¿Qué estudias?   2. ¿Crees que la química (la física, el español, la historia, la medicina) es aburrida(-o) o interesante? ¿Es fácil o difícil?   3. ¿Qué debes estudiar si deseas ser doctor(a)? (¿ingeniero[-a]? ¿biólogo[-a]? ¿psicólogo[-a]?)   4. Ahora muchas personas estudian ciencias de computación, ¿verdad? ¿Y tú también estudias ciencias de computación?   5. ¿Deseas estudiar las civilizaciones de México? (¿la civilización española? ¿la historia de Sudamérica?)   6. ¿Lees libros de ciencias? (¿de ciencias naturales? ¿de literatura? ¿de música? ¿de matemáticas? ¿de sociología? ¿de ingeniería? ¿de ciencias políticas?)

I. TELLING TIME

¿Qué hora es?

el reloj   *watch, clock*

Colloquial variants for asking the time are: **¿Qué horas son? ¿Qué hora tiene(s)?**

Es la una y diez.

Es la una y cuarto
(y quince).

Es la una y media
(y treinta).

Students will tend to confuse **cuarto** and **cuatro** when speaking at a normal pace. Teach the **y cuarto** form for recognition only and emphasize **y quince.**

Note the other method, e.g., 1:45 is **la una y cuarenta y cinco.** Compare to English *a quarter of two* versus *one forty-five.*

Son las dos menos veinte.

Son las dos menos cuarto.

Son las dos en punto *(on the dot).*

de la mañana

de la tarde

de la noche

¿A qué hora?

¿A qué hora llega el avión?

Llega a las diez y cuarto de la mañana.

• •

A. Notice that from the half hour to the hour, minutes are usually subtracted from the next hour in Spanish.

La clase termina a las cuatro menos diez.

The class ends at three-fifty.

B. To identify a time as A.M., use **de la mañana.** To identify a time as P.M., from noon to sunset, use **de la tarde,** and for later hours, **de la noche.**

Hay una clase de ciencias políticas a las cuatro de la tarde.	There is a political science class at 4:00 p.m.
En México cenamos a las nueve de la noche.	In Mexico we have dinner at 9:00 p.m.

C. To say that something happened in or during the morning, afternoon, or night, use **por la mañana, tarde,** or **noche.**

Trabajamos por la mañana.	We work in the morning.
Ana estudia mucho por la noche.	Ana studies a lot at night (in the evening).

EJERCICIOS

A. **¿Qué hora es?**   Look at the five clocks (**relojes**) below and tell the time in Spanish.

1.
2.
3.
4. (clock image)
5.

B. **¿A qué hora llega el avión?**   Using the following chart, tell the arrival time of each of the planes coming from the cities listed there. Airline schedules in the Hispanic world are usually on a twenty-four-hour system, where 12:00 is noon and 24:00 is midnight.

MODELO   La Paz/14:30
El avión de La Paz llega a las dos y media de la tarde.

Ciudad de origen	Hora de llegada (*arrival*)
Buenos Aires	18:30
San Francisco	8:45
Acapulco	22:15
Puerto Rico	9:30
La Paz	14:30
Madrid	6:45
Caracas	17:00

C. **«TV al día».**   Study the following TV schedule from the New York newspaper *El diario/La prensa.* In pairs, take turns asking and answering the following questions.

TV al día

VIERNES NOCHE   OCTUBRE 4

	7:00	7:30	8:00	8:30	9:00	9:30	10:00	10:30
PROGRAMACION EN ESPAÑOL								
41	Alcanzar una Estrella II		En Carne Propia	Amor de Nadie	Dona Beija / Dona Bella		El Show de Paul Rodriguez	
47	Manuela		Los Anos Perdidos		Pelicula: *"Furia de Ladrones"* Miguel Angel Rodriguez.			Ocurrio Asi
GALA	(6:30) Andale	T.V. O	Yo No Creo En Los Hombres		Milagro y Magia		Picara Sonadora	

1. ¿A qué hora presentan «Los años perdidos» (*"The Forgotten Years"*)? ¿«Milagro y magia» (*"Miracle and Magic"*)? ¿«Ocurrió así» (*"That's How It Happened"*)?
2. ¿En qué canal *(channel)* presentan «Manuela»? ¿«Doña Bella»?
3. ¿Qué programa presentan a las ocho en el canal Gala? ¿a las 10 en el canal 41?
4. ¿A qué hora presentan una película *(film)*? ¿A qué hora termina *(ends)* la película?
5. ¿Cuáles son tus *(your)* programas favoritos? ¿A qué hora y en qué canal miras tus programas favoritos?

D. ¿Hasta cuándo?   Study the cartoon below and answer the following questions.

1. Según su opinión, ¿qué hora es?
2. ¿Cuál es el problema del señor?

¿Abres la ventana?

¿Cuántas cartas escriben ustedes
cada semana? ¿Cuántas reciben?*

Deben aprender español si deciden
vivir en México.

Are you opening the window?

*How many letters do you write each week?
How many do you receive?*

*You should learn Spanish if you decide to
live in Mexico.*

EJERCICIOS

Have students create
additional sentences
describing the people,
where they are, and
what they are doing.

A. En acción. Look at the drawings and tell what the people are doing.

1. Susana...

2. Los doctores...

3. El señor Ortiz...

4. Los estudiantes...

---

*¿**Cuánto(-a, -os, -as)?** is an interrogative word meaning *how much?* or *how many?* It agrees in gender and number with the noun it modifies, expressed or implied.

5. La niña...

6. El señor Montero...

B. ¿Dónde vives? Ask a classmate about what he or she lives near. Then report the information to the class.

MODELO the university
ESTUDIANTE 1 **¿Vives cerca de la universidad?**
ESTUDIANTE 2 **Sí, vivo cerca de la universidad. (No, vivo lejos de la universidad.)**

1. a library
2. a good bookstore
3. the hospital
4. a Mexican (Italian, Spanish, French) restaurant
5. a museum
6. a theater
7. a café *(un café)*
8. a travel agency

Now make a sentence naming several things your classmate lives close to.

Have students ask each other the questions in small groups and then report their findings to the class.

If done as an interview, use the «**tú**» form of the verb in all your questions.

Preguntas _____

1. ¿Lee usted un libro ahora? ¿Cómo se llama?   2. ¿Lee usted muchos libros? ¿Lee libros de música? ¿de matemáticas? ¿de ciencias naturales?   3. ¿De qué libro o libros aprende usted mucho?   4. ¿Cree que la química es aburrida o interesante? ¿Es fácil o difícil? ¿Y la filosofía? ¿Y la literatura?   5. ¿Come usted en la cafetería de la universidad? ¿Come bien o mal en la cafetería?   6. ¿Escribe usted muchas cartas? ¿muchas composiciones? 7. ¿Recibe usted muchas cartas cada semana? ¿De quién(es)? ¿De dónde?   8. ¿Vive usted con un(a) amigo(-a)?   9. ¿En qué ciudad vivimos? ¿En qué estado?

III. POSSESSIVE ADJECTIVES

Según la ilustración, ¿cuál es el problema del cliente? ¿de los clientes...? ¿Y cuál es el problema del doctor...?

¿Cuál es su problema? *What's your problem?*

Según su *(your)* opinión, ¿es Miguelito un buen estudiante? ¿Por qué?

Vamos a ver *Let's see* **Los que ... 8 x 5** *Those of us who know our own limitations know 8 x 5*

• •

A. Possessive adjectives agree with the nouns they modify (the items possessed) in gender and number. They do not agree with the possessor.

mi(s)	amigo(s)	} *my friend(s)*	nuestro(s) amigo(s)	} *our friend(s)*	
	amiga(s)		nuestra(s) amiga(s)		
tu(s)	amigo(s)	} *your friend(s)*	vuestro(s) amigo(s)	} *your friend(s)*	
	amiga(s)	*(familiar)*	vuestra(s) amiga(s)		
su(s)	amigo(s)	} *his (her, your* [formal]*, their)*			
	amiga(s)	*friend(s)*			

nuestro primo, nuestra prima,   *our cousin* (m.), *our cousin* (f.), *our cousins*
  nuestros primos, nuestras primas   (m. or m. and f.), *our cousins* (f.)
tu hijo, tu hija, tus hijos, tus hijas   *your son, your daughter, your sons (sons*
                                          and daughters), your daughters

Give additional examples, using familiar vocabulary with objects of masculine gender possessed by females in the class and objects of feminine gender possessed by males. For example, **¿Es el libro de María? ¿de Juan y María? Sí, es su libro.**

B. Su and **sus** have several possible meanings: *his, her, its, your, their.*

¿Cuántos niños hay en su familia?   *How many children are there in his (her,*
                                     your, their) family?

Es su propia madre.   *It's his (her, your, their) own mother.*

For this reason, it is often necessary to use **de** + a subject for clarity:

su hermano: el hermano de él (de ella, de usted, de ellos, de ellas, de ustedes)
sus hermanos: los hermanos de él (de ella, de usted, de ellos, de ellas, de ustedes)

¿Cuántos niños hay en la familia   *How many children are there in his*
  de él?   *family?*

EJERCICIOS

A. ¿De quién es? (¿De quiénes son?)   From the list of items, identify those that go with the key word, as shown in the model.

> **MODELO**   mis: libro, cuadernos, doctora, calendarios, clases, mamá
>   **mis cuadernos, mis calendarios, mis clases**

1. nuestras: lección, amigas, mes, papel, clases, problemas
2. su: estudios, auto, casa, amigos, padre, abuelos
3. tus: padre, hermanos, lecciones, abuela, prima, abogado
4. mi: tío, vida, papeles, hija, familia, dios
5. nuestro: lección, carta, pasado, verano, fecha, vacaciones

B. ¿Nosotros?   In pairs, respond to the following questions. Use **nuestro(-a, -os, -as).**

1. ¿Cómo son sus padres? ¿sus hermanos?
2. ¿Cómo es su clase de español? ¿Cómo son sus amigos en esta clase?
3. ¿Cómo es su universidad? ¿su ciudad?

C. ¿De quién es?   Make sentences using names of your classmates and the following items or others that you think of.

MODELOS   **Es el mapa de María. Es su mapa.**
Son los cuadernos de Pablo. Son sus cuadernos.

1. libros
2. bolígrafo
3. cartas
4. reloj

5. mochila *(backpack)*
6. calendario
7. lápices
8. examen

D. Entrevista.   Interview a classmate to find the answers to the following questions.

1. ¿Cuál es tu clase favorita? ¿Por qué?
2. ¿Cuántas personas hay en tu familia?
3. ¿Cómo se llaman tus hermanos? ¿Son pequeños? ¿grandes?
4. ¿Dónde trabaja tu padre? ¿tu madre?
5. ¿Viven tus abuelos? ¿Dónde viven? ¿Cerca o lejos de tu casa?
6. ¿Tienes muchos amigos? ¿Hablas con ellos todos los días?
7. ¿Cómo se llama tu amigo(-a) favorito(-a)? Descríbelo(-la) *(Describe him/her)* con dos o tres adjetivos apropiados.

• •

IV. THE PRESENT INDICATIVE OF *TENER*

Las pirámides de Teotihuacán, cerca de México, D.F.

BÁRBARA	*¿Tienes* tiempo para estudiar inglés hoy?
DORA	No, no *tengo* tiempo. Robert y yo *tenemos* otros planes. Él *tiene* ganas de visitar las pirámides de Teotihuacán.
BÁRBARA	Pero... ¿y el examen de inglés que *tienen* mañana?
DORA	No *tiene* importancia. El inglés es fácil, y con Robert aprendo más.
BÁRBARA	Comprendo. La escuela de la vida, ¿no?

1. ¿Tiene tiempo Dora para estudiar inglés con Bárbara?   2. ¿Qué planes tienen Dora y Robert?   3. ¿Por qué para Dora no tiene importancia el examen de inglés?

BÁRBARA: Do you have time to study English today? DORA: No, I don't have time. Robert and I have other plans. He feels like visiting the pyramids of Teotihuacán. BÁRBARA: But . . . what about the English test that you have tomorrow? DORA: It's not important. English is easy, and with Robert I learn more. BÁRBARA: I understand. The school of life, right?

• •

A. The verb **tener** is irregular.

tener	to have
tengo	tenemos
tienes	tenéis
tiene	tienen

Review pronunciation of **ie** *diphthongs here:* **siete, ciencia, tiempo,** *etc.*

Tengo muchos libros sobre medicina.   *I have lots of books about medicine.*
¿Tienes tiempo para comer ahora?   *Do you have time to eat now?*
Tenemos una clase de ingeniería a   *We have an engineering class at two*
   las dos.   *o'clock.*

B. Tener que + infinitive means *to have to* (do something). **Tener ganas de** + infinitive means *to feel like* (doing something).

Tengo que escribir una composición   *I have to write a composition about the*
   sobre los dioses de los aztecas.   *gods of the Aztecs.*
¿Tienes ganas de visitar a Enrique?   *Do you feel like visiting Enrique?*

Point out that the personal **a** *is not omitted in cases like* **Tengo al hermano de Rosa aquí con nosotros.**

C. The verb **tener** is not normally followed by the personal **a: Tengo dos hermanos. Tenemos una amiga chilena.**

EJERCICIOS

A. ¿Tienes...?   Ask a classmate whether he or she has the following things. Then make a sentence telling the class a few of the things your classmate has.

1.   una clase de literatura (filosofía, etc.)
2.   un reloj alemán (japonés, francés)
3.   ganas de viajar a México (España, etc.)
4.   ganas de estudiar hoy
5.   amigos hispanos (franceses, egoístas, sociables, etc.)
6.   ideas interesantes o importantes
7.   libros de antropología (biología, historia, etc.)

B. Conversación. Complete the conversation with the correct forms of **tener.**

DELIA   Ernesto, ¿ _____ (tú) tiempo de visitar al tío Pedro?

ERNESTO   Sí, mamá. _____ tiempo. Y Conchita y yo _____ un libro importante para él.

DELIA   Pero Conchita _____ un examen hoy, ¿no?

ERNESTO   ¡Sí! Y creo que ella _____ otros planes. El problema es que necesito unos pesos. ¿ _____ (tú) unos pesos para el taxi?

Preguntas

Additional questions.
¿Tiene usted muchos libros de español? (sociología, matemáticas, inglés, etc.)?; ¿Tiene usted tiempo de mirar programas de televisión?; ¿Tiene usted un programa favorito? ¿Cuál es?

1. ¿Tiene la universidad una buena biblioteca?   2. ¿Tienen programas de español aquí en televisión?   3. ¿Tiene usted una clase de francés? ¿de matemáticas? ¿de biología? ¿de literatura? ¿Son fáciles o difíciles?   4. ¿Tiene usted ganas de aprender música? ¿arte? ¿Qué tiene ganas de aprender?   5. ¿Tiene que estudiar hoy? ¿Tiene ganas de estudiar? 6. ¿Tenemos muchos estudiantes inteligentes en la clase? ¿Y en la universidad? 7. ¿Tiene usted una familia grande o pequeña? ¿Cuántos hermanos tiene? ¿Cuántos primos?

• •

V. THE VERBS *HACER, PONER, SALIR,* AND *VENIR*

Los policías *salen* de la policía.

Nosotros *hacemos* ejercicios.

El turista *pone* unos regalos en la maleta.

Ellos *vienen* de la bibiloteca.

Point out that **hacer** is used in many idiomatic expressions such as the weather expressions in Chapter 4.

hacer	*to do; to make*	poner	*to put*
hago	hacemos	**pongo**	ponemos
haces	hacéis	pones	ponéis
hace	hacen	pone	ponen

salir	*to leave, go out*	venir	*to come*
salgo	salimos	**vengo**	venimos
sales	salís	vienes	venís
sale	salen	viene	vienen

The verbs **hacer, poner,** and **salir** have irregular first-person singular forms: **hago, pongo, salgo. Venir** is conjugated like **tener** except for the **nosotros** and **vosotros** forms.

Point out that the very common ¿**Qué hago?** usually means *What shall I do?*

¿Qué hace Miguel? —Hace las maletas.	*What is Miguel doing? —He's packing the suitcases.*
Pongo el libro de física aquí, ¿está bien?	*I'm putting the physics book here, okay?*
Salimos mañana para Acapulco.	*We're leaving tomorrow for Acapulco.*
Fernando siempre viene a las fiestas.	*Fernando always comes to parties.*

EJERCICIO

Entre amigos.   It's Saturday afternoon, and Jorge is trying to find someone to spend the afternoon with. Complete the conversation between Jorge and his friend Pedro using the correct present-tense forms of the verbs in parentheses.

JORGE   ¿Qué (1. hacer) _____ tú hoy, Pedro?

PEDRO   Ahora estudio química, pero más tarde (2. salir) _____ con Luisa. Deseamos ir al teatro.

JORGE   ¿Y Roberto? ¿Qué (3. hacer) _____ él?

PEDRO   El está en el aeropuerto. Debe recibir a unos amigos que (4. venir) _____ de Guadalajara.

JORGE   ¿Qué (5. hacer) _____ Rita y Paco?

PEDRO   Ellos (6. poner) _____ las maletas en el auto. En unos minutos ellos (7. salir) _____ de viaje.

JORGE   Y entonces *(then)*, ¿qué (8. hacer) _____ yo?

PEDRO   Pues, tienes dos posibilidades: (tú) (9. venir) _____ al teatro con nosotros o (10. poner) _____ también las maletas en el auto y (11. salir) _____ de viaje con Rita y Paco.

JORGE   ¡Buena idea! ¡Ahora (12. poner) _____ los pijamas en una maleta y pronto (13. salir) _____ para la casa de ustedes!

Entrevista ─────────────────────────────────

Ask a classmate the following questions and report the information back to the class.

1. ¿De dónde vienes ahora?   2. ¿Haces la comida por la noche? ¿Quién pone los platos y la comida en la mesa? ¿Preparas comidas deliciosas? ¿O sales con un(a) amigo(-a) a comer?   3. ¿A qué hora sales de casa por la mañana? ¿A qué hora vienes a la clase de español?   4. Cuando haces la maleta, ¿siempre pones allí una cámara? ¿un libro? ¿los pijamas?

Viñeta Cultural ─────────────────────────────

RECUERDOS°
DE MÉXICO

Greetings

La Piedra del Sol, o calendario azteca, en el Museo Nacional de Antropología

El Museo Nacional de Antropología, en la Ciudad de México

Catalina, una estudiante de antropología, le escribe una carta a Raquel, una amiga de la universidad.

Querida° Raquel:

Estoy en Ciudad de México para estudiar antropología. Aquí hay varios° museos impresionantes° y es posible aprender mucho sobre las civilizaciones indígenas° del pasado°. Las fotos que te envío° aquí son: 1) de la famosa Piedra del Sol° o calendario azteca[1]; y 2) del Museo Nacional de Antropología[2], mi museo favorito. El Museo Nacional de Antropología es una maravilla°. Muchos antropólogos y estudiantes de antropología vienen aquí sólo° para visitar el museo. Siempre hay programas diferentes de conferencias° y películas° sobre la cultura y el arte indígenas. Es posible pasar° todo el día en el museo porque hay una excelente librería y también una cafetería muy linda. La semana próxima° deseo visitar Teotihuacán[3], la antigua° ciudad indígena donde está la famosa Pirámide del Sol. Prometo enviarte° una postal° después de mi visita.

    Ahora deseo recibir noticias° de los amigos y de tus clases... ¿Cómo están Susana, Guillermo, Carolyn y mi profesora favorita de español? México realmente es un lugar° ideal para estudiantes de antropología como yo y estoy muy contenta de estar aquí. Espero carta tuya° muy pronto.

Con cariño°,

Catalina

Dear

several
impressive / native, indigenous
past / te... I'm sending you /
  Piedra... *Stone of the Sun*

a marvel, wonder

only
lectures / films / to spend

la... *next week / ancient*
Prometo... *I promise to send*
  you / a postcard
news

place

Espero.... *I hope for a letter*
  from you

Con... *Affectionately, Fondly*

Preguntas

1. ¿Dónde está Catalina? ¿Por qué?   2. ¿Qué es posible aprender en México?   3. ¿Cuántas fotos envía Catalina? ¿De qué son las fotos?   4. ¿Quiénes vienen a México para visitar el Museo Nacional de Antropología? ¿Por qué?   5. ¿Es posible pasar todo el día en el museo? ¿Por qué?   6. ¿Qué espera visitar Catalina la semana próxima?   7. ¿Qué es Teotihuacán? ¿Qué edificio famoso está allí?   8. ¿Desea usted visitar México? ¿Qué lugares desea visitar? ¿Teotihuacán? ¿Ciudad de México? ¿las playas de Veracruz?

Actividades.   Working in small groups, do one or both of the following activities.

1. Imagine that Catalina's letter is a response to an earlier letter from Raquel. Compose the letter that Raquel might have sent to Catalina. What questions would she have asked?
2. Imagine a telephone conversation where Catalina would be communicating the information in the letter to Raquel. Compose and act out a dialogue including Raquel's questions and Catalina's answers.

Notas Culturales

1. The Aztec calendar stone, or **Piedra del Sol,** (*literally,* Stone of the Sun) is a gigantic carved stone from the sixteenth century. The Aztec year consisted of eighteen months, each with twenty days. Five extra days, considered unlucky and dangerous, followed. During this time, the Aztecs stayed close to home and behaved cautiously for fear that an accident would set a bad pattern for the entire year ahead.

2. The National Museum of Anthropology in Mexico City is an immense building with a huge suspended roof and central patio. It houses exhibits from all over the world, but most contain artifacts from the many Indian peoples that have successively inhabited various regions of Mexico.

3. **Teotihuacán,** which means "city of gods" or "where men become gods," dates from the first century A.D. Located 33 miles north of Mexico City, it covers eight square miles and contained dwelling places, plazas, temples, and palaces of priests and nobles. The Pyramid of the Moon, at the north end, and the great Pyramid of the Sun, at the east end, are its most impressive features.

PARA ESCUCHAR

A. En la librería. Teresa is shopping in Mexico City for presents to bring home to the United States. She notices some attractive calendars in a bookstore window and goes in to inquire about the prices. Listen to the conversation. What does Teresa buy?

_____ 1. $31,50   a. el calendario con una foto grande del calendario azteca
_____ 2. $25,50   b. el calendario con fotos del Museo de Antropología
_____ 3. $30,60   c. un calendario con fotos de las pirámides de Teotihuacán

B. ¿Y el total? Listen to the conversation again. What is the total amount that Teresa pays?

FUNCIONES *y actividades*

In this chapter you have seen examples of the following language functions, or uses. Here is a summary and some additional information about these functions of language.

Telling time

See Section I for time expressions. The use of digital watches has changed traditional ways of stating time. Spanish speakers now often say **Son las ocho y cincuenta** instead of the traditional **Son las nueve menos diez.**

Expressing incomprehension

Even in your native language, you probably find that you frequently have to stop someone who is speaking and ask him or her to clarify or explain something, repeat part of a sentence, slow down, and so on. In a foreign language, it's even more important to learn how to stop a speaker and ask for clarification. Here are some ways to express that you just aren't following and need some help.

¿Cómo?	*What?*	¿Perdón?	*Pardon me?*
No comprendo.	*I don't understand.*	¿Qué?	*What? (very informal)*
¿Mande?	*What? (Mexico)*		

¿Cómo? is used to ask the speaker to repeat; **¿Qué?** will usually elicit a specific answer to the question *What . . . ?* If you want the speaker to repeat, you can also say:

Otra vez, por favor.	*Again, please.*	Repita, por favor.	*Repeat, please.*

If you want him or her to slow down, you can say:
Más despacio, por favor.   *Slower, please.*

If you miss part of a statement or question, you can use a question word to ask just for the part you missed (see Chapter I, Section IV):

¿Pero dónde (cuándo, por qué, etc.)...?

When you have a general idea of what the speaker is saying but just want to confirm that you understand, you may want to use confirmation tags: **¿(no es) verdad?, ¿no?,** and so on. (See Chapter 1, Section IV.)

Marisa estudia química, ¿verdad?

Actividades

Model the pronunciation for this exercise before having students try it in pairs, or play the role of the speaker yourself and have the students call out the expressions in the **funciones** to interrupt you.

A. **Un momento, por favor.** You don't understand what someone is saying to you when you hear the following sentences. Interrupt the speaker and ask for clarification. Work with a classmate and take turns playing the roles of the speaker and the person asking for clarification. Ask your instructor for help with pronunciation.

    MODELO   ESTUDIANTE 1   El avión de Caracas llega a las cuatro y cuarto.
                     ESTUDIANTE 2   **¿Cómo? ¿A qué hora llega el avión? ¿De dónde viene?**

1. Roberto estudia ciencias sociales y matemáticas en la Universidad de Salamanca.
2. La señora Otavalo vive en Chiquinquirá, pero ahora está en Bucaramanga.
3. El señor Montenegro tiene sesenta y seis años. La señora Montenegro tiene sesenta y dos años. Ellos tienen una fiesta mañana.
4. El número de teléfono del señor Barrios es: 62-84-51.
5. AquelestudiantesellamaOsvaldo. Creoqueesmuysimpático. (Said rapidly.)

B. **Situación.**   Role-play the following situation. You are in the National Museum of Anthropology in Mexico City. Someone comes up to you and asks where the famous Aztec calendar stone is. You don't understand at first and ask for clarification. She explains, but you say you don't know. Then you ask her what time it is. She tells you, but you don't hear at first, so you ask her to say it more slowly. You thank her and say good-bye.

PARA ESCRIBIR

Compose a letter to a Mexican pen-pal describing your college or university. Include information about yourself and what you are studying. Ask the pen-pal questions about himself (herself) and his (her) program of studies. For some guidelines, listen again to Beatriz' and Jenny's descriptions of themselves in the **Para escuchar** section of Chapter 2, and review the vocabulary on fields of study in the **Vocabulario activo** for this chapter. For a sample letter, look at the letter from Catalina to Raquel on p. 84. Note: You'll use "Querido" if writing to a male friend, and "Querida" if your friend is a female.

This exercise can be done out of class, or adapted to use in class having students work in pairs or small groups to introduce themselves.

VOCABULARIO ACTIVO

Cognados

azteca	exacto	maya	el programa
el calendario	el futuro	el momento	universitario
la civilización	la importancia	práctico	
la composición	importante	la profesión	

Verbos

abrir	*to open*
aprender	*to learn*
comer	*to eat*
comprender	*to understand*
creer	*to believe, think*
deber	*should, ought to, must*
decidir	*to decide*
descubrir	*to discover*
escribir	*to write*
hacer	*to do; to make*
hacer ejercicios	*to do exercises*
hacer la maleta	*to pack one's suitcase*
leer	*to read*
poner	*to put*
practicar	*to practice*
recibir	*to receive*

representar	*to represent*
salir	*to leave, go out*
tener	*to have*
tener ganas de + *inf.*	*to feel like* (doing something)
tener que + *inf.*	*to have to* + *inf.*
vender	*to sell*
venir	*to come*
vivir	*to live*

Estudios universitarios

la antropología	*anthropology*
la arquitectura	*architecture*
la biología	*biology*
las ciencias de computación	*computer science*
las ciencias políticas	*political science*

las ciencias sociales	*social science*
la filosofía	*philosophy*
la física	*physics*
la historia	*history*
la ingeniería	*engineering*
la literatura	*literature*
las matemáticas	*mathematics*
la medicina	*medicine*
la psicología	*psychology*
la química	*chemistry*

Profesiones y oficios (*Professions and jobs*)

el abogado, la abogada	*lawyer*
el ama de casa	*housewife*
la camarera	*waitress*
el camarero	*waiter*
el, la comerciante	*businessperson*
el cura	*priest*
el escritor, la escritora	*writer*
el ingeniero, la ingeniera	*engineer*
el, la músico	*musician*
el policía, la mujer policía	*police officer*
el secretario, la secretaria	*secretary*
el vendedor, la vendedora	*salesperson*

La hora / el tiempo

el año	*year*
de la mañana	*A.M.*
de la tarde (noche)	*P.M.*
en punto	*on the dot*
la hora	*hour*
el mes	*month*
el pasado	*past*
por la mañana	*in the morning*
por la noche	*at night*
por la tarde	*in the afternoon*
¿Qué hora es?	*What time is it?*
el siglo	*century*
el tiempo	*time* (in a general sense)*

Otras palabras y frases

alemán (el alemán)	*German*
bastante	*rather; enough*
la biblioteca	*library*
cada	*each, every*
la carta	*letter*
¡Claro!	*Of course!*
¿Cuánto(s)?	*How much? How many?*
despacio	*slowly*
el dios	*god*
la escuela	*school*
estupendo	*great*
la fiesta	*party*
la librería	*bookstore*
la maleta	*suitcase*
la muchacha	*girl*
el muchacho	*boy*
por ejemplo	*for example*
pronto	*soon; fast*
si	*if, whether*
siempre	*always*
todavía	*still, yet*
todo	*all, every, everything*
todos	*all, every, everyone*
la vida	*life*

Expresiones útiles

¿Cómo?	*What?*
No comprendo.	*I don't understand.*

Don't forget: Possessive adjectives, page 77-79.

---

*The word **tiempo** normally refers to weather; this use is discussed in Chapter 4.

El Pico de Osorno en los Andes chilenos

LAS ESTACIONES Y EL TIEMPO

VOCABULARIO. In this chapter you will talk about the weather, the seasons, and the calendar.

GRAMÁTICA. You will discuss and use:

- The irregular verb **ir** *(to go);* adverbs with **-mente**
- Dates
- Cardinal numbers 100 and above
- Idiomatic expressions with **tener; hay que**
- Affirmative and negative words

CULTURA. This chapter focuses on Chile.

FUNCIONES

- Expressing obligation
- Making small talk
- Giving a warning

CHILE

Capital: Santiago
Población: aproximadamente 13 millones de habitantes
Ciudades principales: Santiago, Concepción, Viña del Mar, Valparaíso, Antofagasta
Moneda: el peso

¿Sabía usted que...?
1. Chile is about 2700 miles long and 100 miles wide. Because of its length, it has a varied landscape, including high mountains, desert, fertile inland valleys, **pampas** (swampland), forests, and glaciers.

2. Chile had the longest tradition of democracy in Latin America until 1973, when General Augusto Pinochet overthrew the elected government of Salvador Allende by a violent military coup. Civilian rule was restored in 1989.

¿QUÉ TIEMPO HACE HOY?

Hace (muy) buen tiempo.

Hace (muy) mal tiempo.
Llueve (mucho).*

Hace (mucho) frío.
Nieva en las montañas.*
Hay (mucha) nieve.

Hace (mucho) calor y (mucho) sol en la playa.

Hace (mucho) viento.

Está nublado. (Hay nubes.)

***Nieva** and **llueve** are forms of verbs that will be discussed in detail in Chapters 5 and 6.

Hay niebla.

Hace fresco.

Preguntas

Create questions to which the following would be possible answers.

MODELO   Hace mucho calor hoy.
¿Qué tiempo hace hoy?   **¿Hace mucho calor hoy?**

1. Hace buen tiempo aquí.
2. Hace mucho frío en el sur de Chile.
3. Hace calor al norte, cerca de la playa (cerca del mar).
4. Hace viento cerca del mar.
5. Siempre llueve (*It always rains*) en el sur.

LAS ESTACIONES DEL AÑO*

el invierno   la primavera   el verano   el otoño

LOS MESES DEL AÑO*

Variant of **septiembre: setiembre.** Emphasize that names of months and seasons are not capitalized in Spanish.

Additional vocabulary: el hemisferio norte / el hemisferio sur; al norte del ecuador / al sur del ecuador.

enero	abril	julio	octubre
febrero	mayo	agosto	noviembre
marzo	junio	septiembre	diciembre

¿Verdadero (*true*) o falso?   Si es falso, ¿por qué?

1. Aquí hace frío en el verano.   2. Hace mucho viento cerca de la playa.   3. Ahora hace buen tiempo en Alaska.   4. En el invierno hay mucha niebla aquí.   5. Aquí siempre llueve en el otoño.   6. Ahora hace frío en Chile.   7. Aquí no nieva en el invierno.

---

*The seasons are reversed in the southern hemisphere, so that when it is winter in North America it is summer in countries like Chile and Argentina. Note that seasons and months are not capitalized in Spanish.

Using cognates, ask additional questions about weather. For example, **¿Qué tiempo hace en el Polo Norte ahora? ¿en Australia?**

You might point out that **estación** means both **season** and **station**.

Preguntas

1. ¿Hace frío hoy? ¿calor?　2. ¿Hace frío en la clase? ¿calor?　3. ¿Qué tiempo hace aquí en el invierno? ¿en la primavera?　4. ¿Qué tiempo hace en los Andes? ¿en el Sáhara? 5. ¿En qué estación hace mucho sol aquí? ¿mucho viento?　6. ¿En qué meses hace frío? ¿calor?　7. ¿Cuáles son los meses de verano aquí?　8. Según usted, ¿qué mes del año es muy lindo? ¿Qué mes es terrible? ¿Por qué?　9. ¿En qué estación estamos ahora? 10. ¿En qué meses llueve aquí? ¿Y cuándo nieva?

• •

I. THE IRREGULAR VER *IR;* ADVERBS ENDING IN *-MENTE*

CHILE – ARGENTINA – BRASIL

CHILOÉ • VALPARAISO • VIÑA DEL MAR • BUENOS AIRES • RIO

Salidas: Miércoles y Sábados
12 DIAS

OPERADOR MUNDIAL DE VIAJES

SKORPIOS Ave. Ponce de León 1606
TOURS Suite 802, Parada 23, Santiago, Chile

24-07-07

HUGO	¿Qué haces, Tomás?
TOMÁS	Hago la maleta. *Voy* con Ana al sur. *Vamos* a hacer un viaje por la isla Chiloé con Cruceros Skorpios. Hacen excursiones todos los sábados.
HUGO	¿Qué tiempo hace en el sur ahora?
TOMÁS	Creo que *va* a hacer un poco de frío. Pero ¡el viaje *va* a ser estupendo!

Point out that **Van a ser...** and **Van a hacer...** are normally pronounced identically and are distinguished by context.

1. ¿Qué hace Tomás?　2. ¿Adónde van Tomás y Ana? ¿Qué van a hacer?　3. ¿Qué tiempo hace en el sur?

HUGO: What are you doing, Tomás? TOMÁS: I'm packing my suitcase. I'm going with Ana to the South. We're going to take a trip around Chiloé Island with Skorpios Tours. They have (make) excursions every Saturday. HUGO: What's the weather like in the South now? TOMÁS: I think it's going to be a little cold. But the trip is going to be great!

• •

A. The verb **ir** is irregular in the present tense.

ir	to go
voy	vamos
vas	vais
va	van

What other verbs of motion do we have
viajar / llegar
salir / venir

B. Like other verbs of motion, **ir** is usually followed by the preposition **a** before a destination.

Todos los días (todas las semanas) vamos al mar.	*Every day (week) we go to the sea.*
En Viña del Mar todo el mundo va a la playa.	*In Viña del Mar everyone goes to the beach.*

C. The verb **ir** is also followed by the preposition **a** before an infinitive. The **ir a** + infinitive construction expresses an action or event that is going to take place in the near future.

Mañana voy a nadar en el lago Villarrica.	*Tomorrow I'm going to swim in Lake Villarrica.*
Van a esquiar en las montañas cerca de Portillo.	*They're going to ski in the mountains near Portillo.*

Do exercises

D. Vamos a + infinitive can mean *we're going to* (do something) or *let's* (do something).

Vamos al mar.	*We're going to the sea.* *Let's go to the sea.*

Adverbs in English

E. The expression **ir de compras** means *to go shopping.* **Ir de vacaciones** is *to go on vacation.*

Vamos de compras.	*Let's go shopping.*
¿Adónde van de vacaciones?	*Where are you going on vacation?*

-ly

F. Many adverbs end in the suffix **-mente.** (A feminine form of the adjective is used, with **-mente** attached to it.)

Vamos rápidamente (lentamente). —¡Cuidado!	*We're going fast (slowly). —Be careful!*

EJERCICIOS

A. **¿Adónde vamos?**   Everyone is leaving for vacation. Say what they are doing by completing the sentences with the correct forms of **ir.**

1. Felipe y Manuel _____ a ir a Santiago; van a visitar museos y teatros.
2. Elena _____ a las montañas; _____ a esquiar.
3. Yo _____ a visitar a los abuelos y _____ a pasar unos días cerca del lago que hay allí.
4. Tú _____ de vacaciones a Barcelona. _____ a leer muchos libros allí, ¿verdad?
5. Rafael y yo _____ a Valparaíso. _____ en auto.

B. ¿Qué van a hacer? Complete the following sentences with the appropriate form of **ir a** and any additional information needed to tell what is going to happen.

> **MODELO** En el verano el profesor...
> **En el verano el profesor va a estar en su casa.**

1. Mañana mis amigos y yo...
2. En diciembre todos los estudiantes...
3. Hoy hace buen tiempo. Mañana...
4. En junio mi familia y yo...

C. Encuesta *(Survey).* Interview six to eight classmates. Ask them how they are going to spend their vacations. Take notes about their answers.

> **MODELO** ESTUDIANTE 1 **Jason, ¿cómo vas a pasar las vacaciones?**
> ESTUDIANTE 2 **Voy a trabajar (asistir a clases, esquiar, etc.).**

II. DATES

La playa de Viña del Mar, Chile

REPORTERO: Buenos días, señores y señoras. *Hoy es lunes, primero de octubre.* Y ahora, el tiempo. Aquí en Viña del Mar, hace calor; vamos a tener una temperatura máxima de 28 grados. Tiempo para mañana, *martes:* nublado, con niebla local y una temperatura máxima de 20 grados. Para el *miércoles* y el *jueves,* temperaturas frescas, con posibilidad de lluvia. Y ahora Silvia Parada, con un reportaje especial sobre la destrucción de la capa de ozono. ¿Silvia?

1. Según el reportero, ¿qué tiempo hace en Viña del Mar? ¿Qué día es?   2. ¿Qué es la temperatura máxima probable?   3. ¿Qué tiempo va a hacer el martes? ¿el miércoles y el jueves?   4. ¿Sobre qué problema va a hablar Silvia Parada? (Los chilenos leen y hablan mucho sobre este *[this]* problema.)

REPORTER: Good morning, ladies and gentlemen. Today is Monday, the first of October. And now the weather. Here in Viña del Mar, it's warm; we are going to have a high (maximum temperature) of 28 degrees. Weather for tomorrow, Tuesday: cloudy, with local fog and a high of 20 degrees. For Wednesday and Thursday, cool temperatures, with a chance of rain. And now Silvia Parada, with a special report about the destruction of the ozone layer. Silvia?

• •

Remind students that months and seasons are not capitalized either.

A. The days of the week in Spanish are all masculine and are not capitalized.

lunes	*Monday*	viernes	*Friday*
martes	*Tuesday*	sábado	*Saturday*
miércoles	*Wednesday*	domingo	*Sunday*
jueves	*Thursday*		

B. The definite article is almost always used with the days of the week and dates as an equivalent of *on,* when *on* could be used in English. It is not used otherwise.

Hoy es lunes. ¿Es necesario ir a clase?　　*Today is Monday. Is it necessary to go to class?*

Elena llega el quince de mayo. ¡Qué coincidencia!　　*Elena is arriving (on) May 15th. What a coincidence!*

C. The plurals of **sábado** and **domingo** are formed by adding **-s: los sábados, los domingos.** The plurals of the other days are formed simply with the use of the plural article **los.**

Estoy en la universidad los martes y los jueves.　　*I'm at the university on Tuesdays and Thursdays.*

D. Cardinal numbers (**dos, tres, cuatro**) are used to express dates, with one exception: **el primero** *(the first).*

Variants for asking today's date: **¿Qué fecha es hoy?, ¿A cómo estamos?, ¿A qué fecha estamos?**

¿Qué fecha es hoy? —Es el dos de abril.　　*What's today's date? It's the second of April.*

Celebramos el cumpleaños de Martín el primero de agosto.　　*We're celebrating Martín's birthday on the first of August.*

Cardinal numbers are used with **siglo** *(century)* in Spanish.

el siglo veinte　　*the twentieth century*

 EJERCICIO

¿Qué fecha es...?　In pairs, ask each other about the following dates.

MODELO   el Día de la Raza *(Columbus Day)*

ESTUDIANTE 1   **¿Cuándo es el Día de la Raza?**

ESTUDIANTE 2   **Es el doce de octubre.**

1. el cumpleaños de George Washington
2. el Día de Año Nuevo *(New Year's Day)*
3. el Día de la Independencia de Estados Unidos
4. la Navidad *(Christmas)*
5. el cumpleaños de Martin Luther King
6. el cumpleaños de Abraham Lincoln
7. el Día de San Valentín

Preguntas

1. ¿Qué día es hoy? ¿Cuál es la fecha de hoy?   2. En general, ¿cuáles son los días en que hay clases? ¿en que no hay clases?   3. ¿Qué día hay examen en nuestra clase?   4. ¿Cuál es su fecha favorita?   5. ¿Tiene usted un mes favorito? ¿Cuál? ¿Por qué?   6. ¿Cuándo es su cumpleaños? ¿Celebra su cumpleaños con una fiesta?

III. CARDINAL NUMBERS 100 AND ABOVE

MOVIMIENTO DE AVIONES

MARTES

AEROPUERTO COMOD. ARTURO MERINO BENITEZ

LLEGAN:

PROCEDENCIAS	VUELO	COMPAÑIAS	LLEGA
AMSTERDAM-RIO-SAO PAULO-BAIRES	791	KLM	04.55
MONTREAL-NUEVA YORK-MIAMI	161	LAN CHILE	08.10
BUENOS AIRES	040	ECUATORIANA	10.15
FRANKFURT-BRUSELAS-MADRID-MIAMI	502	PARAGUAYA	10.20
NUEVA YORK-MIAMI-BUENOS AIRES	027	EASTERN	10.46
MIAMI-CARACAS-MANAOS-SANTA CRUZ-LA PAZ	907	LLOYD	11.30
COPENHAGEN-LISBOA-RIO-BAIRES	957	SAS	11.35
RIO DE JANEIRO-SAO PAULO	920	VARIG	13.15
MIAMI-PANAMA-GUAYAQUIL-LIMA	695	AEROPERU	13.30
BUENOS AIRES-CORDOBA-MENDOZA	226	AEROLINEAS	14.45
CARACAS-LIMA	129	LAN CHILE	14.55
MIAMI-PANAMA	159	LAN CHILE	17.35
BUENOS AIRES	124	LAN CHILE	19.05
BUENOS AIRES	696	AEROPERU	19.35
MADRID-RIO DE JANEIRO-SAO PAULO	171	LAN CHILE	21.00

SALEN:

SALE	COMPAÑIAS	VUELO	DESTINOS
07.50	KLM	792	BAIRES-SAO PAULO-RIO-AMSTERDAM
11.15	ECUATORIANA	040	GUAYAQUIL-QUITO-MEXICO-LOS ANGELES
12.00	PARAGUAYA	503	MIAMI-MEXICO-MADRID-BRUSELAS-FRANKFURT
12.20	SAS	958	BAIRES-RIO-COPENHAGEN
12.30	LLOYD	908	LA PAZ-STA. CRUZ-PANAMA-MIAMI
13.00	LAN CHILE	125	BUENOS AIRES
14.15	VARIG	921	SAO PAULO-RIO DE JANEIRO
14.20	AEROPERU	695	BUENOS AIRES
15.20	AEROLINEAS	227	MENDOZA-CORDOBA-BUENOS AIRES
18.40	EASTERN	010	BUENOS AIRES-MIAMI-NUEVA YORK
20.00	LAN CHILE	140	LIMA-MIAMI-NUEVA YORK
20.25	AEROPERU	696	LIMA-MEXICO (conex.)-MIAMI

procedencias *points of departure*   **destinos** *destinations*

Preguntas

1. ¿A qué hora llega el vuelo *(flight)* de Frankfurt al aeropuerto Arturo Merino Benítez de Santiago? ¿el vuelo de Caracas–Lima? 2. ¿Adónde va el avión que sale a la una? ¿y el avión que sale a las ocho?

• •

100 cien(to)	900 novecientos(-as)
101 ciento uno (un, una)	1.000 mil
200 doscientos(-as)	10.000 diez mil
300 trescientos(-as)	100.000 cien mil
400 cuatrocientos(-as)	150.000 ciento cincuenta mil
500 quinientos(-as)	500.000 quinientos(-as) mil
600 seiscientos(-as)	1.000.000 un millón (de...)
700 setecientos(-as)	1.200.000 un millón doscientos(-as) mil
800 ochocientos(-as)	2.000.000 dos millones (de...)

A. Cien is used to mean *one hundred* before nouns and before the number **mil** *(one thousand).* It is also used in counting.

cien años	*100 years*	cien mil dólares	*100,000 dollars*
cien personas	*100 people*	cien mil ciudades	*100,000 cities*

B. Ciento is used in all other cases; it does not have a feminine form.

ciento una noches	*101 nights*	ciento un días	*101 days*
ciento cincuenta niñas	*150 girls*	ciento noventa niños	*190 boys*

C. The numbers 200–900 agree with the nouns they modify in gender.

doscientas páginas	*200 pages*
cuatrocientos diez pasajeros	*410 passengers*
quinientas cuatro horas	*504 hours*

D. To express numbers above 1,000, **mil** is always used. With **millón** and exact multiples of **millón (dos millones, diez millones),** the preposition **de** is used before a noun. Notice that a decimal point is used in numbers in Spanish where a comma is used in English.

diez mil trescientas (10.300) personas
cien mil quinientos (100.500) años
quinientos mil cien (500.100) alemanes
cinco millones (5.000.000) de dólares

E. Mil is used for years over 999. In expressing dates, the day, month, and year are connected by **de.**

(el) trece de enero de mil ochocientos sesenta y tres	*January 13, 1863*
(el) ocho de diciembre de mil novecientos cuarenta y uno	*December 8, 1941*
Hoy no es el veintiocho de febrero de mil novecientos treinta y ocho.	*Today is not February 28, 1938.*

Point out deviation from pattern in **quinientos, setecientos,** *and* **novecientos.**

Emphasize the plural, **miles,** *as in* **Hay miles de estudiantes.** *Watch for the mistake* **un mil.**

EJERCICIOS

A.   Un examen de historia.   Work in pairs. Read the events listed below and match each of them with the corresponding date on the right. Take turns reading the events and giving the date.

MODELO   ESTUDIANTE 1   **el descubrimiento** *(discovery)* **de América**
ESTUDIANTE 2   **1492 (mil cuatrocientos noventa y dos)**

1. la exploración de la luna	1492
(moon)	1605
2. la Guerra *(War)* Civil Española	1776
3. la Declaración de Independencia	1789
de Estados Unidos	1910
4. la publicación del *Quijote,*	1936
de Miguel de Cervantes	1959
5. la Revolución Cubana	1969
6. la Revolución Mexicana	
7. la Revolución Francesa	

B.   Los vuelos de hoy.   Look at the airline schedule at the beginning of this section and answer these questions.

1. ¿Cuál es el número de vuelo del avión que llega de Montreal? ¿del avión que viene de Santa Cruz–La Paz?   2. ¿Cuál es el número de vuelo del avión que llega a las diez y veinte? ¿a las dos cuarenta y cinco?   3. ¿Cuál es el número de vuelo del avión que sale para Copenhagen? ¿Qué vuelos salen para Buenos Aires? ¿A qué horas?   4. ¿A qué hora sale el vuelo número 908? ¿Adónde va?

C.   Agente de viajes.   In pairs, ask and answer questions about the airline schedule. One of you is the **agente de viajes,** and the other is the **pasajero(-a).** Practice a conversation and perform it for the class.

MODELO   PASAJERO   **¿A qué hora salen los vuelos para Nueva York?**
AGENTE   **Hay un vuelo de Eastern a las seis y cuarenta; es el vuelo número 10. Va primero a Buenos Aires y a Miami. Y hay otro a las ocho, el vuelo número 140 de Lan Chile que pasa por Lima y también por Miami.**
PASAJERO   **Pues, el vuelo de las ocho está bien.**
AGENTE   **¿En qué fecha desea viajar?**
PASAJERO   **El tres de noviembre.**
AGENTE   **Está bien.**

Preguntas

1. ¿Aproximadamente cuántos estudiantes hay en nuestra universidad?   2. ¿Cuántas personas viven en nuestra ciudad? ¿en nuestro estado? ¿en nuestro país? ¿en Chile?   3. ¿Qué precio debe tener un Toyota nuevo? ¿y un Mercedes Benz? ¿y un Rolls Royce?   4. ¿Qué precio debe tener una casa pequeña aquí?

• •

IV. IDIOMATIC EXPRESSIONS WITH *TENER; HAY QUE*

> **SR. GARCÍA** ¿*Hay que* contestar todas las preguntas, señorita?
> **SEÑORITA** Sí, es necesario poner el nombre, la nacionalidad, la fecha de hoy...
>
> **Unos minutos después.**
>
> **DOCTOR** ¿*Cuántos años tiene usted*, señor García?
> **SR. GARCÍA** Treinta y ocho. (años)
> **DOCTOR** ¿Y por qué está aquí hoy?
> **SR. GARCÍA** Porque *tengo dolor de cabeza y de estómago.* También *tengo calor y sed.* Y estoy muy cansado.
> **DOCTOR** *Tiene que tomar* aspirinas y *tener cuidado* con la comida. Pero no *tiene fiebre* y en realidad está en muy buenas condiciones físicas.
> **SR. GARCÍA** ¡Estupendo! Voy a morir sano.

Aural comprehension. ¿**Verdadero o falso?** 1. El señor García no tiene que contestar todas las preguntas. 2. El señor García tiene 38 años. 3. Tiene frío. 4. Tiene fiebre. 5. Está en buenas condiciones físicas.

1. Según la señorita, ¿hay que contestar todas las preguntas? 2. ¿Cuántos años tiene el señor García? 3. ¿Tiene dolor de cabeza? ¿Tiene dolor de estómago? 4. ¿Tiene calor? ¿sed? 5. ¿Está cansado? 6. ¿Qué tiene que tomar, según el doctor? 7. ¿Tiene fiebre? 8. ¿Está en buenas condiciones físicas?

MR. GARCÍA: Is it necessary to answer all these questions, miss? RECEPTIONIST: Yes, it is necessary to put your name, nationality, today's date . . . *(A few minutes later.)* DOCTOR: How old are you, Mr. García? MR. GARCÍA: Thirty-eight. DOCTOR: And why are you here today? MR. GARCÍA: Because I have a headache and a stomachache. Also, I'm hot and thirsty. And I'm very tired. DOCTOR: You must take aspirin and be careful about the food (you eat). But you don't have a fever, and, in reality (actually), you are in very good physical condition. MR. GARCÍA: Wonderful! I'm going to die healthy.

• •

A. In addition to **tener ganas,** which you saw in Chapter 3, many idioms in Spanish contain the verb **tener** *(to have).*

tener (veinte) años	*to be (twenty) years old*
tener dolor de cabeza, de estómago	*to have a headache, a stomachache*
tener fiebre	*to have a fever*

B. Many constructions with **tener** + noun are expressed in English with *to be* + adjective.

tener	calor	to be	*warm, hot*
	frío		*cold*
	cuidado		*careful*
	razón		*right*
	hambre		*hungry*
	sed		*thirsty*

no tener razón   wrong

Note that **no tener razón** means *to be incorrect, wrong.* Also, note that to express the idea of *very* in Spanish, a form of **mucho** agreeing with the noun is used. The nouns **calor, frío,** and **cuidado** are masculine; **razón, hambre,** and **sed** are feminine.

Tengo mucho frío. Ellos tienen
  mucha hambre.

I'm very cold. They're very hungry.

Todo el mundo tiene sed.

Everyone is thirsty.

C. The impersonal expression **hay que** means *one (we, you, etc.) must, it is necessary to.*

Hay que estudiar todos los días
  (todas las semanas).

*It's necessary (you must) study every day
  (week).*

Hay que hablar lentamente.

You must speak slowly.

EJERCICIO

Consejos *(Advice).*   In pairs, ask for and give advice, using the cues and an expression with **tener.** Follow the model.

MODELO   ganas de hacer ejercicios/nadar
  ESTUDIANTE 1   **Tengo ganas de hacer ejercicios.**
  ESTUDIANTE 2   **¿Por qué no nadas?**

1.   calor/abrir la ventana
2.   dolor de cabeza/tomar dos aspirinas
3.   sed/tomar agua *(water)*
4.   hambre/comer
5.   dolor de estómago/tomar Alka-Seltzer

Preguntas

1. ¿Cuántos años tiene usted?   2. ¿Tiene hambre ahora? ¿sed?   3. ¿Tiene dolor de cabeza? ¿de estómago? ¿Tiene frío? ¿calor?   4. ¿Esquía usted en el invierno? ¿Tiene cuidado o va muy rápidamente?   5. ¿Tiene ganas de viajar? ¿Adónde? Para ir allí, ¿cómo hay que viajar? (¿en avión, tren, autobús, auto...?)

El centro de Santiago

V. AFFIRMATIVE AND NEGATIVE WORDS

Salvar la tierra: Ahora o nunca   *Save the Earth: Now or Never*

SALVAR LA TIERRA AHORA O NUNCA

Affirmative Words		Negative Words	
alguien	*someone, anyone* → **nadie**		*no one, not anyone*
algo	*something* ← → **nada**		*nothing, not anything*
algún, alguno(s), alguna(s)	*some, any*	**ningún, ninguno(s), ninguna(s)**	*none, not any, no, neither (of them)*
también	*also*	**tampoco**	*not either, neither*
siempre	*always* ← → **nunca, jamás**		*never, not ever*
o ... o	*either . . . or*	**ni ... ni**	*neither . . . nor*

A. The negative words **nadie, nada, ninguno, tampoco,** and **nunca** can be placed either before or after a verb. *[handwritten: But if after another negative word must go before verb.]*

No va nadie ahora.
Nadie va ahora. │ *No one is going now.*

No tienen hambre tampoco.
Tampoco tienen hambre. │ *They aren't hungry either.*

No llevo reloj nunca (jamás).
Nunca (Jamás) llevo reloj. │ *I never wear a watch.*

Notice that **no** precedes the verb when a negative word follows the verb. **No** is omitted when a negative word precedes the verb.

Expect confusion on this point. Use a comic exercise to emphasize it, e.g., ¿**Hay elefantes en la clase? No, no hay ningún elefante en la clase,** etc.

B. Alguno and **ninguno** can refer to either people or to things, while **alguien** and **nadie** refer only to people. **Alguno** and **ninguno** usually refer to certain members or elements of a group that the speaker or writer has in mind. Before a masculine singular noun, **alguno** becomes **algún** and **ninguno** becomes **ningún. Ningún, ninguno,** and **ninguna** are generally used in the singular.

Nadie tiene ganas de estudiar ahora.	*No one feels like studying now.*
Ninguno de ellos contesta.	*None (neither) of them answers.*
¿Alguien tiene sed?	*Is anyone thirsty?*
¿Hay algunos chilenos aquí?	*Are there some (any) Chileans here?*
¿Hay algún problema?	*Is there some (any) problem?*

The personal **a** is used with the pronouns **alguien** and **nadie** and with **alguno** and **ninguno** when they refer to people in the same way that it is used with nouns or other pronouns.

¿Busca usted a algunos amigos de Enrique?	*Are you looking for some of Enrique's friends?*
No, no busco a nadie.	*No, I'm not looking for anyone.*

C. Several negatives can be used in the same sentence.

¡No habla con nadie nunca!	*He never talks to anyone!*

D. Ni ... ni expresses *not either . . . or* or *neither . . . nor.*

Hoy no hace ni frío ni calor.	*Today it's neither hot nor cold.*
Aquí no venden ni libros ni cuadernos.	*They don't sell either books or notebooks here.*

EJERCICIOS

A. Construcciones sinónimas. Change the negative constructions in these sentences, following the model.

> **MODELO** Yo nunca tengo frío.
> **Yo no tengo frío nunca.**

1. ¿Nadie va con ustedes?
2. Ella nunca hace ejercicios.
3. ¿Tampoco nadan ustedes?
4. Ninguno de los chicos está aquí.
5. ¿Nunca vas a la capital?
6. Nada leo ahora.
7. ¿Ningún estudiante tiene papel?

B. Dos amigos.   Felipe and Guillermo are friends who are very different. Complete the sentences in the negative, following the model.

MODELO   Felipe siempre tiene ganas de estar con alguien, pero Guillermo...
Guillermo nunca tiene ganas de estar con nadie.

1. Felipe siempre tiene ganas de hacer algo, pero Guillermo...
2. Felipe siempre está contento, pero Guillermo...
3. Felipe va a algún restaurante mañana, pero Guillermo...
4. Felipe va o al mar o al lago los sábados, pero Guillermo...
5. Felipe sale los domingos también, pero Guillermo...

C. Diferencias entre amigos.   Work in groups. Make at least five sentences contrasting yourselves and others using affirmative and negative words. You can talk about your classes, books, teachers, friends, relatives, etc.

MODELOS   **Jack siempre sale a comer, pero Elizabeth casi nunca sale a comer.**
Cristina tiene algunos amigos franceses, pero Jay no tiene ningún amigo francés.
Julie tiene algunos primos en Minnesota, pero Bill no tiene ningún pariente en Minnesota.

Viñeta cultural

LOS DESA-PARECIDOS

Antes de leer (*Before reading*)

From 1973 to 1989 Chile had an oppressive military government, and many people were tortured and killed or "disappeared." (The niece of deposed president Salvador Allende, Isabel Allende, wrote about this era in her book *La casa de los espíritus, The House of the Spirits.*) Many of the **desaparecidos** (*disappeared*) were young people, students who protested against the government. Read the following poem by Marjorie Agosín, a Chilean writer who lives in the United States. First, match the Spanish words on the left with their English cognates on the right.

1. fotografía
2. celebrar
3. álbum
4. inmenso
5. coleccionar

a. to collect
b. immense
c. album
d. to celebrate
e. photograph

Álbum de fotografías
MARJORIE AGOSÍN

Aquí están nuestros álbumes;
éstas° son las fotografías   these
de los rostros°;   faces
acérquese, no tenga
miedo°.   acérquese... come closer; do not be afraid.
¿Es verdad que son muy jóvenes? Es mi hija;
mire, ésta es°   mire... look, this one is
Andrea y ésta
es mi hija Paola;
somos las madres de los
desaparecidos.
Coleccionamos
sus rostros
en estas fotografías;
muchas veces hablamos con ellos,
y nos preguntamos:°   nos... we wonder
¿quién acariciará   ¿quién... who will caress the hair
el pelo° de la Graciela?
¿qué habrán hecho con el cuerpecito°   ¿qué... what have they done with the little body
de Andrés?
Fíjese que tenían° nombres,   Fíjese... Notice that they had
les gustaba° leer,   les... they liked
eran° muy jóvenes;   they were
ninguno de ellos alcanzó° a celebrar   ever got to
sus dieciocho años;

> *aquí están sus fotografías,*
> *estos inmensos álbumes;*
> *acérquese,*
> *ayúdeme°;*
> *a lo mejor usted*
> *lo ha visto,°*
> *y cuando se vaya al extranjero*
> *lleve° una de estas fotografías.*

help me

a... *maybe you have seen him*

cuando... *when you go abroad take*

De: *Circles of Madness/Círculos de locura* (Fredonia, New York: White Pine Press, 1992).

Después de leer *(After reading)*

Discuss the answers to these questions.

1. Who is Paola? What does her mother want you to know about her and others like her?
2. What does the mother give the person she is talking to at the end of the poem? Why?

PARA ESCUCHAR

A. Situaciones. Listen to the three conversations, which involve small talk between strangers. Match the numbers (1, 2, and 3) with the pictures. Write the number of the conversation in the box to the left of the appropriate picture. **Note: caliente** = *hot*

B. La respuesta apropiada. You will hear the first line of each conversation again. Choose an appropriate response.

1. a. No viajo en autobús.
    b. A Valparaíso. Voy a visitar a la familia.
    c. Mañana voy a Santiago.

2. a. Soy estudiante.
    b. ¡Qué va! Es muy bonita la universidad.
    c. Sí, estoy en la clase del profesor Ortega.

3. a. Sí, hace sol.
    b. Sí, hace fresco.
    c. No, tengo calor.

C. El tiempo. Listen to the weather report. Match the type of weather to the city or place.

1. _____ Santiago
2. _____ Viña del Mar

3. _____ Punta Arenas
4. _____ Isla de Pascua

a.

b.

c.

d.

FUNCIONES *y actividades*

In this chapter you have seen examples of the following language functions, or uses. Here is a summary and some additional information about these uses of language.

Expressing obligation

You've seen several ways to express obligation so far in this book:

hay que + infinitive:
Hay que ir.   *One (you, and so on) must go.*
es necesario + infinitive:
Es necesario ir.   *It's necessary to go.*
necesitar + infinitive:
Necesito ir.   *I need (have) to go.*
tener que + infinitive:
Tengo que ir.   *I have to (must) go.*
deber + infinitive:
Debo ir.   *I should (ought to) go.*

Point out that **deber** + *infinitive* is not split, as in English. *I should not go* = **No debo ir.**

Es necesario and **hay que** + infinitive express strong impersonal obligation. **Necesitar** + infinitive also expresses strong obligation but of a more personal nature—the person is indicated, and the verb is conjugated. **Tener que** + infinitive also expresses personal obligation, but not as strongly. **Deber** + infinitive expresses the least strong obligation.

Making Small Talk

Marjorie Agosín writes: "In Latin America, the community exists in the streets. It exists in the daily contact among commuters waiting for a bus, in the animated conversation between a street seller and a customer. Community can be found in a conversation that begins in a café and ends over a glass of wine in a bar."* Small talk is very important in Spanish. Here are some common phrases to open a casual conversation; as in English, weather is a common topic for small talk.

¡Qué calor (frío, viento, ...)!   *How hot (cold, windy, . . .) it is!*
¡Qué buen tiempo!   *What nice weather!*
¡Qué tiempo más estupendo!   *What great weather!*
¿Cree(s) que vamos a tener lluvia   *Do you think we're going to have some*
(un invierno frío, ...)?   *rain (a cold winter, . . .)?*

Here are some expressions unrelated to the weather that can be used to open conversations.

¿Qué hora es? No llevo reloj.   *What time is it? I don't have (am not wearing) a watch.*

¿Qué estudias tú?   *What are you studying? (to another student)*

---

*Marjorie Agosín, *Women of Smoke* (Canada: Williams-Wallace Publishers, 1989), p. 27.

¡Qué coincidencia! ¿Usted también va a Santiago (estudia biología, es de Estados Unidos, ...)?

What a coincidence! You're also going to Santiago (studying biology, from the United States, . . .)?

Giving a Warning

You may want to relay other common expressions of warning to students: ¡Ojo!, ¡Peligro!, ¡Atención!

¡Cuidado! means *Be careful!* **¡Espere!** is an **usted** form meaning *Wait!* **¡Mire!** *(Look!)* is also used to give a warning.

Actividades

A. Obligaciones... In pairs, take turns asking and answering questions in Spanish until you each find out at least two things your partner thinks he or she should or must do this week. The obligations may be related to school, home, work, family, or health. Here are some ideas: **no tomar café, hacer ejercicios, visitar a un(a) amigo(-a) o pariente en el hospital, estudiar, escribir una carta (composición), ir a la biblioteca, trabajar, leer la lección de español, ser cortés.**

B. El tiempo. The weather map on page 109 is from the Chilean newspaper *El mercurio,* October 19, in the spring. Chile is so long that the map has to be distorted somewhat to fit. Temperatures are in centigrade. Take turns asking and answering questions about it. Note: **despejado** = *clear,* **cubierto** = *cloudy* ("covered").

MODELO   ESTUDIANTE 1 **¿Qué tiempo hace en Concepción?**
              ESTUDIANTE 2 **Está muy nublado. ¿Cuál es la temperatura mínima en Vallenar?**
              ESTUDIANTE 1 **Siete grados. Hace sol. (Está despejado.)**

C. Minidramas. Role-play the following situations.

1. You are waiting for a bus. A person your age is also waiting. You ask what time it is, and he or she answers. You both make small talk about the weather. A car comes by close to the curb. "Watch out!" you say, as water splashes onto the curb. He or she thanks you. You ask where he or she is going and he or she responds, "The National Museum on the Avenida Matucana." "What a coincidence!" you say. You are going to the museum also. "The bus is coming (arriving)," says your new friend, and you both get on.

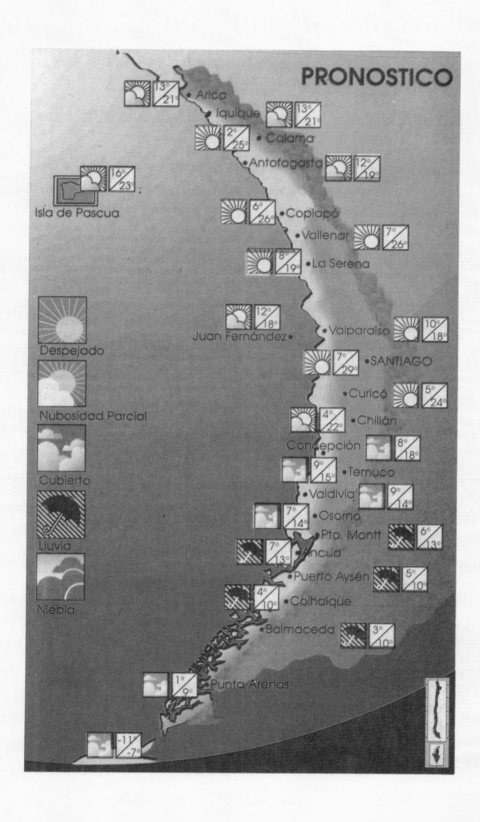

2. You are at the doctor's office. The doctor asks how old you are. You reply with your age. He asks why you are there, and you reply that you have a stomachache and a headache and that you're also tired and cold. He tells you that you don't have a fever but that you should take two aspirins and call him tomorrow.

PARA ESCRIBIR

Write a letter to a Spanish-speaking friend who is planning to visit your area. Tell him or her what the weather is like at different times of the year. Follow this form:

_____ *(la fecha)*

Querido(-a) *(Dear)* _____ :
Aquí en _____ *(ciudad)* ahora _____
_____ *(descripción del tiempo)*. En _____ *(una estación)* _____
_____ . En _____ .
Cuando hace el mejor *(best)* tiempo aquí es en _____ *(mes)*,
 porque _____ .
¡Ojalá que puedas venir a vernos! *(I hope that you can come to see us!)*

Con cariño *(Affectionately)*,

_____

VOCABULARIO ACTIVO

Cognados

la aspirina	favorito	necesario	el reportero, la reportera
el auto	la fotografía	el problema	la temperatura
el dólar	la montaña	la revolución	

Verbos

celebrar	to celebrate
contestar	to answer
esquiar	to ski
hacer buen (mal) tiempo	to be good (bad) weather
hacer calor (frío, fresco, viento, sol)	to be hot (cold, cool, windy, sunny)
¿Qué tiempo hace?	What's the weather like?
hay que *(from* haber)	it's necessary; one (we, you, and so on) must
ir	to go
ir de compras	to go shopping
ir de vacaciones	to go on vacation

ir en auto (autobús, avión, tren)	to go by car (bus, plane, train)
nadar	to swim
tener... años	to be . . . years old
tener calor (frío)	to be warm (cold) (a person or animal)
tener cuidado	to be careful
tener dolor de cabeza (estómago)	to have a headache (stomachache)
tener fiebre	to have a fever
tener hambre (sed)	to be hungry (thirsty)
tener razón	to be right
tomar	to take; to drink

El tiempo y el calendario

la estación	*season; station*
la fecha	*date*
el grado	*degree*
el invierno	*winter*
la lluvia	*rain*
Llueve.	*It's raining.*
el mes	*month*
la niebla	*fog*
Hay niebla.	*It's foggy.*
Nieva.	*It's snowing.*
la nieve	*snow*
la nube	*cloud*
Hay nubes.	*It's cloudy.*
nublado	*cloudy*
estar nublado	*to be cloudy*
el otoño	*fall, autumn*
la primavera	*spring*
el sol	*sun*
hacer sol	*to be sunny*
el tiempo	*weather; time*
el verano	*summer*
el viento	*wind*

Otras palabras y frases

caliente	*hot* (not used for weather or people)
cansado	*tired*
el cumpleaños	*birthday*
el desaparecido, la desaparecida	*"disappeared" person*
el lago	*lake*
lentamente	*slowly*
el mar	*sea*
el nombre	*name*
la playa	*beach*
primero	*first*
rápidamente	*rapidly, fast*
todo el mundo	*everyone*
todos los días (todas las semanas)	*every day (every week)*
el vuelo	*flight*

Expresiones útiles

¡Cuidado!	*Be careful!*
¡Qué coincidencia!	*What a coincidence!*
¡Qué mundo más pequeño!	*What a small world!*

Don't forget: Seasons and months of the year, page 91; Days of the week, page 95; Cardinal numbers 100 and above, page 97; Affirmative and negative words, page 101

La comunidad hispana celebra el Día de Puerto Rico en Nueva York

CAPÍTULO *cinco*

LA CIUDAD Y SUS PROBLEMAS

VOCABULARIO. In this chapter you will talk about life in big cities.

GRAMÁTICA. You will discuss and use:

- The present tense of verbs that change their stem vowel from **e** to **ie**
- Demonstrative adjectives and pronouns (corresponding to *this, that,* etc.)
- Direct object pronouns
- The present tense of **saber** and **conocer,** which both mean *to know*

CULTURA. This chapter focuses on the Hispanic community of metropolitan New York.

FUNCIONES

- Expressing sympathy
- Expressing lack of sympathy

LA COMUNIDAD HISPANA DE NUEVA YORK

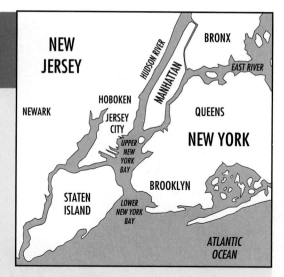

Población: New York City is about one-fourth Hispanic, with two million Hispanic residents. Puerto Ricans are most numerous, followed closely by Dominicans, Colombians, Ecuadorians, and Cubans. Mexicans are also represented in large numbers.

¿Sabía usted que...?

1. Since 1898, when the United States invaded Puerto Rico, all Puerto Ricans have had U.S. citizenship and can come and go with no visa. After World War II, there was a large influx of Puerto Ricans to Spanish Harlem (**El Barrio**). By 1970, the Hispanic community of New York was well over one million, about two-thirds of whom were Puerto Rican.

2. Puerto Rican poetry, painting, sculpture, and music derive from a rich heritage in which Spanish, Indian, and African traditions merge. Raúl Juliá, José Ferrer, Rita Moreno, Chita Rivera, and Héctor Elizondo are famous actors of Puerto Rican descent.

Los (handwritten)

PROBLEMAS DE HOY

la contaminación (del aire, del agua)*

la pobreza *(poverty)*, el hambre*

la inflación

Like (handwritten)
e f inteligente (handwritten)
la agua (handwritten)
la hambre (handwritten)

---

*The article **la** becomes **el** before feminine nouns beginning with a stressed *a* or *ha*: **el agua** *(water)*. (No change occurs with a modifying adjective or the plural: **El agua está buena, las aguas.**) This book lists such nouns with an *f*: **el agua** *f.*

Remind students about regional variants for *bus:* **bus; ómnibus** (Southern cone); **camión; guagua** (Caribbean); **chiva** (Panama).

autobús

el metro

el tráfico

el (la) criminal, el crimen, el robo

Explain that for most professions the person's gender is indicated by the use of the article **(el, la dentista)** or by the form of the word itself **(el sociólogo, la socióloga).** The expression **la mujer policía** is necessary to avoid confusion with **la policía** *(police force).*

el policía, la mujer policía*

la discriminación contra *(against)* las mujeres, las minorías

el desempleo *(unemployment),* la huelga *(strike),* las personas sin trabajo *(without work)*

la basura

la droga, el SIDA *(AIDS)*

***la policía** = *police (force)*

Problemas urbanos de Nueva York.   New Yorkers face many urban problems. For each citizen listed on the left, tell which problem listed on the right might seem the most urgent to him or her. Follow the model.

MODELO   Una mujer policía cree que el crimen es un problema urgente.

una mujer que trabaja *(works)* en una oficina	el desempleo
una mujer policía	la contaminación del aire
una madre de seis hijos	la discriminación contra las mujeres
una persona sin trabajo	el robo
un señor con mucho dinero *(money)*	el crimen
una persona que vive lejos del lugar *(place)* donde trabaja	el tráfico
un doctor	la inflación

Preguntas

1. ¿Vive usted en una ciudad grande o pequeña? ¿en una casa o en un apartamento?
2. ¿En qué calle o avenida vive usted?   3. ¿Qué problemas tienen en el barrio *(neighborhood)* donde usted vive?   4. ¿Qué problemas hay en las grandes ciudades?   5. Según usted, ¿cuál es el problema más urgente de Estados Unidos?

● ●

I. DEMONSTRATIVE ADJECTIVES AND PRONOUNS

Vocabulario: descuento *discount*   **empleo mejor** *better job*   **perder** *miss*   **este anuncio** *this ad*

1. ¿Para qué es el anuncio?   2. Si alguien lleva el anuncio a una de las escuelas, ¿qué recibe?   3. ¿Cuándo hay clases?

● ●

A. Demonstrative adjectives

1. Demonstrative adjectives are used to point out a particular person or object. They precede the nouns they modify and agree with them in gender and number.

Demonstrative Adjectives			
Singular	*Masculine*	*Feminine*	
	este	esta	*this*
	ese	esa	*that*
	aquel	aquella	*that (over there)*
Plural	estos	estas	*these*
	esos	esas	*those*
	aquellos	aquellas	*those (over there)*

Este autobús va muy despacio.	*This bus is going very slowly.*
¡Esta tienda es estupenda!	*This store is great!*
¿Quiénes son esas personas?	*Who are those people?*
Aquel hombre es policía.	*That man (over there) is a police officer.*

2. Both **ese** and **aquel** correspond to *that* in English. **Ese, esa, esos,** and **esas** indicate persons or objects located fairly close to the person addressed. **Aquel, aquella, aquellos,** and **aquellas** indicate persons or objects that are distant from both the speaker and the person spoken to.*

B. Demonstrative pronouns

1. Demonstrative pronouns in Spanish have the same forms as demonstrative adjectives, except that the pronouns have written accents. They agree in gender and number with the nouns they replace.

¿Éstos? Son calendarios.	*These? They're calendars.*
¿Qué son aquellos edificios?	*What are those buildings? —Those (over*
—¿Aquéllos? Son edificios de	*there)? They're apartment buildings.*
apartamentos.	

2. There are three neuter demonstrative pronouns in Spanish: **esto** (*this*), **eso** (*that*), and **aquello** (*that* [more distant]). They are used to refer to statements, abstract ideas, or something that has not been identified. There are no plural forms, and they do not have written accents.

Esto es el centro.	*This is downtown (the center).*
¿Qué es eso? —Es basura.	*What's that? —It's garbage.*

---

*Aquel and its forms are used less commonly in the New World than in Spain.

EJERCICIOS

A. Respuestas breves *(Brief responses).* Answer each question with one word, as in the model, pointing to the object(s) or person(s) as you respond.

>**MODELO** ¿Cuál es el lápiz de usted?
>**Éste.**

1. ¿Cuáles son los papeles del profesor (de la profesora)?
2. ¿Cuál es el cuaderno de _____ (un[a] estudiante de la clase)?
3. ¿Cuál es la silla de usted?
4. ¿Cuáles son los libros de _____ (un[a] estudiante de la clase)?
5. ¿Cuál es la puerta principal?
6. ¿Cuál es el libro de español?

B. Compañeros de clase *(Classmates).* Work with a partner. Using adjectives from the **Vocabulario activo** of Chapter 2 or others you know, describe your classmates. Use demonstrative adjectives and pronouns to indicate whom you mean.

>**MODELOS** **Esa estudiante es buena y aquéllas son excelentes.**
>**Estos chicos son trabajadores y ésos también.**

Have students give sentences describing what their classmates do. For example, **Ese chico lee mucho. / Esas dos chicas estudian mucho.** Or give students sentences with demonstratives and have them change them from masculine to feminine or singular to plural: e.g., **Este profesor es muy amable. Este estudiante es muy trabajador. Ese policía es de San Juan. Ese escritor es de Santo Domingo. Aquel señor es famoso.**

Preguntas

1. ¿Estudia mucho esa chica (que está al lado de usted)? ¿ésta? ¿aquélla? 2. ¿Cómo se llama este muchacho (que está cerca del profesor o de la profesora)? ¿ése? ¿aquél? 3. ¿Cómo es esta clase? ¿esta universidad? ¿esta ciudad?

• •

II. STEM-CHANGING VERBS: *E* TO *IE*

Un cine bilingüe en Nueva York

En la Avenida Broadway de Nueva York.

ANA	¡Qué suerte vivir cerca de un lugar donde hay películas en español! Margarita, *¿quieres* una Coca-Cola, un café o...?
MARGARITA	Una Coca-Cola, por favor. ¿Y tú?
ANA	Yo *prefiero* café. *¿Quieres* esperar aquí?
MARGARITA	*Prefiero* entrar.
(Ellas entran.)	
MARGARITA	Ana, *empieza* la película. Pero estas señoras hablan y hablan.
ANA	Perdón, señora. ¡Es imposible *entender*!
LA SEÑORA	¿Cómo? ¿No *entiende* usted? Pero, ¡caramba! Ésta es una conversación privada, señorita.

1. ¿Qué quiere Margarita, un café o una Coca-Cola? 2. ¿Qué prefiere Ana?
3. ¿Por qué no entienden la película Ana y Margarita?   4. ¿Cómo es la conversación de las señoras?   5. ¿Qué clase de películas prefiere usted: las cómicas o las dramáticas?

On Broadway Avenue in New York. ANA: How lucky to live near a place where there are films in Spanish. . . . Margarita, do you want a Coca-Cola, coffee, or . . .? MARGARITA: A Coca-Cola, please. And you? ANA: I prefer coffee. Do you want to wait here? MARGARITA: I prefer to go in. *(They go in.)* MARGARITA: Ana, the film is beginning. But these ladies are talking and talking. ANA: Excuse me, ma'am. It's impossible to hear (understand). THE WOMAN: What? You can't hear? But, good grief! This is a private conversation, miss!

• •

A. Certain groups of Spanish verbs are known as stem-changing verbs. These verbs have regular endings but show a change in the stem when it is stressed. In the following verbs, the **e** of the stem is changed to **ie** in all but the **nosotros** and **vosotros** forms. In vocabulary lists, these verbs are followed by (**ie**).

pensar *to think; to plan*		**entender** *to understand*		**preferir** *to prefer*	
pienso	pensamos	entiendo	entendemos	prefiero	preferimos
piensas	pensáis	entiendes	entendéis	prefieres	preferís
piensa	piensan	entiende	entienden	prefiere	prefieren

B. Other **e** to **ie** stem-changing verbs are:

cerrar	*to close*
empezar	*to begin*
nevar	*to snow*
perder	*to lose; to miss (a train, boat, etc.); to waste (time)*
querer	*to want; to love*

[handwritten top left: pienso estudiar / quiero / prefiero]

¡Qué lástima! Cierran dos tiendas en la Avenida Lexington.	What a shame! They're closing two stores on Lexington Avenue.
No entiendo el problema.	I don't understand the problem.
Empiezas mañana.	You begin tomorrow.
Juan no quiere trabajar en ese lugar.	Juan doesn't want to work in that place.
Quiero a Paco.	I love Paco.
Pensamos ir a Santo Domingo.	We are planning to go to Santo Domingo.
A veces pienso en ella.	Sometimes I think of her.
¿Qué piensas de la huelga?	What do you think about the strike?
Preferimos regresar temprano.	We prefer to return early.
Ellos siempre pierden dinero.	They always lose money.
¡Caramba! Es tarde. ¡Voy a perder el avión!	Good grief! It's late. I'm going to miss the plane!

*[margin note left: Point out that **pensar** + infinitive means to intend or plan to do something. Remind students of other verbs using infinitives: **desear, ir a,** and, in this chapter, **querer** and **preferir.**]*

[handwritten right: Pensar de = to think of as in having an opinion]

Notice that **pensar** takes the preposition **en** when it means *to think of* or *about* (someone or something); it takes **de** when it means *to think of* in the sense of *to have an opinion* (of someone or something).

*[margin note left: Emphasize the distinction between **pensar en** and **pensar de.**]*

[handwritten right: Pensar en = to think of or about someone or something]

[handwritten left: to think of or about]

[handwritten left: Pensar en]

EJERCICIOS

[handwritten left: to think of as having an opinion]

A. En Nueva York.   Complete the following conversation with the correct forms of the verbs in parentheses.

RAFAEL La tía Marta y yo (1. querer) _____ regresar a Puerto Rico. Nosotros (2. pensar) _____ viajar en noviembre.

MIGUELITO Pero... ¡qué lástima! Mamá (3. venir) _____ de allí en diciembre. Ella (4. pensar) _____ pasar aquí las fiestas (*holidays*). ¿No (5. preferir) _____ ustedes esperar?

RAFAEL No, Miguelito, nosotros (6. cerrar) _____ la tienda el primero. (7. Empezar) _____ a hacer las maletas.

MIGUELITO Pero, tío, (yo) no (8. entender) _____ . ¿Por qué no (9. cerrar) _____ (ustedes) la tienda en enero?

RAFAEL Es que aquí hace mucho frío en el invierno. Nosotros (10. preferir) _____ pasar diciembre y enero en Puerto Rico.

B. ¿Pensar de... o pensar en...?   Complete the sentences using **de** or **en** as appropriate.

1. Papá siempre piensa ____*en*____ los problemas de la oficina.
2. ¿Qué piensas ____*de*____ la esposa de Bernardo?
3. ¿Piensas a veces ____*en*____ el pasado?
4. Ustedes no piensan eso ____*de*____ la abogada, ¿verdad?

C. Entrevista. Ask a classmate questions using the following cues and ideas of your own. Make a general statement to the class telling some of your classmate's answers.

MODELO   preferir vivir aquí o en Nueva York

ESTUDIANTE 1   **¿Prefieres vivir aquí o en Nueva York?**
ESTUDIANTE 2   **Prefiero vivir aquí.**

1. preferir vivir en una ciudad grande o en una región rural (¿Por qué?)
2. querer vivir en San Francisco (¿Los Ángeles? ¿Madrid? ¿Tokio? ¿París?)
3. pensar que la contaminación es un problema urgente (¿la pobreza? ¿la inflación? ¿el SIDA?)
4. pensar que hay mucha discriminación contra las mujeres (¿contra las minorías? ¿contra los jóvenes?)
5. preferir ir a la universidad en autobús, tren, auto o bicicleta
6. perder mucho tiempo en el tráfico
7. entender español (¿francés? ¿alemán? ¿japonés?)
8. tener muchas oportunidades de hablar español (¿de escuchar español?)
9. pensar estudiar esta noche (¿mirar televisión? ¿ver una película? ¿visitar a algunos amigos?)

• •

III. DIRECT OBJECT PRONOUNS

TERESA	En esta ciudad hay mucha gente que vive en la calle. ¡Qué problema!
ROSA	Pues es de esperar. Muchos quieren vivir así. No quieren trabajar, *¿me* entiendes?
TERESA	Sí, *te* entiendo, pero... ¿realmente *lo* crees? Pienso que debemos ayudar*los* con comida y otras cosas. Por ejemplo, hay una mujer que vive en la calle cerca de mi casa. Creo que tiene problemas mentales, pobrecita. Deben poner*la* en una institución. En la calle tiene hambre y frío y...
ROSA	¿Y qué? En una institución la gente pierde la libertad.

1. ¿Cómo es Teresa? ¿Qué piensa ella?   2. ¿Cómo es Rosa? ¿Qué cree ella?   3. ¿Con quién está usted de acuerdo? ¿Por qué?

TERESA: In this city there are a lot of people who live on the street. What a problem! ROSA: Well, it's to be expected. Many people want to live like that. They don't want to work—do you understand me? TERESA: Yes, I understand you, but . . . do you really believe that (it)? I think we should help them with food and other things. For example, there's a woman who lives in the street near my house. I think she has mental problems, poor thing. They should put her in an institution. In the street she's hungry and cold and . . . ROSA: And so what? In an institution people lose their freedom.

• •

A. Direct object pronouns replace the direct object of a sentence (either a person or a thing) and receive the direct action of the verb. For instance, in the sentence *I see it (the book),* the direct object pronoun is *it.*

Direct Object Pronouns			
Singular		*Plural*	
me	*me*	**nos**	*us*
te	*you* (tú)	**os**	*you* (vosotros)
lo*	*him, it, you* (usted)	**los**	*them, you* (ustedes)
la	*her, it, you* (usted)	**las**	*them, you* (ustedes)

Point out that for clarity or politeness, when **lo** or **la** corresponding to **usted** is used before a verb, **a usted** may be added after the verb. **A ustedes** is added when the pronoun is plural. ¿**Lo** espero a usted, señor? ¿**Las** espero a ustedes, señoras?

B. **Lo** and **la** are the direct object pronouns that correspond to the subject pronouns **él, ella,** and **usted. Lo** is used to refer to a person or thing of masculine gender, and **la** is used to refer to a person or thing of feminine gender. **Lo** is also used to refer to actions or situations.

¿La casa? No la compramos.	*The house? We're not buying it.*
No lo entiendo a usted, señor.	*I don't understand you, sir.*
¿Es su propia culpa? ¡No lo creo!	*It's his (her, your) own fault? I don't believe it!*

C. **Los** and **las** are the direct object pronouns that correspond to the subject pronouns **ellos, ellas,** and **ustedes. Los** is used to refer to people or things of masculine gender, and **las** is used to refer to people or things of feminine gender. **Los** is also used to refer to groups in which the genders are mixed.

¿Esos lugares? Los voy a visitar pronto.	*Those places? I'm going to visit them soon.*
¿Las bicicletas? Las voy a vender.	*The bicycles? I'm going to sell them.*
¿El hombre y la mujer? No los veo.**	*The man and woman? I don't see them.*

D. Use **te** as an object when speaking to someone you address as **tú.** Use **lo** when speaking to a man and **la** when speaking to a woman whom you address as **usted.**

Point out that **os, los,** and **las** are the comparable plural forms.

Te llamo mañana, Carlota.	*I'll call you tomorrow, Carlota.*
Adiós, señorita. La llamo mañana.	*Good-bye, miss. I'll call you tomorrow.*

E. Direct object pronouns can be placed directly before a conjugated verb (a verb with an ending that tells the tense, person, and number).

¿Me esperas?	*Will you wait for me?*
Nos ayudan así.	*They are helping us like that (in that way).*

---

*In Spain it is common to use **le (les)** instead of **lo (los)** as the masculine direct object pronoun to refer to a man (men) and to use **lo (los)** to refer to things or ideas. However, this distinction is not normally observed in Latin America. Depending on one's background, one may say **Le veo** or **Lo veo;** both mean *I see him.*

The first-person singular of **ver *(to see)* is **veo.** The other forms of the present tense are regular.

F. Direct object pronouns can also be placed after an infinitive and attached to it.

Vamos a visitarla mañana.	*We are going to visit her tomorrow.*
No tengo que hacerlo ahora. Es temprano.	*I don't have to do it now. It's early.*

However, if the infinitive is part of a larger verb construction, the direct object pronoun can be attached to the infinitive, as above, or it can be placed in front of the entire verb construction. In spoken Spanish, the latter position is more common.

¿Mi programa favorito?	*My favorite program?*
Lo voy a mirar ahora. Voy a mirarlo ahora.	*I'm going to watch it now.*

EJERCICIOS

A. **Conversación.**   Complete the conversation with appropriate direct object pronouns.

RAFAEL   Cecilia, ¿vas a apoyar *(support)* a Ramón García en las elecciones?

CECILIA   No, no (1) ____lo____ voy a apoyar, Rafael. Prefiero a Josephine Smith.

RAFAEL   ¿Prefieres a una mujer? ¿Y (2) ____la____ vas a apoyar? Pero García es puertorriqueño. Entiende los problemas del barrio.

CECILIA   Nosotras, las mujeres, preferimos a Smith. (3) ____la____ necesitamos.

RAFAEL   ¿Realmente (4) ____lo____ crees? Pues yo tengo mis dudas *(doubts)*.

B. **¿No lo ves...?**   You are having trouble seeing the things your friend is pointing out. Ask and answer your friend's questions in the negative, using direct object pronouns.

MODELO   ESTUDIANTE 1   ¿Ves ese edificio?
              ESTUDIANTE 2   **No, no lo veo.**

1. ¿Ves aquella bicicleta?
2. ¿Ves esa calle?
3. ¿Ves al hermano de Pepe?
4. ¿Ves el teatro?
5. ¿Ves a esos muchachos?
6. ¿Ves las oficinas?
7. ¿Ves aquellos autos?
8. ¿Ves esas librerías?

Now ask questions of a classmate, using names of classroom objects.

MODELOS   **¿Ves la pizarra?**
              Sí, la veo.
              ¿Ves el cuaderno de Scott?
              No, no lo veo.

C. **Otro día.**   Practice saying good-bye to people in your class (including your instructor). Tell them you will see them or call them at a later time.

MODELOS   **Adiós, Anne y Christine. Las veo el viernes.**
              Adiós, Mike. Te llamo mañana.

veo vemos
ves veis
ve ven.

Un desfile (parade)
dominicana, Nueva York

Entrevista

Work with a partner. Take turns asking and answering questions. Use direct object pronouns in the answers when possible.

MODELO   ¿Quieres ver el programa "Los Simpson"?
Sí, lo quiero ver.
No, no lo quiero ver.

1. ¿Necesitas un auto? ¿Por qué lo necesitas? (¿Para ir a la universidad? ¿Para ir de compras?)   2. ¿Tienes una bicicleta? ¿Adónde la llevas?   3. ¿Qué programas miras en la televisión? ¿Cuándo los miras?   4. ¿Compras café en la cafetería? ¿Comes la comida de allí?   5. ¿Llamas mucho a tus amigos? ¿Los visitas?

• •

IV. THE PRESENT TENSE OF *SABER* AND *CONOCER*

"Descanso y
Trabajo"

En el hogar, Quico es rey,
(cerveza y televisión). Y
sabe. sin discusión, celebrar el "labordey".
Conoce muy bien la ley,
por eso está descansando
y vemos del otro bando
que su consorte Tomasa,
como toda ama de casa lo
celebra... ¡trabajando!

Décima: Eduardo Pagés

1. ¿Quién es Quico? ¿Qué sabe hacer él? 2. ¿Qué conoce muy bien él? 3. ¿Qué hace su esposa? 4. ¿Vemos situaciones similares aquí?

"Rest and Work." In the home, Quico is king (beer and television). And he knows, without discussion, how to celebrate "labordey." He knows the law very well; for that reason he's resting and we see, on the other side, that his consort Tomasa, like all housewives, is celebrating it . . . working! (Poem of ten lines: Eduardo Pagés)

• •

A. The verbs **saber** and **conocer** are irregular in the first-person singular.

saber *to know; to know how to*		**conocer** *to know, be acquainted with*	
sé	sabemos	conozco	conocemos
sabes	sabéis	conoces	conocéis
sabe	saben	conoce	conocen

B. Saber and **conocer** both mean *to know,* but they are not interchangeable. **Saber** means *to have knowledge of facts or information about something or someone;* with an infinitive, it means *to know how to do something.* **Conocer** means *to know* or *to be acquainted with a person, place, or thing.* It can also mean *to meet (someone) for the first time.* Before a direct object that refers to a person or persons, **conocer** takes a personal **a** (see Chapter 2, section V).

Conozco a Conchita pero no sé dónde está.

I know (am acquainted with) Conchita but I don't know (have information about) where she is.

¿Conoces el barrio?
¡Qué barbaridad! No saben hablar español.

Do you know the neighborhood?
Good grief! They don't know how to speak Spanish.

EJERCICIO

Conversaciones. With a classmate, complete the conversations using appropriate forms of **saber** or **conocer.**

JOSÉ	¿Tus padres (1) _Saben_ hablar francés?
EVA	No, pero (2) _conocen_ bien París.

JUAN	¿ (3) _Conoces_ (tú) a Mercedes Sosa?
EVA	No, pero (4) _sé_ quién es.

FELIPE	¿ (5) _Saben_ ustedes cómo llegar al centro?
TERESA	No, no lo (6) _sé_ .

Preguntas

1. ¿Sabe usted cómo se llama la capital de Chile? ¿de Argentina? 2. ¿Conoce la ciudad de Nueva York? ¿Conoce Los Ángeles? ¿Qué problemas tienen estas dos ciudades? ¿Qué ciudades conoce? 3. ¿Sabe usted qué estados de Estados Unidos tienen nombres españoles?

Follow up question 1 by asking students to invent questions to stump their classmates, forcing them to admit **"Yo no sé."** Answers to Question 3: Montana **(Montaña),** Nevada, Colorado, Texas **(Tejas),** Arizona **(zona árida),** California, New Mexico **(Nuevo México),** Florida.

Viñeta cultural

UNOS ANUNCIOS

Antes de leer

Following are some ads or announcements that appeared in Spanish-language newspapers in New York. Work in pairs. Skim the ads and find cognates in Spanish for these English words.

Ad a: babies, asphyxiated, emergencies, respiratory, important, instructions

Ad b: accidents, consult, gratis (free), cases, divorce, custody, testaments (wills), immigration

Ad c: announce, prejudices, accept, incapacitated (handicapped) people, acts, discrimination, obvious, rent, decided

Ad e: action, line, informative

a

si tan sólo vinieran *if only they came*

b

hipotecas *mortgages*   **impuestos** *taxes*

c

mayoría *majority*   **no se aceptan** *do not accept*
Lo acabamos de rentar. *We just rented it.*
el dueño *the owner*

Enséñeles a sus hijos a decir «No» a las drogas

d **Enséñeles** *Teach them* **decir** *say*

You might want to bring in ads from local newspapers also.

LA MUJER NECESITA TOMAR ACCION CONTRA EL SIDA

Por favor llame a La Línea Informativa sobre el SIDA
212-447-8200

Para personas con pérdida de la audición
TDD 212-532-8570/8683

Después de leer

Work with a partner. Make a short list of the problems that these ads suggest. What other problems might Hispanics in New York (or any large American city) have?

PARA ESCUCHAR

A. **Situaciones.** Look back at Ads a, b, and c on page 125. Then listen to the three conversations, which involve problems. Match the conversations to the ads by writing the letters of the ads in the blanks.

Conversation 1: Ad _____ Conversation 3: Ad _____
Conversation 2: Ad _____

B. **La respuesta apropiada.** You will hear the first lines of each conversation again. Choose an appropriate response.

1. a. ¿Qué importancia tiene?
   b. ¡Qué barbaridad!
   c. Tienes la culpa.
2. a. Pobrecita. ¡Qué mala suerte!
   b. Pobrecito. ¿Qué tiene?
   c. Pobrecitos. ¿Tienen dolor de cabeza?
3. a. Sí, claro (*of course*). Son las tres y media.
   b. Sí, claro. Hoy hace muy buen tiempo.
   c. Sí, claro. Para una amiga como tú, siempre hay tiempo.

FUNCIONES *y actividades*

In this chapter, you have seen examples of the following language functions, or uses. Here is a summary and some additional information about these functions of language.

Expressing sympathy

Here are some expressions to show that you feel sympathy for someone, that you understand what he or she is going through:

¡Qué lástima!	*What a shame (pity)!*	¡Pobrecito(-a)!	*Poor thing!*
¡Qué mala suerte!	*What bad luck!*	Eso debe ser terrible.	*That must be terrible.*
¡Qué barbaridad! (literally, *What barbarity!*)	*Good grief!*	¡Ay, Dios mío! (¡Ay, Dios santo!)	*Oh, my goodness!*
¡Qué horror!	*How horrible!*	¡Caramba!	*Good grief!*

Expressing lack of sympathy

Here are some expressions to use when you think someone is creating his or her own bad fortune or "has it coming":

¡Buena lección!	*That's a good lesson for you!*	¿Qué importancia tiene?	*What's so important (about that)?*
Es de esperar.	*It's to be expected.*	¿Y qué?	*So what?*
¿Qué espera(s)?	*What do you expect?*	Es su (tu) propia culpa.	*It's your own fault.*

Actividades

A. ¡Ay, bendito!   The following poem, by Tato Laviera, is a cavalcade of expressions used for complaining or consoling in Spanish. Cognates or words presented in earlier chapters are not glossed. Read the poem and answer the questions on page 129.

ay bendito
TATO LAVIERA

just Imagine,
look/listen
ay... Dear Lord

¿qué...? what can
you do?

es... that's how it is

look

oh, oh, ¡ay virgen!
fíjese°, oiga°, fíjese.
ay, bendito°.
pero, ¿qué se puede hacer°?
nada, ¿verdad?
ave maría.
ah, sí. ah, sí, es así°,
pues, oiga,
si es la verdad.
pero, ¿qué se puede hacer?
nada, ¿verdad?
fíjese, oiga, fíjese.
mire°, mire.

oh, sí, ¡hombre!
oiga, así somos
tan° buenos, ¿verdad?   so
bendito.
¡ay, madre!
¡ay, Dios mío!
¡ay, Dios santo!
¡me da una pena°!   **¡me...!** literally, "it
ay, si la vida es así, oiga.   gives me pain,
pero, ¿qué se puede hacer?   sorrow"
nada, ¿verdad?
fíjese, oiga, fíjese.
oiga, fíjese.

Tato Laviera

1. What expressions do you find that come from religious concepts or beliefs?
2. Many Spanish speakers would find this poem amusing because it catalogs expressions they have heard their own relatives say over and over. What expressions do English speakers use that are similar in purpose and meaning?
3. Tato Laviera is of the "Nuyorican" generation. It has been said, "The Nuyorican is harsh, cool, determined, high-powered; the Puerto Rican is suave, warm, hesitant, apologetic.*" What attitude does the poet portray in **"¡Ay, bendito!"**—determination or fatalism? What group do you think he is portraying in this poem—the Nuyorican or the Puerto Rican?

B. ¡Qué problema!   Work with a partner. Tell your partner about a problem, choosing from those that follow or using your own ideas. (You might want to look back at the ads on pages 125–126 for ideas.) Ask your instructor for help in stating the problem if you need to. Your partner expresses sympathy or lack of sympathy. Then change roles.

1. Busco empleo, pero siempre llego tarde a las entrevistas.
2. Tengo un dolor de cabeza muy fuerte *(strong, severe)*.
3. No estoy en buenas condiciones físicas porque no como bien y no hago ejercicios.
4. Hoy tenemos examen en la clase de física.
5. Tengo un problema con la computadora *(computer)*.

PARA ESCRIBIR

A Spanish-speaking friend wants some information about the city where you live. Write him or her a short letter. Use the format below.

_____ *(fecha)*

Querido(-a) _____ :

Gracias por tu carta. Aquí está la información que necesitas. _____ *(nombre de su ciudad)* es una ciudad _____ *(adjetivo)*. Tiene muchas actividades culturales; por ejemplo, hay _____ . También hay un restaurante muy bueno que se llama _____ , y hay una librería excelente que se llama _____ . En esta ciudad, mi lugar favorito es _____ .

Pero _____ *(nombre de su ciudad)* también tiene sus problemas graves. Un problema que hay aquí es que _____ . Otro problema es que _____ .

Si realmente quieres conocer nuestra ciudad, ¿por qué no vienes a visitarnos? Mi casa es tu casa.

Con mucho cariño *(affection)*,

_____ *(su nombre)*

---

*Juan M. García Passalacqua, *Notes of NeoRican,* quotation in Stan Steiner *The Islands: The Worlds of the Puerto Ricans* (New York: Harper & Row, 1979), p. 446.

VOCABULARIO ACTIVO

Cognados

el apartamento	el crimen	la droga	la oportunidad
la bicicleta	la discriminación	la inflación	puertorriqueño
la conversación	el divorcio	las minorías	urgente

Verbos

ayudar	*to help*
cerrar (ie)	*to close*
comprar	*to buy*
conocer	*to be familiar with, know*
empezar (ie)	*to begin, start*
entender (ie)	*to understand*
esperar	*to wait for; to hope; to expect*
nevar (ie)	*to snow*
pensar (ie)	*to think; to plan; to intend*
pensar de	*to think about, have an opinion*
pensar en	*to think about, reflect on*
perder (ie)	*to lose; to miss* (train, plane, etc.); *to waste* (time)
preferir (ie)	*to prefer*
querer (ie)	*to want; to love*
regresar	*to return, go back*
saber	*to know; to know how to*
trabajar	*to work*
ver	*to see*

La ciudad y sus problemas

el barrio	*neighborhood, community*
la basura	*garbage*
la calle	*street*
el centro	*downtown; center*
la contaminación del aire (del agua)	*air (water) pollution*
el desempleo	*unemployment*
el dinero	*money*
el edificio	*building*
el empleo	*employment*
el hambre *(f)*	*hunger*
el metro	*subway*
la pobreza	*poverty*
el robo	*theft, robbery*
el SIDA	*AIDS*
la tienda	*shop, store*
el trabajo	*work*

Otras palabras y frases

a veces	*sometimes*
el agua	*water*
así	*like that*
el café	*coffee;* (also, *café*)
contra	*against*
la culpa	*guilt*
la gente	*people*
la huelga	*strike*
el lugar	*place; room (space)*
la película	*film*
realmente	*really*
la suerte	*luck*
tarde	*late*
temprano	*early*

Expresiones útiles

¡Caramba!	*Good grief!*
Es de esperar.	*It's to be expected.*
Es su (tu) propia culpa.	*It's your own fault.*
Eso debe ser terrible.	*That must be terrible.*
¡Pobrecito!	*Poor thing!*
¡Qué barbaridad!	*Good grief! (literally, What barbarity!)*
¿Qué importancia tiene?	*What's so important (about that)?*
¡Qué lástima!	*What a shame (pity)!*
¡Qué mala suerte!	*What bad luck!*
¿Y qué?	*So what?*

Don't forget: Demonstrative adjectives and pronouns, page 116; Direct object pronouns, page 121.

Los hispanos de Estados Unidos

¿Por qué encontramos letreros° como éstos en Nueva York, Miami, Dallas, Chicago, Los Ángeles o San Francisco? La respuesta° está en los veinte millones de hispanos que viven en Estados Unidos (el número es mucho mayor° si incluimos° a los millones de inmigrantes indocumentados). Los chicanos o méxico-americanos representan el 62 por ciento del total. Gran° parte de la población de Miami es de origen cubano, y en Nueva York viven más puertorriqueños que en San Juan, la capital de Puerto Rico. También hay miles de refugiados° políticos (chilenos, argentinos, salvadoreños, nicaragüenses, guatemaltecos, etc.) que han venido y siguen viniendo° a este país.

Ask students to look for examples of cognates in this reading.

encontramos... *do we find signs / answer*
greater / we include

A great

refugees
han... *have come and continue to come*

Un restaurante cubano en la «Pequeña Habana» de Miami

Have students supply other place names from Florida, California, and the southwest United States.

La misión de Santa Bárbara, California

En el suroeste° de Estados Unidos, la presencia hispana es muy anterior a° la presencia anglosajona. Por ejemplo, hay muchos estados (Colorado, Nevada, Tejas) y ciudades (San Francisco, Las Vegas, Amarillo) que tienen nombres españoles. La Misión de Santa Bárbara (que vemos en la fotografía) fue fundada° por padres españoles en 1786. Con la victoria militar de 1848, Estados Unidos recibe de México el territorio que hoy forma el suroeste norteamericano. Muchos habitantes de esta región son descendientes de los colonizadores° españoles; otros son trabajadores mexicanos que vienen a este país para buscar trabajo.

Southwest/muy... much earlier than

fue... was founded

colonists

In general, Spanish place names are descriptive, dramatic, or commemorative. Descriptive names include: **Sierra Nevada** (*snow-covered mountain chain*), **Las Vegas** (*the plains*), **Colorado** (*red*), **Los Álamos** (*poplar trees*), **Laguna Seca** (*dry lake*), **Agua Dulce** (*fresh water*). Dramatic names include those behind which there was a story, such as **Calaveras** (*skulls*), where the skeletons of Indians were found. Most names are commemorative, named mainly after saints or religious concepts.

Una familia hispana en Estados Unidos

La historia de los puertorriqueños en Estados Unidos empieza con la victoria norteamericana en la guerra° de 1898 contra España; desde° ese año, Puerto Rico es territorio de Estados Unidos. Hoy, los puertorriqueños son ciudadanos° de este país.

La mayor° parte de los cubanos están aquí como exiliados° políticos del régimen de Fidel Castro. Hay cubanos en todos los estados, pero la gran mayoría vive en Florida y en particular en Miami. Allí tienen un barrio muy próspero con teatros, tiendas y restaurantes típicos. La primera gran ola° de inmigrantes cubanos viene en 1959, y la segunda° en 1980.

war/since

citizens
greater/exiles

wave
second

Many Puerto Ricans refer to their homeland as **la Isla del Encanto** *(the Isle of Enchantment)* or simply as **la Isla**. Because of its natural beauty, agreeable climate, and Hispanic atmosphere, most Puerto Ricans who leave the homeland to find work long to return.

Preguntas

1. ¿Cuántos millones de hispanos viven en Estados Unidos?   2. ¿Dónde viven más puertorriqueños: en San Juan o en Nueva York?   3. En el suroeste de Estados Unidos, ¿es la presencia hispana anterior o posterior a la anglosajona?   4. ¿Qué estados y ciudades con nombres españoles conoce usted?   5. En 1848, ¿qué recibe Estados Unidos de México?   6. ¿De quiénes son descendientes muchos habitantes de esos estados?   7. ¿Desde cuándo es Puerto Rico parte del territorio de Estados Unidos?   8. ¿Dónde viven muchos cubano-americanos?

El paseo y la música son dos diversiones populares del mundo hispánico.

CAPÍTULO

seis

DIVERSIONES Y PASATIEMPOS

VOCABULARIO. In this chapter you will talk about what people do in their free time.

GRAMÁTICA. You will discuss and use:

- Indirect object pronouns
- The present tense of **e** to **i** stem-changing verbs; the verb **dar,** *to give*
- The present tense of **o** to **ue** and **u** to **ue** stem-changing verbs
- Direct and indirect object pronouns together

CULTURA. This chapter focuses on Colombia.

FUNCIONES

- Asking for and giving personal information
- Taking public transportation
- Getting a hotel room

COLOMBIA

Capital: Bogotá
Ciudades principales: Medellín, Cartagena, Cali, Barranquilla
Población: aproximadamente 34 millones de habitantes
Moneda: el peso

¿Sabía usted que...?

1. Like other Andean nations, Colombia is near the equator, so the climate does not vary much from season to season. However, it does change dramatically with altitude—mountain cities like Bogotá are cool all year, while coastal cities are usually warm.

2. Colombia produces 90 percent of the world's emeralds.

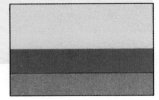

DIVERSIONES Y PASATIEMPOS

programar la computadora

pintar

bailar, ir al baile

ir a ver una obra de teatro o a escuchar un concierto

escuchar música (clásica, rock, folklórica), escuchar discos, cintas

tocar la guitarra (el piano, el violín)

ir al cine a ver una película

sacar fotos

cantar una canción

dar paseos

hacer (dar, tener) una fiesta

practicar deportes *(sports)*
el fútbol, jugar (al) fútbol

el tenis, jugar (al) tenis

Additional vocabulary:
cocinar, *to cook;* **pescar,**
to fish; **acampar,** *to go
camping;* **coser,** *to sew.*

patinar

el correr (el jogging),
correr

EJERCICIO

Choose the correct word to complete each sentence.

Follow up item **4** with **un
drama, una ópera.**

1. José (toca/juega) la guitarra.
2. Vamos al (cine/teatro) a ver una película.
3. Los sábados (jugamos/tocamos) al fútbol americano.
4. Queremos escuchar un concierto en el (Cine/Teatro) Nacional.
5. Para hacer ejercicio, (pintamos/corremos).
6. Hoy voy a dar (una cinta/un paseo) por el centro.

Preguntas

1. ¿Qué hace usted los fines de semana? ¿Va al cine? ¿Escucha música? ¿Tiene muchos discos? ¿cintas? ¿Mira televisión?   2. Para hacer ejercicio, ¿qué hace usted? ¿Corre? ¿Nada? ¿Practica deportes? ¿Patina? ¿Juega al tenis? ¿béisbol? ¿vólibol? ¿fútbol *(soccer)*? ¿fútbol americano *(football)*? ¿básquetbol? ¿Hace ejercicios aeróbicos?   3. ¿Prefiere usted bailar o escuchar música? ¿Sabe tocar la guitarra? ¿el piano? ¿el violín? ¿Canta con algún grupo musical?   4. ¿Sabe programar una computadora? ¿Qué tipo de computadora tiene? 5. ¿Saca usted muchas fotos? ¿De qué cosas o personas saca muchas fotos?   6. ¿Sabe pintar?   7. ¿Qué va a hacer el fin de semana que viene *(next weekend)*?

Una fiesta en Bogotá, Colombia

● ●

I. INDIRECT OBJECT PRONOUNS

TOMÁS Pedro, ¿*me* haces un favor? Silvia y yo queremos ir al Teatro Nacional hoy. ¿*Nos* prestas diez mil pesos?

PEDRO ¡Cómo no! ¿Qué van a ver?

TOMÁS *Sor-prendidas.* Es una comedia. ¿Quieres ir con nosotros? *Te* compro la entrada.

PEDRO ¡Gracias, amigo!

TOMÁS Pero en ese caso, ¿*me* prestas unos cinco mil pesos más, por favor?

---

1. ¿Adónde quieren ir Silvia y Tomás?   2. ¿Qué necesitan?   3. ¿Qué van a ver?
4. ¿Qué le va a comprar Tomás a Pedro?

TOMÁS: Pedro, will you do me a favor? Silvia and I want to go to the National Theater today. Will you loan us ten thousand pesos? PEDRO: Of course. What are you going to see? TOMÁS: *Sor-prendidas.* It's a comedy. Do you want to go with us? I'll buy you the ticket. PEDRO: Thanks, my friend! TOMÁS: But in that case, will you loan me 5,000 more pesos, please?

A. The indirect object in a sentence indicates the person or thing that receives the action of the verb. In the sentence *I told Carmen the truth, Carmen* is the person who benefits or is affected by the truth being told; she is the indirect object. (*The truth* is what gets told; it is the direct object.) In English, indirect objects are often replaced by prepositional phrases: *I told Carmen the truth (I told the truth to Carmen). I bought Carmen the book (I bought the book for Carmen).* An indirect object pronoun is a pronoun that replaces an indirect object noun: *I bought* her *the book.*

B. Except for the third-person forms, **le** and **les,** the indirect object pronouns are the same as direct object pronouns.

Indirect Object Pronouns			
Singular		*Plural*	
me	*(to, for) me*	**nos**	*(to, for) us*
te	*(to, for) you*	**os**	*(to, for) you*
le	*(to, for) you, him, her, it*	**les**	*(to, for) you, them*

C. Like direct object pronouns, indirect object pronouns immediately precede a conjugated verb.

Les canta una canción.	*He's (She's) singing a song to them.*
Te compro un regalo después del almuerzo.	*I'm buying you a present after lunch.*
¿Me preparas la cena? —Sí, y luego te hago un café.	*Are you preparing (Will you prepare) dinner for me? —Yes, and then I'll make coffee for you.*
Le prestamos muchas cosas.	*We loan him (her, you) many things.*

Have students do a variation of the dialogue, using a local event and inviting someone to attend it.

Anticipate student confusion over direct and indirect objects. Act out sentences with classroom objects, e.g., *Marta gives the notebook to Roberto;* etc.

Hablar is a useful verb to exemplify the distinction between direct and indirect object pronouns: **Lo hablo.** *I speak it* (the language) vs. **Le hablo.** *I speak to him, her, you.*

D. When used with an infinitive, indirect object pronouns follow the same rules as direct object pronouns: either they precede the entire verb construction, or they follow the infinitive and are attached to it.

Mis papás me prometen comprar un piano.
Mis papás prometen comprarme un piano.

My parents promise to buy me a piano.

E. For clarity, a prepositional phrase is often used in addition to the indirect object pronoun in the third person.

Le hablo { a él.
a ella.
a usted.

Les hablo { a ellos.
a ellas.
a ustedes.

Since these expressions function as objects of the preposition **a,** they are called prepositional object pronouns. They are the same as the regular subject pronouns, except for the first- and second-person singular: **mí** and **ti.**

¿Me hablas a mí? —Sí, a ti te hablo.   *Are you talking to me? —Yes, I'm talking to you.*

F. The indirect object pronoun is often used even when the noun to which it refers is also expressed. This is considered good style.

Le escribo a mi abuelo antes del almuerzo.

I'm writing to my grandfather before lunch.

EJERCICIOS

A. **El cumpleaños de Miguelito.**   What presents do Miguelito's relatives buy him?

MODELO   Su abuelo le compra unos discos.

su abuelo   su tío   su hermana   su primo   su tía

B. **¡Mil gracias, Laura!**   Laura is very popular and well liked by everyone. To find out why, do the following exercises, using indirect object pronouns as in the models.

MODELOS a Elizabeth/enseñar español
Le enseña español.
a ti y a mí/prestar la computadora
Nos presta la computadora.

1. a su hermana/leer libros
2. a los niños/prometer llevar a patinar
3. a mí/escribir poemas
4. a Raquel y a ti/tocar la guitarra
5. a ti/preparar el almuerzo
6. a nosotros/comprar chocolates

C. ¿Cuál es la pregunta? Give questions to which the following are possible answers. In some cases there is more than one possible response.

1. Sí, a ti te hablo.
2. Sí, a Manuel le prestamos las cintas.
3. No, no les escribo a mis padres.
4. Sí, a ti te voy a comprar una entrada.
5. No, a mí no me prestan dinero.

Entrevista

Work with a classmate. Take turns asking and answering questions. Note: Use indirect or direct object pronouns in your answers.

1. ¿Les escribes a tus padres? ¿Ellos te escriben? ¿A quién le escribes? 2. ¿Les hablas mucho por teléfono a tus amigos? 3. En general, ¿les haces muchas preguntas a tus profesores? ¿Les hablas después de las clases? 4. ¿Quién te prepara la comida? ¿Quién te ayuda con los deberes *(homework)*? 5. ¿Les prestas dinero a tus amigos? ¿Les prestas otras cosas? ¿Tus amigos te prestan dinero? ¿Te prestan otras cosas? 6. ¿Hablas alemán? ¿francés?

II. STEM-CHANGING VERBS: *E* TO *I;* THE VERB *DAR*

En el aeropuerto.

JAIME	Dos boletos para Bogotá, por favor. Tenemos reservaciones—Ordóñez.
EL AGENTE	Ordóñez... Mmm... *(Busca en la computadora.)* Ah, sí. Jaime y Laura Ordóñez. Doscientos mil pesos.
JAIME	*(a su esposa)* ¿Por qué no me *das* un cheque de viajero?
LAURA	Sí, mi amor. ¿Qué *dice* el señor? ¿Trescientos mil pesos?
JAIME	No, doscientos mil. Y me va a *pedir* los pasaportes.
LAURA	Aquí los tienes.
JAIME	¿Por dónde sale el avión?
EL AGENTE	Tienen que *seguir* por allí hasta llegar a la puerta número 2. El avión sale a las dos y media.

Have students create a similar conversation with a different destination, gate number, and time of departure.

1. ¿Adónde quiere ir Jaime?   2. ¿Tienen reservaciones Jaime y Laura?   3. ¿De qué puerta sale el avión?

At the airport. JAIME: Two tickets to Bogotá, please. We have reservations—Ordóñez. AGENT: Ordóñez. Mmm . . . *(He looks in the computer.)* Oh, yes. Jaime and Laura Ordóñez. Two hundred thousand pesos. JAIME: *(to his wife)* Why don't you give me a traveler's check? LAURA: Yes, (my) love. What's the man saying? Three hundred thousand pesos? JAIME: No, two hundred thousand. And he's going to ask me for the passports. LAURA: Here you are. JAIME: Where does the airplane leave from? AGENT: You have to keep going that way (through there) until you get to gate number 2. The plane leaves at 2:30.

• •

A. Certain **-ir** verbs show a stem change from **e** to **i** when the stem syllable is stressed. This change does not occur in the **nosotros** and **vosotros** forms because the stress does not fall on the stem.

pedir	*to ask for, order*	**repetir**	*to repeat*
pido	pedimos	repito	repetimos
pides	pedís	repites	repetís
pide	piden	repite	repiten

seguir	*to continue; to follow*	**servir**	*to serve*
sigo	seguimos	sirvo	servimos
sigues	seguís	sirves	servís
sigue	siguen	sirve	sirven

¿Pides un café?	*Are you ordering (asking for) coffee?*
Seguimos los consejos de Ana.	*We're following Ana's advice.*
El camarero nos sirve el desayuno.	*The waiter is serving us breakfast.*
Rafael sigue cuatro cursos.*	*Rafael is taking four courses.*
Repiten su promesa.	*They repeat their promise.*

B. Pedir means *to ask for* (something), *to order,* or *to request* ([someone] to do something). **Preguntar** means *to ask* (a question), *to query.*

Emphasize that **preguntar** is used when information is sought; **pedir,** when a favor is sought. Relate **preguntar** to its noun, **la pregunta,** and to the expression **hacer una pregunta.**

Pedimos la cena.	*We're ordering (asking for) dinner.*
Me piden un favor.	*They're asking me for a favor.*
Me preguntan dónde está la parada de autobuses.	*They ask me where the bus stop is.*

C. The verb **decir** is also an **e** to **i** stem-changing verb; in addition, the first-person singular of the present tense is irregular.

*****Seguir un curso** means *to take a course.*

decir	*to say, tell*
digo	decimos
dices	decís
dice	dicen

Te digo la verdad.	*I'm telling you the truth.*
¿Qué dice el doctor?	*What does the doctor say?*
¿Qué quiere decir eso?*	*What does that mean?*

D. The verb **dar** is irregular in the first-person singular only.

dar	*to give*
doy	damos
das	dais
da	dan

Le doy consejos a Mario.	*I give Mario advice.*
Les doy las gracias por los boletos.	*I am thanking them for the tickets.*
Damos un paseo todos los días. Es nuestro pasatiempo favorito.	*We take a walk every day. It's our favorite pastime.*

EJERCICIO

Warm-up. Give students subject changes for the following sentences: **Roberto pide café. Yo sigo cuatro cursos. Les decimos la verdad a nuestros amigos. Teresa y Enrique sirven la comida.** Do the exercise on **pedir** vs. **preguntar.** Then ask students short comprehension questions: **¿Adónde quiere ir Ana? ¿Por qué? ¿A quién llama? ¿Qué le pide a su mamá? ¿Qué le dice?**

¿Pedir o preguntar?   Complete the paragraph with the appropriate forms of **pedir** or **preguntar.**

Ana quiere ir al teatro. Llama a una amiga y le (1) _____ si quiere ver *Romeo y Julieta* con ella. Su amiga le dice que sí. Entonces Ana les (2) _____ dinero para las entradas a sus padres. Llama al teatro para (3) _____ a qué hora empieza la obra. También le (4) _____ a la recepcionista si la obra es muy larga *(long)*. Después le dice a su madre: «Mamá, te (5) _____ un gran favor. ¿Me prestas el auto?» La señora le (6) _____ a su esposo si él no va a necesitar el auto. Él responde que no y le dice a la hija: «Te presto el auto pero te (7) _____ una cosa: la promesa de que vas a regresar antes de medianoche *(midnight)*.» Ana le dice: «Sí, papá, te prometo regresar antes de las doce.» Ella le (8) _____ las llaves *(keys)* del auto y va a buscar a su amiga.

*Querer decir means *to mean.*

Entrevista ——————————————————————————————

Work with a partner. Take turns asking and answering questions.

1. ¿Cuál es tu restaurante favorito? ¿Sirven desayuno allí? ¿almuerzo? ¿cena?   2. ¿Les pides muchos favores a tus amigos? ¿a tus profesores?   3. ¿Les pides dinero a tus padres? Generalmente, ¿te dan ellos dinero o no? ¿Qué dicen cuando les pides dinero? ¿Les pides consejos a tus padres?   4. ¿Qué cursos sigues ahora? ¿Qué cursos piensas seguir?   5. En la clase de español, ¿qué dices cuando no entiendes una palabra?

● ●

III. STEM-CHANGING VERBS: *O* TO *UE, U* TO *UE*

Vista de la sección vieja
de Cartagena, Colombia

Aural comprehension.
¿Verdadero o falso?
1. Un cuarto para dos
cuesta 40 mil pesos.
2. Claudia reserva un
cuarto por una noche.
3. Claudia y su esposo
vuelven a Los Ángeles
mañana temprano.
4. Todos los días Claudia
abre los ojos a las diez
en punto.

En un hotel de Cartagena.

SEÑOR	Buenas tardes. ¿En qué *puedo* servirle?
CLAUDIA	¿Me *puede* decir cuánto *cuesta* un cuarto para dos en este hotel?
SEÑOR	Quince mil pesos. Tiene baño, y está incluido el desayuno.
CLAUDIA	Está bien. ¿Me *puede* reservar uno?
SEÑOR	Sí, con mucho gusto. ¿Quieren un cuarto con una cama doble o dos camas simples?
CLAUDIA	Con una cama doble.
SEÑOR	¿Por cuántas noches?
CLAUDIA	Solamente por una. Mañana temprano mi esposo y yo *volvemos* a Bogotá.
SEÑOR	*Vuelven* mañana temprano, ¿eh? Si quieren, la recepcionista *puede* despertarlos.
CLAUDIA	No es necesario. *Duermo* como un gato. Todos los días abro los ojos a las seis y media en punto.
SEÑOR	En ese caso, ¿*puede* usted despertar a la recepcionista, por favor?

1. ¿Cuánto cuesta un cuarto para dos personas en el hotel? ¿Tiene baño el cuarto?
2. ¿Puede reservarle el señor un cuarto a Claudia?   3. ¿Cuántas noches van a estar allí?   4. ¿Adónde vuelven mañana?   5. ¿Quién puede despertarlos, si quieren?
6. ¿Cómo duerme Claudia?   7. ¿A qué hora abre los ojos Claudia todos los días?

At a hotel in Cartagena. GENTLEMAN: Good afternoon. How can I help you? CLAUDIA: Can you tell me how much a room for two costs in this hotel? GENTLEMAN: Fifteen thousand pesos. It has a bathroom, and breakfast is included. CLAUDIA: Fine. Can you reserve one for me? GENTLEMAN: Yes, gladly. For how many nights? CLAUDIA: Only (for) one. Early tomorrow morning my husband and I are returning to Bogotá. GENTLEMAN: You're returning early tomorrow? If you want, the desk clerk can wake you. CLAUDIA: That's not necessary. I sleep like a cat. Every morning (day) I open my eyes at 6:30 on the dot. GENTLEMAN: In that case, can you wake the desk clerk, please?

● ●

A. Certain Spanish verbs show a stem change from **o** to **ue** when the stem is stressed. This change does not occur in the **nosotros** and **vosotros** forms, because the stress does not fall on the stem.

dormir *to sleep*		**recordar** *to remember*		**volver** *to return*	
d**ue**rmo	dormimos	rec**ue**rdo	recordamos	v**ue**lvo	volvemos
d**ue**rmes	dormís	rec**ue**rdas	recordáis	v**ue**lves	volvéis
d**ue**rme	d**ue**rmen	rec**ue**rda	rec**ue**rdan	v**ue**lve	v**ue**lven

Verbs of this type are shown in vocabulary lists with the marker **(ue)**.

B. Other **o** to **ue** stem-changing verbs are

Point out some common nouns that have the **ue** form: **el almuerzo, el encuentro, la muestra** (*sample*), **el sueño.**

almorzar	*to have lunch*	mostrar	*to show*
costar	*to cost*	poder	*to be able, can*
encontrar	*to find*	soñar (con)	*to dream (about)*
llover	*to rain*		

Llueve hoy.	*It's raining today.*
Recuerdo tu promesa.	*I remember your promise.*
¿No encuentras las entradas para la obra de teatro?	*You don't find the tickets to the play?*
¿Con quién almuerza usted hoy?	*Who are you having lunch with today?*
Podemos ir al cine mañana mientras ellos trabajan.	*We can go to the movies tomorrow while they work.*
Sueño con Enrique.	*I dream about Enrique.*
¿Cuánto cuesta un boleto de ida y vuelta? ¿Cuesta mucho o poco?	*How much does a round-trip ticket cost? Does it cost a lot or a little?*

C. The verb **jugar** is a **u** to **ue** stem-changing verb.

jugar	to play
ju**e**go	jugamos
ju**e**gas	jugáis
ju**e**ga	ju**e**gan

Reinforce the distinction between **jugar** and **tocar** by providing more examples with names of games and musical instruments that are cognates: **el béisbol, el básquetbol, el vólibol; el clarinete, la tuba, el trombón,** etc.

Warm-up. Have students give subject changes for the following sentences: **Nosotros podemos hacer la comida. Ellos vuelven de Santa Bárbara mañana. Tú juegas al tenis. Yo sueño con una vida ideal.**

Additional questions: **¿Puede usted almorzar en un restaurante todos los días? ¿Puede usted bailar bien? ¿Dónde almuerza usted? ¿Juega usted al tenis (fútbol, etc.)? ¿Llueve mucho aquí? ¿Cuándo vuelve usted a ver a sus padres?** (Note the idiomatic **volver a** + *infinitive* as synonymous with **otra vez** and **de nuevo.**)

Jugar means *to play* (a game or sport); **tocar** means *to play* (music or a musical instrument). Before the name of a sport or game, **jugar** is usually followed by the preposition **a.**

Jugamos al tenis mañana mientras ellos programan la computadora.
Y luego Juan toca el violín.
Marisol juega mucho al fútbol y al béisbol.

We're playing tennis tomorrow while they program the computer.
And then Juan is playing the violin.
Marisol plays soccer and baseball a lot.

EJERCICIOS

A. ¡Ah... buena idea! Tell various ways in which you might enjoy a Sunday.

Modelo jugar al vólibol con unos amigos
Juego al vólibol con unos amigos.

1. dormir hasta las diez de la mañana
2. mostrar la universidad a algunos amigos
3. almorzar en un buen restaurante
4. jugar al tenis
5. encontrar un programa interesante en la televisión

B. Entrevista: Tú y tus sueños. Work in pairs and answer these questions.

1. ¿Recuerdas tus sueños? ¿Puedes interpretar tus sueños? 2. ¿Hay una persona con quien sueñas mucho? ¿Quién es? 3. ¿Con qué cosas o con qué situaciones sueñas siempre? 4. ¿Duermes bien, en general? Si tomas mucho café o té, ¿puedes dormir? 5. ¿Cuántas horas duermes por la noche? 6. ¿Qué haces cuando no puedes dormir? ¿Lees? ¿Trabajas?

IV. DIRECT AND INDIRECT OBJECT PRONOUNS TOGETHER

La Catedral de Sal,
Zipaquirá, Colombia

In pairs, have students change the dialogue and have the scene take place at a local monument. Have a few groups present their dialogues and follow up with comprehension questions.

Fernando está de vacaciones en Colombia.

FERNANDO ¿Conoces la Catedral de Sal, Francisco?
FRANCISCO Sí, y *te la* quiero mostrar. ¿Tienes tu cámara?
FERNANDO Sí.
FRANCISCO *¿Me la* puedes prestar por un momento? Quiero sacarte una foto aquí.
FERNANDO Gracias. ¿Sabes si hay una Catedral de Pimienta también?
FRANCISCO ¡Ay, ay, ay!

1. ¿Qué quiere mostrarle Francisco a su amigo Fernando?   2. ¿Qué quiere hacer Francisco?   3. ¿Saca usted muchas fotos cuando está de vacaciones?

Fernando is on vacation in Colombia. FERNANDO: Are you familiar with the Salt Cathedral, Francisco? FRANCISCO: Yes, and I want to show it to you. Do you have your camera? FERNANDO: Yes. FRANCISCO: Can you give it to me for a moment? I want to take a picture of you here. FERNANDO: Thanks. Do you know if there's a Pepper Cathedral too? FRANCISCO: Good grief!

---

* The Salt Cathedral is in a town about thirty-five miles from Bogotá, in a huge salt mine. Workers erected small altars where they would pray for protection from mine accidents. Eventually a large altar was constructed, carved out of salt rock within walls made of salt. The cathedral holds 8,000 people.

• •

A. When an indirect and a direct object pronoun are used in the same sentence, the indirect always precedes the direct object pronoun. They are not separated by any other words. Both pronouns precede a conjugated verb.

Te doy cinco entradas para la obra de teatro.	*I am giving you five tickets for the play.*
Te las doy.	*I am giving them to you.*
Nos muestran el baile.	*They show us the dance.*
Nos lo muestran.	*They show it to us.*
Me toca una canción.	*He's playing a song for me.*
Me la toca.	*He's playing it for me.*

B. When used with an infinitive, the object pronouns (indirect-direct) may be attached to the infinitive or may precede the conjugated verb. Note that when two object pronouns are attached to the infinitive, an accent is required over the last syllable of the infinitive.

Voy a comprarte unos discos.	*I'm going to buy you some records.*
Te los voy a comprar.	*I'm going to buy them for you.*
Voy a comprártelos.	

C. Two object pronouns beginning with i do not occur in a row. If a third-person indirect object pronoun (**le, les**) is used with a third-person direct object pronoun (**lo, la, los, las**), the indirect object pronoun is replaced by **se**. The various meanings of **se** may be clarified by adding to the sentence: **a él, a ella, a usted, a ellos, a ellas, a ustedes.**

Les presto una cinta (a ellos).	*I'm loaning them a tape.*
Se la presto (a ellos).	*I'm loaning it to them.*
El camarero le sirve el café (a ella).	*The waiter is serving her the coffee.*
El camarero se lo sirve (a ella).	*The waiter is serving it to her.*

EJERCICIOS

A. ¿De qué hablan? Tell which noun the speaker is referring to.

1. ¿Me lo prestas, por favor?
   a. la parada
   b. el mapa
   c. los pasatiempos
2. Te la doy mañana.
   a. las canciones
   b. las fotos
   c. la cinta
3. ¿Se la leo en francés?
   a. la obra de teatro
   b. las cartas
   c. los poemas
4. ¿Me la puedes dar el jueves?
   a. la composición
   b. los violines
   c. el deporte

B. Rosa la generosa. Tell what Rosa is giving to various people, as suggested by the cues. Then shorten your statement by using direct and indirect object pronouns, as in the model.

MODELO   un disco/al chico
Rosa le da un disco al chico. Se lo da.

1. una guitarra/a Miguel
2. dinero/a sus hermanas
3. las cartas/a usted
4. consejos/a ustedes
5. un gato/a esas muchachas
6. las cintas/a los profesores
7. una bicicleta/a la niña
8. las gracias/al señor Díaz

Preguntas ──────────────────────────────────

¿Qué hace usted en estas situaciones?

1. Recibe una carta de amor; su mamá quiere saber qué dice. (¿Se la lee?)   2. Un amigo toma tres cervezas *(beers);* le pide las llaves *(keys)* de su automóvil. (¿Se las da?)   3. Su hermano le pide cien dólares. No quiere decirle para qué los quiere. (¿Se los presta?)   4. Durante un examen, un estudiante quiere ver su trabajo. (¿Se lo muestra?)   5. Encuentra cincuenta mil dólares en la calle. (¿Se los da a la policía?)

Viñeta cultural ─────────────────────────────

PASATIEMPOS
PARA TODOS
LOS GUSTOS

Antes de leer ─────────────────────────────

Scan the selections from *El tiempo,* a newspaper published in Bogotá. Look for the following information. You don't need to read every word.

1. What holiday is being celebrated in September in Colombia? What day is the holiday?
2. What activities are people doing to celebrate the holiday? (Try to find at least five.)

▶ **Exposición 'Abrazos y besos'**, en el Centro Hacienda Santa Barbara: fotografías y afiches de fotógrafos famosos sobre el amor. Reproducciones en blanco y negro de gráficas captadas por fotógrafos europeos. La muestra fue coordinada por el arquitecto bogotano Germán Moyano y su 'Poster Shop'. (Calle 116 - Carrera 7).

▶ **A tu amor regálale un libro y una flor'**, lema con el cual la Librería Enviado Especial hace un homenaje a los enamorados en su día. El sábado en la tarde, entre las 3 y las 8 p.m., está en la librería el poeta antioqueño Darío Jaramillo quién lanza su nuevo libro *Guía para viajeros*, recientemente publicado por Planeta Editores. (Centro Granahorrar

▶ **'Cartas de amor'**, obra original de A.R. Gurney, continúa hasta el 28 de septiembre en el Teatro Nacional, bajo la dirección de Fanny Mickey.

Melissa y Andy narran a través de su correspondencia amorosa, su relación de años, en las voces de Gloria Gómez y Victor Mallarino. (Calle 71 # 10-25).

Now read the following article.

Un día muy especial para los colombianos es el 21 de septiembre, el Día del Amor
y la Amistad°. Varios° días antes de la fecha oficial, la gente empieza a celebrar con
el juego° del «amigo secreto». Los estudiantes de una clase o los trabajadores° de
una oficina escriben sus nombres en papelitos° y los ponen en una bolsa°. Todo el
mundo escoge° un nombre: el nombre del «amigo secreto». El 19 o el 20, el grupo
sale a una taberna°, pizzería o restaurante. Allí hablan, comen, bailan y dan regalos
a los «amigos secretos».

    El 21 mucha gente sale a comer, a dar paseos o a bailar. Otros hacen fiesta o
reciben a sus amigos o parientes en la casa. Sacan fotos o videos de la celebración.
Abren tarjetas° y regalos... hoy la gente manda° cartas de amor o amistad hasta° por
computadora.

    ¿Y los regalos? Si usted está en Colombia el 21 de septiembre, debe comprarles
regalos a sus amigos... regalos como flores°, perfumes, libros, cintas, etc. Pero hay
que tener cuidado: las rosas rojas° significan° un ardiente amor, las rosas amarillas°,
desprecio°. Y para muchos colombianos las cadenas° de oro y los espejos° significan
mala suerte.

    El mes de septiembre en Colombia representa una oportunidad excelente de
formar nuevas amistades... ¡o amores! Y el 21 es un día para las diversiones y los
pasatiempos para todos los gustos.

Friendship/Several
game/workers
little papers/bag
chooses
bar

cards/send/even

flowers
red/signify/yellow
disdain/chains/mirrors

Después de leer

A. ¿Verdadero o falso? Write V (**verdadero**) or F (**falso**) next to each statement.
Correct the false statements.

    _____   1. En Colombia el 21 de septiembre es el Día del Amor y la Libertad.
    _____   2. Un buen regalo para el 21 de septiembre es un libro de poemas.
    _____   3. Es muy descortés mandar cartas de amor o amistad por computadora.
    _____   4. Dos o tres días después del 21, muchos estudiantes o trabajadores salen en grupos a celebrar la ocasión.
    _____   5. Un regalo ideal para el amor de su vida es un bouquet de rosas rojas.

B. Contraste cultural. ¿Qué diferencias hay entre el Día del Amor y la Amistad
en Colombia y el Día de San Valentín en Estados Unidos o Canadá? ¿Qué hace
usted el Día de San Valentín?

PARA ESCUCHAR

A. Situaciones. Listen to the three conversations, which involve three different
kinds of transportation. Match them to the pictures on page 150. Write the number of the conversation (1, 2, or 3) in the box to the left of the appropriate picture.
Note: **próximo** = *next,* **asiento** = *seat.*

☐  ☐  ☐

B. **¿A qué hora?** Listen to the three conversations again. For each conversation, write the departure time and the price of the ticket or gate (door) number.

Conversación 1: Hora de partida: _____

Precio del boleto: _____

Conversación 2: Hora de partida: _____

Puerta de salida: _____

Conversación 3: Hora de partida: _____

Precio del boleto: _____

FUNCIONES *y actividades*

In this chapter, you have seen examples of the following language functions, or uses. Here is a summary and some additional information about these functions of language.

Asking for and Giving Personal Information

¿Cómo te llamas?	*What's your name?*
Me llamo...	*My name is . . .*
¿Dónde vives? ¿Cuál es tu dirección?	*Where do you live? What is your address?*
Vivo en la calle (avenida)...	*I live on . . . Street (Avenue).*
¿Cuál es tu número de teléfono?	*What's your telephone number?*
¿Eres estudiante?	*Are you a student?*
Sí, estudio ciencias sociales.	*Yes, I study social sciences.*

Taking Public Transportation

¿Dónde está la parada de autobuses?	*Where is the bus stop?*
¿En qué línea (del metro) está la estación...?	*On what (subway) line is . . . station?*
¿A qué hora sale el autobús (avión, tren) para...?	*What time does the bus (plane, train) to . . . leave?*
¿Hay que cambiar de autobús (avión, tren)?	*Do you have to change buses (planes, trains)?*
Un boleto (*Spain:* billete) para... por favor.	*A ticket to . . ., please.*
Un boleto de ida solamente.	*A one-way ticket only.*
Un boleto de ida y vuelta.	*A round-trip ticket.*

Getting a Hotel Room

¿Tiene(n) un cuarto con baño (con teléfono)?	*Do you have a room with a bath (telephone)?*
¿Cuánto cuesta un cuarto para dos?	*How much does a room for two cost?*
¿Está incluido el desayuno?	*Is breakfast included?*
Tenemos reservaciones.	*We have reservations.*

The person at the desk may ask:

¿Por cuántas noches?	*For how many nights?*
¿Cuántas personas (¿Cuántos) son ustedes?	*How many people are there (you)?*
¿Quieren un cuarto con una cama simple (doble) (con dos camas)?	*Do you want a room with a single (double) bed (with two beds)?*

Actividades

A. Información, por favor. Work with a partner. Interview each other, asking and giving personal information.

B. ¿Cuál es la pregunta? What questions might you ask to get the following answers?

En un hotel
1. Sí, tenemos uno.
2. No, no tiene baño.
3. Sí, está incluido.
4. No, tiene dos camas simples.

En una estación de autobuses
1. Todos los días a las cinco.
2. Cinco mil pesos.
3. Sí, hay boletos de segunda clase.
4. No, de ida solamente.

C. Minidramas. Role-play the following situations.

1. You are in Cali. You go into a hotel and ask if they have a room with a bath. The clerk asks for how many people, and you answer just one. The clerk then asks for how many nights, and you reply that it is for four nights. The clerk says yes, they do. You ask how much it is and the clerk answers 13,000 pesos. You say that you will take the room.

2. You call the **Gran aventura** bus company to ask about a trip to Cartagena. The person who answers tells you the buses leave every hour (**cada hora**) and that a round-trip ticket costs 12,500 pesos first class. You ask about second-class tickets and if it's necessary to make a reservation. The clerk tells you that second-class tickets cost 10,200 pesos and that you don't need a reservation. You thank him or her and say good-bye.

D. ¿Qué pasatiempo me gusta más? Work in groups. One person will think of a favorite activity among those discussed in this chapter. The other group members will ask questions until they guess what the hobby or pastime is. The following questions may be useful. The person answering the questions should answer only **sí** or **no.**

1. ¿Es un pasatiempo para todos: hombres y mujeres? 2. ¿Hacemos esa actividad afuera *(outside)* o adentro *(inside)*? 3. ¿Hacemos esa actividad con otros? 4. ¿Cuesta dinero hacer esa actividad? ¿Cuesta mucho o poco? 5. ¿Necesitamos cosas especiales— instrumentos musicales, ropa *(clothing)* especial—para hacer esa actividad? 6. ¿Hacemos esa actividad más en el invierno? ¿en el verano? ¿durante el día o por la noche? 7. ¿Tenemos que estar en buenas condiciones físicas para hacer esa actividad? 8. ¿Dónde hacemos esa actividad?

PARA ESCRIBIR

How do you like to spend your free time? Write a paragraph about your favorite pastime. Answer as many of the questions from Activity D above as possible.

VOCABULARIO ACTIVO

Cognados

el básquetbol	el concierto	el favor	el piano	la reservación
el béisbol	el curso	la guitarra	el poema	el tenis
el caso	la diversión	la música	la promesa	el violín
la catedral	el dólar	el pasatiempo	el, la recepcionista	el vólibol
la computadora				

Verbos

almorzar (ue)	*to have lunch*
bailar	*to dance*
cantar	*to sing*
correr	*to run, jog*
costar (ue)	*to cost*
dar	*to give*
dar las gracias	*to thank* (someone)
dar un paseo	*to take a walk, go for a stroll*
decir (i)	*to say, tell*
querer decir	*to mean*
despertar (ie)	*to awaken* (someone)
dormir (ue)	*to sleep*
encontrar (ue)	*to find; to meet*
jugar (ue) a	*to play* (a sport or game)
llover (ue)	*to rain*
mostrar (ue)	*to show*
patinar	*to skate*
pedir (i)	*to ask for; to order* (in a restaurant)
pintar	*to paint*
poder (ue)	*to be able, can*
practicar	*to practice*
prestar	*to loan*

programar	*to program*
prometer	*to promise*
recordar (ue)	*to remember*
repetir (i)	*to repeat*
reservar	*to reserve*
sacar	*to take, take out*
sacar fotos	*to take pictures*
seguir (i)	*to continue; to follow*
seguir un curso	*to take a course*
servir (i)	*to serve*
soñar (ue) con	*to dream about, of*
tocar	*to play* (music or a musical instrument); *to touch*
volver (ue)	*to return, come back, go back*

Diversiones y pasatiempos

el baile	*dance*
el boleto (*Spain*: el billete)	*ticket* (for an event or transportation)
la canción	*song*
el cine	*movie theater, movies*
la cinta	*tape*
el deporte	*sport*
el disco	*record*

Handwritten annotations: "I do in Spanish.", "Conjugate verbs", "preguntar"

la entrada	*ticket* (for an event)
el fútbol	*soccer*
el fútbol americano	*football*
el gusto	*pleasure*
con mucho gusto	*gladly*
la obra	*work, artistic work*
la obra de teatro	*play*
el paseo	*walk, stroll; ride, short trip*

Otras palabras y frases

el almuerzo	*lunch*
la amistad	*friendship*
el amor	*love*
antes	*first*
antes de	*before*
la cena	*dinner*
¡Cómo no!	*Of course!*
el consejo	*advice, piece of advice*
la cosa	*thing*
el cuarto	*room*
el desayuno	*breakfast*
después	*afterward*
después de	*after*
el gato	*cat*
luego	*then, next*
mientras	*while*
la parada	*stop*
poco	*little*
pocos	*few*
solamente	*only*

Expresiones útiles

¿A qué hora sale el autobús (avión, tren) para...?	*What time does the bus (plane, train) to . . . leave?*
¿Cuánto cuesta un cuarto para dos?	*How much does a room for two cost?*
¿Dónde está la estación (la parada del autobús)?	*Where is the station (bus stop)?*
¿Está incluido el desayuno?	*Is breakfast included?*
¿Por cuántas noches?	*For how many nights?*
Tenemos reservaciones.	*We have reservations.*
¿Tiene(n) un cuarto con baño?	*Do you have a room with a bath?*
Un boleto de ida y vuelta.	*A round-trip ticket.*
Un boleto para..., por favor.	*A ticket to . . . , please.*

Don't forget: Indirect object pronouns, page 137

Las Ramblas, Barcelona

LA ROPA, LOS COLORES Y LA RUTINA DIARIA

VOCABULARIO. In this chapter you will learn to describe clothing and daily activities.

GRAMÁTICA. You will discuss and use:

- Reflexive constructions (corresponding to constructions like *I enjoy myself*)
- The preterit of regular and stem-changing verbs
- Comparisons (e.g., *as good as, better than*); the superlative (e.g., *the best*)

CULTURA. This chapter focuses on Barcelona, Spain.

FUNCIONES

- Expressing hesitation
- Expressing disbelief
- Making descriptions (2)

BARCELONA

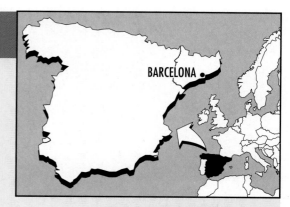

Población: aproximadamente 1.800.000 habitantes

¿Sabía usted que...?

1. Barcelona is the capital of the province of Cataluña, and both Spanish and Catalonian (**catalán**) are spoken there.

2. Barcelona is Spain's most important port and the center of its publishing and fashion industries.

Additional vocabulary: **los anteojos, las gafas (de sol), los lentes (de sol).**

Additional vocabulary: **de lana,** *wool;* **de algodón,** *cotton;* **de seda,** *silk;* **de nilón,** *nylon;* etc.

LA ROPA

el vestido

el cinturón

las medias

los zapatos

Angelo Tarlazzii

el guante

el abrigo

la falda

las botas

Chanel

el suéter
los jeans
(el pantalón)
el bolso
la blusa

la camisa
la corbata
el paraguas
el impermeable

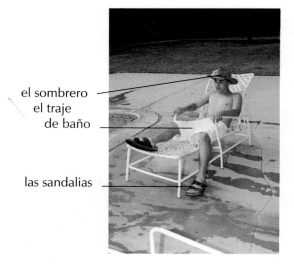

el sombrero
el traje
de baño
las sandalias

la camiseta
los shorts
los calcetines

LOS COLORES

verde

rojo   anaranjado   amarillo   azul   café, marrón

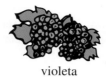

violeta

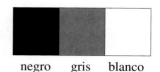

negro   gris   blanco

EJERCICIO

¿Qué lleva usted...?   What do you wear in the following situations? Complete the sentences, eliminating the inappropriate words. There are various possible answers.

1. Cuando llueve, llevo... (un impermeable, un pijama, calcetines, un vestido, un paraguas)
2. Cuando voy a la playa, llevo... (un sombrero, sandalias, un abrigo, un traje de baño)
3. Cuando voy a un restaurante elegante, llevo... (medias, calcetines, un traje *(suit),* un vestido, una corbata, un traje de baño)
4. Cuando nieva, llevo... (un suéter, botas, guantes, sandalias, jeans, un abrigo)
5. Cuando duermo, llevo... (una falda, jeans, un pijama, una corbata)

Preguntas

1. ¿Qué lleva usted hoy?   2. ¿De qué color es su ropa?   3. ¿Cuál es su color favorito?
4. ¿Qué ropa es solamente para mujeres? ¿solamente para hombres?

• •

I. THE REFLEXIVE

> **ALDO**   ¡José! ¿Vas a llevar esa camisa a la fiesta? No puede ser. ¿Cómo vas a conocer chicas si *te vistes* así?
>
> **JOSÉ**   No voy a la fiesta; voy a *quedarme* en casa. Es que... no *me divierto* en las fiestas. *Voy a acostarme* temprano, y mañana *me voy a levantar* a las siete.
>
> **ALDO**   ¡Pero no hablas en serio! ¿*Te levantas* a las siete los domingos? ¡A esa hora yo *me acuesto!*

1. ¿Va a la fiesta José o se queda en casa? ¿Por qué?   2. ¿A qué hora se levanta José los domingos?   3. En general, ¿qué hace usted los domingos a las siete de la mañana? ¿Se levanta? ¿Se acuesta?

ALDO: José! Are you going to wear that shirt to the party? It can't be. How are you going to meet girls if you dress like that? JOSÉ: I'm not going to the party; I'm going to stay home. It's just that . . . I don't enjoy myself at parties. I'm going to go to bed early, and tomorrow I'm going to get up at seven o'clock. ALDO: You're not serious (literally, "talking seriously")! You get up at seven on Sundays? At that hour, I go to bed!

• •

A. In a reflexive construction, the action of the verb "reflects" back to the subject of the sentence, as in the sentences *I enjoy myself* or *The child dresses herself.* In Spanish, reflexive constructions require the reflexive pronouns **me, te, se, nos, os,** and **se.** Except for the third-person **se** (singular and plural), these forms are the same as the direct and indirect object pronouns. The pronoun **se** attached to an infinitive indicates that the verb is reflexive.

levantarse *to get up*	
me levanto	nos levantamos
te levantas	os levantáis
se levanta	se levantan

Notice that some Spanish reflexive forms, such as **levantarse,** are not translated as reflexive constructions in English. The reflexive is used much more frequently in Spanish than in English.

B. The following verbs are reflexive, with stem changes indicated in parentheses.

acostarse (ue)	to go to bed	mudarse	to move (change residence)
acostumbrarse	to get used to	ponerse	to put on
despertarse (ie)	to wake up	quedarse	to remain, stay
divertirse (ie)	to enjoy oneself; to have fun	quitarse	to take off
irse	to leave, go away	sentarse (ie)	to sit down
lavarse	to wash (oneself)	vestirse (i)*	to get dressed
llamarse	to be named		

Point out that **irse** means *to go away* or *to leave,* usually with no destination expressed. **Ir** is simply *to go.*

Additional vocabulary: **bañarse,** *to bathe;* **casarse (con),** *to get married (to);* **dormirse (ue),** *to fall asleep;* **enfadarse** and **enojarse,** *to get angry;* **preocuparse (por),** *to worry (about);* **quejarse (de),** *to complain (about);* **sentirse (ie),** *to feel.*

C. Like object pronouns, reflexive pronouns precede a conjugated verb or follow and are attached to an infinitive.

¿Nos sentamos aquí?	*Shall we sit here?*
Pues, no queremos mudarnos.	*Well, we don't want to move.*
Raúl se va, pero yo me quedo.	*Raúl is leaving, but I am staying.*
Hace calor; voy a quitarme el suéter.	*It's hot; I'm going to take off my sweater.*
Felipe se pone el abrigo.**	*Felipe is putting on his coat.*

D. Reflexive pronouns precede direct object pronouns: **Se pone el cinturón. Se lo pone. Se quita la camiseta. Se la quita.**

---

*Conjugated like **servir** (p. 140).

Notice that when **ponerse or **quitarse** is used with articles of clothing, the definite article is used rather than the possessive as in English. This will be practiced in Chapter 13.

E. Most verbs that are used reflexively are also used nonreflexively. In some cases, the use of the reflexive pronoun changes the meaning of the verb.

Se llama Carmen. *Her name is Carmen.*
José llama a Carmen todos los días. *José calls Carmen every day.*

Me lavo todos los días. *I wash (myself) every day.*
Lavo el auto todas las semanas. *I wash the car every week.*

Nos acostamos a las diez. *We go to bed at ten o'clock.*
Acostamos a los niños entre las *We put the children to bed between eight*
  ocho y las nueve. *and nine o'clock.*

Elena viste a la niña. *Elena is dressing the child.*
Elena se viste a la moda (de moda). *Elena dresses fashionably.*

F. The reflexive pronouns **nos** and **se** may be used with a first- or third-person plural verb form, respectively, in order to express a reciprocal reflexive action. This construction corresponds to the English *each other* or *one another.*

Todos se miran. *They all look at one another.*
Bueno, ¿nos vemos mañana? *Well, shall we see each other tomorrow?*
  —Depende del tiempo. *—It depends on the weather.*

EJERCICIOS

Have students expand their descriptions by asking what Jorge is wearing, what he is eating, why he is doing certain things.

A. La rutina diaria de Jorge.   Make sentences about Jorge's daily routine using the cues under each picture and words of your own.

> **MODELO**   llamarse
> **Me llamo Jorge.**

1. 7:15/despertarse

2. 7:30/levantarse

3. 7:45/lavarse

4. 8:00/vestirse

5. 8:15/salir para la universidad

6. 12:00/almorzar

7. después de las 3:00/quedarse en casa

8. 11:00/acostarse

B. La rutina diaria de usted.   In pairs, describe your own daily routines. Then change partners and tell your second partner about your first partner's daily routine.

C. Completar las frases...   Complete each sentence with the correct form of the more appropriate verb in parentheses.

MODELO   Nosotros ___*vamos*___ (ir/irse) de compras los sábados.

1. En general, yo _____ (acostar/acostarse) a mi hijo temprano.
2. ¿A qué hora _____ (levantar/levantarse) tú?
3. Ustedes _____ (divertir/divertirse) en las fiestas, ¿no?
4. Jorge prefiere _____ (quedar/quedarse) en casa esta noche.
5. Nosotros _____ (lavar/lavarse) el auto todos los viernes.
6. ¿Cuándo vas a _____ (llamar/llamarse) a Susana?
7. Ricardo _____ (poner/ponerse) el abrigo y los guantes.
8. Marta _____ (mudar/mudarse) a otro apartamento.

D. Juan y Juanita.   To follow Juan and Juanita's love story, complete the puzzle below using the reciprocal reflexive. The ending of the story will appear in the column marked **Final.** (Allow for a blank between words.)

MODELO   (querer) **Juan y Juanita** | s | e | | q | u | i | e | r | e | n | **mucho.**

1. (conocer) Un día, él y ella .... en un baile.
2. (ver) Otro día .... en una fiesta.

3. (confesar*) Esa noche .... su amor.
4. (mirar) .... con pasión.
5. (hablar) Todos los días .... por teléfono.
6. (ayudar) .... siempre.
7. (entender) Los dos .... muy bien.

E. Juan (Juanita) y yo.   Rewrite the story above, changing, "Juan y Juanita" to "Juan (Juanita) y yo." Include the ending.

MODELO   (querer) **Juan (Juanita) y yo** | n | o | s | | q | u | e | r | e | m | o | s | **mucho.**

Entrevista

1. ¿A qué hora te levantas los lunes? ¿los sábados? ¿A qué hora te acuestas?   2. ¿Vas a quedarte en casa esta noche? ¿Vas a salir? En general, ¿adónde vas para divertirte?   3. ¿Qué hay que ponerse para ir a un buen restaurante?   4. ¿Es importante vestirse a la moda?   5. ¿Qué ropa llevas cuando te quedas en casa?   6. ¿Nos vamos a ver aquí mañana? ¿el domingo?

***Confesar** *(to confess)* is an **e** to **ie** stem-changing verb.

II. THE PRETERIT OF REGULAR AND STEM-CHANGING VERBS

El famoso pintor Pablo Picasso *nació* en Málaga, España en 1881.* *Se mudó* con su familia a Barcelona en 1895 y allí *estudió* durante varios años. Después *vivió* en Madrid y en París. En 1906 *pintó* <u>Les demoiselles d'Avignon</u>, que *llevó* ese nombre por la calle Avignon de Barcelona. Muestra a unas prostitutas barcelonesas. Con este cuadro revolucionario, Picasso *empezó* a crear el estilo que *se llamó* después el «cubismo».

---

*Note that the verb **nacer** *(to be born)* is an active verb in Spanish; it is used almost exclusively in the preterit.

1. ¿Dónde y cuándo nació Pablo Picasso?   2. ¿Adónde se mudó en 1895?   3. ¿Dónde vivió después?   4. ¿Qué muestra el cuadro *Les demoiselles d'Avignon?* ¿Por qué es importante este cuadro?

The famous painter Pablo Picasso was born in Málaga, Spain in 1881. He moved with his family to Barcelona in 1895 and studied there for several years. Later he lived in Madrid and in Paris. In 1906 he painted *Les demoiselles d'Avignon,* which took that name from Avignon Street in Barcelona. It shows some prostitutes from Barcelona. With this revolutionary painting, Picasso began to create the style that was called "cubism."

• •

A. The preterit tense is used to relate actions or events that occurred and were completed at a specific time or within a definite period in the past. The preterit tense of regular **-ar** verbs is formed by adding the endings **-é, -aste, -ó, -amos, -asteis, -aron** to the stem.

comprar	
compr**é**	compr**amos**
compr**aste**	compr**asteis**
compr**ó**	compr**aron**

¿Preguntaste el precio?   *Did you ask about the price?*

B. The preterit tense of regular **-er** and **-ir** verbs is formed by adding the endings **-í, -iste, -ió, -imos, -isteis, -ieron** to the stem.

correr		volver		escribir	
corr**í**	corr**imos**	volv**í**	volv**imos**	escrib**í**	escrib**imos**
corr**iste**	corr**isteis**	volv**iste**	volv**isteis**	escrib**iste**	escrib**isteis**
corr**ió**	corr**ieron**	volv**ió**	volv**ieron**	escrib**ió**	escrib**ieron**

Anoche asistimos a un concierto.*   *Last night we attended a concert.*

Notice that regular preterit forms are stressed on the endings rather than on the stems: **LLego temprano.** *(I arrive early.)* **Llegó temprano.** *(He [she,you] arrived early.)* Notice also that the **nosotros** forms of **-ar** and **-ir** verbs are the same in the preterit as in the present tense.

	Present	Preterit
-ar *verbs*	compramos	compramos
-er *verbs*	corremos	corrimos
-ir *verbs*	escribimos	escribimos

Model the similarity of the **nosotros** forms of **beber** and **vivir** (**bebimos / vivimos**). Tell students that context will make the tense clear. Point out some of the adverbs often used with the preterit: **ayer, anoche, el año (semestre) pasado,** etc.

---

* **Asistir a** means *to attend.*

C. While the preterit forms of stem-changing **-ar** and **-er** verbs are all regular (**pensé, volví**), stem-changing **-ir** verbs show a change in the third-persons singular and plural of the preterit tense. The stem change is from **e** to **i** or **o** to **u.**

dormir

pedir		domir	
pedí	pedimos	dormí	dormimos
pediste	pedisteis	dormiste	dormisteis
pidió	pidieron	durmió	durmieron

Other verbs that are conjugated like **pedir** in the preterit are **divertirse, seguir, servir,** and **preferir. Morir** *(to die)* is conjugated like **dormir.**

Alfredo siguió tres cursos el semestre
pasado. —¿De veras?
Picasso murió en 1972.
¿Para qué sirvió esto? —Buena
pregunta.

*Alfredo took three courses last semester.
—Really?
Picasso died in 1972.
What did they (you) use this for? (What did
this serve as?) —Good question.*

D. A number of verbs have a spelling change in the first-person singular of the preterit tense. Verbs ending in **-gar, -car,** and **-zar** have the following spelling changes, respectively: **g** to **gu, c** to **qu,** and **z** to **c.** These changes are required to preserve the sound of the last syllable of the infinitive.

llegar		tocar		empezar	
llegué	llegamos	toqué	tocamos	empecé	empezamos
llegaste	llegasteis	tocaste	tocasteis	empezaste	empezasteis
llegó	llegaron	tocó	tocaron	empezó	empezaron

Jugué al tenis ayer.
Te busqué anoche pero no te
encontré.

*I played tennis yesterday.
I looked for you last night but I didn't find
you.*

E. Verbs such as **creer** and **leer** show a spelling change in the third-persons singular and plural: **creyó, creyeron; leyó, leyeron.** The other forms are regular. This change is made because an **i** between two vowels becomes a **y.**

Leí que el Templo de la Sagrada
Familia, de Antoni Gaudí, es el
símbolo de Barcelona.

*I read that the Temple of the Holy Family,
by Antoni Gaudí, is the symbol of
Barcelona.*

EJERCICIOS

A. En el pasado. Look at Exercise A on pages 159–160 of this chapter. Tell about Jorge's daily routine in the past, using the preterit. Then look at Exercise D, **Juan y Juanita,** page 161, items 1–7. Change the sentences to the past, again using the preterit.

B. El sábado pasado. Look at the pictures and describe what the people did last Saturday. Use your imagination. (Several infinitives are listed by each picture to give you ideas.) Give at least two sentences for each picture.

MODELO

Roberto: quedarse, mirar, acostarse, dormir

El sábado pasado Roberto no salió con sus amigos. Se quedó en casa y miró televisión. Después, se acostó y durmió unas ocho horas.

1.

El señor Díaz: llamar, hablar, pedir un sándwich, preferir

2.

yo, «los aztecas», «los conquistadores»: asistir, jugar, perder

3.

Ramón y Ana Luisa: bailar, hablar, divertirse

4.

Juana, Julia: despertarse, jugar, correr mucho, acostarse

5.

Susana, Jesús, el violinista: asistir, vestirse, escuchar música, tocar, volver

C. Y ayer, ¿qué?   Ask a classmate questions to find out what he or she did yesterday, then report the information to the class. You might want to use some of the following verbs: **levantarse, tomar el desayuno, asistir, ir, participar, jugar, hablar, leer, almorzar, escribir, volver, mirar, escuchar, acostarse, dormirse, soñar.**

D. Breve historia de España.   Look at the dates that follow. Make at least ten sentences in the preterit about the early history of Spain.

Vocabulario: Gentes (cognados):   **fenicios** *Phoenicians*   **griegos** *Greeks*   **cartagineses** *Carthaginians*   **visigodos** *Visigoths*   **judíos** *Jews*   **Otras palabras:**   **seres** *beings*   **cuevas** *caves*   **establecer** *to establish*   **sur** *South*   **conquistar** *to conquer* **rey** *king*   **dominar** *to dominate*

You might want to give students phrases with other historic events to rephrase in the preterit.

MODELO   Los primeros seres humanos llegaron a la Península Ibérica en 500.000 A.C. (antes de Cristo).

Fechas

antes de Cristo

500.000	Los primeros seres humanos llegan a la Península Ibérica.
25.000–10.000	Los habitantes de esa región pintan las cuevas de Altamira, evidencia de una gran cultura.
1100	Llegan los fenicios.
1000	Empiezan a llegar los celtas.
700	Los griegos establecen ciudades.
237	Los cartagineses toman el sur de España.
218–201	Roma conquista España.

después de Cristo

568–586	Leovigildo, rey visigodo, unifica la península.
711	Los moros conquistan la región; dominan hasta 1492.
1099	Rodrigo Díaz de Vivar (el Cid) muere en defensa de Valencia (contra los moros).
1492	Los Reyes Católicos, Isabel y Fernando, retoman Granada de los moros; los judíos tienen que salir de España; Cristóbal Colón descubre a los «indios» de América.

· ·

III. COMPARISONS; THE SUPERLATIVE

	Madrid	**Barcelona**
Número de habitantes	3.200.000	1.800.000
Área (km²)	7.995	7.733
Playas	0	2
Periódicos *(newspapers)* importantes	8	5
Periódicos en catalán	0	2
Bibliotecas importantes	5	3

Madrid es más grande que Barcelona.
Barcelona no tiene tantos habitantes
como Madrid.

Madrid is bigger than Barcelona.
Barcelona doesn't have as many
inhabitants as Madrid.

1. ¿Cuántos habitantes tiene Madrid? ¿Barcelona? ¿Tiene Barcelona más habitantes que Madrid?   2. ¿Cuántos habitantes hay en la ciudad donde usted vive? ¿Tiene más habitantes que Barcelona?

· ·

A. Comparisons of equality

1. Comparisons of equality are formed by using **tan** + adjective or adverb + **como.**

Juana toca la guitarra tan bien
  como Marisol.
Elvira es tan alta como José.

Juana plays the guitar as well as Marisol.

Elvira is as tall as José.

Point out the difference between **tan, así,** and **por eso.**

2. Tan can also mean *so.*

¡Barcelona es tan cosmopolita!

Barcelona is so cosmopolitan!

3. Tanto(-a, -os, -as) is used before a noun. **Tanto como** after a verb means *as much as.* **Tanto** by itself means *so much.*

Es que... tú tienes tantas
  oportunidades como él. —¡Qué
  ridículo!
Tomás come tanto como yo.
  —Increíble.
¡Pobre Luis! ¿Por qué trabaja tanto?

It's that... you have as many opportunities as he does. —How ridiculous!

Tomás eats as much as I do. —Incredible.

Poor Luis! Why does he work so much?

B. Comparisons of inequality

1. In Spanish, comparisons of inequality are expressed with **más... que** or **menos... que.** *More than* is **más que,** and *less than* is **menos que.**

Point out that in a negative sentence, **más que** can be used to mean *only:* **No tengo más que diez centavos.** *I have only ten cents.*

Siempre tengo más (menos) dinero que él.	*I always have more (less) money than he does.*
Esta falda es más (menos) cara que ésa.	*This skirt is more (less) expensive than that one.*
Juan compra más (menos) que yo.	*Juan buys more (less) than I do.*

2. Before a number, **de** is used instead of **que** to mean *than.*

El museo Picasso de Barcelona tiene más de 2500 obras de Picasso.	*The Picasso Museum in Barcelona has more than 2500 works by Picasso.*

C. The superlative

The superlative forms of adjectives and adverbs (which express *the most, the least,* etc.) are the same as the comparative forms; a definite article is used before a superlative adjective.

Es la camisa más (menos) grande de todas.	*It's the biggest (smallest) shirt of all.*
Ana es la más (menos) trabajadora de la familia.	*Ana is the most (least) hardworking in the family.*

Notice that **de** is used after a superlative to express the English *in* or *of.*

D. Irregular comparative and superlative forms

Adjective		Comparative		Superlative	
bueno	*good*	**mejor**	*better*	**el mejor**	*the best*
malo	*bad*	**peor**	*worse*	**el peor**	*the worst*
pequeño	*small*	**menor (más pequeño)**		**el menor (el más pequeño)**	
		younger (smaller)		*the youngest (smallest)*	
grande	*big*	**mayor (más grande)**		**el mayor (el más grande)**	
		older (bigger)		*the oldest (biggest)*	

Expect confusion between **mayor** and **mejor,** e.g., **mi hermano mejor** instead of **mi hermano mayor.**

Adverb		Comparative		Superlative	
bien	*well*	**mejor**	*better*	**mejor**	*best*
mal	*badly*	**peor**	*worse*	**peor**	*worst*

The comparative adjectives **mejor, peor, menor,** and **mayor** have the same forms in the feminine as in the masculine; the plurals are formed by adding **-es: mejor (peor) nota, mejores (peores) colores.** Note that **menor** and **mayor,** which usually follow the nouns they modify, are often used with people to refer to age *(younger, older).* When referring to physical size, *bigger* is usually expressed by **más grande(s)** and *smaller* is expressed by **más pequeño(-a, -os, -as).**

Paco y Pancho son menores que Felipe, pero Felipe es más pequeño.	*Paco and Pancho are younger than Felipe, but Felipe is smaller.*
Adriana es mi hermana mayor; Silvia y Marta son mis hermanas menores.	*Adriana is my older sister; Silvia and Marta are my younger sisters.*

E. The absolute superlative

1. One way to express the superlative quality of an adjective is to use **muy: muy grande (viejo,** etc.). A second way is to add **-ísimo (-ísima, -ísimos, -ísimas)** to the adjective. The **-ísimo** ending is the absolute superlative, much stronger than **muy** + the adjective. If the adjective ends in a vowel, drop the final vowel before adding the **-ísimo** ending.

Oscar de la Renta es famosísimo. Hace ropa hermosísima.	*Oscar de la Renta is very famous. He makes very beautiful clothing.*
Estos guantes son carísimos. ¿De qué son?	*These gloves are extremely expensive. What are they made of?*

A **u** is added after **g** to maintain the hard *g* sound; **largo→larguísimo.** Also, **c** is changed to **qu** to preserve the *k* sound: **poco→poquísimo.**

2. The **-ísimo** ending can also be added to an adverb.

Luis llegó tardísimo. —¡Qué va!	*Luis arrived extremely late. —Oh, come on!*

EJERCICIOS

A. Barcelona, ciudad muy hermosa.   Complete the sentences by choosing the correct word or phrase in parentheses.

1. Barcelona es una de las ciudades (más/tan) hermosas de toda Europa.
2. La bandera *(flag)* de Barcelona, que data *(dates)* del año 1082, es la (más vieja/mayor) de Europa.
3. En Barcelona el transporte público más rápido es el metro. También es (el/la) menos caro.
4. Madrid es la capital de España, pero no tiene (tantas/tantos/tan) casas editoriales (como/que) Barcelona.
5. El catalán José Carreras es uno de los cantantes *(singers)* de ópera (más/menos/tan) famosos del mundo.
6. En la Plaza de la Seu en Barcelona uno puede ver *la sardana,* un baile (lindísima/lindísimo).

B. De compras. React to the following statements using the **-ísimo** ending. (The expression **¡hombre!** can be used when talking to a man or a woman.)

MODELO   Estas corbatas son caras.
¡Carísimas, hombre!

1. Aquí las botas cuestan mucho.
2. Estos pantalones son muy grandes.
3. Aquella vendedora es alta.
4. Voy a comprar este bolso; es muy lindo.
5. Vamos... ya es tarde.

C. ¿Cómo me comparo (do I compare) con mis parientes o con otra gente? It's a hard question, but . . . . Work in pairs. Form affirmative or negative sentences comparing yourselves to your relatives or friends in terms of what you are like, what you have, and what you do. Follow the models.

MODELOS   alto
No soy tan alta como mis hermanos.
amigas
Tengo tantas amigas como mi hermana.
estudiar
No estudio tanto como mi amigo José.

1. trabajador(a)
2. joven
3. egoísta
4. optimista
5. problemas
6. dinero
7. cosas ridículas
8. ropa
9. divertirse
10. dormir
11. comer
12. leer

D. ¿Más, menos o tan(to)...? Look back at the chart comparing Madrid and Barcelona. Make at least six sentences comparing the cities, using **más, menos,** and **tan(to)** at least twice each.

E. ¿Y en Estados Unidos? Work in groups. Make at least five sentences in Spanish comparing U.S. cities (e.g., *San Francisco is prettier than . . . , Kansas City has fewer crimes than . . . ,* etc.). Then make at least three sentences using the superlative (e.g., *New York is the biggest city in the United States, St. Augustine is the oldest,* etc.). Compare your group's answers with other groups' responses.

Viñeta cultural

BARCELONA, CORAZÓN° DE CATALUÑA

heart

El Templo de la Sagrada Familia, obra maestra de Antoni Gaudí, Barcelona, España

Antes de leer

Match the cognates on the left to their synonyms on the right.

____ 1.	avenida	a.	urbana
____ 2.	independencia	b.	historia
____ 3.	pasado	c.	calle
____ 4.	metrópoli	d.	muestra
____ 5.	residente	e.	libertad
____ 6.	manifiesta	f.	habitante
____ 7.	cosmopolita	g.	ciudad

La ciudad de Barcelona, el puerto° principal de España y un importante centro económico y comercial, es la capital de Cataluña. Esta metrópoli, con más de dos mil años de historia, manifiesta influencias de los griegos°, romanos, visigodos°, moros y francos°, entre otros.

Si usted va a Barcelona, puede dar un paseo por las Ramblas, la famosa avenida donde hay librerías y kioskos, restaurantes y cafés, tiendas elegantes y boutiques exclusivas. También puede escuchar catalán, la lengua° de Cataluña, en la calle o en la radio o en la televisión, y puede ver letreros° en catalán. En esta ciudad de gran tolerancia hay un amor sincero a la libertad y a la independencia. Cuando en 1975 murió el dictador Francisco Franco, hubo° una gran celebración en Barcelona; dicen que ¡no quedó ni una sola botella de champán° en toda la ciudad!

Barcelona es una ciudad muy importante en la cultura de España. Los artistas catalanes Joan Miró y Salvador Dalí vivieron en Barcelona, y el Museo Picasso honra a Pablo Picasso, quien residió en esa ciudad durante° su juventud.° El músico Pablo Casals también vivió allí.

La arquitectura de Barcelona es muy original, y el arquitecto Antoni Gaudí es quizás su artista más famoso. Gaudí dedicó° más de cuarenta años de su vida a la construcción del Templo de la Sagrada° Familia, que usted puede ver en la foto. En la obra de Gaudí, la naturaleza° es una fuente° de inspiración muy importante. Hay en ella elementos zoológicos, botánicos y geológicos. En su obra desaparecen las líneas rectas°; hay allí muchas curvas y formas geométricas nuevas. Este templo es uno de los símbolos máximos° de la ciudad de Barcelona, donde se encuentran armoniosamente° el pasado, el presente y el futuro.

port

Greeks / Visigoths
Franks

language
signs

there was
sola... *single bottle of*
  champagne

during / youth

dedicated
Holy
nature / source
desaparecen... *straight lines*
  disappear
greatest
se... *meet harmoniously*

Después de leer

1. ¿Qué influencias culturales manifiesta Barcelona?   2. ¿Cómo se llama la avenida principal de esa ciudad?   3. ¿Cómo se llama la región de España donde está Barcelona?   4. ¿Qué artistas famosos vivieron en Barcelona?   5. ¿Cómo se llama el arquitecto del Templo de la Sagrada Familia?   6. ¿Cuáles son algunas de las características de la obra de Gaudí? 7. ¿Conoce usted algún edificio con características similares a las obras de Gaudí?

PARA ESCUCHAR

Vocabulario: la talla *size*   **usar talla 40** *to wear size 40* (equivalent to U.S. size 12) **cómodos** *comfortable*

A. Situaciones. Listen to these three conversations, which take place in a woman's clothing shop. Match the conversations to the pictures. Write the number of the conversation (1, 2, or 3) in the box under the appropriate picture.

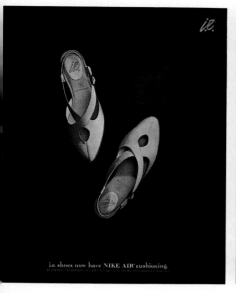

B. Comprensión. You will hear five statements based on the converstions. For each statement, circle V **(verdadero)** or F **(falso).** If the statement is false, be prepared to explain why.

1. V F   2. V F   3. V F   4. V F   5. V F

FUNCIONES *y actividades*

In this chapter, you have seen examples of the following language functions, or uses. Here is a summary and some additional information about these functions of language:

Expressing hesitation

There will often be times when you don't have a ready answer for something someone has asked. This happens even in your native language, but it can happen even more frequently when you are speaking a foreign language. Here are some expressions you can use to fill in those moments of conversational hesitation.

A ver.	*Let's see.*
Es que...	*The thing is that . . . (Literally, "It's that . . .")*
Buena pregunta.	*Good question.*
Pues...	*Well . . .*
Bueno...	*Well . . .*
Depende de...	*It depends on . . .*

Expressing disbelief

Here are some ways to express that you can't quite believe what you've heard.

¿De veras?	*Really?*	¡Qué va!	*Oh, come on!*
¡Pero no habla(s) en serio!	*But you're not serious!*	Increíble.	*Incredible.*
No lo creo.	*I don't believe it.*	Imposible.	*Impossible.*
No lo puedo creer.	*I can't believe it.*	No puede ser.	*It can't be.*
¡Qué ridículo!	*How ridiculous!*		

Making descriptions (2)

There will be many times when you have to describe something in Spanish, whether you are in a shop and trying to describe what you want or whether you are just trying to explain to someone what something is—especially if you don't know the word for it in Spanish. Here are some ways to ask for a description and to describe something.

¿De qué color es? —Es rojo (blanco, etc.).	*What color is it? —It's red (white, etc.).*
¿De qué tamaño es? —Es grande (pequeño, del tamaño de un libro, etc.).	*What size is it? —It's big (little, the size of a book, etc.).*
¿De qué es (son)? —Es (Son) de madera (plástico, metal, etc.).	*What is it made of? —It's made of wood (plastic, metal, etc.).*
¿Para qué sirve? —Sirve para tocar (leer, escribir, etc.).	*What do you use it for? —You use it for playing (reading, writing, etc.).*

Actividades

A. Buena pregunta. Ask a classmate the following questions. Your classmate should express hesitation before answering them, using one of the expressions from this chapter.

1. ¿Cuál es tu color favorito? ¿Por qué?
2. ¿Qué color asocias tú *(do you associate)* con el otoño? ¿con la primavera? ¿con el calor? ¿con el frío?
3. ¿Qué clase de ropa debo llevar a la fiesta este sábado?
4. Tengo ganas de ir a ver una película. ¿Qué película me recomiendas *(recommend)*?

B. ¿Lo crees? Working with a partner, make at least three statements about yourself, some of them true and some of them false. Your partner should respond with either **Sí, te creo** or an expression of disbelief.

MODELOS **Yo tengo diecinueve años.**
Sí, te creo.

Compré este traje de Oscar de la Renta en Barcelona.
¡Qué va! No puede ser.

C. ¿Qué es esto? In small groups, one person will think of the name of an object that he or she can say in Spanish (something that has been presented in this book or in class). The others will take turns asking questions about the object; these must be yes/no questions. The person who guesses the object then takes a turn.

D. A ver... Imagine you are in a Spanish-speaking country and you need the following items but don't know the Spanish words. In pairs, take turns describing each item using the hints below and, if necessary, gestures. (The Spanish words are given upside down at the end of this exercise.)

1. hotel or restaurant bill
2. glass
3. blanket
4. tablespoon
5. clothes hanger
6. credit card

1. la cuenta 2. el vaso 3. la manta 4. la cuchara 5. la percha 6. la tarjeta de crédito

PARA ESCRIBIR

Write a description of what you do on a typical day. Include when you usually get up, go to school, eat, go to bed, and so on. Also, tell what you typically wear.

VOCABULARIO ACTIVO

Cognados

el, la artista	el color	los jeans	la rutina	el símbolo
la blusa	cosmopolita	el pijama	la sandalia	el suéter
catalán	elegante	principal	los shorts	el templo

Verbos

acostar (ue)	*to put to bed*
acostarse	*to go to bed*
acostumbrarse	*to get used to*
depender (de)	*to depend (on)*
despertarse (ie)	*to awaken, wake up*
divertir (ie)	*to amuse, entertain*
divertirse	*to enjoy oneself, have a good time*
irse	*to go away; leave*
lavar	*to wash*
lavarse	*to wash oneself*
levantar	*to raise*
levantarse	*to get up, stand up*

llamarse	*to be called, to be named*
llevar	*to wear; to take*
morir (ue)	*to die*
mudarse	*to move, change residence*
nacer	*to be born*
ponerse	*to put on (clothing)*
quedar	*to be left, remain*
quedarse	*to stay*
quitarse	*to take off (clothing)*
sentarse (ie)	*to sit down, be seated*
vestir (i)	*to dress*
vestirse	*to get dressed*

La ropa

el abrigo	*coat (winter coat)*
el bolso	*purse*
la bota	*boot*
el calcetín	*sock*
la camisa	*shirt*
la camiseta	*T-shirt*
el cinturón	*belt*
la corbata	*tie*
la falda	*skirt*
el guante	*glove*
el impermeable	*raincoat*
las medias	*stockings*
la moda	*fashion, style*
el pantalón	*pair of pants*
los pantalones	*pants*
el paraguas	*umbrella*
la ropa	*clothing*
el sombrero	*hat*
el traje	*suit; outfit*
el traje de baño	*swimming suit*
el vestido	*dress*
el zapato	*shoe*

Otras palabras y frases

a la moda (de moda)	*in style, fashionable*
alto	*high; tall*
anoche	*last night*
ayer	*yesterday*
caro	*expensive*
el cuadro	*painting*
diario	*daily*
entre	*between, among*

hermoso	*beautiful*
pasado	*past, last*
sólo (= solamente)	*only*

Cognado falso

asistir a	*to attend*

Expresiones útiles

A ver.	*Let's see.*
Buena pregunta.	*Good question.*
Bueno...	*Well . . .*
¿De qué color es?	*What color is it?*
¿De qué es?	*What is it made of?*
¿De veras?	*Really?*
Es que...	*The thing is that . . .*
Increíble.	*Incredible.*
No puede ser.	*It can't be.*
¿Para qué sirve?	*What do you use it for?*
¡Pero no habla(s) en serio!	*But you're not serious!*
Pues...	*Well . . .*
¡Qué ridículo!	*How ridiculous!*
¡Qué va!	*Oh, come on!*

Don't forget: Names of colors, pages 156–157, Irregular comparative and superlative forms, page 168

Una familia méxicoamericana almuerza en un parque en Arizona.

COMIDAS Y BEBIDAS

VOCABULARIO. In this chapter you will talk about foods and meals.

GRAMÁTICA. You will discuss and use:

- The present tense of verbs like *gustar;* the verbs **oír,** *to hear,* and **traer,** *to bring*
- The preterit of irregular verbs
- Prepositions; **por** vs. **para**

CULTURA. This chapter focuses on Mexican-American communities in the United States.

FUNCIONES

- Expressing likes
- Expressing dislikes
- Ordering a meal in a restaurant

LOS MÉXICO-AMERICANOS DEL SUROESTE DE ESTADOS UNIDOS

Población: There are about 13 million people of Mexican-American descent in the United States, mostly concentrated in the Southwest. These figures, from the U.S. census, are probably low, since not everyone—particularly the undocumented—may have been counted.

¿Sabía usted que...?

1. Hernán Cortés explored the southwestern United States in the 1530s, long before the English arrived on the east coast. Between the sixteenth and eighteenth centuries, Spain extended control to cover everything west of the Mississippi except the Louisiana Territory (which Spain and France had disputed for some time) and what is now Washington, Oregon, and Idaho.

2. Mexican-Americans have contributed many things to U.S. culture: the adobe and tile "Santa Fe" architecture; music ranging from mariachis to Linda Ronstadt; artists such as Carlos Almárez and Bronk; a panoply of poets and prose writers; athletes such as Fernando Valenzuela and Nancy López; actors such as Anthony Quinn and Edward James Olmos, and finally, the famous Mexican-American cuisine.

Habitantes hispanos*	Clave
0 — 20,000	
20,001 — 50,000	
50,001 — 100,000	
100,001 — 1,000,000	
1,000,001 — +	

EL DESAYUNO

Some Mexican-Americans do not use the term **desayuno** at all; **almuerzo** is *breakfast* and **lonche** is *lunch*. In Mexico a *lunch box* is a **lonchera**.

1. los huevos
2. el jamón
3. el pan
4. la mantequilla
5. la sal
6. la pimienta
7. el café
8. el té
9. la leche
10. el jugo
11. el azúcar
12. los cereales

Egg is often **el blanquillo** in Mexico and the U.S. Southwest.

EL ALMUERZO*

Platos principales

1. la hamburguesa
2. la carne: el bistec, la carne de vaca
3. el pescado
4. el pollo
5. el cerdo

Point out the difference between **el pez** (alive) and **el pescado** (after it is out of the water).

Otras comidas

1. el arroz
2. la ensalada
3. la lechuga } las verduras
4. el maíz
5. el tomate
6. la papa

In Spain, *potato* is **la patata**.

Bebidas

1. el vino
2. la cerveza
3. el agua mineral
4. el refresco

Frutas

Additional fruits: **la uva, la fresa, la pera,** etc. Note that in Spanish America **el plátano** generally designates a *banana* or *plantain* (fried and eaten as a vegetable). Some Spanish speakers distinguish between **plátanos** *(bananas)* and **plátanos verdes** *(plantains).*

1. la manzana
2. la naranja
3. el plátano, la banana
4. la piña, el ananá

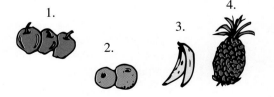

---

*El almuerzo** is a large midday meal, traditionally the main meal of the day. In modern cities, however, the midday meal is becoming lighter and the evening meal more substantial as work schedules change and commuting home for lunch becomes more difficult.

POSTRES

1. el pastel, la torta
2. el flan *(a kind of custard)*
3. el helado
4. el queso y las frutas

LA CENA

1. la sopa
2. los frijoles
3. el sándwich

PARA LA MESA

1. el vaso
2. la taza
3. el tenedor
4. el cuchillo
5. la cuchara
6. el plato

Preguntas

1. Para el desayuno, ¿qué come usted? ¿Come huevos con jamón, cereales o sólo (solamente) toma café?   2. ¿Prefiere café o té? ¿Prefiere el café negro o con leche y azúcar?   3. A la hora del almuerzo, ¿qué come usted? ¿una hamburguesa? ¿una ensalada? ¿un postre?   4. ¿A qué hora cena usted *(do you have dinner)*? ¿Qué come para la cena?   5. ¿Come usted mucha carne? ¿mucho pescado? ¿pan con mantequilla?   6. ¿Cuáles son sus frutas favoritas? ¿Qué frutas no come usted?   7. Cuando tiene mucha sed, ¿qué toma? ¿Toma usted mucho café? ¿vino? ¿cerveza? ¿jugo?   8. ¿Qué no comen las personas que quieren ser delgadas *(slim)*? ¿helado? ¿ensaladas? ¿pasteles? (¿tortas?) ¿carne? ¿verduras? ¿maíz?

 ¿Qué es esto?   Cover the vocabulary lists on the left side of pages 178–180 and name the food items shown in the pictures. A classmate will listen to you to check your accuracy.

● ●

I. THE PRESENT TENSE OF *ENCANTAR, FALTAR, GUSTAR, IMPORTAR, INTERESAR;* THE VERBS *OÍR* AND *TRAER*

CAMARERO	¿Qué le *gustaría* comer, señor?
CLIENTE	Dos enchiladas de pollo, por favor. Y bien picantes... *Me encanta* la comida picante.
CAMARERO	Sí, señor. ¿Y para tomar?
CLIENTE	Una cerveza.
CAMARERO	Ahorita se la *traigo. (Unos minutos más tarde.)* ¿Cómo está la comida, señor?
CLIENTE	Excelente.
CAMARERO	¿Le *falta* algo?
CLIENTE	Sólo la cuenta. Y, ¿me puede *traer* un vaso de agua, por favor?

In margin: Have students create other conversations, substituting different food items.

1. ¿Qué pide el señor para comer? ¿para tomar?   2. ¿Le gusta la comida picante al señor?   3. ¿Qué le trae el camarero después?

WAITER: What would you like to eat, sir? CUSTOMER: Two chicken enchiladas, please. And very spicy—I love spicy food. WAITER: Yes, sir. And to drink? CUSTOMER: A beer. WAITER: I'll bring it to you right away. *(A few minutes later.)* How's the food, sir? CUSTOMER: Excellent. WAITER: Do you need anything else? (literally, "Is anything else lacking to you?") CUSTOMER: Only the check. And can you bring me a glass of water, please?

● ●

In margin: Point out that to express the idea of liking a person, **gustar** is used if attraction is present **(A Pepe le gusta la novia de su hermano.)**; otherwise, expressions like **estimar** are used **(Yo lo estimo mucho.).**

A. Gustar means *to please* or *to be pleasing.* **Gustar** can be used to express the equivalent of the English term *to like* (or *not like*). However, in Spanish the person, thing, or idea that is pleasing (pleases) is the subject of the sentence. **Gustar** is usually used in the third-person singular or plural, depending on whether the subject is singular or plural. The person who is pleased is the indirect object. (In English, the verb *to disgust* functions the same way: *Your attitude disgusts us.* = *We don't like your attitude.*) An indirect object pronoun is normally used with the verb **gustar.**

In margin: Point out the use of the definite article with a noun that stands for an entire category.

Me gusta esta bebida.	*I like this beverage. ("This beverage pleases me.")*
¿Te gusta la piña?	*Do you like pineapple?*
Nos gustan mucho los postres.	*We like desserts a lot.*

B. The prepositional phrase **a** + noun or pronoun is often used with **gustar.** It is frequently necessary for emphasis or clarity. In affirmative statements, it is usually placed at the beginning of the sentence.

A Fernando le gusta el helado de chocolate.   *Fernando likes chocolate ice cream.*

En general, a los hispanos les gusta el café con leche.   *In general, Hispanic people like coffee with milk.*

A usted le gustan las manzanas, ¿no?   *You like apples, don't you?*

 C. If what is liked (or what is pleasing) is an infinitive, the third-person singular of **gustar** is used.

No me gusta estar a dieta.   *I don't like to be on a diet.*

A José le gusta cocinar.   *José likes to cook.*

D. The form **gustaría** + an infinitive means *would like to.* (This form will be covered further in Chapter 14.)

¿Qué les gustaría tomar?   *What would you like to drink?*

Me gustaría ir a ese restaurante italiano.   *I'd like to go to that Italian restaurant.*

E. **Encantar** *(to delight),* **faltar** *(to be lacking or missing),* **importar** *(to be important, to matter),* and **interesar** *(to interest)* function like **gustar. Encantar** is often used to express the equivalent of *to love* (things, ideas, and so forth, but not people).

No nos importa el dinero.   *Money doesn't matter to us.*

Me faltan una cuchara, un tenedor y un cuchillo.   *I need ("lack") a spoon, a fork, and a knife.*

Me encantan las papas fritas.   *I love french fries (fried potatoes). (Literally, "They delight me.")*

¿Te interesa el arte?   *Are you interested in art?*

F. The verb **oír** *(to hear)* is irregular:

oír	
oigo	oímos
oyes	oís
oye	oyen

¿Oyes música?   *Do you hear music?*

G. The verb **traer** *(to bring, carry)* is irregular in the first-person singular: **traigo.** The other forms are regular.

EJERCICIOS

A. ¿Te gusta...?   Ask a classmate whether he or she likes the following.

MODELO   el pescado
¿Te gusta el pescado?

Additional exercise:
¡Pero no me gusta!
Modelo: ¿Por qué no
comes el helado? No me
gusta el helado. 1. las
verduras **2.** la leche
3. unas frutas **4.** ese
refresco **5.** el queso

1. el jamón
2. los frijoles
3. viajar
4. las naranjas

5. cocinar
6. los postres
7. las bananas (los plátanos)
8. el cerdo

Now ask your instructor the same questions.

MODELO   **¿Le gusta el pescado?**

explain

B. ¿Qué nos falta...?   Everybody I know is going out to dinner tonight. Why? Because we are all lacking something we need to prepare a meal at home! Form sentences according to the models, and you'll find out what ingredients each of us is missing.

Have students do.

MODELOS   a Rubén/sal/comida
Le falta sal para la comida.

a nosotros/frutas para la ensalada de frutas
Nos faltan frutas para la ensalada de frutas.

1. a Eduardo/lechuga/ensalada verde
2. a mí/huevos/torta
3. a ustedes/papas/papas fritas

4. a ti/arroz/arroz con pollo
5. a nosotros/verduras/sopa
6. a los Ruiz/carne/hamburguesas

C. «Sobre gustos y colores no hay nada escrito.»   *("There's nothing written [i.e., no laws] about tastes and colors.")* Complete the following sentences as shown in the example.

MODELOS   A mí me gusta(n) mucho...
A mí me gusta mucho viajar.
A mí me gustan mucho las motocicletas.

Show construction

1. A mí me gusta(n) mucho...
2. A mí no me gusta(n)...
3. A mí no me importa(n) mucho...
4. A mí me importa(n) muchísimo...
5. A las mujeres no les gusta(n) mucho...
6. A los hombres les importa(n) mucho...
7. A los jóvenes de hoy les encanta(n)...
8. A mis padres les encanta(n)...

D. **¿Qué pasa?** With a partner, ask and answer questions about the pictures. Use the verbs **encantar, gustar, importar, interesar, traer,** and **oír.**

los turistas

MODELO ESTUDIANTE 1 **¿Qué les encanta a los turistas?**
ESTUDIANTE 2 **Les encanta ir a la playa cuando hace sol.**

1. Felipe

3. Tomás

2. mucha gente

Ask other questions of interest to students, using **gustar** and related verbs: e.g., aspects of college life or something currently in the news.

4. mis amigos

5. Martín, Pablo y Ana

6. nosotros, los estudiantes

Entrevista _____

Take turns asking and answering questions.

1. ¿Qué comidas o bebidas te gustan más cuando hace calor? ¿cuando hace frío? ¿cuando no tienes tiempo de cocinar? ¿cuando estás a dieta? ¿cuando estás en un restaurante elegante? 2. En tu casa, ¿quién compra la comida? ¿Quién cocina? ¿Quién lava los platos? ¿A ti te gusta cocinar o prefieres lavar los platos? 3. ¿Te importa mucho el dinero? ¿Les importa mucho el dinero a tus papás? 4. ¿Qué cursos sigues? ¿Cuál(es) te interesa(n) más? ¿Cuál(es) no te interesa(n)?

II. THE PRETERIT OF IRREGULAR VERBS

Un restaurante mexicano en Washington, D.C.

**Aural comprehension.
¿Verdadero o falso?**
Have the students correct
any erroneous state-
ments. **1.** Anoche Hilda
fue al restaurante «La
Cazuela». **2.** Fernando
no quiso ir. **3.** Unos
amigos de Ramona
fueron también. **4.** La
paella es un plato que
tiene papas y jamón.
5. Hilda le puso azúcar
al café.

FRED ¿Qué *hiciste* anoche, Hilda?

HILDA *Fui* al restaurante «La Cazuela». Fernando *quiso* ir también, pero no *pudo.*

FRED Y ¿con quién *fuiste?*

HILDA *Fui* con Ramona. También *fueron* unos amigos de ella. Y pedí paella. Es un plato que tiene arroz, pescado y mariscos.

FRED Y Ramona..., ¿qué pidió?

HILDA Primero* gazpacho, que es una sopa fría de tomates y pepinos. Después pidió un bistec, y el camarero se lo *trajo* con una ensalada.

FRED ¿Y el postre? ¿Cómo *estuvo?*

HILDA Muy rico. Nos *dieron* flan.

FRED *Tuviste* que abandonar la dieta, entonces.

HILDA No totalmente—*supe* cuidarme. No le *puse* azúcar al café.

1. ¿Qué hizo Hilda anoche?   2. ¿Quién quiso ir pero no pudo?   3. ¿Qué es la paella?
4. ¿Qué pidió Ramona?   5. ¿Cómo estuvo el postre que les dieron?   6. ¿Tuvo que
abandonar la dieta Hilda? ¿Por qué sí o por qué no?

---

*__Primero__ is an adverb meaning *first*. It is also an adjective; as an adjective, it becomes __primer__ before a mascu-
line singular noun: **el primer tren, la primera vez** *(the first time),* **los primeros invitados** *(the first guests).*
You may remember from Chapter 4 that **el primero** is used in dates.

FRED: What did you do last night, Hilda? HILDA: I went to the restaurant "La Cazuela." Fernando wanted to go, too, but couldn't. FRED: And whom did you go with? HILDA: I went with Ramona. Some friends of hers went, too. And I ordered paella. It's a dish that has rice, fish, and shellfish. FRED: And Ramona . . . , what did she order? HILDA: First, *gazpacho,* which is a cold soup of tomatoes and cucumbers. Afterwards, she ordered a steak, and the waiter brought it to her with a salad. FRED: And the dessert? How was it? HILDA: Very delicious. They gave us flan. FRED: You had to give up (abandon) your diet, then. HILDA: Not completely—I knew how to be careful. I didn't put sugar in my coffee.

· ·

A. There are a number of verbs in Spanish that have irregular preterit-tense forms, both stems and endings. These forms do not have written accents.

yo

Infinitive	Preterit Stem	Preterit Endings	
hacer	hic-	-e	-imos
querer	quis-	-iste	-isteis
venir	vin-	-o	-ieron
poder	pud-		
poner	pus-		
saber	sup-		
estar	estuv-		
tener	tuv-		

Andar is similar to **estar** in the preterit: **anduve,** etc.

The endings in the chart are attached to the stems shown to form the preterit of all the verbs listed. There is only one spelling change: the third-person singular of **hacer** is **hizo,** which involves a change from **c** to **z** to retain the sound of the infinitive. Note that the preterit of **saber** usually means *to find out.* The preterit of **querer** in the affirmative usually means *to try;* in the negative, it usually means *to refuse.*

Paco hizo un omelet con tres huevos, queso y un poco de sal y pimienta.
Supimos que Fernando está a dieta.
Los niños quisieron hacer una torta.
Luisa no quiso comer los mariscos.
Vinieron invitados a cenar la semana pasada.
¿Estuviste en casa?
Puse la mesa.*
¿Pudieron preparar el postre? —No, no pudimos encontrar el azúcar.

Paco made an omelet with three eggs, cheese, and a little salt and pepper.
We found out that Fernando is on a diet.
The children tried to make a cake.
Luisa refused to eat the shellfish.
Guests came for dinner last week.

Were you at home?
I set the table.
Did you manage to prepare dessert? —No, we couldn't find the sugar.

-duar

B. Traer and **decir** have irregular preterits; note that the third-person plural ending is **-jeron** rather than **-ieron.**

---

*Notice that **poner la mesa** means *to set the table.*

decir		traer	
dije	dijimos	traje	trajimos
dijiste	dijisteis	trajiste	trajisteis
dijo	di**jeron**	trajo	tra**jeron**

Luz dijo que trajeron vino.	*Luz said that they brought wine.*

C. Ir and **ser** have the same forms in the preterit tense.

ir, ser	
fui	fuimos
fuiste	fuisteis
fue	fueron

La fiesta fue en tu casa, ¿no?	*The party was at your house, right?*
Fuimos allí anoche y comimos arroz con pollo. ¡Qué sabroso!	*We went there last night and ate rice with chicken. How delicious!*

D. Dar is considered irregular in the preterit because it requires the preterit endings for regular **-er** and **-ir** verbs rather than the endings for **-ar** verbs.

dar	
di	dimos
diste	disteis
dio	dieron

Le di el dinero para los refrescos.	*I gave him the money for the soft drinks.*

E. Hubo is the preterit form of **hay;** the infinitive is **haber.**

Hubo un accidente en la calle Quinta ayer.	*There was an accident on Fifth Street yesterday.*

EJERCICIO

Un viaje a San Antonio.   Restate the paragraph at the top of page 188, changing the verbs from the present tense to the preterit.

Esta semana (1) voy a San Antonio. (2) Salgo el jueves a las dos de la tarde y (3) llego dos horas después. En el aeropuerto me (4) esperan unos amigos y (5) paso la noche en casa de ellos. El viernes (6) vamos a visitar el Álamo. Allí (7) tengo la oportunidad de aprender muchas cosas interesantes sobre la historia de Tejas y de México. Me (8) dicen que (9) hay una batalla aquí en 1836. El sábado (10) doy un paseo por la ciudad. Después mis amigos y yo (11) cenamos en un restaurante donde me (12) traen comida «Tex-Mex». El domingo (13) vuelvo a casa. (14) ¡Es un viaje estupendo!

Entrevista

1. ¿Dónde estuviste ayer a las dos de la tarde? ¿a las nueve de la noche? 2. ¿Fuiste a algún lugar interesante la semana pasada? ¿Adónde? 3. ¿Fuiste a algún restaurante donde sirven comida española o latinoamericana alguna vez? ¿Pudiste pedir la comida en español? ¿Qué te dio el camarero? 4. ¿Viniste a clase ayer? 5. ¿Qué hiciste el fin de semana pasado?

● ●

III. PREPOSITIONS; *POR* VS. *PARA*

Carmen Lomas Garza,
Cumpleaños de Lala y Tudi
(1989). Oil on canvas, 36″ x 48″.

Esta pintura, *por* Carmen Lomas Garza, se llama *Cumpleaños de Lala y Tudi*. Lomas Garza es de Kingsville, Tejas, pero vive *en* San Francisco *desde* 1978. *Según* ella, el arte representa la vida y la cultura. La pintura muestra una fiesta *de* cumpleaños. Hay una piñata *en* forma *de* pescado. La piñata está llena *de* dulces. *Detrás de* la piñata, dos niños esperan, listos *para* recoger los dulces.

1. En esta fiesta, hay gente vieja y gente joven. ¿Qué nos dice esto acerca de *(about)* las fiestas méxico-americanas? Cuando usted hace una fiesta, ¿invita a gente vieja y a gente joven también?   2. ¿Qué hay en la mesa?   3. Según su opinión, ¿hay música en esta fiesta? ¿Qué tipo de música?

This painting, by Carmen Lomas Garza, is called *Lala and Tudi's Birthday.* Lomas Garza is from Kingsville, Texas, but she has been living in San Francisco since 1978. According to her, art represents life and culture. The painting shows a birthday party. There is a piñata in the shape of a fish. The piñata is filled with sweets. Behind the piñata, two children are waiting, ready to pick up the sweets.

• •

A. Prepositions show the relationship between a noun or pronoun and other sentence elements. Here are some common prepositions that you should be able to recognize—you have seen most of these in the **Vocabulario activo** sections of previous chapters.

Prepositions of Time

antes de	*before*	durante	*during*
desde	*from (a certain time), since*	hasta	*until*
después de	*after*		

Prepositions of Place

al lado de	*beside*	enfrente de	*in front of*
cerca de	*near*	entre	*between*
debajo de	*under*	lejos de	*far from*
detrás de	*behind*	sobre	*about, over, on, upon*
en	*in, on, at*		

— telling time only

Other Prepositions

a	*to, at*	hacia	*toward*
acerca de	*concerning, about*	para	*for, to, in order to*
con	*with*	por	*for, by, through*
contra	*against*	según	*according to*
de	*of, from*	sin	*without*
excepto	*except*		

Review and compare the construction **a la(s) una (dos,** etc.) with **de la mañana, de la tarde, de la noche** and **por la mañana, por la tarde,** etc.

B. Notice that both **por** and **para** can mean *for,* but they are not interchangeable. **Por** is used to express:

1. cause or motive *(because of, on account of, for the sake of)*

Mi mamá vive en Tejas. Por eso fui allí en marzo.

My mother lives in Texas. For that reason (Because of that) I went there in March.

2. duration of time

Fui a Amarillo por dos semanas.

I went to Amarillo for two weeks.

3. part of the day when no hour is mentioned

Por la mañana estudié ingeniería.   *I studied engineering in the morning.*

4. the equivalent of *in place of, through, along, by*

In exchange for

Tengo que trabajar por Luisa mañana.   *I have to work for (in place of) Luisa tomorrow.*

Puedo ver la calle principal por la ventana.   *I can see the main street through the window.*

Doy un paseo por esta calle todas las tardes.   *I take a walk along this street every afternoon.*

¿Vas a pasar por la casa hoy?   *Are you going to come by the house today?*

Remind students of some common expressions with **por** that they have seen in previous chapters: **por ejemplo,** *for example;* **por eso,** *for that reason;* **por favor,** *please;* **¿por qué?,** *why?*

5. means of transportation or communication *(by means of)*

Hablamos mucho por teléfono.   *We talk on (by means of) the telephone a lot.*

Pensamos viajar por avión.   *We're planning to travel by plane.*

C. Para is used to express:

1. intended recipient *(for someone or something)*

Las enchiladas son para Felipe (para el almuerzo).   *The enchiladas are for Felipe (for lunch).*

2. the use for which something is intended

Es una taza para té.   *It's a teacup (a cup for tea).*

3. direction *(toward)* or destination

Salió para Santa Fe.   *He left for Sante Fe.*

4. purpose *(in order to)*

Viajamos a Santa Bárbara para ver la misión.   *We traveled to Santa Barbara to see the mission.*

D. The preposition **con** combines with **mí** to form **conmigo** and with **ti** to form **contigo.**

Los invité a cenar conmigo.   *I invited them to have dinner with me.*

La camarera quiere hablar contigo.   *The waitress wants to talk to you.*

E. In Spanish, infinitives are often used after **antes de, después de, sin,** and **para,** although in English the *-ing* form of the verb may be used.

Antes de almorzar, fuimos de compras.   *Before having lunch, we went shopping.*

Después de almorzar, fuimos a ver una película.   *After having lunch, we went to see a movie.*

with verb.

Additional exercise.
Complete with **por** or
para, as appropriate.
Modelos: estudiar / la
mañana; **estudiar por la
mañana;** leer la lección
de física / las once; **leer
la lección de física para
las once. 1.** llamar a
Susana / teléfono **2.** escribir la composición / la
clase de francés **3.** ir de
compras / la tarde **4.** ir al
centro / autobús **5.** comprar una corbata / David
6. buscar una falda /
llevar a una fiesta
7. volver a casa / las
nueve y media

Sin decir nada, José salió.
Es agua para tomar.

*Without saying anything, José went out.
It's water for drinking.*

EJERCICIOS

A. ***¿Por o para?*** Complete the paragraph with **por** or **para,** as appropriate.

Benito es camarero en el restaurante La Golondrina. Estudia (1) _____ la mañana y trabaja (2) _____ la tarde, desde las cuatro hasta las ocho. Hoy trabaja (3) _____ su amigo Fernando, porque Fernando está enfermo *(sick).* Mañana Benito va a salir (4) _____ Colorado (5) _____ visitar a sus tíos. Va a ir (6) _____ una semana y piensa manejar *(drive)* (7) _____ las montañas Rocosas. Hoy (8) _____ la noche tiene que hablar con sus tíos (9) _____ teléfono (10) _____ decirles que va a llegar allí en tres días. Dice Benito: "Quiero viajar. Quiero conocer todo Estados Unidos.»

B. Tamalada. Below is another picture by Carmen Lomas Garza; it shows people making tamales. Pretend you are one of the people in the picture. Working with a partner, make as many statements as you can about what you see around you. Use prepositions whenever possible. What / Who is in front of you? Behind you? At your side? What is on the wall? What are you going to do after making the tamales? Who is making the tamales with you? Is everyone working? Use as many prepositions as possible, and use your imagination. Note: **la pintura** = *painting,* **la olla** = *pot,* **la estufa** = *stove,* **la hoja** = *leaf* (which is filled with a corn-based dough; other ingredients are put on top and the leaf is rolled into a **tamal**).

C. El mapa. In groups, make a simple map of your campus. You might include: **la biblioteca, la librería, la oficina de la administración, la cafetería, el estadio, el correo, el departamento de español.** Make as many statements as you can about the map using prepositions.

MODELO **El estadio está detrás de la biblioteca.**

Viñeta cultural

UNOS POEMAS MÉXICO-AMERICANOS

Have students, in pairs, ask and answer questions about the drawing *Cumpleaños* at the beginning of this section, using prepositions. The student asking questions can point to the person or thing in question. *Estudiante 1: ¿Dónde está este hombre? Estudiante 2: Está enfrente del árbol. ¿Con quién habla esta señora? Estudiante 1: Habla con otra señora (con una amiga, etc.).*

Carmen Lomas Garza, *Tamalada* (1988). Oil on canvas, 24" x 32".

A. Skim the **viñeta** and answer this question: Why are some of the selections in Spanish and some in a mixture of Spanish and English? That is, do you think there is a reason for the use of English?

B. Read the selections and look for cognates (words that are similar in Spanish and English). Instead of looking up every word you do not know, try to guess the meaning from the context.

En el Taco Bell
JESÚS SOLÍS

Waiting in line at the Taco Bell,
Looking at the "menu":
Soft Tacos, Tostadas, Beef Meximelt . . .
La recuerdo a mi mamá
Sus manos oscuras
haciendo° tortillas   **manos...** dark hands making
acariciando la masa°   **acariciando...** caressing the dough
preparándoles la cena
a todos sus hijos.
Huevos, frijoles, arroz
hechos° con cariño°,   made / tenderness
hechos con el amor de los siglos.
Hey! Ya ready to order? says the
Chinese girl at the counter.

---

kitchen talk
EVANGELINA VIGIL

speaking of the many
tragedies that come in
life most times unexpectedly
I uttered with resolution,
"nunca sabe uno lo que° le va   **lo...** what
traer la vida de un momento
al otro."

sintiendo° en un instante   feeling
todo lo que ha sentido° en su vida   **todo...** all she has felt
responde mi abuela
"no, pues no,"

> *thought perfectly balanced*
> *with routine rinsing of coffee cups and spoons*
> *"¡qué barbaridad!*
> *¡pues si supiera uno,°*　　　　　　　　　　**si...** *if one knew*
> *pues qué bárbaro!"*

---

lujo°　　　　　　　　　　*luxury*
EVANGELINA VIGIL

tráiganme° los vinos　　　　　　　　*bring me*
más finos
y las comidas
más exóticas
y sírvanme°　　　　　　　　　　　*serve me*
como a Delgadina
en tazas de oro
y platos de china
y déjenme° saborear　　　　　　　　*let me*
la hermosura° de ese hombre　　　　　*beauty*
tan lleno° de vida　　　　　　　　　*full*
y no me pidan
que lo comparta°　　　　　　　　**no...** *do not ask me to share him*
soy de pasión

Después de leer

A. Cognados.

"En el Taco Bell"

1. Can you find cognates for the English words *obscure* and *mass?*

"kitchen talk"

2. What is a synonym in Spanish for **momento** in the second stanza? A synonym in Spanish for **contesta?**
3. What are cognates in English for **barbaridad** (a noun) and for **bárbaro** (an adjective)?

"lujo"

4. What word means *fine?* What word means *exotic?*
5. Can you find a word that means *to taste?* What is a cognate in English for this word?

B. Opinión.　¿Qué poema le gusta más? ¿Por qué?

PARA ESCUCHAR

A. Situaciones. Listen to the three conversations, which involve ordering food. Match the numbers (1, 2, and 3) with the pictures. Write the number of the conversation in the box to the left of the appropriate picture.

B. La respuesta apropiada. You will hear the first line of each conversation again. Choose an appropriate response.

1. a. ¡Buen provecho! *(Enjoy your meal!)*
    b. Viene con papas fritas y café o té.
    c. No tenemos postres hoy.
2. a. ¿De pollo o de carne de vaca?
    b. ¿De chocolate o de vainilla?
    c. ¿Con gas *(carbonation)* o sin gas?
3. a. Sí. ¿Me puede traer la cuenta, por favor?
    b. Mmm... Para llevar.
    c. Pues... Me es difícil decidir.

FUNCIONES *y actividades*

In this chapter, you have seen examples of the following language functions, or uses. Here is a summary and some additional information about these uses of language.

Expressing likes

Me gusta(n)...	*I like . . .*
Me gustaría (+ *infinitive*)...	*I would like . . .*

Me interesa(n)...	*I am interested in . . .*
Me encanta(n)...	*I love . . .*
...es bonito (interesante, etc.).	*. . . is pretty (interesting, etc.).*
...está bueno (rico, sabroso, etc.).	*. . . is good (delicious, etc.; used for foods).*

Expressing dislikes

No me gusta(n)...	*I don't like . . .*
No me gustaría (+ *infinitive*)...	*I wouldn't like . . .*
No me interesa(n)...	*I am not interested in . . .*
...es horrible (aburrido, etc.).	*. . . is horrible (boring, etc.).*
...está frío (muy picante, etc.).	*. . . is cold (too hot, etc.; used for foods).*

Ordering a meal in a restaurant

Here are some useful expressions for ordering in a restaurant:

¿Qué nos recomienda?	*What do you recommend (to us)?*
¿Nos puede traer...?	*Can you bring us . . . ?*
A mí me gustaría tomar (comer)...	*I would like . . . to drink (eat).*
Nos falta(n)...	*We need . . .*
Quisiera...	*I'd like . . .*
...estuvo muy rico (bueno, sabroso).	*. . . was very delicious (good, tasty).*
La cuenta, por favor.	*The check, please.*

These are some expressions a waiter might use:

¿Qué desea(n) pedir?	*What do you wish (would you like) to order?*
¿Qué le(s) gustaría comer (tomar)?	*What would you like to eat (drink)?*
¡Buen provecho!	*Enjoy the meal!*
¿Y para tomar?	*And (what would you like) to drink?*

Point out that generally in the Hispanic world the pace of meals is slower. Also, the waiter may let you sit for what seems a long time before bringing **la cuenta,** or he may expect you to ask for it when you're ready.

Actividades

A. Gustos. Working with a classmate, find out five things that he or she likes and five things that he or she dislikes. You might want to start by asking about some of the following things: **ir de compras, ir al dentista, jugar al vólibol, la música de..., las películas de..., la lluvia, la nieve, la comida picante, los postres.** Take notes on your partner's answers.

B. En el restaurante «La Golondrina». Work in groups. Create a conversation among a waiter and two customers based on the following selections from the menu from "La Golondrina" restaurant. (Assume they have other things besides these specialties.)

La Golondrina

Entremeses

Quesadillas...4.95
Two tortillas, corn or flour filled with creamy cheese.

Chicharrones...4.25
Crispy morsels of pork, deep fried, served with salsa picante, pico de gallo and homemade tortillas.

Ceviche...4.25
Diced white fish marinated in lime juice with fresh herbs.

Nachos...4.50
Crispy corn tortilla chips topped with refried beans, creamy Jack cheese, salsa, guacamole and sour cream.

Ensaladas

Ensalada Verde **2.00**
A crisp dinner salad served with the house dressing.

Ensalada de Verduras **5.95**
A combination of fresh garden vegetables served with the house dressing.

Especialidades

All our specialties are served with handmade flour or corn tortillas.

Bistec Picado. **11.95**
Strips of steak sauteed with onions, tomatoes, bell pepper, served with Spanish rice and refried beans.

Fajitas. **11.95**
Strips of tender steak or chicken grilled with fresh vegetables and sliced onions, served with pico de gallo, grated cheese and sour cream.

Carne Asada **11.95**
Tender fillet of beef, cut in the traditional Mexican style, charbroiled to perfection and served with Spanish rice and refried beans.

Mole Poblano **9.95**
Tender pieces of chicken simmered in a rich, spicy, red chile based sauce, served with Spanish rice.

Costillas en Adobo. **10.95**
Tender pork ribs baked in a mild red chile sauce, served with Spanish rice and beans.

Pescado a la Parilla **9.95**
Grilled Sea Bass with fresh herbs and cilantro butter, served with rice

PARA ESCRIBIR

Look at the illustration of how to proportion the foods you eat each day. The foods at the bottom of the pyramid are things you should eat a lot of, and the ones at the top are those that you should eat the least of. For several days, keep a record in Spanish of what you eat. Are you following the recommended amounts, in general? (Note: **bienestar** = *well-being,* **grasa** = *fat, grease,* **aceite** = *oil,* and **nueces** = *nuts.*)

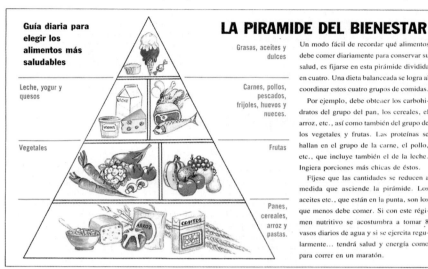

VOCABULARIO ACTIVO

Cognados

el arte	la dieta: estar a dieta	la especialidad	el sándwich
la banana	la enchilada	la fruta	el té
los cereales	la ensalada	la hamburguesa	el tomate
el chocolate			

Verbos

cenar	*to have dinner*
cocinar	*to cook*
encantar	*to delight*
Me encanta(n)...	*I love . . .*
faltar	*to be missing or lacking*
Me falta(n)...	*I need . . .*
gustar	*to please, be pleasing*
Me gusta(n)...	*I like . . .*
importar	*to matter; to be important*
interesar	*to interest*
Me interesa(n)...	*I am interested in . . .*
invitar	*to invite*
oír	*to hear*
poner: poner la mesa	*to set the table*
traer	*to bring, carry*

Comidas y bebidas

el arroz	*rice*
el azúcar	*sugar*
la bebida	*beverage, drink*
el bistec	*beef(steak)*
la carne	*meat*
la carne de vaca	*beef*
el cerdo	*pork*
la cuchara	*spoon*
el cuchillo	*knife*

la cerveza	beer
los dulces	sweets
el flan	caramel custard
el frijol	bean; kidney bean
frito	fried
el helado	ice cream
el huevo	egg
el jamón	ham
el jugo	juice
la leche	milk
la lechuga	lettuce
el maíz	corn
la mantequilla	butter
la manzana	apple
el marisco	shellfish
la naranja	orange
la paella	dish with rice, shellfish, chicken, and vegetables
la papa	potato
las papas fritas	french fries
el pescado	fish
picante	hot, spicy (said of foods)
la pimienta	(black) pepper
la piña	pineapple
el plátano	banana, plantain
el pollo	chicken
el postre	dessert
el queso	cheese
rico	delicious; rich
sabroso	delicious
la sal	salt
la taza	cup
el tenedor	fork

la torta	cake
la verdura	vegetable
el vino	wine

Otras palabras

la cuenta	bill, check
entonces	then, well
el invitado (la invitada)	guest

Cognados falsos

el pan	bread
el pastel	pastry, cake
la sopa	soup
el vaso	(drinking) glass

Expresiones útiles

A mí me gustaría comer (tomar)...	I would like . . . to eat (drink).
¡Buen provecho!	Enjoy your meal!
La cuenta, por favor.	Check, please.
¿Nos (me) puede traer...?	Can you bring us (me) . . . ?
para llevar	to take out
¿Qué le gustaría comer (tomar)?	What would you like to eat (drink)?

Don't forget: Prepositions, page 189

La música

En España hay una gran variedad° de música y bailes folklóricos. En Cataluña, por ejemplo, bailan la sardana, un baile que refleja° el amor que la gente siente° por su región. En la foto vemos a un grupo de jóvenes catalanes que bailan la sardana delante de la Catedral de Barcelona. En general, cada región de España tiene su baile típico; la gente del lugar lo conoce y se divierte bailándolo,° especialmente en las fiestas. Un baile famoso es el flamenco de Andalucía. Es un baile muy sensual, acompañado de° voz, guitarra y castañuelas°. Tradicionalmente, los gitanos° son los maestros° del flamenco.

variety
reflects / feels

dancing it

accompanied by / castanets / gypsies
masters

Unos jóvenes catalanes bailan la sardana delante de la Catedral de Barcelona.

También es rico y variado° el folklore de Hispanoamérica. Aquí la música y los bailes reflejan una combinación de elementos indígenas°, españoles y, a veces, africanos. En general, los instrumentos musicales de cuerda° son de origen español, los de viento de origen indio, y los de percusión de origen africano. Instrumentos típicos hispanoamericanos son, por ejemplo, el arpa paraguaya°, las diferentes flautas° indígenas en la región de los Andes (la quena en el Perú o la zampoña en Bolivia); las guitarras y sus diversas variantes, como el charango° andino° o el guitarrón° de México.

varied
native
string

arpa... *Paraguayan harp*
flutes
guitar made from shell of an armadillo / Andean
large guitar

Este hombre toca el arpa paraguaya.

El papel° de los trovadores y juglares° en la época medieval corresponde hoy día° a los payadores° de la Argentina y del Uruguay que cantan melodías tristes sobre la vida solitaria del gaucho y sobre sus desilusiones amorosas.° En las fiestas, muchas veces los payadores improvisan canciones (letra° y música) sobre temas° que les da el público.

Vemos en la fotografía a unos bailarines del famoso Ballet Folklórico de México. Pero la música mexicana no es la única° que busca su inspiración en el folklore. Así, por ejemplo, las melodías tristes de la quena andina o los sonoros ritmos del Caribe tienen gran influencia en la música actual° de Hispanoamérica. Hoy día ésta es muy conocida° en todas partes del mundo. ¿Quién no baila o, por lo menos°, conoce ritmos típicos hispanoamericanos como el tango, la samba, la salsa, la rumba o el merengue...?

*Point out the use of **letra** to mean* lyrics *here, but note that **letra** can also mean both* letter *(of the alphabet) and* hand-writing.

role / minstrels

hoy... *nowadays / Gaucho singers*
desilusiones... *love disappointments*
lyrics / themes

only one

present
well-known / **por...** *at least*

*Note that **actual** and* actual *are false cognates.*

Los bailarines del Ballet Folklórico de México

Breve test musical. With a classmate, take turns asking and answering the following questions.

1. ¿Cómo se llama el baile típico de Cataluña? ¿Qué refleja?
2. ¿Qué combinación de elementos está presente en la música de Hispanoamérica?
3. ¿Puede nombrar dos o tres instrumentos típicos hispanoamericanos? ¿De dónde son?
4. ¿Dónde hay payadores? ¿Qué hacen?
5. ¿Dónde busca inspiración la música hispanoamericana? Y la música de Estados Unidos, ¿dónde busca inspiración?
6. ¿Cuáles son algunos de los ritmos típicos de Hispanoamérica? ¿Sabe usted bailar el tango? ¿la salsa? ¿un ritmo hispanoamericano? ¿Cuál?
7. ¿Conoce a uno o más cantantes hispanoamericanos? ¿A quién(es)?
8. ¿Conoce una o más canciones hispanoamericanas? ¿Cuál(es)? ¿Sabe cantarla(s)? ¿tocarla(s) en el piano o en la guitarra?

Dos novios pasan un día agradable juntos.

CAPÍTULO *nueve*

NOVIOS Y AMIGOS

VOCABULARIO. In this chapter you will talk about friendship and romance.

GRAMÁTICA. You will discuss and use:

- The imperfect of regular and irregular verbs **(ir, ser, ver)**
- The imperfect versus the preterit
- **Hacer** with expressions of time
- The relative pronouns **que** and **quien**

CULTURA. This chapter focuses on various cities in southern Spain.

FUNCIONES

- Telling a story
- Giving the speaker encouragement
- Using polite expressions

ANDALUCÍA, REGIÓN SUR DE ESPAÑA

Historia: Andalusia was colonized by Phoenicians, Greeks, Carthaginians, and Romans; it was under the control of the Arabs from 711–1492. The Arab influence is pronounced in this area.

¿Sabía usted que...?

1. Some interesting places to visit in southern Spain are the Arab mosque at Córdoba; the Alhambra, a palace in Granada, and the cathedral and **alcázar** (*fortress*) of Sevilla.

2. The painters Pablo Picasso and Diego Velázquez were from Andalusia, as were writers Federico García Lorca, Juan Ramón Jiménez, and Luis de Góngora.

LOS AMIGOS

llevarse bien (con)
quererse (amarse)

To get along well with.

tener una cita
salir con
salir juntos
(*together*)
acompañar

abrazar(se)
el abrazo

LOS NOVIOS

enamorarse de
estar enamorado(-a) (de)
el amor

to fall in love

De in love with.

besar(se)
el beso

tener celos (de)
ser celoso(-a)

Los novios are a couple in love intending to marry or recently married. Their relationship, **el noviazgo** may last for years, and is not entered into lightly. **Los prometidos** are engaged persons; they have formally agreed to marry.

los novios
el novio
la novia
la pareja

el anillo
darle un anillo a alguien

EL MATRIMONIO

casarse (con)   reflexive
la boda
la iglesia, la sinagoga
el matrimonio civil

EL DIVORCIO

la separación provisional
divorciarse

Students tend to use **casarse** incorrectly, often forgetting it is reflexive and using it transitively (although **casar** may be so employed, e.g., **El rabino casa a los novios**). Give the **refrán, Antes que te cases, mira lo que haces.** You may want to present associated vocabulary: **el cura, sacerdote; el pastor.**

Have students describe the people in the drawings and tell what they are doing.

Opiniones.   ¿Está usted de acuerdo? ¿Por qué sí o por qué no?

1. Una pareja debe tener una boda religiosa.
2. No es malo ser un poco celoso o celosa.
3. Es importante llevarse bien con los padres de su novio(-a).
4. Si el esposo y la esposa no se llevan bien, (ellos) deben divorciarse.
5. El amor es eterno y por eso no debe existir el divorcio.
6. La falta *(lack)* de dinero causa muchos divorcios.

I. THE IMPERFECT OF REGULAR AND IRREGULAR VERBS (IR, SER, VER)

ANA	¿*Sabías* que antes José *trabajaba* y *estudiaba* al mismo tiempo?
ELENA	¿En serio? Entonces, ¿cómo *sacaba* tan buenas notas?
ANA	*Sabía* organizarse: *trabajaba* por la mañana, *asistía* a clases por la tarde y *estudiaba* por la noche.
ELENA	¿Y qué *hacía* los fines de semana?
ANA	*Practicaba* deportes, *veía* televisión y *salía* con sus amigos.
ELENA	¡Qué muchacho más admirable! Pero entonces, ¿por qué rompiste con él?
ANA	¡Porque no le *quedaba* tiempo para tener novia!

Have students rephrase the dialogue, substituting other verbs for José's activities and perhaps making him a bad student for comic effect.

1. ¿Qué hacía José antes? 2. ¿Sacaba buenas o malas notas? 3. ¿Cuándo estudiaba? ¿Cuándo trabajaba? 4. ¿Qué hacía los fines de semana? 5. ¿Por qué rompió Ana con José? 6. ¿Cree usted que es posible trabajar, salir con amigos y también sacar buenas notas? ¿Cómo?

ANA: Did you know that before, José was working and studying at the same time? ELENA: Seriously? Then, how did he get such good grades? ANA: He knew how to organize himself: He worked in the morning, attended classes in the afternoon, and studied at night. ELENA: And what did he do on weekends? ANA: He played sports, watched television, and went out with his friends. ELENA: What a great guy! But then, why did you break up with him? ANA: Because he had no time left to have a girlfriend!

A. The imperfect tense of regular **-ar** verbs is formed by adding the endings **-aba, -abas, -aba, -ábamos, -abais,** and **-aban** to the stem of the infinitive.

hablar	
habl**aba**	habl**ábamos**
habl**abas**	habl**abais**
habl**aba**	habl**aban**

Students usually learn imperfect forms easily but have problems pronouncing the **nosotros** form for **-er** and **-ir** verbs. They tend to stress the **a**, not the **i**.

Practice conjugating some stem-changing verbs from Chapters 5 and 6.

B. To form the imperfect of regular **-er** and **-ir** verbs, the endings **-ía, -ías, -ía, -íamos, -íais,** and **-ían** are added to the stem.

comer		vivir	
com**ía**	com**íamos**	viv**ía**	viv**íamos**
com**ías**	com**íais**	viv**ías**	viv**íais**
com**ía**	com**ían**	viv**ía**	viv**ían**

Note that the stress is on the endings, not the stems, so stem-changing verbs do not change their stems in the imperfect: **recordaba, volvía, pedía.**

C. There are only three verbs that are irregular in the imperfect: **ir, ser,** and **ver.**

ir		ser		ver	
iba	íbamos	era	éramos	veía	veíamos
ibas	ibais	eras	erais	veías	veíais
iba	iban	era	eran	veía	veían

D. The imperfect is a past tense used in the following ways.

1. To express customary or repeated past actions:

Pedro siempre sacaba buenas notas.   *Pedro always got (used to get) good grades.*
Ellos me visitaban todos los veranos.   *They visited (used to visit) me every summer.*
Acompañábamos a mi tía a la iglesia   *We went (used to go) to church with my*
   todos los domingos.   *aunt every Sunday.*

Two simultaneous actions

2. To express actions that were occurring or in progress at a certain time in the past:

Hablábamos con el maestro de   *We were talking with Toñito's teacher.*
   Toñito.
Él leía mientras ella estudiaba.*   *He was reading while she was studying.*
Íbamos a la boda.   *We were going to the wedding.*
¿Qué hacían los novios? —Se   *What were the sweethearts (boyfriend and*
   besaban.   *girlfriend) doing? —They were kissing.*

Speaker enfasis

3. To describe situations or conditions that existed for an indefinite period of time:**

Mi compañera de cuarto trabajaba   *My roommate was working more last*
   más el semestre pasado.   *semester.*
Pablo siempre llevaba un anillo de   *Pablo always wore a gold ring.*
   oro.
Ya había mucha gente en la plaza.†   *There were already a lot of people in the*
   plaza.

4. To express the time of day in the past or the age of people or things:

Eran las ocho de la mañana.   *It was eight o'clock in the morning.*
El rey Juan Carlos de España tenía   *King Juan Carlos of Spain was fifty years old*
   cincuenta años en 1988.   *in 1988.*

---

*Notice that subject pronouns are often used with first- and third-person forms for clarity.
If a specific period of time is viewed as completed, the preterit is generally used: **Viví allí por (durante) diez años.
†**Había** is the imperfect form of **hay. Ya** means *already* or *yet.* **Ya no** means *not any longer, no longer:* **Ya no es joven.** *He (She) is no longer young.*

Point out that subject pronouns are often used with the **yo** and **él (ella, usted)** forms because they are identical.

You may want to review **hay que** + *infinitive* from Chapter 4 and give examples in the imperfect. **Había que estudiar mucho para el examen. Había que hablar con el maestro,** etc.

5. In addition, the imperfect is generally used to describe mental or emotional states in the past:

Jorge quería mucho a Lisa; parecían muy felices y querían casarse.*	Jorge loved Lisa very much; they seemed very happy and wanted to get married.
Cuando eras soltero, Enrique, ¿eras más feliz?	When you were single, Enrique, were you happier?
Adela tenía celos de su hermana.	Adela was jealous of her sister.

E. There are several possible translations of the imperfect in English.

Students have trouble distinguishing the "would" translation of the imperfect from the conditional (Chapter 14). It is best not to emphasize it here.

Ellos estudiaban juntos.

> They used to study together.
> They were studying together.
> They studied together (often, from time to time).
> They would study together (often).

EJERCICIOS

A. ¿Qué hacían?   Tell what the following people were doing yesterday evening.

> **MODELO**   Felipe/estudiar para un examen
> **Felipe estudiaba para un examen.**

1. mamá/preparar la cena
2. Federico/hacer unos ejercicios de matemáticas
3. Susana y Guillermo/poner la mesa
4. tú/leer la carta de tu novio
5. Luisa y yo/mirar televisión
6. Anita/hablar por teléfono con una amiga
7. papá/dormir en el sofá
8. los Herrera/cenar en casa de los Balbuena

B. Buenos amigos.   Complete the story about a friendship, using appropriate imperfect-tense forms of the verbs in parentheses.

Cuando yo (1. ser) _____ menor, (yo) (2. jugar) _____ con mis hermanos. (Yo) (3. tener) _____ una amiga que (4. llamarse) _____ Amalia y que (5. vivir) _____ cerca de nosotros. Ella (6. asistir) _____ a otra escuela y (ella y yo) no (7. verse) _____ durante la semana. (Ella y yo) (8. ir) _____ a jugar al parque todos los fines de semana.

C. Cuando todos éramos más jóvenes.   Your mother is telling you about people and things in the past, when she was younger. Using the verbs **ser, ir,** and **ver,** tell what she says, as suggested by the cues.

> **MODELO**   el señor García/rico/teatro/amigos
> **El señor García era rico. Siempre iba al teatro. Allí veía a sus amigos.**

1. yo/estudiante/café/compañeros
2. tío Juan/soltero/playa/novia
3. tú/muy pequeño/parque/primos

---

*The verb **parecer** *(to seem, appear)* has an irregularity in the first-person, present tense: **parezco.**

4.   mis abuelos/pobres/iglesia/parientes
5.   nosotros/más jóvenes/cine/amigos

Entrevista

1. ¿Dónde vivías cuando eras niño(-a)?   2. ¿Cómo era tu casa?   3. ¿Vivías cerca o lejos de tus abuelos?   4. ¿Cómo eran ellos?   5. ¿A qué escuela asistías cuando tenías ocho años?   6. ¿Trabajaba tu mamá? ¿Dónde te quedabas cuando ella trabajaba?   7. ¿Qué querías ser cuando eras niño(-a)?   8. ¿Qué te gustaba hacer de niño(-a)?   9. ¿Dónde y con quién jugabas?   10. ¿Jugabas al béisbol? ¿al fútbol? ¿al tenis? ¿a otros deportes? 11. ¿Adónde iba tu familia de vacaciones?   12. ¿Qué te gustaba de la escuela? ¿Qué no te gustaba?   13. ¿Salías con otros(-as) chicos(-as) cuando tenías catorce años?   14. ¿Veías mucha televisión? ¿Cuáles eran tus programas favoritos?   15. ¿Qué hacías durante tus vacaciones?   16. ¿Eras más feliz antes que ahora? ¿Por qué sí o por qué no?

• •

II. THE IMPERFECT VERSUS THE PRETERIT

Una celebración de una boda

EMA	¡Hola, Olga! ¡Hola, Bob! No *sabía* que vosotros *os conocíais*.
OLGA	Nos *conocimos* anoche en la boda de Amparo y Domingo. Y *bailamos* toda la noche.
EMA	¿Así que tú *eras* la «misteriosa» muchacha que *bailó* con Bob? Lo *supe* esta mañana por Antonio. Me *dijo* que hacéis una linda pareja. ¡Oh!... y esta noche venís a mi fiesta, ¿no?
BOB	¡Otro baile! ¿Pero cuándo dormís vosotros los latinos?

Aural comprehension. ¿Verdadero o falso? 1. Olga y Bob no se conocían. 2. Se conocieron en la boda de la hermana de Olga. 3. Olga era la «misteriosa» muchacha. 4. Antonio dijo que Olga y Bob hacen una linda pareja. 5. Ema también va a tener una fiesta.

1. ¿Sabía Ema que Olga y Bob se conocían?   2. ¿Cuándo se conocieron ellos? 3. ¿Bailaron mucho o poco en la boda? ¿Cómo lo supo Ema?   4. ¿Qué más le dijo Antonio a Ema?   5. ¿Adónde van Olga y Bob esta noche?   6. ¿Cree Bob que los latinos duermen mucho? ¿Qué pregunta él?

EMA: Hi, Olga! Hi, Bob! I didn't know that you knew each other. OLGA: We met last night at Amparo and Domingo's wedding. And we danced all night. EMA: So, you were the "mysterious" young lady who danced with Bob? I found (it) out this morning from Antonio. He told me that you make a nice couple. Oh, and tonight you are coming to my party, right? BOB: Another dance! But when do you Latins sleep?

A. Spanish has several verb forms used to report past actions and conditions. A speaker chooses one form or another depending on the way the event is viewed.

B. If a past action or condition is viewed as being completed, the preterit is used. If any time limit, however long or short, is specified for the past action or condition, the preterit, not the imperfect, must be used. The preterit is also used to mention the beginning or end of something in the past, since the beginning or end itself was over the instant it happened. The preterit gives a simple report; it invites the listener to wonder what comes next. Time expressions used with the preterit reinforce the notion that the event or series of events is completed.

Time expressions often associated with the preterit		
ayer	una vez *once*	el domingo (pasado)
anoche	dos veces	el mes (el año, etc.) pasado
a las once	otra vez	

Empecé a estudiar a las ocho. Terminé a las once.	*I began to study at eight o'clock. I finished at eleven.*
Me dio un beso y un abrazo.	*He (She) gave me a hug and a kiss.*

C. The imperfect is used when the speaker focuses on an action or condition as something going on in the past. The imperfect often invites the listener to wonder what else happened in the same context. Patterns of habitual action, mental states, descriptions of the way things looked or sounded, the time of day, and other background conditions in the past are typically reported with verbs in the imperfect; the speaker's interest is not their beginning or end, but just that they existed or were occurring. Time expressions used with the imperfect reinforce the focus on the ongoing or habitual aspect of the event.

Time expressions often associated with the imperfect		
todos los días	siempre	mientras
todos los meses	frecuentemente	los domingos

Todos los días Pedro besaba a su mujer antes de ir a la oficina.	*Every day Pedro kissed his wife before going to the office.*
Pedro besó a su mujer y se fue.	*Pedro kissed his wife and left.*
Marina siempre iba al cine los fines de semana.	*Marina always went to the movies on weekends.*
Marina fue al cine diez veces el mes pasado.	*Marina went to the movies ten times last month.*

A linear representation is helpful to some students. Draw the imperfect with a long wavy line and the preterit with an intersecting vertical line.

D. Often the preterit and imperfect are used in the same sentence to report that an action that was in progress in the past (expressed with the imperfect) was interrupted by another action or event (expressed with the preterit).

Mirabel tenía treinta años cuando se enamoró de Pablo.	*Mirabel was thirty years old when she fell in love with Pablo.*
Dábamos un paseo por la plaza cuando vimos a Enrique.	*We were taking a walk around (through) the plaza when we saw Enrique.*
Tomábamos champán cuando Felipe entró, se sentó a la mesa y dijo «¡Salud!»	*We were drinking champagne when Felipe came in, sat down at the table, and said "Cheers!"*

E. The imperfect of **conocer** means *to know, to be acquainted with,* whereas the preterit means *to meet, to make the acquaintance of.* The imperfect expresses ongoing acquaintance, whereas the preterit emphasizes meeting for the first time. The imperfect of **saber** means *to know,* whereas the preterit means *to find out.* Again, the imperfect emphasizes indefinite duration of time in the past, whereas the preterit indicates a completed action.

Mamá sabía que Eduardo conocía a mi hermano.	*Mom knew that Eduardo knew (was acquainted with) my brother.*
Esta mañana supe que usted conocía a mi hermano. ¿Dónde lo conoció?	*This morning I found out that you knew my brother. Where did you meet him?*

EJERCICIOS

A. ¿Qué pasaba cuando...? Choose the correct form of the verbs in parentheses.

1. Ayer cuando (llamaste/llamabas), nosotros (celebramos/celebrábamos) el cumpleaños de papá.
2. Nosotros (llegamos/llegábamos) tarde a la boda porque no (supimos/sabíamos) cómo llegar a la iglesia y (tuvimos/teníamos) que preguntar.
3. Hoy cuando (salí/salía) para el trabajo (llovió/llovía); por eso (volví/volvía) a casa y (me puse/me ponía) el impermeable.
4. Anoche (fui/iba) a una fiesta y (bailé/bailaba) toda la noche. (Hubo/Había) mucha gente en un apartamento muy pequeño, pero mis amigos y yo (nos divertimos/nos divertíamos) muchísimo.
5. Lucía (conoció/conocía) a Juan en una fiesta, pero no (supo/sabía) que vivía cerca de aquí.

B. El misterioso robo de los regalos de boda. Change the numbered verbs in the following story to the appropriate past-tense forms.

(1) **Es** una noche de verano. Susana y su esposo Jaime (2) **duermen** después de su boda. En la sala *(living room)* (3) **están** todos los regalos. (4) **Hay** cosas muy lindas. A las doce en punto un hombre (5) **entra** en la casa. (6) **Es** el hombre a quien la policía (7) **busca** desde el sábado. (8) **Va** a la sala, (9) **abre** la puerta y (10) **ve** los regalos allí. Jaime y Susana no lo (11) **escuchan** cuando (12) **entra** y no lo (13) **ven** cuando (14) **se va.** Cuando ellos (15) **se despiertan,** los regalos ya no (16) **están** allí. Susana (17) **llama** a la policía. Los dos (18) **están** tristes *(sad)*, pero no muy tristes, porque los regalos más importantes, los anillos, todavía los (19) **tienen.**

Now answer the following questions.

1. ¿Qué estación del año era cuando pasó esto? 2. ¿Qué hacían Susana y su esposo? 3. ¿Qué había en la sala? 4. ¿Qué pasó a las doce? 5. ¿Qué descubrieron Jaime y Susana cuando se despertaron? 6. ¿Qué hizo Susana? 7. ¿Estaban muy tristes los esposos? ¿Por qué sí o por qué no?

C. El Greco (1541–1614). Complete the following passage with the correct imperfect or preterit forms of the verbs in parentheses.

El verdadero nombre del famoso pintor *(painter)* que conocemos como «El Greco» (1. ser) _____ Domenikos Theotokopoulos. (2. ser) _____ de Grecia. Cuando (3. tener) _____ aproximadamente veinte años (4. ir) _____ a Italia para estudiar arte. Allí (5. conocer) _____ a tres famosos pintores italianos: Miguel Ángel, Correggio y Tiziano. Tiziano (6. ser) _____ su maestro por muchos años, pero también los otros dos (7. tener) _____ gran influencia sobre su obra. Unos años después, El Greco (8. viajar) _____ a España, y a los treinta y seis años (9. decidir) _____ ir a vivir a la ciudad de Toledo. Allí (10. pasar) _____ el resto de su vida. ¿Por qué no (11. volver) _____ a Grecia? Probablemente porque en España, y especialmente en Toledo, (12. poder) _____ encontrar ese gran misticismo y ese espíritu *(spirit)* religioso que están presentes en todas sus obras. El Greco (13. morir) _____ en Toledo en 1614.

Entrevista _____

1. ¿Trabajabas o estudiabas el año pasado? 2. Y anoche, ¿trabajaste o estudiaste? 3. Cuando eras niño(-a), ¿qué hacías los fines de semana? 4. ¿Qué hiciste el fin de semana pasado? 5. ¿Veías muchas películas cuando eras un poco menor? ¿Te gustaba ir al cine con amigos o preferías ir solo(-a) *(alone)*? ¿Por qué? 6. ¿Viste alguna película interesante recientemente? ¿Cuál? 7. ¿Qué hora era cuando te acostaste anoche? ¿Qué hiciste después de cenar y antes de acostarte? ¿Estudiaste? ¿Hablaste con algun(a) amigo(-a)? ¿Saliste con tu novio(-a)?

● ●

III. *HACER* WITH EXPRESSIONS OF TIME

JANE	¡Por fin llegas!
FERNANDO	¿«Por fin»? *¿Cuánto tiempo hace* que me esperas?
JANE	*Hace una hora* que estoy aquí. ¿Dónde estabas?
FERNANDO	En casa, hasta que salí *hace media hora.* ¿Por qué?
JANE	¿No teníamos que encontrarnos a las cinco? *Hacía media hora* que estaba aquí cuando tú saliste.
FERNANDO	Tú y tu puntualidad yanqui. Estás en España, Jane, ¿recuerdas?
JANE	Pero Fernando, si tienes una cita a las cinco, ¿a qué hora llegas generalmente?
FERNANDO	Un poco más tarde. A las cinco y media, o a las seis, o...

1. ¿Cuánto tiempo hace que Jane espera a Fernando?   2. ¿Cuándo salió Fernando de su casa?   3. ¿A qué hora tenían que encontrarse?   4. ¿Cuánto tiempo hacía que Jane estaba allí cuando Fernando salió?   5. Generalmente, ¿llega Fernando tarde, a tiempo o temprano a una cita? ¿Y Jane?

JANE: So you got here at last! FERNANDO: "At last?" How long have you been waiting for me? JANE: I've been here for an hour. Where were you? FERNANDO: At home, until I left a half hour ago. Why? JANE: Weren't we supposed to meet at five o'clock? I had been here half an hour when you left. FERNANDO: You and your Yankee punctuality. You're in Spain, Jane, remember? JANE: But Fernando, if you have an appointment at five o'clock, when do you generally arrive? FERNANDO: A little later. At five-thirty, or six o'clock, or . . .

● ●

A. Hace + time period + **que** + verb in the present tense expresses an action or event that began in the past and continues into the present.

Hace tres años que vivo solo.	*I have been living (have lived) alone for three years* (and still do).
Hace seis meses que trabajo en Sevilla.	*I've been working in Sevilla for six months.*

The verb in the main clause is in the present tense, since the action is still in progress. If the action is no longer in progress, the preterit is used.

Viví solo tres años.	*I lived alone three years* (but no longer do).
Trabajé en Sevilla por seis meses.	*I worked in Sevilla for six months.*

Students tend to have problems using this and other **hacer** constructions correctly in conversation. You may want to present this section for recognition only.

B. Hacía + time period + **que** + verb in the imperfect tense can be used to express an action or event that began at some point in the past and continued up to some other point in the past.

Hacía tres años que vivía solo cuando te conocí.	*I had been living (had lived) alone for three years when I met you.*
Hacía seis meses que trabajaba en Sevilla.	*I had been working in Sevilla for six months* (and was still there at the moment I'm thinking of).

C. The clause in the present or imperfect can occur at the beginning of the construction; in this case, **que** is omitted.

Vivo solo hace tres años. (Hace tres años que vivo solo.)*	*I have been living alone for three years.*
Vivía solo hacía tres años. (Hacía tres años que vivía solo.)	*I had been living alone for three years.*

---

*The word **desde** (which normally means *from* or *since*) often occurs in this construction: **Vivo aquí desde hace tres años.**

D. Hace can also mean *ago;* in this case the verb is in the preterit or imperfect.

Hablé con Juan hace varios* meses.	*I spoke with Juan several months ago.*
Hace una semana supe que terminaste los estudios. ¡Felicitaciones!	*A week ago I found out that you finished your studies. Congratulations!*
Éramos compañeros de clase hace diez años.	*We were classmates ten years ago.*

Point out question forms: **¿Cuánto tiempo hace que...?** **¿Cuánto hace que...?** and **¿Hace cuánto que...?** These are used in the **Entrevista.**

EJERCICIO

Lo hice hace tiempo.   Silvia is all ready for her trip to Granada. Take Silvia's part and answer her mother's questions using **hace** + a time expression. Follow the model and use object pronouns wherever possible.

> **MODELO**   LA MAMÁ   ¿Ya reservaste un cuarto en el hotel? (un mes)
> SILVIA   **Sí, lo reservé hace un mes.**

1. ¿Ya le hablaste a Roberto? (diez minutos)
2. ¿Fuiste al banco *(bank)?* (varios días)
3. ¿Compraste los regalos para los Sanabria? (mucho tiempo)
4. ¿Hiciste las maletas? (una hora)
5. ¿Ya llevaste las cartas a la oficina? (una semana)
6. ¿Llamaste un taxi? (media hora)

Entrevista _____

1. ¿Cuántas semanas hace que empezó el semestre (trimestre)? ¿Y cuánto tiempo hace que empezó la clase de hoy?   2. ¿Dónde estabas hace tres horas? ¿hace cinco horas?   3. ¿Cuánto tiempo hace que eres estudiante universitario(-a)? ¿Y cuánto hace que estudias español? ¿que conoces a tu profesor(a) de español?   4. ¿Dónde se conocieron tus padres? ¿Hace cuánto tiempo que se conocieron? ¿Se conocían desde hacía mucho tiempo cuando se casaron?   5. ¿Dónde vives? ¿Vives allí desde hace mucho tiempo? ¿Dónde vivías hace cinco años? ¿Hacía mucho tiempo que vivías allí cuando te mudaste?

· ·

IV. THE RELATIVE PRONOUNS *QUE* AND *QUIEN*

Proverbios.   Match the Spanish proverbs on the left with the English equivalents on the right.

Other proverbs you may want to give students: **Donde hay dos *que* se quieren bien, con uno *que* come basta. Más vale bien quedada *que* mal casada. Piensan los enamorados *que* los otros tienen los ojos quebrados.**

_____ 1.	No hay mayor pena *que* perder una mujer buena.	a. He whose wife helps him is on the road to (good) fortune.
_____ 2.	Ojos *que* no ven, corazón *que* no siente.	b. There's no worse sorrow than losing a good woman.
_____ 3.	A *quien* su mujer ayuda, camino está de la fortuna.	c. Eyes that do not see, heart that does not feel.
_____ 4.	Ama *a quien* no te ama, responde *a quien* no te llama, y andarás carreras vanas.	d. Love the one who does not love you, go to the one who does not call you, and you will be on a vain path (leading nowhere).

*****Varios (varias)** is always used in the plural and means *some* or *several.*

La famosa Giralda, torre
de la Catedral de Sevilla

A. Que is the most commonly used equivalent for *that, which, who,* and *whom,* used
to refer to both people and things.

Éste es el anillo que Alfonso me dio.	*This is the ring that Alfonso gave me.*
¿Quién es esa mujer que abraza a Antonio?	*Who is that woman who is hugging Antonio?*
¿Cómo se llama la película de que hablas?	*What's the name of the movie you're talking about?*

Relative pronouns are often omitted in English, but they are always used in Spanish.
Que is used after prepositions (**a, con, de, en, para,** etc.) when referring to things.

B. Quien (**quienes** in the plural) refers only to people. It is usually used as the object
of a preposition (**a, con, de, en, para,** etc.). When used as an object, **quien**
(**quienes**) must be preceded by the preposition **a.**

¿Quién es la chica con quien tienes cita hoy?	*Who's the girl you have a date with (with whom you have a date) today?*
¿Adolfo es el músico de quien hablas?	*Is Adolfo the musician you are talking about (about whom you're talking)?*
La mujer para quien trabajo se divorció hace un año.	*The woman for whom I work (The woman I work for) got divorced a year ago.*

EJERCICIOS

A. En la plaza. Complete the sentences with **que** or **quien(es).**

1. ¿Quién es esa mujer _____ habla con los García? Creo que la conocemos.
2. Allí están los señores con _____ cenamos esta noche.
3. ¿Cómo se llama la persona de _____ hablas?
4. ¡Mira la ropa _____ lleva aquel chico!
5. Allí veo a dos hombres con _____ trabajo.

B. Opiniones. Complete the first blank in each sentence with an appropriate noun that expresses your opinion and the second blank with **que** or **quien(es).**

1. _____ es un país _____ quiero conocer.
2. _____ son ciudades _____ quiero visitar.
3. _____ son dos películas _____ pienso ver.
4. _____ es el (la) profesor(a) con _____ sigo un curso muy interesante.
5. _____ son dos estudiantes _____ siempre están en clase.
6. _____ es una universidad _____ tiene muy buena reputación.
7. _____ es una persona _____ admiro mucho.

Viñeta cultural

UN
MINIDRAMA
DE MARCO
DENEVI

Antes de leer

1. Read the title of the selection on page 216 and the two first lines. What's the topic of this work?
2. Look at the form of the work. Is it a short story, poem, or play?
3. How many characters are there? Who are they?
4. Look at the author's name. Marco Denevi is an Argentinean writer of short stories, novels, and plays. What do the names Ramón Civedé and Marco Denevi have in common?

No hay que complicar° la felicidad°

complicate / happiness

de RAMÓN CIVEDÉ

(Un parque. Sentados en un banco de piedra, bajo los árboles,° ÉL y ELLA se besan.)

Sentados... *Sitting on a stone bench under the trees*

ÉL Te amo.

ELLA Te amo.

(Vuelven a besarse.°)

Vuelven... *They kiss each other again.*

ÉL Te amo.

ELLA Te amo.

(Vuelven a besarse.)

ÉL Te amo.

ELLA Te amo.

(ÉL se pone violentamente de pie.°)

ÉL... *He stands up violently.*

ÉL ¡Basta!° ¡Siempre lo mismo°! ¿Por qué, cuando te digo que te amo, no contestas, por ejemplo, que amas a otro?

Enough! / **lo...** *the same thing*

ELLA ¿A qué otro?

ÉL A nadie. Pero lo dices para que yo tenga celos.° Los celos alimentan° al amor. Nuestra felicidad es demasiado° simple. Hay que complicarlo un poco. ¿Comprendes?

para... *so that I'll be jealous*
nourish, feed
too

ELLA No quería confesártelo porque pensé que sufrirías°. Pero lo has adivinado°.

you would suffer
lo... *you have guessed it*

ÉL ¿Qué es lo que adiviné?

(ELLA se levanta, se aleja unos pasos°.)

se... *She moves away a few steps*

ELLA Que amo a otro.

(ÉL la sigue.)

ÉL Lo dices para complacerme°. Porque yo te lo pedí.

para... *to please me*

ELLA No. Amo a otro.

ÉL ¿A qué otro?

ELLA A otro.

(Un silencio.)

ÉL Entonces, ¿es verdad?

ELLA *(vuelve a sentarse. Dulcemente°)* Sí. Es verdad.

Sweetly

(ÉL se pasea. Aparenta un gran furor.°)

ÉL... *He walks around. He appears to be very angry.*

ÉL Siento° celos. No finjo.° Siento celos. Estoy muerto° de celos. Quisiera matar° a ese otro.

I feel / **No...** *I'm not pretending.*
dying / **Quisiera...** *I want to kill*

ELLA *(Dulcemente.)* Está allí.

ÉL ¿Dónde?

ELLA Allí, entre los árboles.

ÉL Iré en su busca.°

Iré... *I'll go look for him.*

ELLA Cuidado. Tiene un revólver.

ÉL Soy valiente.

> (ÉL *sale. Al quedarse sola,* ELLA *ríe°. Se escucha el* *laughs*
> *disparo de un arma de fuego°.* ELLA *deja de reír.°*) **Se...** *The shot of a firearm is*
> **ELLA**   Juan. *heard /* **deja...** *stops*
> (*Silencio.* ELLA *se pone de pie.°*) *laughing*
> **se...** *stands up*
> **ELLA**   Juan.
> (*Silencio.* ELLA *corre hacia los árboles.*)
> **ELLA**   Juan.
> (*Silencio.* ELLA *desaparece° entre los árboles.*) *disappears*
> **ELLA**   Juan.
> (*Silencio. La escena permanece vacía.° Se oye°, lejos, el* **La...** *The scene remains*
> *grito desgarrador° de* ELLA.) *empty /* **Se...** *one hears*
> **el...** *the heart-breaking*
> **ELLA**   ¡Juan! *scream*
> *Después de unos instantes, desciende silenciosamente el*
> *Telón.°*   *Curtain*

Después de leer

A. Preguntas

1. ¿Dónde están Él y Ella?
2. ¿Se quieren Él y Ella? Según su opinión, ¿por qué no tienen nombre?
3. Parece que Él no está muy contento con la relación que existe entre Él y Ella. ¿Por qué?
4. ¿Qué le confiesa *(confess)* Ella a Él? ¿Cree usted que Ella le dice la verdad? ¿Por qué?
5. Él dice: «Siento celos... Quisiera matar a ese otro.» ¿Cree usted que Él realmente quiere matar a ese «otro» o simplemente juega con Ella? ¿Por qué?
6. Según su opinión, ¿qué pasa al final *(at the end)*? ¿Está muerto *(dead)* Él? ¿Quién lo mató? ¿Cómo?

B. Opiniones.   ¿Está usted de acuerdo? ¿Por qué sí o por qué no?

1. No hay amor sin celos.
2. El amor no existe; es pura utopía.
3. Es imposible estar enamorado(-a) de dos personas al mismo tiempo.
4. El amor todo lo puede. *(Love conquers all.)*
5. La amistad verdadera sólo puede existir entre personas del mismo sexo (i.e., entre dos mujeres o dos hombres, pero no entre un hombre y una mujer).

C. Minidrama.   With a partner, create another version of the minidrama and present it to the class.

PARA ESCUCHAR

1301 Escapada a Andalucía (4 DIAS)

DIA 1 (MARTES). MADRID — CORDOBA — SEVILLA
Salida de Madrid hacia Aranjuez y siguiendo la comarca de La Mancha y el Paso de Despeñaperros hasta Bailén. Almuerzo y continuación a Córdoba, para realizar la visita de su Mezquita Catedral. Reanudación del viaje hasta Sevilla. Llegada. Cena y alojamiento.

DIA 2 (MIERCOLES). SEVILLA
Desayuno, almuerzo y alojamiento. Por la mañana, visita de la ciudad: Catedral, Alcazar, Barrio de Santa Cruz, Parque de María Luisa, etc.

DIA 3 (JUEVES). SEVILLA — GRANADA
Desayuno y salida hacia Granada por Osuna y Loja. Cena y alojamiento. Tarde libre.

DIA 4 (VIERNES). GRANADA — MADRID
Desayuno y almuerzo. Por la mañana, visita de la Alhambra y los Jardines de Generalife. Después del almuerzo salida por Jaén a Madrid. Llegada a última hora de la tarde. FIN DE NUESTROS SERVICIOS.

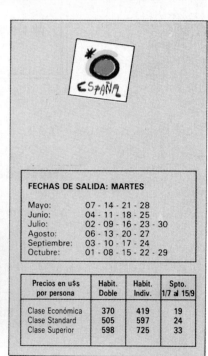

FECHAS DE SALIDA: MARTES

Mayo:	07 - 14 - 21 - 28
Junio:	04 - 11 - 18 - 25
Julio:	02 - 09 - 16 - 23 - 30
Agosto:	06 - 13 - 20 - 27
Septiembre:	03 - 10 - 17 - 24
Octubre:	01 - 08 - 15 - 22 - 29

Precios en u$s por persona	Habit. Doble	Habit. Indiv.	Spto. 1/7 al 15/9
Clase Económica	370	419	19
Clase Standard	505	597	24
Clase Superior	598	725	33

A. ¿Quién habla?   Listen to the three conversations, which take place on a bus during a tour of Andalusia. For each conversation, tell who is talking.

Vocabulario: judío *Jewish*   **dominar** *to dominate*   **tipo** *guy*   **torre** *tower*   **mezquita** *mosque*   **recuerdos** *souvenirs*   **tumba** *tomb*

Conversación 1 _____
Conversación 2 _____
Conversación 3 _____

a. a husband and wife
b. a guide and tourist
c. a man and woman who are attracted to each other

B. Para completar. Listen to the conversations again. Choose the best response to each item.

1.
a. en Granada
b. en Córdoba
c. en Sevilla

2.
a. judío
b. árabe
c. cristiano

3.
a. 1190
b. 1248
c. 1492

4.
a. la torre de la Catedral de Sevilla
b. parte de una mezquita árabe
c. *a* y *b*

5.
a. la catedral
b. el barrio de Santa Cruz
c. la Alhambra

El barrio de Santa Cruz, Sevilla

FUNCIONES *y actividades*

In this chapter, you have seen examples of some important language functions, or uses. Here is a summary and some additional information about these functions of language.

Telling a story

Here are some expressions that are often used in telling a story.

¿Sabe(s) qué le pasó a Julio (me pasó a mí) ayer?	*Do you know what happened to Julio (to me) yesterday?*
¿Sabía(s) que...?	*Did you know that . . . ?*
Eso me recuerda...	*That reminds me of . . .*
Siempre recuerdo...	*I'll always remember . . .*
Después (Entonces)...	*Then . . .*
¿Y sabe(s) qué?	*And do you know what?*
En fin...	*Finally . . . (Well . . .)*

Giving the speaker encouragement

When someone is telling a story, it's important to give the speaker some sort of response to show you are listening and want him or her to continue. Here are some ways to do this in Spanish.

¿Y después?	*And then what?*
¿Y qué pasó después?	*And then what happened?*
¿Y qué hacía(s) mientras pasaba eso?	*And what were you doing while that was happening?*
¿Y qué hizo (hiciste) después?	*And then what did you do?*
¿Hace cuánto tiempo pasó eso?	*How long ago did that happen?*
Sí, entiendo.	*Yes, I understand.*
Sí, claro.	*Yes, sure.*
Sí, cómo no.	*Yes, of course.*
¿En serio? (¿De veras?)	*Really?*

Using polite expressions

Con permiso means *Excuse me* (literally, "With your permission"). It is used when you are about to pass in front of someone, eat something in front of someone, etc. **Perdón** means *Excuse me* when you have done something for which you are apologizing (like stepping on someone's toe, spilling something on someone, etc.).

¡Salud! (literally, "Health!") is used when making toasts to mean *Cheers!* and also when someone sneezes to mean *Gesundheit!* **¡Felicitaciones!** means *Congratulations!*

There are two ways to say *You're welcome:* **De nada** and **No hay de qué,** both of which mean basically *It's nothing.*

Actividades

A. ¿Es usted una persona cortés?   Give a polite expression for each situation below.

  B. ¿Y sabes qué...?   With a partner, tell a story about something that happened to you or someone you know. Your partner will ask questions and give encouragement; use words and expressions from this chapter. Then change roles, and have your partner tell a story.

Students who commute might describe a brother, a sister, or a spouse. This activity could also be used as a composition topic.

C. Compañero(-a) de cuarto. Tell a story about a roommate you've had, or invent one. Include the answers to these questions:

1. ¿Cómo era su compañero(-a)? ¿Qué estudiaba? ¿Estudiaban juntos(-as)?
2. ¿Qué diferencias había entre su compañero(-a) y usted? Por ejemplo, ¿estudiaban a las mismas horas? ¿Se levantaban más o menos a la misma hora? ¿Les gustaba el mismo tipo de música?, ¿de comida?, ¿de ropa?
3. En general, ¿se llevaban bien o no muy bien...?

PARA ESCRIBIR

Melodrama de amor. Look at the drawings and tell Ana and Rodrigo's story, in the form of a narrative or a letter to a friend.

VOCABULARIO ACTIVO

Cognados

generalmente	misterioso	religioso
latino	el parque	el semestre

Verbos

abrazar	*to hug, embrace*
acompañar	*to accompany, go with*
amar	*to love*
besar	*to kiss*
casarse (con)	*to get married (to)*
divorciarse	*to divorce*
enamorarse (de)	*to fall in love (with)*
entrar	*to enter, go in*
existir	*to exist*
llevarse (bien, mal) con	*to get along (well, poorly) with*
parecer (zc)	*to seem*
romper	*to break*
romper con	*to break up with*
sacar	*to take (out)*
sacar una nota	*to get a grade*
terminar	*to end, finish*

Novios y amigos

el abrazo	*hug, embrace*
el anillo	*ring*
el beso	*kiss*
la boda	*wedding*
los celos	*jealousy*
tener celos de	*to be jealous of*
la cita	*date, appointment*
tener una cita	*to have a date or appointment*
el compañero (la compañera) de clase	*classmate*
el compañero (la compañera) de cuarto	*roommate*
la iglesia	*church*
el matrimonio	*married couple; marriage*
la novia	*girlfriend; bride; fiancée*
el novio	*boyfriend; groom; fiancé*
la pareja	*pair, couple*

Adjetivos

celoso	*jealous*
enamorado (de)	*in love (with)*
feliz (felices)	*happy*

judío	*Jew; Jewish*
juntos	*together*
medio	*half*
mismo	*same*
solo	*alone*
soltero	*single, unmarried*
varios	*several, some*

Otras palabras y frases

al mismo tiempo	*at the same time*
el maestro (la maestra)	*teacher, master, scholar*
la nota	*grade*
el rey	*king*
el tipo	*type; (slang) guy*
ya	*already; yet*
ya no	*no longer, not any longer*

Expresiones útiles

Con permiso.	*Excuse me.* (lit., *With your permission.*)
De nada. (No hay de qué.)	*You're welcome.*
En fin...	*Finally (Well) . . .*
¿En serio?	*Seriously? Really?*
¡Felicitaciones!	*Congratulations!*
Perdón.	*Excuse me.*
¡Por fin!	*Finally!*
¿Sabía(s) que...?	*Did you know that . . . ?*
¡Salud!	*Cheers! Gesundheit!* (lit., *Health!*)
Siempre recuerdo...	*I always remember . . .*

Don't forget: **Hace** with time expressions, pages 211–213; Relative pronouns **que** and **quien,** pages 213–215

Los turistas pueden admirar y comprar las artesanías de los indios.

CAPÍTULO *diez*

VIAJES Y PASEOS

VOCABULARIO. In this chapter you will talk about traveling.

GRAMÁTICA. You will discuss and use:

- Command forms directed to people addressed as **usted** or **ustedes**
- Command forms directed to people addressed as **tú**
- Position of object pronouns with commands *(e.g., Give it to me.)*

CULTURA. This chapter focuses on Mexico.

FUNCIONES

- Asking for directions
- Understanding directions
- Getting someone's attention

MÉXICO

GOLFO DE MÉXICO

CANCÚN
UXMAL   CHICHÉN ITZÁ
MÉRIDA
ISLA MUJERES
YUCATÁN   COZUMEL
KIMPECH   TULUM
CAMPECHE
QUINTANA ROO
CAMPECHE   CHETUMAL
GUATEMALA   BELICE

¿Sabía Ud. que...?

1. En el país de México (los Estados Unidos mexicanos) hay una gran variedad de climas y culturas. Muchos turistas visitan la Península de Yucatán, por sus playas hermosas e islas tropicales. La «ruta maya *(Mayan)*», una serie de sitios de interés arqueológico, incluye *(includes)* las ruinas mayas de Chichén Itzá y Uxmal.

2. En el centro del país, al norte de la Ciudad de México, está el estado de Guanajuato con su capital del mismo nombre. Guanajuato es un lugar turístico muy popular por sus edificios coloniales, sus pequeñas plazas pintorescas *(picturesque)* y su rica vida cultural.

¿CÓMO VIAJA USTED?

A synonym of **ir a pie** is **ir caminando.**

¿Va en bicicleta?

¿Va a pie?

¿Hace autostop?

la estación de trenes
(del ferrocarril)
el horario
la salida, la llegada

¿Viaja usted por (en) tren?

el puerto

¿Viaja usted por (en) barco?

¿Viaja usted por (en) avión?

el aeropuerto
Los pasajeros suben al avión.*

Si usted sale del país, tiene
que pasar por la aduana.

Hay que mostrarle el
equipaje (las maletas) al
agente de aduana.

En un banco usted cam-
bia *(exchange)* dinero o
cheques de viajero.

la caja
el (la) cajero(-a)

Usted se queda en un
hotel o en una pensión.

el (la) recepcionista
la recepción
la habitación *(room)*

Las definiciones.   ¿Cuál es la palabra que corresponde a la definición?

   MODELO   una cosa en que viajamos por mar: un... **barco**

1.   un lugar donde las habitaciones cuestan poco: una...
2.   un lugar donde cambiamos los dólares por pesos: un... o la...
3.   un lugar donde revisan las maletas: la...
4.   el lugar donde hay muchos barcos: el...
5.   las maletas que llevamos cuando viajamos: el...
6.   una persona que hace un viaje por avión: un(a)...

****Subir a** with a means of transportation means *to get on.* **Subir** without the preposition **a** means *to climb* or *to
go up:* **Subimos una montaña. Los precios suben.**

¿QUÉ HACE EL VIAJERO *(TRAVELER)* EXPERTO?

1. No deja las cosas para el último *(last)* momento.*
   Va a una agencia de viajes. Decide cómo va a viajar: por barco, por tren, por avión o a pie. Compra pasajes (boletos) de ida y vuelta.

2. Decide si quiere quedarse en una pensión o en un hotel. Estudia los precios antes de decidir. Hace sus reservaciones antes de salir.

3. Lee varios libros sobre el sitio *(place)* que va a visitar. También consulta mapas.

4. Hace la maleta varios días antes de salir. No lleva mucho equipaje.

5. Siempre recuerda las tres cosas más importantes: los boletos, el dinero (o los cheques de viajero) y el pasaporte.

6. Llega temprano al aeropuerto, al puerto o a la estación de autobuses o del ferrocarril.

7. Siempre conoce las regulaciones de la aduana.

¿Verdadero o falso?   ¿Son verdaderas o falsas las siguientes frases *(following sentences)*? El viajero experto...

1. Lleva mucho equipaje.
2. Hace la maleta la noche antes de salir.
3. Lee libros y consulta mapas del sitio que va a visitar.
4. Recuerda tres cosas importantes: el dinero, el pasaporte y las aspirinas.
5. No lleva cheques de viajero porque es difícil cambiarlos.
6. Pregunta el precio de las habitaciones antes de hacer la reservación.

---

*__Dejar__ means *to leave, leave behind,* or *to let, allow.*

Preguntas

1. ¿Le gusta viajar? ¿Qué ciudad o sitio visitó durante su último viaje?   2. ¿Piensa hacer un viaje este año? ¿Adónde? ¿Cuándo? ¿Con quiénes?   3. ¿Pasea (Va) mucho en auto usted? ¿Hace autostop a veces?   4. ¿Piensa hacer un paseo este fin de semana? ¿Adónde? 5. ¿Qué es un(a) cajero(-a)? ¿y un(a) recepcionista?

• •

I. FORMAL *USTED* AND *USTEDES* COMMANDS

En Ciudad de México, cerca del Museo de Historia Natural.

SR. SMITH	*Oiga,*° señor, ¿sabe usted si hay algún banco por aquí cerca? Necesitamos cambiar dinero.	*Excuse me*
OTRO SEÑOR	Pues, el Banco de México está a diez cuadras° de aquí. *Vayan* derecho° por esta calle hasta la Avenida Juárez. *Doblen*° a la izquierda y *caminen*° dos cuadras. El banco está en la esquina° de las avenidas Juárez y Lázaro Cárdenas.	*blocks*/**Vayan...** *Go straight* *Turn* *walk* *corner*
SR. SMITH	Señor, *espere*° un momento, por favor. A ver... Vamos derecho por esta calle hasta la Avenida Juárez. Allí doblamos a la izquierda y caminamos dos cuadras, ¿no?	*wait*
OTRO SEÑOR	Exacto..., ¡pero son las cuatro menos cuarto! Aquí los bancos cierran a las cuatro. ¡*Tomen*° un taxi o no llegan a tiempo!	*Take*
SR. SMITH	Muchas gracias, señor. ¡Taxi!... ¡Taxi!	

1. ¿Adónde quieren ir los señores Smith? ¿Para qué?   2. ¿Qué banco está a siete cuadras de allí?   3. ¿Cuántas cuadras deben caminar por la Avenida Juárez?   4. ¿A qué hora cierran los bancos en esa ciudad?   5. ¿Qué deben hacer los señores Smith para no llegar tarde?

• •

A. To form the singular formal (**usted**) command of regular verbs, drop the **-o** ending from the first-person singular (**yo**) form of the present tense and add **-e** for **-ar** verbs and **-a** for **-er** and **-ir** verbs. The **ustedes** command is formed by adding an **-n** to the singular command forms.

-ar	Compro esa maleta.	Compr**e** (usted) esa maleta. Compr**en** (ustedes) esa maleta.
-er	Como algo.	Com**a** (usted) algo. Com**an** (ustedes) algo.
-ir	Escribo la carta.	Escrib**a** (usted) la carta. Escrib**an** (ustedes) la carta.

The pronouns **usted** and **ustedes** are usually omitted, but they are sometimes used to soften a command, to make it more polite. To make a command negative, place **no** before the verb.

No compren ustedes nada aquí; vamos al mercado.	*Don't buy anything here; let's go to the market.*

B. If a verb has an irregularity or a stem change in the first-person singular of the present tense, this irregularity or stem change is carried over into the command forms.

No salga todavía.	*Don't leave yet.*
Recuerde el número de la casa.	*Remember the house number.*
Duerman un poco.	*Sleep a little (while).*
Vuelvan a la caja en seguida.	*Come back to the cashier's desk right away.*
No pierdan los cheques de viajero.	*Don't lose the traveler's checks.*

C. Infinitives that end in **-zar, -car,** and **-gar** have a spelling change in the **usted** and **ustedes** command forms to preserve the sound of the infinitive ending.

c to **qu**	buscar	yo busco	bus**que**(n)
g to **gu**	llegar	yo llego	lle**gue**(n)
z to **c**	empezar	yo empiezo	empie**ce**(n)

Saquen unas fotos (fotografías) aquí.	*Take some photos (photographs) here.*
Busque la maleta.	*Look for the suitcase.*

D. Some irregular formal **(usted** and **ustedes)** commands are:

ir	**vaya(n)**	estar	**esté(n)**
ser	**sea(n)**	dar	**dé,* den**
saber	**sepa(n)**		

Point out the difference between **de** (preposition) and **dé** (command form), and review other pairs of words distinguished one from the other by a written accent; **tú, tu; sí, si; mí, mi; él, el.**

Vayan primero a la estación de trenes.	*First go to the train station.*
Sean puntuales: estén aquí a las dos.	*Be punctual; be here at 2:00.*
Sepa el precio del boleto antes de llegar a la estación de autobuses.	*Know the price of the ticket before arriving at the bus station.*
Den un paseo con los niños.	*Take a walk with the children.*

EJERCICIOS

A. Vuelva en seguida, por favor. El señor Roa sale de viaje y le da instrucciones a su secretaria. Siga los modelos.

> **MODELOS** ir al banco.
> **Vaya al banco.**
>
> no llegar tarde
> **No llegue tarde.**

---

*The accent on **dé** distinguishes the word from the preposition **de.**

1. llamar a la agencia de viajes
2. hablar con Luisa
3. reservar los pasajes
4. no perder el tiempo
5. salir al banco
6. no ir en autobús
7. tomar un taxi
8. sacar dos millones de pesos del banco
9. pagar los pasajes y...
10. ¡...volver inmediatamente!

B. ¡Recuerden mis consejos! Déles consejos a unos amigos que van a Ciudad de México. Siga los modelos.

MODELOS   llevar cheques de viajero
Lleven cheques de viajero.

no perder sus pasaportes
No pierdan sus pasaportes.

1. hacer las maletas hoy o mañana
2. no llegar tarde al aeropuerto
3. asistir a un concierto de música folklórica
4. sacar muchas fotografías
5. ir al Museo Nacional de Antropología
6. dar un paseo por el Zócalo y...
7. ¡comer comidas típicas!

C. Preguntas... Un guía turístico habla con unos turistas. Siga los modelos.

MODELOS   ¿Puedo ir al banco ahora?
Sí, vaya al banco ahora.

¿Podemos buscar el equipaje?
Sí, busquen el equipaje.

1. ¿Puedo cambiar dinero aquí?
2. ¿Puedo usar el teléfono?
3. ¿Podemos salir de la aduana ya?
4. ¿Puedo comprar algunos regalos ahora?
5. ¿Podemos hacer una excursión en barco?
6. ¿Podemos sacar unas fotografías?

D. ...y más preguntas. Conteste negativamente las preguntas de los turistas del ejercicio C. Siga los modelos.

MODELOS   ¿Puedo ir al banco ahora?
No, no vaya al banco ahora.

¿Podemos buscar el equipaje?
No, no busquen el equipaje.

Conversaciones. Trabaje con un(a) compañero(-a). Inventen dos conversaciones: una con un(a) profesor(a) y otra con un(a) doctor(a). En forma alternada *(Taking turns),* un(a) estudiante hace las siguientes preguntas. El otro (La otra) contesta, usando la forma **usted** de mandatos *(using **usted** commands).*

Optional activities. Have students work in pairs or groups and prepare instructions based on classroom situations. Or have them write letters to **Querida Anita** describing a problem related to a recent or upcoming trip. Then have them exchange letters and prepare a reply using **usted** commands.

1. a un(a) profesor(a): ¿Cómo voy de aquí a la biblioteca? ¿de aquí a la cafetería? ¿de aquí a la oficina del presidente? ¿Qué puedo hacer para sacar mejores notas? ¿para hablar español correctamente?

2. a un(a) doctor(a): ¿Qué debo hacer para perder peso *(weight)*? ¿para dormir bien?

II. *TÚ* COMMANDS

El puerto de Veracruz, México

Cerca del puerto de Veracruz.

FERMÍN	*Oye*°, Tito, ¿me puedes decir cómo llegar al puerto?
TITO	*Toma* el autobús aquí y *baja* en la estación de autobuses; allí, *dobla* a la derecha. Después *ve* hasta el hotel El Viajero, pero ¡cuidado!, no *dobles* a la izquierda. *Sigue* derecho hasta el edificio de la aduana.
FERMÍN	¿Crees que llego a tiempo para reservar los pasajes?
TITO	No hay problema. Los niños te acompañan. *(Llama a los niños.)* ¡Toño! ¡Lisa! Vayan con el tío Fermín adonde están los barcos, ¿eh?
TOÑO	¿Los barcos? ¡Oh, ya sé! ¡Lisa! ¡*Ven* aquí! ¡*Corre!* ¡Vamos a la juguetería° con el tío Fermín!

Listen (margin note for *Oye*)

toy store (margin note for *juguetería*)

Aural comprehension. ¿Verdadero o falso? 1. El tío Fermín sabe dónde está el puerto. 2. El tío Fermín quiere comprar un barco. 3. Toño y Lisa quieren ir a una juguetería. 4. Toño y Lisa tienen veinte años.

1. ¿Adónde quiere ir Fermín?   2. Según las instrucciones de Tito, ¿dónde debe doblar Fermín?   3. ¿Para qué quiere llegar Fermín al puerto?   4. ¿Quiénes lo van a acompañar?   5. ¿Adónde cree Toño que van a ir?   6. En general, ¿prefiere usted viajar en autobús, en barco o en avión? ¿Por qué?

A. Informal singular (**tú**) affirmative commands for regular verbs are the same as the third-person singular, present-tense form. The pronoun **tú** is not used, except very rarely for emphasis.

Gloria toma el tren.	*Gloria is taking the train.*
Toma (tú) el tren.	*Take the train.*
Juan lee el mapa.	*Juan is reading the map.*
Lee el mapa.	*Read the map.*
Julia sube al autobús.	*Julia gets on the bus.*
Sube al autobús.	*Get on the bus.*
Felipe cruza la calle.	*Felipe is crossing the street.*
Cruza la calle.	*Cross the street.*

B. Some irregular affirmative **tú** commands are:

di	(decir)	**sal**	(salir)
haz	(hacer)	**sé**	(ser)
ve	(ir)	**ten**	(tener)
pon	(poner)	**ven**	(venir)

Point out homonyms:
sé—present of **saber**;
di—preterit of **dar**, and
sal, as in **sal y pimienta**.

Irene, di «gracias».	*Irene, say "thank you."*
Haz la maleta.	*Pack your suitcase.*
Ve al correo, Jorge.	*Go to the post office, Jorge.*
Pon el equipaje aquí.	*Put the luggage here.*
Sal ahora o no llegas a tiempo.	*Leave now or you won't arrive on time.*
Sé simpático, Mateo.	*Be nice, Mateo.*
¡Ten cuidado, José!	*Be careful, José!*
Ven acá, María.	*Come here, María.*

C. Negative **tú** commands are formed by adding an **s** to the **usted** commands.

No doble (usted) aquí. No dobles (tú) aquí.	*Don't turn here.*
No vuelva (usted) tarde. No vuelvas (tú) tarde.	*Don't come back late.*
No salga (usted) ahora. No salgas (tú) ahora.	*Don't leave now.*
No vaya (usted) a ninguna parte ahora. No vayas (tú) a ninguna parte ahora.	*Don't go anywhere now.*

EJERCICIOS

A. ¡No salgas muy tarde!   Ana prepara una fiesta para sus amigos esta noche a las ocho. Llama a Amelia para darle instrucciones de cómo llegar a su casa. Siga el modelo.

> **MODELO**   salir antes de las siete
> **Sal antes de las siete.**

1. tomar la calle Colonia
2. caminar tres cuadras
3. doblar a la izquierda
4. ir a la estación de autobuses
5. subir al autobús número 85
6. leer los nombres de las calles
7. bajar del autobús en la calle Colón
8. seguir por la calle Colón
9. buscar el número 121, que es donde vivo

Cambie las oraciones números 1, 3, 4, 5, 7 y 8 al negativo.

B. Vuelve en seguida, por favor.   Mire el ejercicio A (páginas 229–230). Cambie los infinitivos a mandatos. Siga estos modelos.

> **MODELOS**   ir al banco
> **Ve al banco.**
>
> no llegar tarde
> **No llegues tarde.**

Entrevista

Have students working in pairs or groups give directions to a friend on how to reach the campus or another location by bus.

Trabaje con un(a) compañero(-a). En forma alternada, hagan y contesten las preguntas que siguen. Usen mandatos en las respuestas *(answers)*.

1. ¿Cómo puedo ir de aquí al correo? ¿a la librería universitaria? ¿a la estación del ferrocarril? ¿al centro?   2. ¿Qué debo hacer para tener más amigos? ¿para divertirme los fines de semana?   3. ¿Adónde puedo ir para esquiar? ¿para nadar? ¿para tomar un café y leer?

• •

III. POSITION OF OBJECT PRONOUNS WITH COMMANDS

En Ciudad de México, donde los señores Castellón viajan en auto con sus tres hijos.

PEPE	Papá, tengo hambre. ¿Cuándo vamos a llegar al Parque de Chapultepec?	
SR. CASTELLÓN	*Déjanos*° en paz, Pepe. Y *siéntense*°, niños, porque vamos a *parar*°. *(Para el coche*°.)* Silvia, *dame*° el mapa.	*Leave us* / *sit down* / *to stop/car* / *give me*
SRA. CASTELLÓN	¿Otra vez estamos perdidos? Mejor *salgo*° a preguntar.	*I'd better go out*
PAQUITA	¡Qué bien! ¡Qué bien! ¡Llegamos!	

**Aural comprehension.
¿Verdadero o falso?**
Correct any false statements. **1.** La familia Castellón quiere llegar al Hotel Continental. **2.** Ellos están perdidos. **3.** El señor Castellón para el coche para leer un libro. **4.** Los Castellón llegan al Parque de Chapultepec.

SRA. CASTELLÓN	No, niños. *Quédense°* aquí. *(Sale del coche y regresa en unos minutos.)* Dice el señor que hay que regresar a la Plaza de las Tres Culturas, doblar a la izquierda en Paseo de la Reforma y después...	*Stay*
SR. CASTELLÓN	¡Pero no puede ser! Ya estuvimos en Paseo de la Reforma y nos dijeron que debíamos buscar Insurgentes.	
SRA. CASTELLÓN	*Cálmate°*, Mario. Ten paciencia.	*Calm down*
Media hora más tarde.		
SRA. CASTELLÓN	Niños, ¡estamos aquí! Pero, ¿qué les pasa? *¡Despiértense!°*	*Wake up*
LOS NIÑOS	Zzzzzzz.	

1. ¿Dónde está la familia Castellón?   2. ¿Qué quieren saber los niños?   3. ¿Por qué para el coche el señor Castellón?   4. ¿Qué hace la señora Castellón?   5. Según el señor, ¿qué hay que hacer?   6. Cuando llegan al parque, ¿qué hacen los niños?

• •

El valle de Oaxaca, México

Review rules for word
stress. Contrast, for
example, **Dele el
dinero. / Déselo.**

A. Object and reflexive pronouns are attached to affirmative commands, familiar and formal. The stressed vowel of the command form is still stressed when pronouns are attached, which usually means that an accent mark must be written on the stressed vowel to maintain the stress.

Point out that commands
can be replaced with
less direct forms, such as
the present tense: **Los
compra y los deja en el
auto.** (You buy them
and leave them in the
car.) They can also be
replaced with questions
that are implied com-
mands: **¿Quiere dejarlos
en el auto?** (Do you
want to leave them in
the car?).

Compra los cheques de viajero.
  Cómpralos (tú).
Léeme la dirección. Léemela (tú).
Cuéntenos (usted) algo del viaje
  de negocios.*
Denle (ustedes) la bienvenida a
  tía Carmen.
Perdónenme (ustedes).

Buy the traveler's checks. Buy them.

Read me the address. Read it to me.
Tell us something about the business trip.

Welcome (literally, *Give welcome to*) *Aunt
  Carmen.*
Pardon (Excuse) me.

B. Object pronouns precede negative commands, familiar and formal.

No cierres la puerta. No la cierres
  (tú).
No te preocupes.
No saque la foto aquí. No la
  saque (usted) aquí.
No les digan (ustedes) eso.

Don't close the door. Don't close it.

Don't worry.
*Don't take the photo here. Don't take it
  here.*
Don't tell them that.

Refer students to Chap-
ter 6 if review is needed.

C. When both a direct object pronoun and an indirect object pronoun are used, the indirect object pronoun precedes the direct object pronoun, just as with statements or questions.

Dímelo. No me lo digas (tú).
Déjenselos (los cheques de viajero).**
  No se los dejen (ustedes).

Tell me (it). Don't tell me (it).
*Leave them (the traveler's checks) for them
  (her, him). Don't leave them for them (her,
  him).*

EJERCICIOS

A. Ayúdame, por favor. Usted va a salir de viaje y no puede encontrar las siguientes cosas: **el pasaporte, los mapas, la dirección del hotel, los cheques de viajero.** Su compañero(-a) de cuarto lo (la) ayuda. Siga el modelo.

MODELO los regalos
  Búscalos allí, por favor.

---

*The verb **contar** (to tell, relate) is an **o** to **ue** stem-changing verb.
Here **dejar means to leave in the sense of to leave behind, not take and requires a direct object. (**Dejar,** of course, also means to allow, permit, or let.) **Salir** means to leave in the sense of to depart; it does not take a direct object.

B.   El viajero experto.   Trabajen en grupos. Miren las ilustraciones de la página 227 sobre el viajero experto. Den consejos a alguien que va de viaje. Hagan seis mandatos, usando pronombres objetos. Usen su imaginación e inventen otros consejos también.

> **MODELO**   El viajero experto compra boletos de ida y vuelta.
> **Cómprelos en una agencia o por teléfono. No los compre al último momento.**

C.   Órdenes y consejos.   Trabaje con un(a) compañero(-a). En forma alternada, contesten las siguientes preguntas. Hagan mandatos con pronombres objetos.

1.   ¿Qué órdenes oye mucho un niño? Dé cuatro o cinco ejemplos. Ideas: la comida que (no) debe comer, qué tiene que hacer para prepararse para ir a la escuela, órdenes de un(a) maestro(-a) de escuela (abrir el libro, sacar el bolígrafo, etc.), órdenes en la casa (poner la mesa, sacar la basura, lavar los platos, etc.).
2.   ¿Qué consejos quiere darle usted a un(a) amigo(-a)? Dé cuatro o cinco ejemplos. Ideas: la ropa que (no) debe llevar, las clases que (no) debe seguir, la comida que (no) debe comer en la cafetería, cosas que (no) debe comprar.
3.   ¿Qué órdenes o consejos que a usted no le gustan le dan sus padres? ¿Qué clase de órdenes o consejos sí le gustan? Dé cuatro o cinco ejemplos.

Viñeta cultural

MÉXICO: LA ANTIGUA CAPITAL AZTECA

El Zócalo, Ciudad de México

Antes de leer

1. Mire la foto en la página 236. ¿Qué es «la antigua capital azteca»?
2. ¿Cuántas personas hablan en esta conversación?
3. ¿Qué quieren decir los siguientes cognados?
   a. uruguayo   b. maravilloso   c. fascinante   d. ruina   e. admirar   f. vista

---

En una oficina del Zócalo, México, D.F.[1] Dos agentes de la Compañía Turismo Mundial° le dan la bienvenida a Amalia Muñoz, una agente uruguaya en viaje de negocios.   *World*

HÉCTOR	¡Bienvenida, señorita Muñoz! ¿Qué tal el viaje?
AMALIA	Bastante bueno, gracias. Pero ¡no me llame «señorita»! Llámeme Amalia, por favor. ¿Y usted es...?
HÉCTOR	¡Oh, perdóneme! Yo soy Héctor Peralta, y éste es Alonso Rodríguez. Él está a cargo de° las excursiones al Caribe°... *a... in charge of / Caribbean*
AMALIA	¡Alonso! ¡Pero ya nos conocemos! Fue en Montevideo que nos conocimos. ¿Recuerdas...?
ALONSO	¡Claro! Me llevaste a pasear por la playa.
AMALIA	No sabía que ahora vivías en México.
ALONSO	Vine aquí hace dos años.
HÉCTOR	Cuéntenos algo de usted, Amalia. ¿Es éste su primer viaje a México?
AMALIA	Sí. Vine por invitación de la Compañía Mexicana de Aviación. ¡Y vean mi suerte! La invitación incluye° pasaje de ida y vuelta y seis días en el mejor hotel de esta ciudad, que me parece maravillosa y fascinante. *includes*
HÉCTOR	La ciudad está construida° sobre las ruinas de la antigua capital azteca... *constructed*
ALONSO	...que estaba en medio de° un lago,[2] algo así como una antigua Venecia mexicana, ¿no? *en... in the middle of*
HÉCTOR	Exacto. Dicen que los aztecas tenían su gran templo aquí cerca, en el sitio donde ahora está la catedral.
AMALIA	¿Realmente? ¡Qué interesante!... ¿Y qué les parece si ahora me llevan a conocer el centro? ¡Recuerden que sólo tengo seis días!
ALONSO	Tus deseos° son órdenes, Amalia. Vengan. Síganme. Los invito a tomar una copa° en el bar de la Torre Latinoamericana.[3] *wishes / drink*
HÉCTOR	Desde allí usted va a poder admirar la belleza° de esta ciudad. ¡La vista es hermosa! *beauty*

*Point out that Alonso addresses Amalia with the **tú** form right away because they have already met.*

Have students working in
small groups re-create a
similar situation taking
place in a city with
which they're familiar
and then present their
mini-dramas to the class.

AMALIA	¡Qué suerte!... Pero por favor, espérenme unos minutos. Quiero comprar película para mi cámara. Vuelvo en seguida. ¡No me dejen!
ALONSO	Tú no cambias, Amalia. Nunca vas a ninguna parte sin tu famosa cámara. Pero no te preocupes, aquí te esperamos.

Después de leer

1. ¿Dónde están los tres agentes?   2. ¿Se conocían ya Amalia y Alonso? ¿Dónde se conocieron?   3. ¿Cuánto tiempo hace que Alonso está en México?   4. ¿Es éste el primer viaje de Amalia a México? ¿Qué incluye la invitación de la Compañía Mexicana de Aviación?   5. ¿Dónde está construida Ciudad de México?   6. ¿Qué tenían los aztecas en el sitio donde ahora está la catedral?   7. ¿Para qué piensan ir a la Torre Latinoamericana? 8. ¿Qué quiere hacer Amalia antes de ir allí?   9. ¿Le gusta a ella sacar fotos? ¿Cómo sabemos que la fotografía es una de sus diversiones favoritas?   10. ¿Le gusta a usted sacar muchas fotos cuando viaja o prefiere comprar postales *(postcards)* en los lugares que visita? ¿Por qué?

Notas Culturales

1. **El Zócalo** (officially called **Plaza de la Constitución**), one of the biggest squares in the world, is located in the center of Mexico City **(México, Distrito Federal).** One side is occupied by the cathedral, one of the largest in America, built on the site of a former Aztec temple. Another side is occupied by the **Palacio Nacional,** which was built over the site of Moctezuma's palace. Moctezuma was the emperor of the Aztecs, who had conquered most of the other Indians of Mexico by the time the Spanish arrived.

2. The subsoil of Mexico City is like a giant sponge; about 85 percent of it is water, much of which is extracted from time to time for use in the growing city. For this reason, many of the older public buildings have been thrust upward and must be entered by stairways added later to the original structure, while others have sunk and must now be reached by descending a stairway.

3. The **Torre Latinoamericana** is a forty-four-story skyscraper that floats on its foundation, which consists of piers sunk deep into the clay beneath Mexico City. The observatory on top is popular with tourists.

PARA ESCUCHAR

A. Un anuncio *(announcement).*   Los señores Díaz hacen un viaje desde Ciudad de México hasta Mérida, en la Península de Yucatán. En la habitación de su hotel oyen el siguiente anuncio de turismo en la radio. Escuche el anuncio y conteste esta pregunta: ¿De qué sitio de interés hablan en el anuncio?

a.   el Centro de Arqueología Maya
b.   Uxmal
c.   Chichén-Itzá

B. Para completar.   Escuche el anuncio otra vez. Escoja *(Choose)* las palabras que mejor completan las frases. **Vocabulario (cognados): experiencia, magnífica, zona, situada, observe. Escalones** = *steps.*

1.
a.   20 kilómetros de Mérida.
b.   120 kilómetros de Mérida.
c.   220 kilómetros de Mérida.

2.
a.   al Templo de los Toltecas.
b.   al Castillo.
c.   al Mercado.

3.
a.   a las 18 horas.
b.   a las 10 horas.
c.   a las 8 y 45 horas.

4.
a.   de primera clase.
b.   de Uxmal.
c.   de segunda clase.

5.
a.   a las 8 y 30 horas.
b.   a las 11 horas.
c.   cada hora desde las 5 hasta las 14 horas.

FUNCIONES *y actividades*

In this chapter, you have seen examples of some important language functions, or uses. Here is a summary and some additional information about these functions of language.

Asking for directions

The ability to ask for and understand directions is one of the most important language functions you will need when traveling in a Spanish-speaking country. Here are some ways to ask for directions.

¿Dónde está...?	*Where is . . . ?*
Busco la calle...	*I'm looking for . . . Street.*
¿Hay un correo (una estación de autobuses) cerca de aquí?	*Is there a post office (a bus station) near here?*
Por favor, señor(-a), ¿está lejos (está cerca) el mercado?	*Please, sir (ma'am), is the marketplace far away (nearby)?*
¿Cuál es la dirección de...?	*What's the address of . . . ?*
¿Me puede decir cómo llegar a...?	*Can you tell me how to get to . . . ?*
¿Por dónde va uno a...?	*How do you get to . . . ?*

Understanding directions

Here are some responses you may hear when you ask for directions.

Siga por la calle...	*Follow . . . Street.*
Doble a la izquierda (derecha).	*Turn left (right).*
Siga adelante (derecho).	*Keep going straight.*
Vaya derecho hasta llegar a...	*Go straight until you get to . . .*
Sígame hasta llegar a...	*Follow me until you get to . . .*
Camine dos cuadras hasta llegar a...	*Walk two blocks until you arrive at . . .*
Cruce la calle y...	*Cross the street and . . .*
Está al lado de...	*It's next to . . .*
Está al norte (sur, este, oeste) de...	*It's north (south, east, west) of . . .*
Está en la esquina de...	*It's on the corner of . . .*
Está en el centro.	*It's downtown.*
Después de pasar por..., está...	*After you pass . . . , it's . . .*

Getting someone's attention

One way to get attention is to simply say. **¡Oiga, señor (señora, señorita)! Oiga** is a word that never fails to get people to lend an ear. **Perdón, perdóneme,** or **discúlpeme** are also often used and are more polite.

Actividades ─────────────────────────────

A. **¿Por dónde va uno para llegar a...?**   Trabaje con un(a) compañero(-a). En forma alternada, hagan y contesten preguntas sobre cómo ir de la clase a los siguientes lugares:

1. un buen restaurante
2. un parque o un lugar bonito para dar un paseo
3. un sitio de interés que a usted le gusta visitar

B. **En Ciudad de México.**   Trabaje con un(a) compañero(-a). En forma alternada, Estudiante 1 da las siguientes instrucciones y Estudiante 2 las sigue. ¿Adónde llega el Estudiante 2? Empiecen siempre en la intersección de Avenida Insurgentes y Paseo de la Reforma.

MODELO   Tome la Avenida Insurgentes Norte hasta llegar a la Avenida Hidalgo. Doble a la derecha. Siga derecho hasta la Avenida Lázaro Cárdenas y doble a la derecha. Camine media cuadra y lo va a ver a su derecha.
el Palacio de Bellas Artes

1. Vaya derecho por Paseo de la Reforma hasta llegar a la Fuente de la Diana Cazadora. Allí no vaya derecho. Usted va a entrar en el Parque de Chapultepec, pero siga por Paseo de la Reforma hasta llegar a un gran edificio a su derecha.

2. Tome Paseo de la Reforma hacia el Monumento a Colón y vaya hasta la Avenida Juárez. Doble a la derecha. Cruce las Avenidas Lázaro Cárdenas y Brasil. Siga adelante. Es una gran plaza que va a ver enfrente de usted.
3. Tome Paseo de la Reforma hasta llegar a la Avenida Juárez. Doble a la izquierda. Está en la Plaza de la República.
4. Tome Insurgentes Norte hasta la Avenida Hidalgo. Doble a la derecha. Cruce las Avenidas Lázaro Cárdenas y Brasil. Está en la esquina de Hidalgo y Brasil.

C. ¿Cómo llego a...? Trabaje con un(a) compañero(-a). En forma alternada, hagan y contesten preguntas sobre cómo llegar a diferentes sitios en el mapa. Empiecen siempre en la intersección de Avenida Insurgentes y Paseo de la Reforma.

MODELO ESTUDIANTE 1 **¿Cómo llego al Palacio Nacional?**
ESTUDIANTE 2 **Toma Paseo de la Reforma hacia...**

D. Juego: Un viaje imaginario. Trabajen en grupos. Estudiante 1 empieza el juego. Dice: **Mañana me voy de viaje. Llevo... mi pasaporte.** Estudiante 2 repite la frase y dice, por ejemplo: **Mañana me voy de viaje. Llevo mi pasaporte y una raqueta de tenis.** El juego termina si alguien hace un error o si no puede acordarse de (recordar) todos los objetos.

PARA ESCRIBIR

Un(a) amigo(-a) hispano(-a) viene de visita. Escríbale una carta; dígale cómo llegar del aeropuerto a su casa. Incluya *(Include)* información sobre el transporte público del área.

VOCABULARIO ACTIVO

Cognados

el banco	la excursión	maravilloso	el taxi
la compañía	experto	la orden	uruguayo
el cheque	fascinante	la ruina	la vista
exacto			

Verbos

admirar	*to admire*	doblar	*to turn*
calmar	*to calm*	parar	*to stop*
calmarse	*to calm down, be calm*	pasear	*to walk, stroll, ride, take a short trip*
cambiar	*to change, exchange*	perdonar	*to forgive, pardon*
caminar	*to walk*	preocuparse (de)	*to worry (about)*
consultar	*to consult*	reservar	*to reserve*
contar (ue)	*to tell; to count*	subir	*to climb, go up*
cruzar	*to cross*	subir a	*to get on; to climb (go) up to*
dejar	*to leave, leave behind; to let, allow*	usar	*to use*

Viajes y paseos

a pie	*on foot*
adelante	*straight, straight ahead*
la aduana	*customs; customs house*
el autostop	*hitchhiking*
hacer autostop	*to hitchhike*
a tiempo	*on time*
el barco	*ship, boat*
la bienvenida	*welcome*
darle la bienvenida a alguien	*to welcome someone*
la caja	*cashier's desk; exchange office*
el cajero (la cajera)	*cashier*
el correo	*post office; mail*
la cuadra	*(city) block*
el cheque de viajero	*traveler's check*
derecho	*straight, straight ahead*
el equipaje	*luggage*
la esquina	*corner*
el ferrocarril	*railroad*
la habitación	*room*
el mercado	*market*
el negocio	*business*
el viaje de negocios	*business trip*
la parte	*part*
alguna parte (ninguna parte)	*somewhere (nowhere)*
el pasaje	*ticket; fare*
el paseo	*outing*
el puerto	*port*
el sitio	*place*
el sitio de interés	*point (site) of interest*
el viajero (la viajera)	*traveler*

Otras palabras y frases

antiguo	*ancient;* (before the noun) *former*
el anuncio	*announcement; advertisement*
en forma alternada	*taking turns*
en seguida	*at once, immediately*
el mandato	*command, order*
la respuesta	*answer, response*
siguiente	*following*
último	*last*

Expresiones útiles

Camine dos cuadras.	*Walk two blocks.*
Cruce la calle y...	*Cross the street and . . .*
Doble a la izquierda (derecha).	*Turn left (right).*
Está al norte (sur, este, oeste) de...	*It's north (south, east, west) of . . .*
¿Me puede decir cómo llegar a...?	*Can you tell me how to get to . . . ?*
¿Por dónde va uno a...?	*How do you get to . . . ?*
Siga por la calle...	*Follow . . . Street.*
Siga adelante (derecho).	*Keep going straight.*
Vaya derecho hasta llegar a...	*Go straight until you get to . . .*

Un bosque tropical en Puntarenas, Costa Rica

CAPÍTULO *once*

LAS NOTICIAS

VOCABULARIO. In this chapter you will talk about the news **(las noticias).**

GRAMÁTICA. You will discuss and use:

- Other uses of **se:** as an impersonal pronoun equivalent to English *one, people, they;* as an alternative to the passive in such sentences as *Newspapers are sold here.*

- The past participle used as an adjective (e.g., *open, discovered, seen*)

- The present and past perfect tenses, corresponding to English constructions like *I have heard, I had heard*

CULTURA. This chapter focuses on Central America.

FUNCIONES

- Expressing agreement
- Expressing disagreement

AMÉRICA CENTRAL

GUATEMALA
HONDURAS
NICARAGUA
EL SALVADOR
COSTA RICA
PANAMÁ

1. GUATEMALA
Capital: Ciudad de Guatemala. **Moneda:** el quetzal.
Población: aproximadamente 10 millones de habitantes.

2. HONDURAS
Capital: Tegucigalpa. **Moneda:** el lempira.
Población: aproximadamente 5,5 millones de habitantes.

3. EL SALVADOR
Capital: San Salvador. **Moneda:** el colón.
Población: aproximadamente 5,5 millones de habitantes.

4. NICARAGUA
Capital: Managua. **Moneda:** el córdoba.
Población: aproximadamente 4 millones de habitantes.

5. COSTA RICA
Capital: San José. **Moneda:** el colón.
Población: aproximadamente 3,5 millones de habitantes.

6. PANAMÁ
Capital: Ciudad de Panamá. **Moneda:** el balboa.
Población: aproximadamente 2,5 millones de habitantes.

1.  2.

3.  4.

5.  6.

¿Sabía usted que...?
Existen bosques *(forests)* tropicales por toda
Centroamérica; en algunos países hay volcanes activos.

¿QUÉ HAY DE NUEVO?

Más inflación: subió el
costo de la vida.

Guerrilleros atacaron al
ejército *(army);* la nación
está en guerra *(at war).*

El Papa visitó México.

Hubo una manifestación en la capital de Panamá. Los estudiantes protestaron contra el gobierno.

Costa Rica ganó *(won)* otra vez en fútbol.

Ayer hubo un terremoto *(earthquake)* en Guatemala. Murieron miles de personas.

Hubo una huelga general de trabajadores; pidieron aumento de sueldo.

Hubo un incendio en Tegucigalpa. Cinco familias se quedaron sin casa.

El presidente habló de los derechos humanos y de la superpoblación en la última reunión de las Naciones Unidas.

Hubo elecciones generales.

PARA INFORMARSE SOBRE LAS NOTICIAS...

prender *(to turn on)*
apagar *(to turn off)*

el televisor
la televisión
la radio

el periódico, la revista *(magazine)*, los anuncios *(advertisements)*

el canal *(channel)*, el noticiero *(news program)*, un reportaje especial

Asociaciones.   ¿Qué noticias asocia usted con las personas y cosas que siguen?

> **MODELO**   el Papa
>
> **El Papa viajó a muchos países el año pasado y habló de religión y de política con la gente.**

1. el béisbol o el fútbol
2. Centroamérica
3. el presidente de Estados Unidos
4. el costo de la vida
5. el tiempo

Preguntas

1. ¿Cuándo prende usted la radio?   2. ¿Qué escucha por radio: música, noticias, deportes?
3. ¿Qué mira por televisión?   4. ¿Cuántas horas mira televisión en un día típico?
5. ¿Hay canales públicos en esta región? ¿Cuántos y cuáles? ¿Qué programas de canales públicos le gustan a usted?   6. Según su opinión, ¿es buena o mala la influencia de la televisión? ¿Por qué?   7. ¿Cómo se informa usted sobre las noticias? ¿Le interesan mucho las noticias del día? ¿Va a reuniones donde la gente habla de las noticias?   8. ¿Ve usted el noticiero todas las noches? ¿A qué hora lo ve?   9. ¿Lee el periódico?   10. ¿Lee los anuncios de comida? ¿de ropa?   11. ¿Qué revistas lee usted? ¿Por qué las lee? ¿Qué lee su papá? ¿su mamá?

I. THE IMPERSONAL *SE* AND PASSIVE *SE*

Un mercado típico de un pueblo de Guatemala

En un pueblo de Guatemala.

CINDY	¿Es verdad que en este país no *se abren*° los negocios entre el mediodía° y las tres?	aren't open noon
MARTA	Pues, eso depende... En general, en los pueblos° todavía *se cierran*° los negocios durante esas horas, pero en las ciudades más grandes ya prácticamente *se perdió*° esa costumbre.	towns are closed was lost
CINDY	*Se trabaja*° mejor después de una buena siesta, ¿no lo crees?	One works
MARTA	Por supuesto que si° pero *se dice*° que con el horario° de nueve a cinco *se puede*° conservar energía, especialmente en el invierno.	Por... Of course/people say schedule/you can
CINDY	¿Y tú estás de acuerdo con eso?	
MARTA	Teóricamente sí, pero en la práctica, de ninguna manera.° Si a mí no me dejan dormir la siesta, ¡creo que me muero!	Teóricamente... In theory, yes, but in practice, no way.

1. En general, ¿se cierran los negocios a la hora de la siesta en el pueblo donde vive Marta?   2. ¿Cree Cindy que es mejor trabajar de nueve a cinco? ¿Por qué?   3. Según Marta, ¿por qué se cambia el horario? ¿Está ella de acuerdo con ese nuevo horario?   4. ¿Qué piensa usted de la costumbre de dormir la siesta? ¿Cree, como Cindy, que se trabaja mejor después de una buena siesta? ¿Por qué sí o por qué no?

• •

A. The pronoun **se** followed by a verb in the third-person singular is a construction frequently used when it is not important to express or identify the agent or doer of an action. This use of **se** is often translated in English with *one, people, we, you,* or a passive construction. It is known as the impersonal **se.**

Se cree que los guerrilleros atacaron el pueblo.	*It's believed that the guerrillas attacked the town.*
Se dice que la superpoblación es el problema más grave que tenemos.	*People (They) say that overpopulation is the most serious problem we have.*

B. Se + a verb in the third-person singular or plural is another common construction in Spanish, called the **se** for passive, since it is used instead of the passive when the agent is not expressed. The verb is in the singular or plural to agree with the subject. If there is a plural subject in the clause with **se,** you must use the plural form of the verb.

Se apaga el televisor. (Se apagan los televisores.)	*The television set is being turned off. (The television sets are being turned off.)*
Se necesita reportero hispano. (Se necesitan reporteros hispanos.)	*A Hispanic reporter is needed. (Hispanic reporters are needed.)*

EJERCICIOS

A. Reportaje ecológico.   ¿Qué se hace para cuidar la tierra *(take care of the earth)?* Siga los modelos.

    MODELOS   no comprar productos de plástico
                    No se compran productos de plástico.
                    usar transporte público; no pasear en auto
                    Se usa transporte público; no se pasea en auto.

1. conservar energía
2. llevar suéteres y ropa caliente en el invierno
3. no prender la calefacción *(heating)* o el aire acondicionado innecesariamente
4. no usar aerosoles o productos con CFCs (clorofluorocarbonos)
5. plantar árboles *(trees)*
6. comprar comida natural, sin pesticidas
7. no comer carne, especialmente carne de vaca
8. cultivar frutas y verduras
9. comprar productos sin muchas envolturas *(packaging)*
10. llevar una taza a la cafetería; no usar tazas de papel
11. arreglar *(fix)* las cosas viejas; no comprar cosas nuevas innecesariamente
12. usar papel reciclado
13. tener cuidado con la basura tóxica, como baterías, insecticidas, etc.; seguir los reglamentos *(rules)* oficiales

B. Piense en un lugar...   Trabaje con un(a) compañero(-a). Escojan *(Choose)* un lugar y hagan por lo menos cinco oraciones *(sentences)* sobre ese lugar. ¿Qué se hace allí?

Ideas: la cafetería, la biblioteca, una residencia estudiantil, la oficina de la administración, un restaurante elegante, el Congreso, la Corte Suprema, un planeta imaginario, etc.

    MODELO   la Casa Blanca
                   Se habla de los problemas del país. Se reciben a ministros y a presidentes de otros países.

II. THE PAST PARTICIPLE USED AS AN ADJECTIVE

> REPORTERO: Cuatro personas están *muertas°* después del terremoto de anoche. Aquí en la capital, la avenida principal está *bloqueada°* y el tráfico está casi *parado.* Hoy las tiendas están *cerradas°,* en general, pero las clínicas y las farmacias quedan *abiertas°.* Y ahora, Ana Marroquín, con un reportaje especial...

        dead

        blocked
        closed
        open

1. ¿Qué pasó en la capital anoche?   2. ¿Cuántas personas murieron?   3. ¿Están abiertas las tiendas? ¿y las clínicas y las farmacias?

• •

A. To form the past participle of regular **-ar** verbs, add **-ado** to the stem of the infinitive. For **-er** and **-ir** verbs, add **-ido.**

hablado	*spoken*
comido	*eaten*
vivido	*lived*

If the stem of an **-er** or **-ir** verb ends in **a, e,** or **o,** the **-ido** ending takes an accent.

traído	*brought*
creído	*believed*
oído	*heard*

B. Some irregular past participles are:

abrir	**abierto**	*open, opened*
cubrir	**cubierto**	*covered*
describir	**descrito**	*described*
descubrir	**descubierto**	*discovered*
decir	**dicho**	*said*
escribir	**escrito**	*written*
hacer	**hecho**	*made, done*
morir	**muerto**	*died, dead*
poner	**puesto**	*put*
resolver	**resuelto**	*solved*
romper	**roto**	*broken*
ver	**visto**	*seen*
volver	**vuelto**	*returned*

C. The past participle is often used as an adjective, in which case it agrees in number and gender with the noun it modifies. It is often used with **estar,** frequently to describe a condition or state that results from an action.

¿El reportaje está escrito en español? —Correcto.	*The report is written in Spanish? —Right.*
El problema está resuelto.	*The problem is solved.*
En el invierno las montañas están cubiertas de nieve.	*In the winter the mountains are covered with snow.*
Estamos muy ocupados ahora; en cambio, ellos no tienen mucho que hacer.	*We're very busy now; on the other hand, they don't have much to do.*

EJERCICIOS

A. Un viaje a Centroamérica.   ¿Qué trajeron los Pérez de Centroamérica? Siga el modelo.

MODELO   unas fotos / sacar en un bosque tropical de Costa Rica
Trajeron unas fotos sacadas en un bosque tropical de Costa Rica.

1. un libro/escribir/por Rigoberta Menchú
2. unas sandalias/hacer/en Guatemala
3. café/comprar/en El Salvador
4. unas tazas/pintar/a mano *(by hand)*
5. dos sombreros/hacer/en Panamá
6. una copia de una escultura *(sculpture)* antigua/descubrir/en Honduras

B. ¡Un crimen en la casa de los Solís!   Complete el párrafo con los participios pasados apropiados para saber qué pasó en la casa de los Solís.

MODELO   El detective Rocha vio muchas cosas (romper) ___*rotas*___ en el cuarto.

La mesa ya estaba (1. poner) _____ y allí había cosas muy caras, (2. comprar) _____ en Francia. Rocha vio que los Solís eran gente rica. Tenían obras de arte (3. pintar) _____ por Picasso, varias cosas bonitas (4. traer) _____ de Europa y unos libros (5. escribir) _____ en el siglo XVI. Pero... allí también había una persona (6. morir) _____ . Era el señor Solís y tenía las manos *(hands)* muy (7. cerrar) _____ . En la mano derecha tenía un papel. Era una carta (8. escribir) _____ por una mujer (9. llamar) _____ Carolina. La carta decía: «Mi (10. querer) _____ amor: Tu esposa lo sabe todo. Hay que tener mucho cuidado... Te besa, Carolina.» Rocha descrubrió que en la mano izquierda, también (11. cerrar) _____ , el señor Solís tenía un botón verde y observó que su camisa estaba (12. cubrir) _____ de sangre *(blood)*. Después Rocha fue a la sala y allí encontró a la señora Solís, (13. vestir) _____ de verde y (14. sentar) _____ en el sofá. Parecía (15. dormir) _____ pero estaba (16. morir) _____ . Rocha dijo: «El misterio está (17. resolver) _____ .» ¿Qué vio el detective en la sala? Había un bolso (18. abrir) _____ al lado de la señora Solís. También en el sofá había una botella *(bottle)* de píldoras *(pills)* para dormir, totalmente vacía *(empty)*. En la mano derecha de la señora había un cuchillo (19. cubrir) _____ de sangre.

Supplementary activity. A guessing game, in which one student gives an incomplete sentence using a past participle adjective to describe a visible object and other students try to guess what it is. Example: **¿Está rota la...** First guess: **¿ventana?** (No.) Second guess: **¿tiza?** (Correct guess. Student shows a broken piece of chalk.)

Preguntas ─────────────────────────────────

1. ¿Cómo estaba la mesa?   2. ¿Qué clase de obras de arte tenían los Solís?   3. ¿Qué tenía en la mano derecha el señor Solís? ¿Y en la izquierda? ¿Cómo estaban sus manos? 4. ¿Cómo estaba la camisa del señor Solís?   5. ¿De qué color estaba vestida la señora Solís?   6. ¿Dormía la señora Solís? ¿Cómo estaba ella?   7. ¿En qué condición estaba el cuchillo?   8. ¿Quién fue el asesino *(murderer)?*

Entrevista ─────────────────────────────────

1. ¿Cómo estás hoy? ¿Estás inspirado(-a)? ¿cansado(-a)? ¿ocupado(-a)? ¿preocupado(-a)? ¿Por qué?   2. ¿Estás sentado(-a) cerca de la ventana? ¿de la puerta? ¿del (de la) profesor(a)?   3. ¿Tienes el libro de español abierto o cerrado ahora?   4. ¿Cómo te informas sobre las noticias? ¿Estás bien informado(-a)? En tu casa, ¿está prendido el televisor o la radio por la mañana? ¿Escuchas las noticias antes de venir a la universidad?

La Ciudad de Panamá

III. THE PRESENT AND PAST PERFECT TENSES

En casa. Ana lee el periódico.

JUAN ¿Qué pasa en el país, Ana?

ANA Pues, los guerrilleros *han atacado* otra vez. Los
carteros° *han hecho* una huelga porque *habían*   *mail carriers*
pedido un aumento de sueldo y no lo *habían*
recibido. El presidente *ha declarado* un estado de
alerta°... ¡Oh!, y en fútbol Alianza° *ha ganado* el   *alert, emergency/Alliance*
campeonato° nacional.   *(soccer team)/championship*

JUAN ¿Ganó Alianza? ¡Qué buena noticia!

1. ¿Qué hace Ana?   2. Según Ana, ¿qué pasa en el país?   3. ¿Está contento Juan? ¿Por qué sí o por qué no?

• •

A. The present perfect tense is formed with the present tense of the auxiliary verb **haber** + a past participle.

haber *to have*		
he	hemos	
has	habéis	} + *past participle*
ha	han	

It is used to report an action or event that has recently taken place or been completed and still has a bearing upon the present. It is generally used without reference to any specific time in the past (that is, without words such as **ayer, la semana pasada,** etc.), since it implies a reference to the present day, week, month, etc.

¿Carlos e Inés ya han hablado contigo?* —Al contrario, no me han dicho nada.

¿Te ha gustado la comida? —Sí, ¡por supuesto!

Felipe dice que el costo de la vida no ha subido aquí. —¡Qué tontería!

Carlos and Inés have already spoken with you? —On the contrary, they haven't said anything to me.

Have you enjoyed the food? —Yes, of course!

Felipe says that the cost of living has not gone up here. —What nonsense!

The past participle always ends in **-o** when used to form a perfect tense; it does *not* agree with the subject in gender or number.

Point out that some Spanish speakers (especially in Spain and Peru) use the present perfect instead of the preterit, with no continuation into the present intended.

B. The past perfect tense is formed with the imperfect of **haber** + a past participle.

haber		
había	habíamos	
habías	habíais	} + *past participle*
había	habían	

Point out that when **haber** *is used as an infinitive, the pronouns are attached to the infinitive and thus come between* **haber** *and the past participle. Example:* **Después de haberte visto, me encontré con tu hermana.**

It is used to indicate that an action or event had taken place at some time in the past prior to another past event, stated or implied. If the other past event is stated, it is usually in the preterit or imperfect.

Habíamos protestado.

Ya había salido para la manifestación cuando yo llegué. —¿Quién? ¿José u Olga*?

We had protested.

He (She) had already left for the demonstration when I arrived. —Who? José or Olga?

---

*The conjunction **y** becomes **e** before **i** or **hi: francés e inglés, Roberto e Hilda.** Similarly, **o** becomes **u** before **o** or **ho.**

C. The auxiliary form of **haber** and the past participle are seldom separated by another word. Negative words and pronouns normally precede the auxiliary verb.

No he recibido el periódico.	*I haven't received the newspaper.*
¿Ya me has enviado la revista?	*Have you already sent me the magazine?*
No, no te la he enviado todavía.	*No, I haven't sent it to you yet.*

EJERCICIOS

A. Titulares. Los siguientes titulares *(headlines)* aparecieron *(appeared)* en periódicos centroamericanos. Cámbielos al presente perfecto. (Las palabras entre paréntesis no aparecieron en los titulares originales.) Siga el modelo.

Vocabulario (cognados): arrestar, persistir, importar, expresar

> MODELO   Resolver el problema de la mujer rural, pide (la) Primera Dama
> **Resolver el problema de la mujer rural, ha pedido la Primera Dama**

1. Mueren tres personas en (un) incendio
2. (Una) Guatemalteca recibe (el) Premio Nóbel
3. Arrestan a (un) ex-soldado por la muerte de una estudiante
4. Vuelve Julio Iglesias
5. Persisten violaciones a (los) derechos humanos
6. Nicaragua vende (unos) helicópteros a Perú
7. (El) Presidente de Honduras pide (la) unidad
8. Japón importa 40 mil autos hechos en México
9. Cierran (el) paso entre (el) Blvd. Santa Elena y (la) Calle Santa Tecla
10. (La) OEA (Organización de Estados Americanos) expresa confianza *(confidence)* en el gobierno panameño

B. ¿Alguna vez...? Trabaje con un(a) compañero(-a). En forma alternada, hagan y contesten cinco preguntas cada uno sobre algunas cosas que han hecho.

Ideas: ir a Centroamérica, viajar en barco (helicóptero), hacer autostop, vivir en otro país, participar en alguna manifestación o en alguna huelga, estar en un terremoto, ver a alguna persona famosa

> MODELO   participar en alguna manifestación
> ESTUDIANTE 1 **¿Has participado en alguna manifestación alguna vez?**
> ESTUDIANTE 2 **Sí, participé en una manifestación contra las armas nucleares hace un año. (No, nunca he participado en ninguna manifestación.)**

C. Antes de Año Nuevo. Trabaje con un(a) compañero(-a). Hagan y contesten preguntas sobre algunas cosas que habían hecho antes de Año Nuevo (para el 31 de diciembre).

MODELO   ESTUDIANTE 1   **¿Habías leído algún libro interesante antes de fin de año?**

             ESTUDIANTE 2   **Sí, había leído *Me llamo Rigoberta Menchú,* una visión personal de la situación de los indios en Guatemala.**

             ESTUDIANTE 2   **¿Y habías visitado algún lugar exótico?**

             ESTUDIANTE 1   **Sí, había ido a Costa Rica. Había visto un bosque tropical allí. Había visitado San José, la capital.**

Rigoberta Menchú, ganadora del Premio Nóbel de la Paz, recibe felicitaciones

Entrevista ——————————————————————————

Trabaje con un(a) compañero(-a). En forma alternada, hagan y contesten estas preguntas.

1. ¿Qué has hecho hoy? 2. ¿Has ido a algún lugar interesante recientemente? ¿Habías estado allí antes? ¿Cuándo? 3. ¿Has perdido o encontrado algo importante recientemente? ¿Qué? (¿trabajo? ¿dinero? ¿amor?) 4. ¿Has comprado o vendido algo? ¿Qué? 5. ¿Has resuelto algún problema este mes? ¿Cuál? ¿Cómo lo has resuelto? 6. ¿Qué ha pasado recientemente en las noticias?

Viñeta cultural

COSTA RICA—
CONSER-
VANDO LOS
BOSQUES
TROPICALES

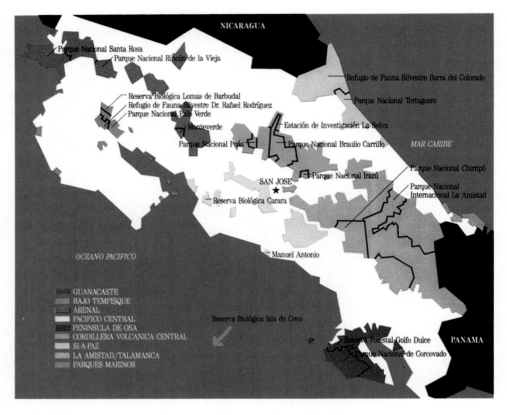

NICARAGUA

Parque Nacional Santa Rosa
Parque Nacional Rincón de la Vieja

Refugio de Fauna Silvestre Barra del Colorado
Parque Nacional Tortuguero

Reserva Biológica Lomas de Barbudal
Refugio de Fauna Silvestre Dr. Rafael Rodríguez
Parque Nacional Palo Verde
Monteverde
Estación de Investigación La Selva
Parque Nacional Poás
Parque Nacional Braulio Carrillo
MAR CARIBE

Parque Nacional Chirripó
Parque Nacional Irazú
SAN JOSE
★
Parque Nacional Internacional La Amistad
Reserva Biológica Carara

OCEANO PACIFICO

Manuel Antonio

GUANACASTE
BAJO TEMPISQUE
ARENAL
PACIFICO CENTRAL
PENINSULA DE OSA
CORDILLERA VOLCANICA CENTRAL
SI-A-PAZ
LA AMISTAD/TALAMANCA
PARQUES MARINOS

Reserva Biológica Isla de Coco

Reserva Forestal Golfo Dulce   PANAMA
Parque Nacional de Corcovado

Antes de leer

Pictures can tell you a lot about the content of a reading. Before you read the following selection, look at the pictures and answer the following questions.

Mire el mapa y las fotos ilustraciones en ésta página y la siguiente y conteste las preguntas.

1. Según el mapa, ¿es importante la conservación de los bosques tropicales en Costa Rica?
2. ¿Qué se puede ver en un «tour» de un día desde San José (la capital)?
3. ¿Qué diversiones hay allí?

Costa Rica: Conservando los bosques tropicales

La destrucción de los bosques tropicales es un problema muy grave que ha aparecido° *appeared*
mucho en las noticias recientemente. Dicen los expertos que sólo queda el 15 por
ciento de los bosques tropicales de África, el 30 por ciento de los bosques tropicales
de Asia y el 50 por ciento de los bosques tropicales de Latinoamérica. Pero el
pequeño país de Costa Rica está tratando° de resolver el problema. *trying*

En 1987 el gobierno de Costa Rica había creado° el Sistema Nacional de Áreas *created*
de Conservación con nueve «megaparques». Había creado un plan de reforestación
y había empezado a entrenar° a especialistas para identificar y estudiar las plantas y *train*
los animales de la región. Comenzaron° a investigar de qué formas el país podía usar *They began*
esos plantas y animales. El presidente, Óscar Arias Sánchez, nombró° un director *named*
responsable de la administración de cada parque. Cada director empezó a trabajar
con la gente de la comunidad para tratar de conservar los bosques y estimular la
economía al mismo tiempo. La tierra° de una zona con bosques tropicales es muy *land*
pobre; después de pocos años de utilización ya no es buena ni para la agricultura ni
para la ganadería°. Pero la producción o recolección de nueces, semillas, flores, plantas, *cattle raising*
y hasta de maderas tropicales° puede ser muy lucrativa sin destruir° los bosques. **recolección...** *gathering of*
También en 1987, con la ayuda del World Wildlife Fund, de la Nature Conservancy y *nuts, seeds, flowers,*
de otros grupos, ocurrió° el primer canje* de deuda por naturaleza en el país. *plants, and even tropical woods/destroying/occurred*

Con la gran variedad de flora y fauna de la región, los megaparques de Costa
Rica ahora son muy populares para la práctica del «ecoturismo». Miles de turistas
llegan cada año a ver playas magníficas, volcanes cubiertos de nieve, plantas extra-
ordinarias y animales exóticos. También llegan científicos° y estudiantes de todo el *scientists*
mundo para observar este pequeño país con grandes aspiraciones para sus futuras
generaciones.

Después de leer

Deducciones.   Después de leer «Costa Rica: Conservando los bosques tropicales»,
comente las siguientes afirmaciones *(statements)*. ¿Cuáles son verdaderas, según su
opinión? ¿Cuáles son falsas? ¿Por qué?

1. La tierra de una región donde hay grandes árboles *(trees)* tropicales es muy fértil.
2. La ganadería es muy lucrativa por muchos años en los lugares donde antes había bosques tropicales.
3. Los directores de los megaparques de Costa Rica trabajan con la gente común.
4. Los directores de los megaparques no se preocupan por el futuro económico del país; sólo se preocupan por conservar sus bosques tropicales.
5. El ecoturismo es turismo con enfoque *(focus)* en la ecología.

*****canje...** *Debt-for-nature swap*, wherein conservation groups buy a piece of Costa Rica's foreign debt, some-
times from a foreign bank willing to sell for as little as 20 percent of the face value. The Banco Central de
Costa Rica buys the debt from the conservation group through government bonds in local currency. The
conservation group must use the money to finance environmental projects. The foreign bank unloads what it
considers a bad debt, Costa Rica reduces its deficit, and local currency goes toward preserving the environment.
Debt-for-nature swaps are occurring in other countries as well as Costa Rica.

PARA ESCUCHAR

A. Reportajes. Escuche los tres reportajes que siguen. Coordine *(Match)* los números (1, 2, y 3) con las fotos y titulares *(headlines)* correspondientes. Escriba el número apropiado a la izquierda de cada foto o titular.

Vocabulario

REPORTAJE 1: **Cognados:** sufren, deterioró, el informe. **Otras palabras:** salud *health,* gastos *expenses,* sobreviven *survive,* desnutridos *malnourished*

REPORTAJE 2: **Cognados:** clamor, afirmó, financiada, provocó, acusados, asesinar, jesuitas. **Otras palabras:** fábrica *factory*

REPORTAJE 3: **Otras palabras:** desfile *parade*

Fábrica de dictadores
Escuela militar cuyos graduados integran una larga y poco honrosa nómina

UNICEF: En Centroamérica cada día existe más hambre y pobreza

La Estrella de El Salvador / miércoles, el 15 de septiembre de 1993

Celebración patriótica en la plaza principal

B. ¿Y la verdad...? Escuche los reportajes otra vez. Para cada uno, hay tres afirmaciones; dos son falsas y una es verdadera. ¿Cuál es la verdadera?

REPORTAJE 1
a. Eight out of ten Central Americans suffer from hunger.
b. Fifty-seven percent of Central Americans do not have work.
c. In Central America, three out of every ten children die before the age of 5.

REPORTAJE 2
a. La Escuela de las Américas is a school for athletes.
b. La Escuela de las Américas is run by Costa Rica.
c. Five of the military people who were accused of killing six Jesuit priests and two women in 1989 were students of la Escuela de las Américas.

REPORTAJE 3
a. Central Americans celebrated their independence from Spain on September 15.
b. There was a large celebration of the end of the war in El Salvador on September 15.
c. Central Americans celebrated Labor Day by listening to a rock concert.

C. Resúmenes *(Summaries).* Trabaje con dos compañeros(-as). Escoja *(Choose)* un reportaje y hágales un breve resumen del contenido *(content)* a sus dos compañeros. Sus compañeros escogen otros reportajes y también le dan resúmenes al grupo.

FUNCIONES *y actividades*

In this chapter, you have seen examples of some important language functions, or uses. Here is a summary and some additional information about these functions of language.

Expressing agreement

Here are some ways to indicate agreement.

Exacto.	*Exactly.*
Claro. (Seguro. Por supuesto. Naturalmente.)	*Certainly. (Sure. Of course. Naturally.)*
Eso es.	*That's it.*
Sí, ¡cómo no!	*Yes, of course!*
Sí, tiene(s) razón.	*Yes, you're right.*
Sí, así es.	*Yes, that's so.*
Estoy de acuerdo.	*I agree.*
Sí, es verdad.	*Yes, it's (that's) true.*
Así pienso.	*That's how I think.*
¡Ya lo creo!	*I believe it!*
Probablemente sí. (Es probable que sí.)	*Probably. (Probably so.)*
Correcto.	*Right. (Correct)*

Expressing disagreement

Here are some ways to indicate disagreement.

No, no es verdad.	*No, it's (that's) not true.*
No, no estoy de acuerdo.	*No, I don't agree.*
No, no es así.	*No, it's not so.*
Probablemente no. (Es probable que no.)	*Probably not.*
Pero en cambio...	*But on the other hand . . .*
¡Qué tontería!	*What nonsense!*
¡Qué absurdo (ridículo)!	*How absurd (ridiculous)!*
Al contrario...	*On the contrary . . .*
No, no tienes razón.	*No, you're not right.*
¡Qué va!	*Oh, come on!*

You can use the following expressions to disagree with a suggestion that you or someone else do something.

¡Ni por todo el dinero del mundo!	*Not for all the money in the world!*
¡Ni hablar!	*Don't even mention it!*
¡De ninguna manera!	*No way!*

Actividad

Al contrario...   Trabaje con un(a) compañero(-a). Estudiante 1 hace una afirmación que expresa una opinión. Estudiante 2 dice que no está de acuerdo. En forma alternada, hagan cinco afirmaciones cada uno. Usen diferentes expresiones de desacuerdo en las respuestas.

Ideas: las residencias estudiantiles; el equipo de fútbol de la universidad; las vacaciones; la inflación; las elecciones; los programas de noticias; el uso o el control de drogas como la marijuana, la cocaína, el alcohol o el tabaco; el control de las armas de fuego *(firearms)*; el SIDA.

You might conduct an opinion survey of the entire class. Choose a statement of opinion and list individual reactions on the board, from **¡Por supuesto!** to **¡Qué tonterías!**

> **MODELO**   **Los programas de noticias del canal 9 son excelentes.**
> **Al contrario, ¡son terribles! Los programas del canal 3 son mucho mejores.**

PARA ESCRIBIR

Escriba una carta a un(a) amigo(-a) hispano(-a). Descríbale algunas noticias; por ejemplo, lo que *(what)* usted ha hecho recientemente o lo que ha pasado en su vida personal o en la universidad. Mencione también algunas noticias nacionales o regionales.

VOCABULARIO ACTIVO

Cognados

la afirmación	especial	las Naciones Unidas	la región
la elección	general	probable	el reportaje
la energía	grave	público	el volcán

Cognados falsos

el canal	*channel*
la manifestación	*demonstration*
la reunión	*meeting*

Verbos

apagar (gu)	*to turn off, extinguish*
atacar (qu)	*to attack*
conservar	*to conserve, save*
cubrir	*to cover*
declarar	*to declare*
describir	*to describe*
enviar	*to send*
ganar	*to win; to earn*
haber *(inf.)*	*there is, there are*
informarse sobre	*to find out about, inform oneself*
pasar	*to happen, occur*
poner (g)	*to turn on; to light*
prender	*to turn on; to light; to grasp*
protestar	*to protest*

Las noticias

el aumento	*increase, raise*
el aumento de sueldo	*raise in salary*
el bosque tropical	*tropical forest*
el costo de la vida	*cost of living*
el derecho	*right*
los derechos humanos	*human rights*
el ejército	*army*
el gobierno	*government*

la guerra	*war*
en guerra	*at war*
el guerrillero, la guerrillera	*guerrilla (warrior)*
el incendio	*fire*
el noticiero	*news program*
el Papa	*Pope*
el periódico	*newspaper*
el Premio Nóbel	*Nobel Prize*
la revista	*magazine*
la superpoblación	*overpopulation*
el terremoto	*earthquake*

Otras palabras y frases

el horario	*schedule*
el mediodía	*noon*
ocupado	*busy*
el pueblo	*town; people*

Expresiones útiles

Al contrario...	*On the contrary . . .*
Correcto.	*Right. Correct.*
¡De ninguna manera!	*No way!*
En cambio...	*On the other hand . . .*
(No) Estoy de acuerdo.	*I (don't) agree.*
¡Por supuesto!	*Of course!*
¡Qué tontería!	*What nonsense!*

Don't forget: Past participles, page 250

LECTURA IV

Las fiestas

Use this to initiate a review of **gustar** and a conversation about celebrations students like and attend.

A los hispanos les gustan las fiestas—fiestas con familiares° y amigos, fiestas nacionales, regionales, folklóricas, religiosas... En general, cada comunidad o pueblo celebra anualmente varias fiestas. A la gente hispana le gusta reunirse.° Cualquier° pretexto es bueno.

family members

to get together/Any

Representan acontecimientos° históricos, como por ejemplo la conquista de América por los españoles, o la independencia de las naciones americanas de España. En el pueblo de Guatemala que vemos en la foto, los indios, vestidos de conquistadores españoles o de jefes indígenas, participan en una representación de la conquista. En México, mucha gente se reúne en la plaza de su pueblo o ciudad todos los 15 de septiembre a las 11 de la noche, para gritar° y recordar la Noche del Grito°, cuando el padre Hidalgo había empezado la rebelión que después terminó en la independencia mexicana.

events

shout, cry out/Night of the Cry

Do a short review of reflexive verbs with: **reunirse** (Pars. 1 and 2): **llamarse** (Par. 3): **transformarse** and **vestirse** (Par. 4).

Representación de la Conquista, en Guatemala

Como la mayoría de la gente hispana es católica, las fiestas católicas son muy importantes, tanto en España como en Hispanoamérica. Por esa razón, muchos pueblos y ciudades celebran el día de su santo(-a) patrón(-a) y muchas personas también celebran el día de su santo(-a). Por ejemplo, si alguien se llama José, probablemente celebra —además de° su cumpleaños— el 19 de marzo, día de San José.

Una de las festividades religiosas más importantes del mundo hispano es la celebración de la Semana Santa.° En Sevilla, por ejemplo, toda la ciudad se transforma

besides, in addition to

Holy Week

durante esa semana. Adornan las casas con mantos violetas°, estatuas y flores.° Los niños se visten de° ángeles o de Jesús, y muchos adultos se visten de penitentes. Hay procesiones lentas y silenciosas de enormes pasos, que son plataformas decoradas con estatuas que representan escenas religiosas. Los hombres de Sevilla, vestidos de penitentes, llevan esos pasos. Después de las Pascuas°, hay una gran celebración con bailes, música y fuegos artificiales.°

mantos... *purple mantles / flowers /* **se visten...** *dress as*

Easter

fireworks

Slides and filmstrips of **La Semana Santa** in **Sevilla** are available commercially.

Una procesión religiosa durante la Semana Santa en Sevilla

En las fiestas religiosas de los pueblos pequeños de Hispanoamérica encontramos, muchas veces, una mezcla° curiosa de cristianismo y religión indígena. Así, por ejemplo, en algunas partes de Perú y de Bolivia, la gente honra° simultáneamente° a la Virgen María y a la Pachamama o Madre Tierra.° En la Fiesta de la Diablada°, los indios bolivianos llevan máscaras° que representan el bien y el mal° en forma de ángeles y diablos, o de los antiguos demonios de los Andes. Hay bailes dramáticos y la celebración termina con una ceremonia religiosa.

mixture

honor / at the same time
Mother Earth / devilry

¿Qué recuerda?   Llene los espacios con las palabras apropiadas.

1. En México mucha gente _____ en la plaza todos los 15 de septiembre para celebrar la Noche del Grito.
2. La mayoría de la gente hispana es _____ .
3. Muchos hispanos celebran el día de su _____ .
4. La _____ es una de las festividades religiosas más importantes del mundo hispano.
5. Para las festividades, los niños de Sevilla se visten de _____ .
6. En algunas partes de Perú y de Bolivia, la gente _____ a la Virgen María y a la Pachamama.
7. En la Fiesta de la Diablada, los indios llevan _____ que representan el bien y el mal.

Comprensión.   Trabaje con un(a) compañero(-a). En forma alternada, háganse y contesten las siguientes preguntas.

1. ¿Por qué les gustan las fiestas a los hispanos?
2. ¿Qué tipos de fiestas les gustan?
3. ¿Qué acontecimiento histórico representan los indios de Guatemala en la foto?
4. ¿Qué ciudad tiene una celebración muy famosa relacionada con la Semana Santa? Descríbela y explica qué es un «paso».
5. ¿Qué mezcla curiosa encontramos en muchas fiestas hispanas? Da un ejemplo.
6. ¿Existe una mezcla de elementos cristianos y no cristianos en algunas de las fiestas que celebramos en Estados Unidos? Da ejemplos.

¡Viva México! La celebración del 20 de noviembre (el Día de la Revolución), México, D.F.

CAPÍTULO doce

FIESTAS Y ANIVERSARIOS

VOCABULARIO. In this chapter you will describe parties and special days.

GRAMÁTICA. You will discuss and use:

- The present subjunctive of regular verbs
- The present subjunctive of irregular, stem-changing, and spelling-changing verbs
- Additional command forms

CULTURA. This chapter focuses on Mexico.

FUNCIONES

- Extending and accepting invitations
- Declining invitations
- Making a toast
- Making introductions

MÉXICO

DESCRIBIMOS AQUÍ OTROS ESTADOS INTERE-SANTES Y VARIADOS *(VARIED)* DE MÉXICO.

PUEBLA

Capital: Puebla.

Población del estado: 4.068.038 habitantes.

¿Sabía usted que...?: Puebla fue el sitio de la famosa batalla del 5 de mayo de 1862 cuando los mexicanos derrotaron *(defeated)* a los invasores *(invaders)* franceses.

NUEVO LEÓN

Capital: Monterrey.

Población del estado: 3.146.169 habitantes.

¿Sabía usted que...?: Nuevo León es uno de los centros industriales más importantes del país y también uno de los estados más prósperos.

DURANGO

Capital: Durango.

Población del estado: 1.384.518 habitantes.

¿Sabía usted que...?: Los escenarios naturales de desiertos y montañas de Durango han servido en la filmación de muchas películas de «vaqueros» *(cowboys)*, incluyendo varias con el famoso actor John Wayne.

GUERRERO

Capital: Chilpancingo.

Población del estado: 2.560.262 habitantes.

¿Sabía usted que...?: Guerrero tiene dos centros de turismo muy diferentes. Taxco, una ciudad muy colonial, es famosa por sus minas de plata *(silver)*. Acapulco tiene reputación internacional como lugar de vacaciones por sus playas tan hermosas.

FIESTAS Y ANIVERSARIOS

Point out that **el pastel** is *cake* in Mexico but a type of meat pie in South America. **La torta** and **el queque** mean *cake* in South America.

Turkey is **el pavo** and, in Mexico, **el guajolote**. In slang, **un pavo** or **un guajolote** is a foolish person.

el cumpleaños
el pastel, la torta

el pavo
el Día de Acción de Gracias

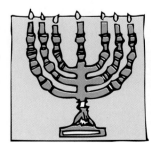

el candelabro
la fiesta de Janucá

Another is **el Día de los Inocentes.** December 28, the cultural equivalent of April 1, April Fool's Day.

el árbol de Navidad
la Navidad
el 25 de diciembre

unas flores
el Día de la Madre

unas tarjetas
el Año Nuevo
el 1° de enero

ALGUNAS FIESTAS HISPÁNICAS

los Reyes Magos
el Día de (los) Reyes
el 6 de enero

el Día de los Trabajadores
el 1° de mayo

el Día de los Muertos
el 2 de noviembre

TRES FIESTAS MEXICANAS TÍPICAS

Other Mexican holidays are: **el Día del Petróleo,** March 18, remembering the nationalization of Mexican oil properties; and **el Día de la Revolución Mexicana,** November 20.

La fiesta del Grito de Dolores (de la Independencia) el 16 de septiembre

el Día de la Virgen de Guadalupe (santa patrona de México) el 12 de diciembre

la piñata, los dulces
Las Posadas
desde el 16 hasta el 24 de diciembre

¡Fiesta!   Complete las oraciones con la(s) palabra(s) apropiada(s).

1. El sábado próximo es el _____ de mamá; vamos a hacerle un _____ de chocolate para celebrarlo.
2. Los niños hispanos creen que _____ les traen regalos el 6 de enero (Día de los Reyes).*
3. ¿Dónde están los adornos (*decorations*) para el _____ de Navidad?
4. Nuestros amigos judíos tienen un _____ de Janucá.
5. En Estados Unidos mucha gente come _____ para celebrar el Día de Acción de Gracias (*Thanksgiving*).
6. El 4 de julio siempre celebramos _____ de Estados Unidos.
7. Siempre les envío _____ de Navidad a mis amigos.
8. Hay muchos _____ en la piñata que ella trae para sus primos.
9. Vamos a comprar unas _____ muy bonitas para mamá.

Entrevista ──

Trabaje con un(a) compañero(-a) de clase para hacerse las siguientes preguntas y contestarlas con la información apropiada.

1. ¿Cuáles son las fiestas que se celebran en Estados Unidos y también en México? 2. ¿Cuál es tu día de fiesta favorito? ¿Por qué?   3. ¿Cuándo es tu cumpleaños? En general, ¿cómo lo celebras? ¿Cómo lo celebraste o lo vas a celebrar este año?   4. ¿Les envías muchas tarjetas a tus amigos? ¿Cuándo? ¿Te las envían también ellos? ¿Cuándo?   5. ¿En qué fiestas recibes regalos tú?   6. ¿Come pavo tu familia el Día de Acción de Gracias? ¿Y en Navidad?

• •

I. THE PRESENT SUBJUNCTIVE OF REGULAR VERBS

Estas personas bailan estupendamente

───

*Hispanic children believe that the Three Kings bring them presents on January 6, the Epiphany. The children leave straw out at night for the kings' camels.

Un 15 de diciembre, en Ciudad de México.

RAMONA ¡Ay, Carmen, el instructor de baile quiere que yo *baile* con Carlos°! Pero yo no quiero bailar con él. ¡Él y yo no bailamos bien juntos!

quiere... wants me to dance with Carlos

CARMEN ¡Qué suerte tienes! Yo siempre le pido que me *permita* bailar° con Carlos, pero él manda que yo *practique* y *trabaje* con Luis.° Prohíbe que nosotros *bailemos*° con otra persona.

*le pido... ask him to let me dance ("that he let me dance")/***él manda...*** *he tells me to practice ("orders that I practice") and work with Luis/***Prohíbe...*** *He won't allow us to dance ("prohibits that we dance")/*

RAMONA ¡Qué injusticia! ¿Sabes que Luis y yo...?

CARMEN ¡Claro que lo sé°! ¡Todo el mundo lo sabe... y creo que el instructor también! Probablemente por eso° él prohíbe que tú y Luis *bailen* juntos. ¿Por qué no te quejas?°

¡Claro... *Of course I know it!*
por... that's why ("for that reason")
¡Por... Why don't you complain?

RAMONA Pues, porque no quiero que él le *hable* a Carlos de esto°. ¡Pobre Carlos! Él no tiene la culpa°.

*no quiero... I don't want him to speak to Carlos about this/***Él...*** *It's not his fault.*

CARMEN Te comprendo. Además, ya sabemos que el instructor no va a cambiar de idea°. Ahora quiere que *practiquemos* durante las Posadas.* Y como una vez tú dijiste, si el instructor quiere que *bailes* con una mesa, lo haces, y si nos pide que *asistamos* a clase en Navidad o en Año Nuevo, entonces tal vez nosotros también...

no va... (the instructor) won't change his mind

Aural comprehension. ¿Posible / probable o imposible / improbable? 1. Ramona y Carmen le tienen un poco de miedo al instructor. 2. El instructor es una persona tímida. 3. El instructor va a cambiar de idea. 4. Las dos amigas van a practicar durante las Posadas si el director les pide que lo hagan.

1. ¿Dónde están Ramona y Carmen? ¿Qué día es?   2. ¿Qué quiere el instructor? ¿Está de acuerdo Ramona? ¿Por qué?   3. ¿Qué le pide siempre al instructor Carmen? ¿Qué manda él?   4. Según su opinión, ¿qué relación hay entre Luis y Ramona? ¿Son hermanos? ¿amigos? ¿novios?   5. ¿Por qué no quiere quejarse Ramona?   6. ¿Qué dice Carmen de la situación?   7. Según las dos amigas, ¿es el instructor una persona buena y simpática? ¿Cómo es él? Descríbalo con dos o tres adjetivos.   8. ¿Conoce usted a alguien como este instructor? ¿Quién?

• •

A. So far in this text, the verb tenses presented have been in the indicative mood, except commands, which are in the imperative mood. In this chapter, the subjunctive mood is introduced. Whereas the indicative mood is used to state facts or ask direct questions and the imperative mood is used to give commands, the subjunctive is used:

---

*See **Nota Cultural 2** of this chapter.

1. For indirect commands or requests

My boss requests that I *be* at work at eight o'clock sharp.
Fred's mother asks that he *celebrate* Christmas with the family.

2. For situations expressing doubt, probability, or something hypothetical or contrary to fact

If I *were* rich, I would go to Seville for the Easter celebrations.
Be that as it may . . .

3. For statements of emotion, hope, wishing, or wanting

May you succeed at everything you do.
Sally wishes that Tom *were going* to the party.

4. For statements of necessity

It is necessary that he *do* the honors and *make* a toast.

5. For statements of approval or disapproval, permission, or prohibition

Father forbids that she even *think* about going to Mexico for Christmas.
It's better that we *stay* home.

B. The subjunctive is used in Spanish far more than it is in English, and the discussion of the uses of the subjunctive in Spanish will be continued in Chapters 14 and 15. In this chapter, its use will be limited to indirect requests and commands with five verbs: **mandar** *(to order)*, **pedir** *(to ask, request)*, **querer** *(to wish, want)*, **permitir** *(to allow, permit)* and **prohibir** *(to prohibit, forbid)*. First, you'll see how the subjunctive of regular verbs is formed.

C. To form the present subjunctive of regular **-ar** verbs, drop the ending **-o** from the first-person singular **(yo)** form of the present indicative and add the endings **-e, -es, -e, -emos, -éis, -en.** For **-er** and **-ir** verbs, add the endings **-a, -as, -a, -amos, -áis, -an.**

hablar		**comer**		**vivir**	
habl**e**	habl**emos**	com**a**	com**amos**	viv**a**	viv**amos**
habl**es**	habl**éis**	com**as**	com**áis**	viv**as**	viv**áis**
habl**e**	habl**en**	com**a**	com**an**	viv**a**	viv**an**

Mis padres quieren que celebremos Nochebuena en casa de mis tíos.	*My parents want us to celebrate Christmas Eve at my aunt and uncle's.*
Le pido que me presente a los invitados.	*I'm asking him (her, you) to introduce me to the guests.*
Nos mandan que asistamos a clase.	*They're ordering us to attend class.*

El doctor prohíbe (no permite) que yo fume* o que coma sal.	*The doctor forbids (doesn't allow) me to smoke or to eat salt.*
Quiero que le compres un regalo de cumpleaños a tu mamá.	*I want you to buy a birthday present for your mother.*
¿Permite el profesor que terminemos la lectura la próxima semana?	*Does the teacher allow us to finish the reading next week?*

Provide a quick review of direct commands, using familiar classroom situations such as **Abran el libro en la página 50** and then converting the sentence to an indirect command, **Les pido que abran el libro en la página 50,** etc.

D. You may have noticed that the **usted** and **ustedes** forms of the present subjunctive are the same as the **usted** and **ustedes** command forms and that the **tú** form is like the negative **tú** command form. Compare the following sentences.

Lean el periódico.	*Read the newspaper.*
Quiero que ustedes lean el periódico.	*I want you to read the newspaper.*
No llame a los invitados hoy.	*Don't call the guests today.*
No quiero que llame a los invitados hoy.	*I don't want you to call the guests today.*
No mires el desfile.	*Don't watch the parade.*
Prohíben que mires el desfile.	*They forbid you to watch the parade.*
No te quejes.	*Don't complain.*
Te pido que no te quejes.	*I'm asking you not to complain.*

In an indirect command or request, there is an implied command, as you can see.

E. There are a number of things to notice about the structure of the sentences with the subjunctive that you have just seen. One is that the verb **mandar** or **pedir** or **prohibir** or **permitir** or **querer** is in the indicative in a clause that could (grammatically) stand alone as a sentence; for instance: **Piden** *(They request).* This clause is called an *independent clause.* The independent clause is followed by **que** *(that)* plus another clause that contains a verb in the subjunctive. This clause with **que** is called a *dependent clause;* it cannot stand alone as a sentence. For example, in the sentence **Piden que asistamos a clase,** the phrase **que asistamos a clase** *(that we attend class)* is not a complete sentence. The **que** is essential in the Spanish sentence, although *that* is not always used in English. In English, an infinitive construction is frequently used.

El doctor prohíbe que ella fume.	*The doctor forbids that she smoke.* *The doctor forbids her to smoke.*

If the subject of the independent clause is different from the subject of the dependent clause, the subjunctive must be used in Spanish rather than an infinitive construction. However, an infinitive must be used in Spanish when there is no change of subject. Compare:

Quiero celebrar el Día de la Madre con tía Celia.	*I want to celebrate Mother's Day with Aunt Celia.* (no change in subject)

---

*The verb **fumar** means *to smoke.*

Quiero que nosotros celebremos
el Día de la Madre con tía Celia.

I want us to celebrate ("I want that we celebrate") Mother's Day with Aunt Celia. (change in subject)

No quieren levantarse a mediodía.

They don't want to get up at noon. (no change in subject)

No quieren que sus hijos se levanten
a mediodía.

They don't want their children to get up at noon. ("They don't want that their children get up at noon.") (change in subject)

Quieren reunirse en el Café Sol.
Quieren que nos reunamos en el
Café Sol.

They want to meet in Café Sol.
They want us to meet in Café Sol.

EJERCICIOS

A. Por favor, ¡usen el subjuntivo!   Repita las frases, cambiándolas a pedidos *(requests)* que hace(n) otra(s) persona(s). Siga el modelo.

MODELO   Hablo con el pintor. Me pide que...
   Me pide que hable con el pintor.

1. Pedro nos invita al teatro. Quiero que...
2. Tus hijos miran la exposición. ¿No quieres que...?
3. Vivimos cerca de la universidad. Nos piden que...
4. Leo esta revista. ¿Prohíbes que...?
5. Estudian un poema difícil. Manda que...
6. Recibimos a los músicos. Prefieren que...

Give some statements (e.g., **Celebramos el cumpleaños de María**); then give preceding forms of **mandar, pedir, prohibir,** or **querer** with different subjects (e.g., **Quiero**) and elicit the necessary changes from the students in order to combine the phrases (adding **que** and changing the verb in the independent clause to the subjunctive to give **Quiero que celebremos el cumpleaños de María**).

B. El aniversario de los Gómez.   La Señora Moreno habla con su esposo de los planes para la fiesta sorpresa *(surprise)* que ella prepara para sus amigos Marta y Jorge Gómez. Haga el papel de la señora Moreno y describa sus planes como en el modelo.

MODELO   Marta y Jorge llegan aquí antes de las seis. (no querer)
   No quiero que Marta y Jorge lleguen aquí antes de las seis.

1. Todos nos reunimos aquí a las cinco.   (querer)
2. Los invitados fuman en la casa.   (no permitir)
3. Tú y Marisa preparan el pavo.   (pedir)
4. Los niños pasan la tarde con la abuela.   (mandar)
5. Los amigos de la oficina compran el vino y la cerveza.   (querer)
6. Tú escribes algo estúpido en la tarjeta.   (prohibir)
7. La gente come la torta antes de comer el pavo.   (no querer)
8. Tú recibes a los invitados.   (pedir)
9. Nadie habla de religión ni de política.   (mandar)
10. Los Gómez abren sus regalos después de la cena.   (querer)

C. En acción.   Describa lo que *(what)* pasa en cada uno de los siguientes dibujos *(drawings)*.

Have students create other endings for the sentences or describe the situations in more detail.

MODELO

Anita/querer/comer los chocolates, pero...
su mamá/prohibir/ella/comerlos/ahora
Anita quiere comer los chocolates, pero su mamá prohíbe que ella los coma ahora.

1. Alicia/querer/pasar unos días en Acapulco, pero... sus padres/no querer/ella/viajar/allí sola

2. Susana/no querer/bailar con nadie, pero... Enrique/pedirle/(ella)/bailar/con él

3. Ernesto/querer/fumar uno o dos cigarrillos, pero... su esposa/prohibir/él/ fumar/en la casa

4. los niños/querer/jugar en el patio, pero... su mamá/mandarles/(ellos)/comer/el almuerzo antes

5. la señora Vera/no querer/llegar tarde a la fiesta sorpresa, pero... su marido/pedirle/ (ella)/esperarlo/unos minutos más

Entrevista

1. ¿Quieres que tus padres te escuchen más? ¿que celebren tu cumpleaños? ¿que te manden más dinero?   2. ¿Quieren tus padres que tú les escribas más? ¿que los visites todas las semanas?   3. ¿Les pides a tus amigos que te acompañen al cine? ¿que te ayuden con tus estudios?   4. ¿Qué les pides a tus amigos? ¿a tu compañero(-a) de cuarto?   5. ¿Te gustan las fiestas sorpresas? ¿Quieres que tus amigos organicen una fiesta sorpresa para celebrar tu próximo cumpleaños? ¿Te gustaría organizar una fiesta sorpresa para alguien en particular? ¿Para quién...?

Additional activity. Have students working in small groups or pairs prepare a wish list.

• •

II. THE PRESENT SUBJUNCTIVE OF IRREGULAR, STEM-CHANGING, AND SPELLING-CHANGING VERBS

El Museo Rufino Tamayo, México D. F.

Student adaptation. Have students compose a third message from Alicia to her mother. Then have them imagine what her father would say to Alicia and Guillermo after they arrive tonight. Would he let her go to the exhibit with Guillermo? Students should use **(no) quiero que, (no) permito que, prohíbo que,** and so on.

En casa de Alicia.

Cuando la mamá de Alicia llega a su casa, encuentra los siguientes mensajes de su hija en la contestadora automática.

MENSAJE 1
¡Hola, mamá! Estoy con Guillermo, el pintor° de quien te hablé° ayer. Vamos a casa a eso de las ocho.° Quiero que lo *conozcas*°... ¡Ah! Guillermo me pide que el viernes *vaya* con él a la exposición de sus cuadros en el Museo Tamayo. Bueno, hasta más tarde...

painter
de quien... *I told you about/* **a eso...** *at around eight/* **Quiero...** *I want you to meet him*

MENSAJE 2
Mamá, olvidé° decirte que son las cinco y que estamos en el centro. Guillermo quiere que *busquemos* un regalo para su abuela. Otra cosa, mamá: te pido que le *digas* a papá que Guillermo me gusta mucho... ¿Por qué no le hablas de él y de la exposición antes de las ocho...? Bien, ya nos vemos luego.

I forgot

1. ¿A quién quiere Alicia que su mamá conozca? ¿Qué profesión tiene él?   2. ¿Adónde quiere él que vaya Alicia el viernes?   3. ¿Desde dónde le llama Alicia a su mamá? ¿Qué buscan allí Guillermo y Alicia?   4. ¿Qué le pide Alicia a su mamá?   5. ¿Qué quiere Alicia que haga su mamá antes de las ocho? ¿Por que?

• •

Have students practice forms with **que** (e.g., **que diga, que digas,** etc.). This is helpful for remembering that the subjunctive forms generally appear with a preceding **que** and for emphasizing the fricative intervocalic **d** and **g,** which usually need extensive practice.

A. Verbs that have an irregularity in the first-person singular of the present indicative maintain this irregularity in the present subjunctive. The endings, however, are regular.

decir		conocer		tener	
diga	dig**amos**	conozca	conozc**amos**	tenga	teng**amos**
dig**as**	dig**áis**	conozc**as**	conozc**áis**	teng**as**	teng**áis**
diga	dig**an**	conozca	conozc**an**	tenga	teng**an**

Other verbs that follow this pattern are:

construir*	**construy-**	poner	**pong-**	venir	**veng-**
hacer	**hag-**	salir	**salg-**	ver	**ve-**
oír	**oig-**	traer	**traig-**		

B. The following verbs are irregular:

dar		estar		haber	
dé	demos	esté	estemos	haya	hayamos
des	deis	estés	estéis	hayas	hayáis
dé	den	esté	estén	haya	hayan

Be aware that students may subsequently confuse the **sepa** pattern with the **supe** pattern of the preterit or may confuse **sepa** and **sea**.

ir		saber		ser	
vaya	vayamos	sepa	sepamos	sea	seamos
vayas	vayáis	sepas	sepáis	seas	seáis
vaya	vayan	sepa	sepan	sea	sean

C. Most stem-changing **-ar** and **-er** verbs retain the same pattern of stem change in the present subjunctive that they have in the indicative.

*****Construir** means *to build* or *construct*. A **y** is inserted before any ending (except future-tense and conditional endings) that does not begin with **i: construyo.** An **i** changes to **y** between two vowels: **construyó.**

encontrar		poder	
enc**ue**ntre	encontremos	p**ue**da	podamos
enc**ue**ntres	encontréis	p**ue**das	podáis
enc**ue**ntre	enc**ue**ntren	p**ue**da	p**ue**dan

entender		pensar	
ent**ie**nda	entendamos	p**ie**nse	pensemos
ent**ie**ndas	entendáis	p**ie**nses	penséis
ent**ie**nda	ent**ie**ndan	p**ie**nse	p**ie**nsen

Quickly review the conjugation of some stem-changing verbs in the present indicative (Chapters 5 and 6) and then change to subjunctive.

D. Stem-changing **-ir** verbs that have a change in stem of **e** to **ie, e** to **i,** or **o** to **ue** in the present indicative follow the same pattern in the subjunctive, with one additional change: in the **nosotros** and **vosotros** forms, the **e** of the stem is changed to **i;** the **o** is changed to **u.**

sentir		morir		dormir	
s**ie**nta	s**i**ntamos	m**ue**ra	m**u**ramos	d**ue**rma	d**u**rmamos
s**ie**ntas	s**i**ntáis	m**ue**ras	m**u**ráis	d**ue**rmas	d**u**rmáis
s**ie**nta	s**ie**ntan	m**ue**ra	m**ue**ran	d**ue**rma	d**ue**rman

pedir		vestirse	
p**i**da	p**i**damos	me v**i**sta	nos v**i**stamos
p**i**das	p**i**dáis	te v**i**stas	os v**i**stáis
p**i**da	p**i**dan	se v**i**sta	se v**i**stan

To emphasize this point, write the incorrect form **busce** on the board and ask students how it would sound. You might also contrast the present subjunctive with the preterit **yo** forms (e.g., **saque** vs **saqué**). Follow the same procedure with the incorrect form **llege.**

E. To preserve the sound of the stem when subjunctive endings are added, certain changes in spelling are sometimes necessary.

1. **c** changes to **qu** before **e:**
   que yo bus**qu**e, sa**qu**e, to**qu**e
2. **g** changes to **gu** before **e:**
   que yo jue**gu**e, lle**gu**e, pa**gu**e

3. **z** changes to **c** before **e:**
   que yo almuer**c**e, empie**c**e

Ana me pide que esté listo a las diez. Vamos a misa.

Mi mamá quiere que vayas con ellos al cine. —¡Qué bien! Tengo toda la tarde libre.

Ana asks me to be ready at ten o'clock. We are going to mass.

My mother wants you to go with them to the movies. —Great! I have the whole afternoon free.

El doctor prohíbe que te levantes o que te vistas.	*The doctor forbids you to get up or get dressed.*
Mandan que la compañía les construya una casa.	*They order the company to build them a house.*
¿Quieres que yo busque otra tarjeta?	*Do you want me to look for another card?*

EJERCICIOS

A. Daniel y su papá.   Haga el papel del señor Ramón Vives de Luna, papá de Daniel. Hable con Daniel y dígale que usted quiere que él se porte *(behave)* mejor. Use **quiero que** o **no quiero que** y el subjuntivo.

> **MODELO**   Daniel duerme todo el día.
> **Daniel, no quiero que duermas todo el día.**

1. Daniel no sabe sus lecciones.
2. Daniel no hace sus ejercicios.
3. Daniel saca malas notas.
4. Daniel no va a la escuela todos los días.
5. Daniel llega tarde a sus clases.
6. Daniel no dice siempre la verdad.
7. Y Daniel tiene problemas con su mamá.

B. La venganza *(Revenge).*   Ofrezca a su profesor(a) las siguientes sugerencias *(suggestions)* y mandatos. Use el subjuntivo, según el modelo.

> **MODELO**   ir a la puerta
> **Quiero que usted vaya a la puerta.**

1. abrir la puerta
2. cerrar la puerta
3. sacar un libro

4. poner el libro en la mesa
5. ir a la pizarra

C. Entrevista.   En grupos pequeños (2–4 estudiantes) entrevístense unos a otros sobre sus deseos o quejas en torno a *(around)* sus próximas vacaciones con la familia. En particular, averigüen *(find out)* 2–3 cosas que cada persona del grupo quiere que sus padres hagan por él (ella), y otras 2–3 cosas que sus padres no quieren que él (ella) haga. Siga los modelos.

> **MODELOS**   ESTUDIANTE 1   **¿Qué quieres que tus padres hagan por ti durante las próximas vacaciones?**
>
> ESTUDIANTE 2   **Quiero que sean generosos conmigo, que tengan paciencia con mis amigos y que me den el auto los fines de semana.**
>
> ESTUDIANTE 1   **¿Y qué te piden o prohíben tus padres?**
> ESTUDIANTE 2   **Ellos no quieren que yo salga todas las noches; prohíben que oiga música después de las 11:00 P.M. y me piden que no fume en la casa.**

Preguntas

1. ¿Quiere usted que sus compañeros de clase recuerden su cumpleaños? ¿Prefiere que lo ignoren? ¿Por qué? ¿Desea que lo celebren de alguna manera? ¿Cómo?   2. En general, ¿quieren los profesores que los estudiantes vengan a clase regularmente? ¿que sepan la lección? ¿que duerman en la clase? ¿Qué quiere su profesor(a) que ustedes hagan en la clase de español?   3. ¿Deben los profesores prohibir que los estudiantes traigan radios a la clase?   4. ¿Qué quiere su profesor(a) que usted haga para mañana?

III. ADDITIONAL COMMAND FORMS

A fines° de diciembre, en casa de una familia mexicana.   *Around the end*

PADRE	¿Qué quieren que les traigan los Reyes Magos, niños?
JUANITO	Mm... *pensemos*°...
PEPITO	No, mejor *escribámosles*° una carta.
PADRE	Bueno, pero no debe ser una carta muy larga, ¿eh?
JUANITO	No te preocupes por los regalos, papá. ¡Que *se preocupen* los Reyes°!

Mm... Hmmm . . . let's think . . .
No, (better) let's write them

¡Que... Let the Wise Men worry about it!

---

1. ¿Qué les pregunta el padre a sus dos hijos?   2. ¿Quién quiere que escriban una carta?   3. ¿Quiere el padre que la carta sea larga o corta?   4. Según Juanito, ¿quiénes deben preocuparse por los regalos?

A. As you have seen, the **usted** and **ustedes** command forms are the same as the **usted** and **ustedes** forms of the present subjunctive, and the negative **tú** command forms are the same as the **tú** form of the present subjunctive. Similarly, the **nosotros** form of the present subjunctive is equivalent to the first-person plural command form; it corresponds to *Let's . . .* or *Let's not . . .* in English.

Hablemos con el dueño. (No hablemos con el dueño.)	*Let's speak with the owner. (Let's not speak with the owner.)*
Comamos pavo. (No comamos pavo.)	*Let's eat turkey. (Let's not eat turkey.)*
Escribamos tarjetas de Navidad. (No escribamos tarjetas de Navidad.)	*Let's write Christmas cards. (Let's not write Christmas cards.)*

One exception is the affirmative **Vamos** *(Let's go)*. *Let's not go* is **No vayamos. Vamos a** + infinitive can also be used for the affirmative **nosotros** command form.

Vamos a cenar. Cenemos.	*Let's eat dinner.*
Vamos a saludar a los vecinos. Saludemos a los vecinos.	*Let's say hello to the neighbors.*

B. Pronouns are added to the affirmative **nosotros** command forms just as they are added to other command forms; they precede the negative **nosotros** commands.

Celebrémoslo con una torta.	*Let's celebrate it with a cake.*
Comámosla pronto.	*Let's eat it soon.*
No la comamos ahora.	*Let's not eat it now.*

When **nos** is added to an affirmative command, the final **-s** of the verb is dropped.

Levantémonos.	*Let's stand up.*	Vámonos.	*Let's go.*

Note: In both cases, an accent mark must be written to preserve the original stress.

C. Indirect commands are commands given to someone else (indirectly). They usually follow the pattern **Que** + subjunctive + subject of the verb. Notice that object pronouns precede the affirmative indirect command.

Que les vaya bien.	*May all go well with you.*
¡Que terminen los niños de poner los adornos en el árbol de Navidad!	*Let (Have) the children finish putting the decorations on the Christmas tree!*
¡Que pasen todos al comedor!	*Have everyone go into the dining room!*
Que haga ella el papel de María.	*Let her play the role of María.*

EJERCICIOS

A. Cambiemos. Diga cada mandato de otra forma: confirme o niegue *(deny)* las frases que siguen, según las indicaciones. Siga los modelos.

> **MODELOS**   Vamos a bailar.   **Sí, bailemos.**
> Vamos a estudiar.   **No, no estudiemos.**

1. Vamos a ver televisión. Sí, ...
2. Vamos a dormir hasta las diez. No, ...
3. Vamos a tocar el piano. No, ...
4. Vamos a cenar después de la función. Sí, ...

B. Conozcamos la capital. Sonia, Francisca y Yolanda son estudiantes de bellas artes *(fine arts)* en la Universidad de Monterrey. Deciden viajar a Ciudad de México para ver las maravillas del arte colonial en la capital. Conteste por Yolanda, siguiendo los modelos. Use pronombres objetos cuando sea posible.

> **MODELOS**   SONIA   ¿Viajamos a Puebla o a Ciudad de México?
> YOLANDA   **Viajemos a Ciudad de México, pero ¡no viajen sin mí!**
>
> SONIA   ¿Compramos los pasajes hoy o mañana?
> YOLANDA   **Comprémoslos mañana, pero ¡no los compren sin mí!**

1. ¿Nos vamos en tren o en auto?
2. ¿Salimos mañana o el sábado?
3. ¿Visitamos primero el Museo de Antropología o la nueva galería de arte?
4. ¿Asistimos a una ópera o a un ballet?
5. ¿Vamos de compras aquí o en la capital?
6. ¿Volvemos en una o en dos semanas?

C. Julio el tímido. Julio es cortés pero muy tímido. Por eso, cuando le piden que haga algo, siempre sugiere *(suggests)* que lo haga otra persona. Conteste las preguntas por Julio.

MODELO Julio, ¿quieres romper la piñata? (los otros niños)
No, gracias. Que la rompan los otros niños.

1. ¿Quieres cantar «Guantanamera»? (Sonia y Luis)
2. ¿Quieres ir al desfile con Sonia? (Ernesto)
3. ¿Quieres ver *El padrino?* (mis hermanos)
4. ¿Quieres saludar a las muchachas? (mamá)
5. ¿Quieres poner los adornos en el árbol? (Anita)

Entrevista ————————————————————————————

1. ¿Qué quieres que hagamos hoy? ¿Quieres que contestemos estas preguntas o que conversemos de algo más interesante? ¿Por ejemplo...? 2. ¿Quieres que hagamos una fiesta aquí en la clase la semana próxima? ¿antes de terminar el semestre? 3. ¿Qué quieres que hagamos mañana? ¿Quieres que hagamos muchos ejercicios? ¿que hablemos de fiestas y del fin de semana? ¿que escuchemos algunas canciones en español?

Viñeta cultural ————————————————————————————

FIESTAS MEXICANAS

Una niña hace el papel de María en las Posadas.

Antes de leer

A photo can give you hints about the content of the reading it accompanies. Before you read the following passage on Mexican fiestas, study the photo of «las Posadas», an important Mexican celebration, on page 281, and then answer the questions below.

1. Do you think «las Posadas» is a religious or political celebration? Why?
2. What do you think is happening in the event pictured? Who do the participants represent?

Now read the selection.

Student adaptation.
Have students work together to write a similar essay on U.S. or Canadian holidays and their history.

A los mexicanos les gustan mucho las fiestas y participan activamente en ellas. Algunas fiestas son religiosas y otras son políticas. Hay días de fiesta nacionales, regionales y también locales. El calendario mexicano tiene muchas fiestas y casi cualquier cosa° es un buen pretexto para reunirse y celebrar la ocasión. Según el poeta mexicano Octavio Paz, quien recibió el Premio Nóbel de Literatura en 1990, México ha conservado el arte de la fiesta con sus colores, danzas, ceremonias, trajes° y fuegos artificiales°.   **casi...** *almost anything* / **costumes, outfits/fuegos...** *fireworks*

Entre las fechas y fiestas nacionales más conocidas están el 21 de marzo, cumpleaños de Benito Juárez, un presidente mexicano popular del siglo diecinueve; el 1° (primero) de mayo, Día de los Trabajadores; el 5 de mayo, celebración de la derrota° de los invasores° franceses por las tropas° mexicanas en 1862[1]; y el 16 de septiembre, Día de la Independencia de España.   *defeat/invaders/troops*

Una de las fiestas religiosas mexicanas más importantes es la celebración de «las Posadas»[2]. Esta fiesta tiene lugar° durante las nueve noches anteriores a Navidad. Muchas familias se reúnen para celebrar las Posadas, dramatización simbólica del viaje de San José y la Virgen María a Belén en busca de una posada° o lugar donde pueden pasar la noche. Generalmente los niños hacen los papeles de San José y de la Virgen María, y también hacen de posaderos° o dueños de la posada.   **tiene...** *takes place* / **en...** *in search of an inn* / *innkeepers*

Después de leer

Comprensión.   Conteste las siguientes preguntas.

1. ¿Celebran muchas fiestas los mexicanos? ¿Cuáles, por ejemplo?   2. ¿Cuáles son algunas de las cosas y actividades asociadas con el arte de la fiesta?   3. ¿Cuáles son algunas fiestas políticas nacionales?   4. ¿Qué celebran los mexicanos el cinco de mayo?   5. ¿Cuándo tiene lugar la fiesta de las Posadas?   6. ¿Qué representa esa fiesta?

Notas Culturales

1. Although the French were initially driven back at Puebla on May 5, 1862, many more French troops were dispatched and they conquered Mexico City in 1863. Maximilian of Habsburg and his wife Charlotte of Belgium (Carlota) were placed on the Mexican throne by the French emperor Napoleon III. In 1867 at Querétaro, troops loyal to the republican government of Benito Juárez laid siege to the French forces of Maximilian and eventually forced his surrender. That important battle also began on May 5. After the French defeat and the execution of Maximilian and his generals, Juárez reentered Mexico City and was reelected president in December 1867.

2. The **Posadas** (literally, *the inns*) are held on nine consecutive nights, beginning on December 16 and ending on Christmas Eve. Nine families usually participate, with each family sponsoring one evening. The celebration begins around eight o'clock with prayers and songs; then the company divides into two groups, one acting as Joseph and Mary seeking lodging, the other acting as the innkeepers. The groups converse in song. At the end of the evening, the identity of those seeking shelter is revealed, they are admitted to the inn, and there is much celebrating. For the first eight nights, there are fruits, nuts, candies, and punch; on Christmas Eve the host family for that year (the **padrinos**) provides a large dinner after Midnight Mass **(Misa de gallo).** The origin of the custom is said to be an Aztec ceremony that a Spanish priest, Diego de Soria, adapted to Christian purposes.

PARA ESCUCHAR

A. Una fiesta de quince años. Hoy Concepción cumple *(turns)* quince años. Ella y sus amigos celebran su cumpleaños con una gran fiesta bailable. Antonio, el primo favorito de Concepción, no ha podido venir y por eso los amigos filman la fiesta en un videocasete para enviárselo a Antonio. Escuche lo que dice Raúl, el narrador.

Vocabulario: una fiesta bailable   una fiesta con baile   sala *livingroom*   **ruido** *noise*   **misa** *mass*   **se enfermó** *got sick*

B. En orden cronológico. Ponga en orden cronológico las siguientes declaraciones que cuentan los eventos del día.

_____ Jorge bailó con la hermana de Manuel.
_____ El hermano menor de Rafael comió mucha torta y se enfermó.
_____ Concepción, su familia y sus amigos fueron a una misa.
_____ Todos llegaron a la casa de Concepción.
_____ Felipe no bailó con Estela y ella dejó la fiesta.
_____ Elena tocó la guitarra y todos cantaron.

FUNCIONES *y actividades*

In this chapter, you have seen examples of some important language functions, or uses. Here is a summary and some additional information about these functions of language.

Extending and accepting invitations

¿Le (Te) gustaría ir a... (conmigo)? *Would you like to go to . . . (with me)?*
¿Qué le (te) parece si vamos a...? *How do you feel about going to . . . ?*
Si está(s) libre hoy, vamos a... *If you're free today, let's go to . . .*
¿Quiere(s) ir a...? *Do you want to go to . . . ?*
¿Me quiere(s) acompañar a...? *Do you want to go with (accompany) me to . . . ?*

Querido Raúl:

Te invito a mi fiesta de cumpleaños el día miércoles, 21 de mayo. Va a ser en mi apartamento y vamos a tener buena música y comida a partir de las 20 horas. ¡Ojalá puedas venir!

Espero tu respuesta antes del 20, si es posible.

Con cariño,

Luisa

Sí, ¡con mucho gusto! *Yes, gladly (sure)!*
¡Cómo no! ¿A qué hora? *Sure! What time?*
¡Listo(-a)! Gracias por la invitación. *I'm ready to go! Thanks for the invitation.*
Ah sí, ¡qué buena idea! *Oh, yeah, what a good idea!*
No veo la hora de verte (de hablar con José, de comer, etc.). *I can't wait to see you (to talk to José, to eat, etc.).*
De acuerdo, ¡tengo todo el día libre! *Okay, I have the whole day free!*

Declining invitations

Tengo (Es que tengo) mucho que hacer esta semana. La semana que viene, tal vez. *I have a lot to do this week. Next week, perhaps.*
Me gustaría (mucho), pero (no puedo ir)... *I'd like to (very much) but (I can't go) . . .*
Otro día tal vez; hoy estoy muy ocupado(-a). *Another day, perhaps; today I'm very busy.*
¡Qué lástima! Esta tarde tengo que estudiar. *What a shame! This afternoon I have to study.*

Making a toast

The most common way to make a toast is **¡Salud!** *(To your health!)*, as you saw earlier. Three longer versions you may hear are:

Salud, amor y dinero.	*Health, love, and money.*
Salud, amor y dinero y el tiempo para gastarlos.	*Health, love, and money, and the time to enjoy (spend) them.*
Salud y plata y un(a) novio(-a) de yapa.	*Health, money (silver), and a sweetheart besides.*

Making introductions

If you are introducing yourself, you can say **Déjeme presentarme. Me llamo...** To introduce someone else to another person, you can say:

Ésta es..., una amiga de México (California, etc.).	*This is . . . , a friend from Mexico (California, etc.).*
Quiero que conozca(s) a...	*I want you to meet . . .*
Quiero presentarle(te) a...	*I want to introduce you to . . . (or: I want to introduce . . . to you.)*

As you have seen earlier, **Mucho gusto** is generally used for *Glad to meet you.*

Actividades

A. Invitaciones. Trabaje con un(a) compañero(-a) de clase y hágale cada una de las siguientes invitaciones. Su compañero(-a) debe aceptar algunas de sus invitaciones y rechazar *(decline)* las otras.

1. ir a una exposición de arte
2. ir a una fiesta de cumpleaños para su mamá (de usted)
3. ir a una conferencia sobre Centroamérica
4. ir a un concierto de Madonna
5. ir al parque zoológico
6. ir a las montañas para esquiar
7. ir con él (ella) al teatro
8. ir al barrio italiano para comer pizza

B. Mini-dramas. Dramatice las siguientes situaciones.

1. El día de San Valentín *(Valentine's Day)* usted y un(a) amigo(-a) cenan en un restaurante muy bueno. Su amigo(-a) le cuenta que ayer tuvo una entrevista para un trabajo en una galería de arte y ¡le dieron el trabajo! El director quiere que empiece a trabajar inmediatamente. Usted felicita *(congratulate)* a su amigo(-a). Para celebrar la ocasión, pide una botella del mejor champán y el camarero se lo trae. Usted llena *(fill up)* su vaso y el de su amigo y los dos brindan *(toast)* por un futuro feliz en el nuevo trabajo.

2. Una persona que usted conoce y que tiene un carácter muy difícil lo (la) invita regularmente a salir: al teatro, al cine, a conciertos, a cenar, etc. A esa persona no le gusta que le digan que «No» cuando invita... Esta vez la invitación es para asistir a un concierto el viernes. Usted le dice que no va a poder porque ese día va a ver una obra de teatro. Entonces él (ella) repite la invitación para el sábado, después para el domingo, etc. Usted debe buscar (¡y encontrar!) una buena excusa para cada invitación y rehusarla *(decline it)* ¡muy cortésmente *(politely)!*

C. Mis intereses del momento. En grupos de 3 o 4, haga cada estudiante una lista de cinco cosas que le gustaría hacer en un futuro muy próximo, e.g.: jugar un partido de tenis, ir a un concierto de jazz, aprender a bailar el tango, ver una obra de teatro, viajar a Cancún, aprender a cocinar comida china, etc. Luego comparen sus listas y vean si tienen algún interés en común. Si dos o más personas tienen intereses similares, hagan planes para divertirse juntos pronto ¡y traten de incluir en sus planes a los demás del grupo!

Un conjunto mariachi toca durante una fiesta de cumpleaños en México, D.F.

D. El cumpleaños de Claudia. Hoy Claudia cumple *(turns)* 21 años. Mire la foto de arriba y describa cómo y con quién(es) Claudia celebra su cumpleaños. Según su opinión, ¿qué tocan los músicos probablemente? ¿Y qué dicen los jóvenes...?, etc.

E. Una fiesta buenísima. Traiga a clase una foto de una fiesta donde usted se divirtió mucho. En grupos pequeños o enfrente de la clase, descríbeles su foto a sus compañeros de grupo o a toda la clase.

PARA ESCRIBIR

Respuesta a una invitación.   Imagine que usted también está en la lista de invitados para la fiesta de cumpleaños de Luisa y que ayer le llegó la misma invitación que a Raúl (p. 284). ¿Piensa asistir a la fiesta o no va a poder por alguna razón? Escríbale una breve nota a Luisa; acepte su invitación o dígale por qué no va a poder estar con ella el 21 de mayo.

VOCABULARIO ACTIVO

Cognados

el aniversario	la galería	Janucá
el candelabro	el instructor,	la piñata
la celebración	la instructora	la sorpresa

Verbos

construir	*to build*
fumar	*to smoke*
mandar	*to order, command; to send*
permitir	*to permit, allow*
presentar	*to introduce*
quejarse	*to complain*
reunirse	*to meet, get together*
saludar	*to greet*

Fiestas y aniversarios

el adorno	*decoration*
el árbol	*tree*
el árbol de Navidad	*Christmas tree*
el comedor	*dining room*
el desfile	*parade*
la misa	*mass* (rel.)
la Navidad	*Christmas*
la Nochebuena	*Christmas Eve*
el papel	*role*
hacer el papel (de)	*to play the role (of)*
el pavo	*turkey*

los Reyes Magos	*Three Kings (Three Wise Men)*
la tarjeta	*card*

Otras palabras y frases

el dueño (la dueña)	*owner*
la injusticia	*injustice*
¡Qué injusticia!	*How unfair!*
la lectura	*reading*
listo	*ready; clever*
medianoche	*midnight*
el mensaje	*message*
próximo	*next*
el vecino (la vecina)	*neighbor*

Expresiones útiles

No veo la hora de (+ *inf.*)	*I can't wait* (+ inf.)
Quiero que conozca(s) a...	*I want you to meet . . .*

Unos españoles en bicicleta por las montañas cantábricas en el norte de su país

LA SALUD
Y EL CUERPO

VOCABULARIO. In this chapter you will learn to name the parts of the body and to talk about various states of health and sickness.

GRAMÁTICA. You will discuss and use:

- Other uses of the definite article
- The subjunctive with certain verbs expressing emotion, necessity, will, and uncertainty
- The subjunctive with impersonal expressions

CULTURA. This chapter focuses on the Hispanic community of Miami.

FUNCIONES

- Expressing doubt
- Asking for, granting, or denying permission
- Giving advice

LA COMUNIDAD CUBANO-AMERICANA DE MIAMI

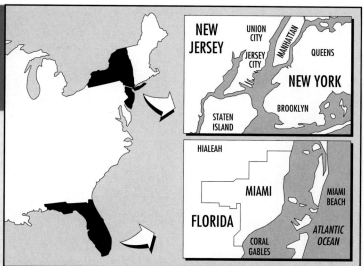

¿Sabía usted que...?

1. La mayor parte de los cubano-americanos están aquí como exiliados *(exiles)* políticos del régimen de Fidel Castro. El primer grupo numeroso llegó de Cuba en 1959 y el segundo *(second)* en 1980. Hay cubanos en todos los estados, pero muchos viven en «la pequeña Habana», un barrio de Miami, Florida.

2. En Miami también viven muchos centroamericanos que vinieron a este país por razones políticas; la mayor parte de ellos son de El Salvador y de Nicaragua.

EL CUERPO HUMANO

Point out the difference between **oreja** *(outer ear)* and **oído** *(inner ear, hearing)*.

la cara
el pelo
el ojo
la nariz
la oreja
la boca
los dientes
el hombro
el brazo
el pecho
el corazón
el estómago
la mano derecha
los dedos
la pierna
la rodilla
los dedos del pie
el pie izquierdo

¿QUÉ TENGO, DOCTOR? LOS SÍNTOMAS

Me duele* todo el
cuerpo, desde la
cabeza hasta los pies.

Me duele la espalda.

Tengo dolor de garganta.

Y también tengo
dolor de estómago.

Tengo tos.

Tengo fiebre.

Tengo mareos.

Students often need
extensive practice to
internalize the pronun-
ciation distinction
between **dolor, dolores**
and **dólar, dólares.**

EL DIAGNÓSTICO

Tiene sólo un catarro (resfrío, resfriado).
Está resfriado, nada más.
Tiene gripe y mucha fiebre.
¡Debe tomar jugo de naranja todos los días!

---

*__Doler__ *(to ache, hurt)* is an **o** to **ue** stem-changing verb. Like **gustar,** it is normally used with an indirect object
pronoun.

una pastilla   la receta
una píldora   la farmacia
                      la medicina (el medicamento, el remedio)

¡Vamos a dibujar! *(Let's draw!)*   El (la) profesor(a) va a dibujar una parte del cuerpo humano en la pizarra. Después le va a dar la tiza *(chalk)* a un(a) estudiante y le va a decir: «Dibuje el (la, los, las)..., por favor.» Ese(-a) estudiante agrega *(adds)* otra parte del cuerpo, le da la tiza a otro(-a) estudiante, etc.; la actividad sigue hasta dibujar todo el cuerpo.

   Después dibujen la ropa que necesita la persona: Para un hombre, la camisa, los pantalones, los zapatos, etc.; para una mujer, la blusa, la falda, los zapatos, etc.

Preguntas

1. ¿Qué partes del cuerpo usamos para hablar? ¿para pensar? ¿para comer? ¿para caminar? ¿para escribir? ¿para nadar?   2. ¿Hace usted ejercicios físicos? ¿Nada usted? ¿Dónde? ¿Anda en bicicleta *(ride a bike)?* ¿Corre? ¿Cuándo? ¿por la mañana? ¿por la tarde? 3. ¿Toma usted vitaminas todos los días?   4. ¿Cuándo tiene usted más energía: por la noche o por la mañana? ¿el sábado por la noche o el lunes por la mañana?

I. OTHER USES OF THE DEFINITE ARTICLE

Algo sobre *los* catarros*.

—*Los* catarros se transmiten° por el aire y a través del° contacto directo de *las* manos.

—*Las* pastillas de zinc han probado° tener un gran efecto curativo sobre *el* catarro.

—*Las* inhalaciones y *los* líquidos calientes son buenos para *el* catarro, ya que° *los* virus del catarro no se reproducen bien en temperaturas superiores a las° del cuerpo.

se... *are transmitted/***a...** *through*

han... *have proved*

ya... *since*

superiores... *higher than those*

---

1. ¿Cómo se transmiten los catarros?   2. A mucha gente (por ejemplo, a los japoneses) no les gusta dar la mano *(to shake hands)* para saludar. ¿Por qué?   3. ¿Qué hace usted cuando tiene catarro?

• •

Several uses of the definite article such as the article with titles (Chapter 1) and with dates and days of the week (Chapter 4), have already been presented. Other uses of the definite article are:

Review articles of clothing presented in Chapter 7.

A. With parts of the body and articles of clothing when it is clear who the possessor is. The possessive adjective is not used in these instances.

Additional exercise: **¿Qué se puso Anita?** MODELO: blusa / blanco; Anita se puso la blusa blanca. 1. traje / rojo 2. zapatos / negro 3. falda / blanco 4. chaqueta / nuevo 5. suéter / azul 6. sombrero / gris.

El médico se lava las manos.	*The doctor is washing his hands.*
Ana se pone los zapatos.	*Ana is putting on her shoes.*
Ricardo se quitó el suéter.	*Ricardo took off his sweater.*
Dame la mano.	*Give me your hand.*
Me duele la cabeza y no me siento** bien. Tengo que descansar.	*My head aches and I don't feel well. I have to rest.*

B. Before a noun used in a general sense as representative of its class or type. The noun can be singular or plural, concrete or abstract.

La salud es muy importante.	*Health is very important.*
Así es el amor.	*That's love.*
No me gustan los cigarrillos.	*I don't like cigarettes.*

C. With names of languages and fields of study, except after the preposition **en** and after **aprender, enseñar, estudiar, hablar,** and **leer,** when it is usually omitted.

Enseño alemán.	*I teach German.*
Me gustan las ciencias en general.	*I like sciences in general.*
¿Hablas francés? —Sí, pero con dificultad.	*Do you speak French? —Yes, but with difficulty.*
¿Cómo se dice «buen viaje» en francés? —«Bon voyage.»	*How do you say "Have a good trip" in French? —"Bon voyage."*

---

*De la revista *Vanidades*
****Sentir(se),** *to feel,* is an **e** to **ie** stem-changing verb. **Sentir que** usually means *to be sorry that . . .*

D. For rates and prices.

Aquí se venden huevos a setenta centavos la docena.	*Eggs are sold here for seventy cents a dozen.*
Compré un vino excelente a cuarenta pesos el litro.	*I bought an excellent wine for forty pesos a liter.*
¿Ese queso cuesta quinientos pesos el kilo? —No tengo la menor idea.	*Does that cheese cost 500 pesos a kilo? —I don't have the slightest idea.*

EJERCICIOS

Follow up each item by asking the class for **El remedio,** for example: **Usted necesita tomar dos aspirinas. Usted necesita descansar,** etc.

A. **¿Qué le duele?** A usted le duele todo el cuerpo y decide ir al doctor. Describa los dolores que tiene, según el modelo.

> **MODELO** garganta/ojos
> **Me duele la garganta y también me duelen los ojos.**

1. estómago/espalda
2. pies/piernas
3. manos/brazos
4. cuello/boca
5. cabeza/cuerpo

B. **Un dolor de cabeza.** Complete la conversación con artículos definidos, cuando sean necesarios. Después, conteste las preguntas que siguen.

RAMÓN ¿Qué tal (1) _____ dolor de cabeza, mi amor?

JOSEFINA Hoy fui al médico. Me dio píldoras de Anabufenol y otros medicamentos. No sé qué son porque no sé leer (2) _____ latín. Después fui a (3) _____ doctora Soya, que es experta en nutrición.

RAMÓN ¿Y qué te dijo ella?

JOSEFINA Me dijo que (4) _____ frutas y (5) _____ verduras frescas *(fresh)* son muy importantes para (6) _____ salud, y que (7) _____ café, (8) _____ té y (9) _____ chocolate son malos. Y me dio Herbavor, que según ella cura *(cures)* todos los males *(ills)*.

RAMÓN ¡Qué bien!

JOSEFINA Después, por (10) _____ tarde, fui a una clase de yoga. (11) _____ maestra me dijo que (12) _____ tensión es (13) _____ causa principal de (14) _____ dolores de cabeza. Me enseñó algunos (15) _____ ejercicios como «el león» y «la cobra». Ahora me duele mucho (16) _____ espalda.

RAMÓN ¡Qué lástima!

JOSEFINA Por fin *(Finally)* fui a Madame Leona, la espiritista *(spiritualist)*. Ella me aconsejó *(advised)* quitarme (17) _____ zapatos. Dijo que (18) _____ zapatos pueden causar toda clase de dolores. Y que no debo salir (19) _____ viernes *(pl.)* porque mi signo es Aries.

RAMÓN Pero ahora, ¿cómo te sientes?

JOSEFINA No sé. Después de tantos (20) _____ consejos, ¡tengo un dolor de (21) _____ cabeza terrible!

1. ¿Qué problema tenía Josefina?   2. ¿Qué le dio el médico?   3. ¿Qué le dijo la doctora Soya? ¿Qué le dio ella?   4. Según la maestra de yoga, ¿cuál es la causa principal de los dolores de cabeza? ¿Qué le recomendó ella a Josefina?   5. ¿Qué le dijo Madame Leona a ella?   6. ¿Cómo se siente Josefina después de todos esos consejos?

Entrevista

Trabaje con un(a) compañero(-a). En forma alternada, háganse y contesten las preguntas que siguen.

1. Cuando te despiertas por la mañana, ¿abres los ojos fácilmente o con mucha dificultad?
2. ¿Te duele a veces la cabeza? ¿el estómago? ¿la garganta? ¿Qué tomas o qué haces entonces?   3. ¿Qué ropa te pones cuando hace frío? ¿cuando hace calor? ¿cuando llueve?   4. ¿Te interesa el arte? ¿la política? ¿la literatura?

II. THE SUBJUNCTIVE WITH CERTAIN VERBS EXPRESSING EMOTION, NECESSITY, WILL, AND UNCERTAINTY

En una clínica, en Miami.

LA DOCTORA	Primero quiero que la enfermera le *tome* la temperatura.°	**quiero...** *I'd like the nurse to take your temperature* / patient
LA ENFERMA°	Ya lo hizo, doctora, y no tengo fiebre. Pero me siento muy mal.	
LA DOCTORA	No me sorprende que *se sienta* mal.° Quiero que usted *vaya*° al hospital ahora mismo.°	**No...** *I'm not surprised that you feel bad.* **Quiero...** *I want you to go* / **ahora...** *right away*
LA ENFERMA	Pero, doctora, ¿qué tengo?	
LA DOCTORA	No estoy segura.° Por ahora sólo sé que su aspecto físico° es horrible. Mírese en ese espejo.° Usted está muy pálida°, tiene los ojos nublosos°, la nariz...	*sure, certain* **aspecto...** *physical appearance* *mirror / pale* *blurry*
LA ENFERMA	¡Basta ya!° ¡Tampoco usted es una Venus!	**¡Basta...** *That's enough!*

Have students vary the dialogue, changing the symptoms and description of the sick person.

1. ¿Qué quiere la doctora que haga la enfermera?   2. ¿Cómo se siente la enferma?
3. ¿Qué quiere la doctora que haga la enferma?   4. ¿Sabe la doctora qué tiene la enferma?   5. ¿Qué hace usted cuando se siente muy mal?

A. You have seen that many sentences are composed of two or more clauses, or groups of words containing a subject and a verb. For instance, in the sentence *We wish that he were coming, We wish* is an independent clause, and *that he were coming* is a dependent clause. The subjunctive is used in Spanish in dependent clauses after verbs expressing:

1. An order or request; for example, **insistir (en), pedir, decir.**

Insiste en que vengan ahora mismo.	*He insists that you come right away.*
Le pido al niño que no ponga los pies en la mesa.	*I am asking the child not to put his feet on the table.*
¡Te digo que levantes la mano!	*I'm telling you to raise your hand!*

2. Will, desire, preference; for example, **querer, desear, preferir.**

No quiero que usted pierda el tiempo.	*I don't want you to waste time.*
Deseo que vengan a visitarme.	*I want you to come visit me.*
Carmen prefiere que su esposo no fume cigarrillos.	*Carmen prefers that her husband not smoke cigarettes.*

3. Hope, emotion, and feeling; for example, **ojalá, tener miedo, alegrarse (de), sorprender, sentir.**

Ojalá que Susana se sienta bien.	*I hope Susana will feel well.*
Tengo miedo que los niños se enfermen.	*I'm afraid that the children will get sick.*
Me alegro (de) que no tengas mareos.	*I'm glad you aren't dizzy.*
No me sorprende que Ernesto esté enfermo, porque no come bien.	*It doesn't surprise me that Ernesto is sick, because he doesn't eat well.*
Siento que Juan tenga un resfrío.	*I'm sorry Juan has a cold.*

4. Approval, permission, prohibition, or advice; for example, **gustar, permitir, prohibir, aconsejar, recomendar.**

Me gusta que Ana diga eso.	*I'm pleased (It pleases me) that Ana says that.*
Mamá no permite que hablemos con la boca llena.	*Mom doesn't allow us to talk with our mouths full.*
El doctor le prohíbe que salga de la casa.	*The doctor forbids him (her) to leave the house.*
Te aconsejo que llegues a las nueve en punto.	*I advise you to arrive at nine o'clock on the dot.*
El médico recomienda que tomes mucha agua y otros líquidos.	*The doctor recommends that you drink a lot of water and other liquids.*

5. Necessity; for example, **necesitar.**

Necesitan que alguien los lleve al hospital.	*They need someone to take them to the hospital.*

6. Doubt or uncertainty; for example, **dudar, no estar seguro(-a).**

Dudo que encuentren la cura para esa enfermedad.	*I doubt they will find the cure for that disease.*
No estoy seguro que el doctor sepa hacerlo.	*I'm not sure the doctor knows how to do it.*

B. The verbs **creer** and **pensar** require the subjunctive in interrogative or negative sentences when surprise or doubt is implied. The indicative is used in affirmative sentences or when there is no uncertainty in the speaker's mind.

¿Crees que Alicia esté embarazada? — *Do you think that Alicia is pregnant? (doubt implied)*

¿Crees que Alicia está embarazada? —No tengo la menor idea. — *Do you think that Alicia is pregnant? (simple question) —I don't have the slightest idea.*

No creo que Alicia esté embarazada. — *I don't believe that Alicia is pregnant.*

¿Piensas que Ramón sea feliz? — *Do you think Ramón is happy? (doubt implied)*

No pienso que Ramón sea feliz. — *I don't think that Ramón is happy. (The speaker thinks he probably isn't.)*

Pienso que Ramón es feliz. — *I think that Ramón is happy.*

C. Remember that **que** is always used in these expressions, although in English *that* can be omitted or an infinitive used.

Espero que ellos hablen con el médico. — *I hope (that) they talk to the doctor.*

Quiero que Juanito tome estas vitaminas. — *I want Juanito to take these vitamins.*

D. Remember also that the subjunctive is used only when there is a change of subject; when the subject of the main and dependent clauses is the same, an infinitive is used.

Quiero comprar unos medicamentos (unas medicinas). — *I want to buy some medicines.*

Quiero que ellos compren unos medicamentos (unas medicinas). — *I want them to buy some medicines.*

EJERCICIOS

A. El entrenador *(trainer, coach).* ¿Qué les dice el entrenador a los futbolistas *(soccer players)?* Siga el modelo.

> **MODELO** espero/comer bien y tomar vitaminas
> **Espero que coman bien y que tomen vitaminas.**

1. les pido/correr diez kilómetros todos los días
2. deseo/hacer 50 sentadillas *(sit-ups)* diarias
3. no quiero/llegar tarde a las prácticas
4. les aconsejo/no acostarse tarde el viernes
5. espero/ganar el partido *(game)* del sábado
6. ojalá/poner atención a mis consejos

B. ¿De veras...?   Trabaje con un(a) compañero(-a). En forma alternada, Estudiante 1 hace una oración en el presente para darle información personal al (a la) compañero(-a). La oración puede ser verdadera o falsa. Estudiante 2 responde con **«¿De veras? Dudo que...»** o **«¡Qué interesante! No dudo que...»,** según el caso. Algunas de las oraciones deben ser verdaderas y otras falsas.

> **MODELO**   ESTUDIANTE 1   **Mis abuelos viven en Cuba. (Conozco al presidente de México. Sé hablar italiano.)**
>
> ESTUDIANTE 2   **¿De veras? Dudo que tus abuelos vivan en Cuba (que conozcas al presidente de México, que sepas hablar italiano).**

C. Quiero que...   Trabaje con un(a) compañero(-a). Estudiante 1 es el (la) doctor(a) y Estudiante 2 es el (la) paciente. Hagan un diálogo, empleando el subjuntivo varias veces. Usen las sugerencias.

Paciente: Dice que últimamente se siente mal, que siempre tiene dolores de cabeza y que no tiene mucha energía.
Doctor(a): Le hace varias preguntas sobre su rutina diaria: a qué hora se acuesta, qué come, etc.
Paciente: Dice que no duerme mucho y que tampoco come mucho porque no tiene tiempo.
Doctor(a): Le da varios consejos. Quiero (Deseo/Necesito/Te pido/Te aconsejo/Espero/Te prohíbo) que... (abrir la boca, decir «ah», tomar..., etc.).

Una farmacia en Miami, Florida

• •

III. THE SUBJUNCTIVE WITH IMPERSONAL EXPRESSIONS

EL TABACO Y LA SALUD

Mientras que es verdad que muchos jóvenes piensan que el fumar les da cierto aire° de sofisticación, es probable que un fumador° *viva* 18 años menos que una persona que no fuma. Un fumador de 30 años probablemente va a vivir hasta la edad de 64 años, mientras que un no fumador va a llegar a los 82. Lo cierto° es que es una lástima que los que no fuman *tengan* que respirar° el humo° secundario del tabaco, porque cada año mueren miles de personas por el efecto de este humo— 50.000 personas por año sólo en Estados Unidos.

cierto... *a certain air*
smoker

Lo... *One thing for sure*
breathe / smoke

1. ¿Es probable que un fumador viva tantos años como un no fumador?   2. ¿Cuántas personas mueren por año en Estados Unidos por el humo secundario del tabaco?   3. ¿Cree usted que se debe prohibir el uso del tabaco en lugares públicos? ¿Por qué sí o por qué no?

• •

A. Impersonal expressions have no obvious subject, and equivalent English expressions often begin with the pronoun *it*. The subjunctive is used after many impersonal expressions of doubt, emotion, expectation, permission, prohibition, and personal judgment. Some of the more commonly used impersonal expressions that require the subjunctive in a following clause are:

Es bueno	*It's good*	Es (una) lástima	*It's a pity*
Es malo	*It's bad*	Es probable	*It's probable*
Es mejor	*It's better*	Es dudoso	*It's doubtful*
Es peor	*It's worse*	Es necesario	*It's necessary*
Es imposible	*It's impossible*	Es ridículo	*It's ridiculous*
Es posible	*It's possible*	Está bien	*It's all right (okay)*
Es importante	*It's important*	Está prohibido	*It's forbidden*

¿Es bueno que ellos hagan ejercicios?	*Is it good that they exercise?*
Es mejor que me vaya.	*It's better for me to leave.*
Es importante que tomes vitaminas.	*It's important that you take vitamins.*
No es posible que sea tan difícil.	*It's not possible that it's so difficult.*
¿Está bien que te acompañemos?	*Is it all right if we go with you?*
Está prohibido que los estudiantes fumen en clase.	*It's forbidden for students to smoke in class.*

All of the preceding impersonal expressions are followed by the subjunctive in dependent clauses in affirmative, negative, or interrogative sentences.

B. The following expressions require the indicative when used in the affirmative but the subjunctive when used in the negative. They take the subjunctive in interrogative sentences only if doubt is strongly implied.

Es cierto	*It's true*	Es seguro	*It's certain*
Es (Está) claro	*It's clear*	Es verdad	*It's true*

No es verdad que se necesite receta para eso.	*It's not true that you need (one needs) a prescription for that.*
¿Es verdad que se necesite receta?	*Is it true that you need a prescription? (doubt implied)*
¿Es verdad que se necesita receta?	*Is it true that you need a prescription? (simple question)*
Es verdad que se necesita receta.	*It's true that you need a prescription.*
No es cierto que esa enfermedad sea incurable.	*It's not true that that disease is incurable.*

C. The expressions **tal vez** and **quizás,** which both mean *perhaps,* normally require the subjunctive. They are followed by the indicative if the speaker or writer wants to express belief or conviction.

Quizás fume demasiado.	*Perhaps he smokes too much. (The speaker is not sure.)*
Quizás fuma demasiado.	*Perhaps he smokes too much. (The speaker thinks he probably does.)*
Tal vez Enrique lo sepa.	*Maybe Enrique knows about it. (The speaker is not sure.)*
Tal vez Enrique lo sabe.	*Maybe Enrique knows about it. (The speaker thinks he probably does.)*

EJERCICIOS

A. Los cubano-americanos. Haga oraciones nuevas, usando las palabras entre paréntesis.

> **MODELO** El barrio cubano de Miami se llama «la pequeña Tegucigalpa». (No es verdad que...)
> **No es verdad que el barrio cubano de Miami se llame «la pequeña Tegucigalpa».**

1. La mayor parte de los hispanos de Miami es de origen cubano. (Es cierto que...)
2. La pequeña Habana es un barrio pobre. (No es cierto que...)
3. La calle principal del barrio cubano es la Calle 8. (Es verdad que...)
4. Hay muchas tiendas con comidas mexicanas por la Calle 8. (Es improbable que...)
5. Fidel Castro es muy popular entre los cubano-americanos. (Es dudoso que...)

"La Pequeña Habana," Miami, Florida

B. No, mi amor... Sara está embarazada por primera vez y su esposo Miguel se preocupa mucho. Trabaje con un(a) compañero(-a). Hagan los papeles de Sara y Miguel. Sigan el modelo.

MODELO tomar un café (es importante que no...)
SARA **¿Está bien que tome un café?**
MIGUEL **No, es importante que no tomes café.**

1. fumar un cigarrillo (no es bueno que...)
2. correr (es malo que...)
3. acostarme muy tarde (no es bueno que...)
4. comer muchos chocolates (no me gusta que...)
5. tomar vino (es importante que no...)

C. Quizás... Trabaje con un(a) compañero(-a). ¿Qué van a hacer usted y sus amigos este fin de semana? Hagan cinco oraciones cada uno(-a) con **quizás** o **tal vez.** Después, compartan *(share)* la información con la clase.

Viñeta cultural _____

JOSÉ MARTÍ, HÉROE DE LA INDEPENDENCIA CUBANA

Por
Christina
Cantú Díaz

José Martí (1853–1895)

Antes de leer _____

1. ¿Quién es José Martí?
2. Según su opinión, ¿por qué es muy popular entre los cubano-americanos?

Entre las voces° latinoamericanas que han clamado° en contra de la opresión y a favor de la libertad, es probable que la voz del poeta cubano José Martí sea una de las más bellas° y sinceras. Poeta, ensayista° y mártir, Martí nació en 1853 en Cuba, de orígenes humildes.° Mostró gran inteligencia y talento desde su niñez.° El liberal progresista° Rafael María Mendive lo ayudó a terminar sus estudios secundarios y lo inspiró° a fundar° el periódico *La patria*° *libre* (Martí tenía entonces dieciséis años). Mendive, con muchos otros patriotas cubanos, fue arrestado° por su participación en el movimiento revolucionario de Cuba. Una carta de Martí encontrada entre las pertenencias° de Mendive llevó al arresto del joven Martí y a una sentencia de seis años de trabajos forzados° en

voices/**han...** *have cried out*

beautiful
essayist
humble
childhood/progressive

inspired/found/homeland

fue... *was arrested*

belongings
forced

prisión. Después de cumplir° un año de esta sentencia, fue deportado° a España. Allí continuó su educación en la Universidad de Zaragoza. Pudo volver a Cuba en 1878, pero sus actividades políticas lo llevaron nuevamente° al exilio, donde pasó los siguientes catorce años. En la ciudad de Nueva York fundó el Partido° Revolucionario Cubano en 1892. En 1895 Martí volvió a Cuba como partícipe° en una operación de invasión del país y murió en la batalla° de Dos Ríos. Siete años después, Cuba finalmente se independizó° de España.

    Los poemas, ensayos° y artículos periodísticos de Martí expresan una profunda visión y comprensión° de los problemas latinoamericanos. Su poesía, llena° de imágenes° de la vida diaria, es altruista y sincera; el autor quería «hacer el bien» (como él mismo lo dijo) por los demás.° En su poema «Odio del Mar» Martí dijo: «Lo que° me duele no es vivir; me duele vivir sin hacer bien».

    José Martí es uno de los símbolos más puros y sinceros de la lucha° por la independencia de Cuba y de todos los países oprimidos.° La popular canción «Guantanamera» inmortalizó° algunos de sus «Versos sencillos°». Lea la letra° de la canción que sigue; la versión musical está incluida en la cinta del manual del laboratorio.

completing
fue... *he was deported*

again

Party
participant
battle
se... *became independent*

essays
understanding
full/images

los... *others*
Lo... *What*

struggle
oppressed
immortalized/simple/lyrics

Guantanamera

Guantanamera, guajira, guantanamera.
Guantanamera, guajira, guantanamera.
Yo soy un hombre sincero,
de donde crece la palma°.
Yo soy un hombre sincero,
de donde crece la palma,
y antes de morirme quiero
echar mis versos del alma°.

(Refrán)

Mi verso es de un verde claro°
y de un carmín encendido°.
Mi verso es de un verde claro
y de un carmín encendido.
Mi verso es un ciervo herido°
que busca en el monte amparo°.

(Refrán)

palm tree

echar... *cast out (express)*
my verses from my soul.

clear, light
carmín... *fiery scarlet*

ciervo... *wounded deer*
shelter

> *Con los pobres de la tierra°*
> *quiero yo mi suerte echar.°*
> *Con los pobres de la tierra*
> *quiero yo mi suerte echar.*
> *El arroyo de la sierra°*
> *me complace° más que el mar.*
>
> *(Refrán)*

earth

mi suerte... *cast my luck*

El arroyo... *The mountain stream/me gusta*

Después de leer

1. ¿Cuándo nació José Martí?
2. ¿Qué hizo él cuando tenía dieciséis años?
3. ¿Por qué arrestaron al joven Martí?
4. ¿Cómo murió el poeta?
5. ¿Qué canción inmortalizó algunos de sus «Versos sencillos»?

PARA ESCUCHAR

A. Una llamada telefónica. Antonia no está bien. Habla con su médico. Escuche la conversación. ¿Cuáles son los síntomas de Antonia?

Vocabulario: tibio *lukewarm* **divertido** *entertaining* **perturbar el sueño** *disturb one's sleep.*

_____ Tiene fiebre. _____ Tiene insomnio.
_____ Tiene mareos. _____ Está nerviosa.
_____ Tiene dolor de cabeza. _____ Tiene tos.
_____ Le duele la espalda.

B. Consejos. Escuche la conversación otra vez. ¿Qué consejos le da el médico?

FUNCIONES *y actividades*

In this chapter, you have seen examples of some important language functions, or uses. Here is a summary and some additional information about these functions of language.

Expressing doubt

You don't know how to respond to someone because you don't know or can't decide something.

No sé.	I don't know.
No se sabe.	No one knows. (Literally, "It's not known.")
¿Quién sabe?	Who knows?
¿Qué sé yo?	What do I know? (informal)
No tengo la menor idea.	I don't have the slightest idea.

You have a response, but you are doubtful about it.

No estoy seguro(-a) que (+ *subj.*)...	I'm not sure that . . .
Es posible (probable) que (+ *subj.*)...	It's possible (probable) that . . .
Puede (Podría) ser.	It could be.
Tal vez..., Quizá(s)... (+ *subj. or ind.*)	Perhaps . . .
Que yo sepa... (+ *ind.*)	As far as I know . . .
Creo que sí (no).	I believe so (not).
Creo que (+ *ind.*)..., No creo que (+ *subj.*)...	I believe that . . . , I don't believe that . . .
Pienso que sí (no).	I think so. (I don't think so.)
Pienso que (+ *ind.*)..., No pienso que (+ *subj.*)...	I think that . . . , I don't think that . . .

Asking for permission

¿Me permite (+ *inf.*)...?	May I . . . ? (Will you allow me to . . . ?)
¿Se permite (+ *inf.*)...?	May one (we, I) . . . ?
¿Se debe (+ *inf.*)...?	May (Should) one . . . ?
¿Se puede (+ *inf.*)...?	Can one (we, I) . . . ?
¿Está bien que (+ *subj.*)...?	Is it okay to . . . ?

Granting or denying permission

Sí, está bien que (+ *subj.*)...	Yes, it's okay to . . .
Sí, estoy seguro(-a) que puede(s)...	Yes, I'm sure you can . . .
No, no está bien que (+ *subj.*)...	No, it's not okay to . . .
No, está prohibido que (+ *subj.*)...	No, it's prohibited to . . .
Se prohíbe (+ *inf.*)...	It's prohibited (forbidden) to . . .
No se permite (+ *inf.*)...	It's not permitted to . . .
Eso no se hace.	That's not done (allowed).
¡Ni hablar!	Don't even mention it!

Giving advice

Usted debe (Tú debes)...	You should . . .
Le (Te) aconsejo que (+ *subj.*)...	I advise you to . . .
Es mejor que usted (tú) (+ *subj.*)...	It's better for you to . . .
Recomiendo que usted (tú) (+ *subj.*)...	I recommend that you . . .

Actividades

A. Dudas. Trabaje con un(a) compañero(-a). En forma alternada, un(a) estudiante hace una afirmación y el otro (la otra) expresa duda. Use tantas expresiones de duda como le sea posible.

MODELO La cafeína puede causar cáncer.
No estoy seguro(-a) de que la cafeína pueda causar cáncer.

1. La persona que sale de la casa con el pelo mojado *(wet)* se enferma.
2. Las pulseras de cobre *(copper bracelets)* curan la artritis.
3. La vitamina C cura el cáncer.
4. La leche es buena para todo el mundo.
5. Es bueno para el pelo si uno se lo lava con huevos y cerveza.
6. Dos o tres días sin comer, tomando *(drinking)* sólo jugo de lechuga, cura todos los males.
7. La persona que come mucha cebolla *(onion)* va a vivir muchos años.

B. ¿Qué dicen las siguientes personas? Trabaje con un(a) compañero(-a). Hagan breves conversaciones posibles para las situaciones en las ilustraciones. Usen tantas expresiones para pedir, dar y negar *(deny)* permiso como les sea posible. Si quieren, usen algunas de estas palabras: **cerrar, prestar su bolígrafo, pescar *(to fish)*, abrir, sentarme aquí, sacar una foto, entrar, fumar.**

Expand the activity by having students describe the situations in more detail.

MODELO ESTUDIANTE 1 ¿Se puede fumar aquí?
ESTUDIANTE 2 **No, está prohibido.**

1.

2.

3.

4.   5.   6.

C. Consejos. Trabaje con un(a) compañero(-a). Estudiante 1 menciona un problema, real o imaginario. Estudiante 2 le da consejos. Después, Estudiante 2 menciona un problema y Estudiante 1 le da consejos.

PARA ESCRIBIR

Usted tiene que escribirle una nota a su profesor(a) de español porque está enfermo(-a) y no puede dar *(take)* el examen. Descríbale los síntomas que usted tiene. También pídale permiso para dar el examen la semana que viene.

VOCABULARIO ACTIVO

Cognados

la cafeína	la influenza	posible
cubano	el líquido	el remedio
humano	las medicinas	los síntomas
imposible	el, la paciente	las vitaminas

Verbos

aconsejar	*to advise*
alegrarse de	*to be glad*
curar	*to cure*
descansar	*to rest*
dibujar	*to draw*
doler (ue)	*to ache, hurt*
dudar	*to doubt*
enfermarse	*to get sick*
enseñar	*to teach; to show*
insistir (en)	*to insist (on)*
recomendar (ie)	*to recommend*
sentir (ie)	*to feel; to sense*
sentirse + *adj.*	*to feel a certain way*
sentir que	*to be sorry that*

sorprender	*to surprise*
tener miedo (de) que	*to be afraid that*

El cuerpo humano

la boca	*mouth*
el brazo	*arm*
la cara	*face*
el cuello	*neck*
el cuerpo	*body*
el dedo	*finger*
dedo del pie	*toe*
los dientes	*teeth*
la espalda	*back*
la garganta	*throat*

la mano	*hand*
la nariz	*nose*
el ojo	*eye*
la oreja	*ear*
el pelo	*hair*
la pierna	*leg*
la rodilla	*knee*

La salud

el catarro	*cold*
tener (un) catarro	*to have a cold*
el cigarrillo	*cigarette*
la cura	*cure*
embarazada	*pregnant*
la enfermedad	*illness*
el enfermero, la enfermera	*nurse*
enfermo	*sick*
la gripe	*flu*
tener (una) gripe	*to have the flu*
los mareos	*dizziness, nausea*
tener mareos	*to be dizzy, nauseous*
el medicamento	*medicine*
el médico, la médica	*doctor*
la pastilla	*tablet*
la píldora	*pill*
la receta	*prescription; recipe*
el resfriado	*cold*
tener un resfriado	*to have a cold*
el resfrío	*cold*
tener un resfrío	*to have a cold*
la tos	*cough*
tener tos	*to have a cough*

Otras palabras y frases

ahora mismo	*right away*
cierto	*certain, sure*
claro	*clear*
demasiado	*too much*

la dificultad	*difficulty*
dudoso	*doubtful*
lleno (de)	*filled, full (of)*
la mayor parte	*greater part, majority*
el miedo	*fear*
tener miedo de	*to be afraid of*
Ojalá que...	*I hope (it is to be hoped) that . . .*
seguro	*sure, certain*

Expresiones útiles

Es mejor que usted (tú) (+ *subj.*)...	*It's better for you to . . .*
Es posible (probable) que (+ *subj.*)...	*It's possible (probable) that . . .*
¿Está bien que (+ *subj.*)...?	*Is it okay to . . . ?*
Está prohibido que (+ *subj.*)...	*It's prohibited to . . .*
Le (Te) aconsejo que (+ *subj.*)...	*I advise you to . . .*
No estoy seguro(–a) que (+ *subj.*)...	*I'm not sure that . . .*
No se permite (+ *inf.*)...	*It's not permitted to . . .*
No tengo la menor idea.	*I don't have the slightest idea.*
Recomiendo que usted (tú) (+ *subj.*)...	*I recommend that you . . .*
¿Se permite (+ *inf.*)...? ¿Se debe (+ *inf.*)...?	*May one (we, I) . . . ? May (Should) one . . . ?*
Se prohíbe (+ *inf.*)...	*It's prohibited (forbidden) to . . .*
Tal vez..., Quizá(s)... (+ *subj. or ind.*)	*Perhaps . . .*
¿Se puede (+ *inf.*)...?	*Can one (we, I) . . . ?*

El interior de una casa en Lima, Perú

EN CASA

VOCABULARIO. In this chapter you will talk about housing.

GRAMÁTICA. You will discuss and use:

- The future tense
- The conditional mood
- The present participle and the progressive tenses.

CULTURA. This chapter focuses on Peru.

FUNCIONES

- Making requests or offering assistance
- Stating intentions
- Expressing probability and possibility

PERÚ

Capital: Lima

Población: aproximadamente 22 millones de habitantes

Ciudades principales: Lima, Arequipa, Callao, Chimbote, Trujillo, Chiclayo

Moneda: el nuevo sol

¿Sabía usted que...?

1. En Perú hay tres regiones distintas: la Costa, la Sierra (o Cordillera de los Andes) y la Amazonia. La costa es árida, con excepción de algunos valles fértiles. En la zona central hay montañas altas. La región amazónica representa un 62 por ciento del territorio pero tiene sólo la octava *(eighth)* parte de la población.

2. Cuzco (capital del imperio de los incas) y Machu Picchu (ciudad sagrada inca) atraen *(attract)* a miles de turistas todos los años.

¿DÓNDE VIVE USTED?

Related vocabulary, **el alquiler, la renta; la hipoteca** *(mortgage)*. Additional item, **el césped** *(lawn)*.

In most Spanish American countries, **el jardín** is located in front of the house and the backyard is called **el patio.**

Note that flowers grow in **un jardín** and vegetables in **una huerta.**

1. el edificio de apartamentos
2. la casa
3. el jardín
4. el garaje
5. el techo

Los cuartos (*rooms*) de un apartamento

In Mexico **la recámara** is generally used for *bedroom*.

Although **¿Dónde se encuentra el baño?** would be understood almost anywhere, there are many variants for *bathroom* (in the sense of *toilet*): **el retrete, el servicio, el excusado, el wáter (el wáter closet** or **W.C.).**

6. la entrada
7. la sala (de estar)
8. el comedor
9. la cocina
10. el dormitorio, la alcoba
11. el cuarto de baño, el baño

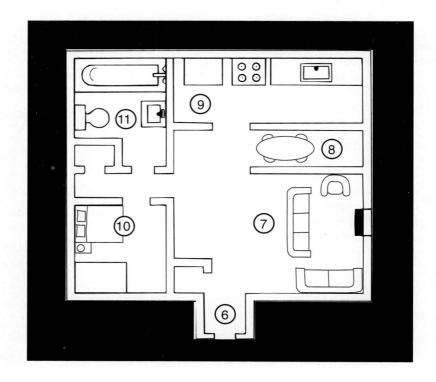

Los muebles

Point out that **los muebles** is translated as *furniture* and **el mueble** as *a piece of furniture,* e.g., **La silla es un mueble.**

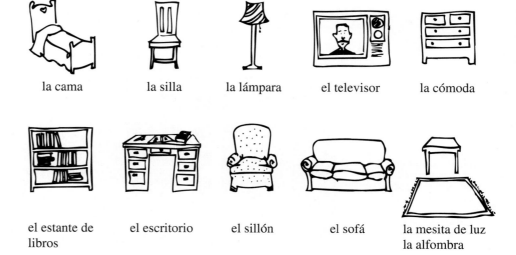

la cama   la silla   la lámpara   el televisor   la cómoda

el estante de libros   el escritorio   el sillón   el sofá   la mesita de luz
la alfombra

¿Para qué sirve?   ¿Cuál es la función de los cuartos siguientes? Dé la letra que corresponde a la función apropiada.

1. el dormitorio
2. el comedor
3. la cocina
4. la sala
5. el baño

a. cocinar
b. dormir
c. bañarse, lavarse
d. comer
e. mirar televisión, leer

Preguntas

1. Usted va a comprar una casa. ¿Qué muebles va a poner en el dormitorio? ¿en la sala? ¿en el comedor?   2. ¿Adónde va usted para tomar sol? ¿para preparar la comida? ¿para cocinar?   3. ¿Dónde va a poner el auto? ¿el televisor?

I. THE FUTURE TENSE

La Plaza San Martín,
Lima, Perú

En un hotel de Lima, Perú.

GERENTE	Sí, señorita, tenemos un cuarto muy lindo. Venga conmigo y se lo *enseñaré.°* (...) Mire, da al parque.°	*I'll show* **da...** *it faces the park*
SEÑORITA	Sí, la vista es muy bonita... ¿Y qué le pasó a esta puerta?	
GERENTE	¡Oh!... *estará* rota.° *Tendremos* que arreglarla.°	**estará...** *it must be broken /* **Tendremos...** *We'll have to fix it.*
SEÑORITA	¡Uf! ¡Qué calor hace aquí! ¿Tiene aire acondicionado° la habitación?	**aire...** *air conditioning*
GERENTE	No, pero *abriré°* la ventana. (...) ¡Oh!, casi nunca hay tanto ruido° aquí.	*I'll open* *noise*
SEÑORITA	*(En voz alta)* ¿Cómo? No lo puedo oír.	
GERENTE	Nada. Mire, señorita, aquí tiene una cama muy cómoda°, un estante de libros, un escritorio, un sillón...	*comfortable*
SEÑORITA	¿Se puede alquilar° el cuarto por semana?	*rent*
GERENTE	Sí, pero *querré°* un depósito.	*I'll want*

Aural Comprehension. ¿Verdadero o falso? 1. El cuarto del hotel tiene una vista linda. 2. Una ventana está rota. 3. La habitación no tiene aire acondicionado. 4. La señorita tiene que alquilar el cuarto por mes.

1. ¿Cómo es el cuarto? ¿Da a la calle?   2. ¿Tiene aire acondicionado el cuarto? ¿Qué tiene?   3. ¿Se puede alquilar la habitación por semana? ¿Hay que dejar un depósito?

● ●

A. To form the future tense, add to the infinitive the endings **-é, -ás, -á, -emos, -éis, -án.** The endings are the same for **-ar, -er,** and **-ir** verbs. Except for the first-person plural, **nosotros,** all forms have written accents.

hablar		comer		vivir	
hablar**é**	hablar**emos**	comer**é**	comer**emos**	vivir**é**	vivir**emos**
hablar**ás**	hablar**éis**	comer**ás**	comer**éis**	vivir**ás**	vivir**éis**
hablar**á**	hablar**án**	comer**á**	comer**án**	vivir**á**	vivir**án**

Te acompañaré a comprar los muebles.

I'll go with you to buy the furniture.

El miércoles próximo iremos a Trujillo.

Next Wednesday we will go to Trujillo.

B. Some verbs are irregular in the future. However, the irregularity is only in the stem; the endings are the same as those for regular verbs. The following are several types of verbs that show an irregularity in the future.

1. Verbs that drop the vowel of the infinitive ending.

habr-	(haber)
podr-	(poder)
querr-	(querer)
sabr-	(saber)

2. Verbs that replace the vowel of the infinitive ending with **d.** (Note that these are the same verbs that have a **g** in the present-tense **yo** form.)

pondr-	(poner)
saldr-	(salir)
tendr-	(tener)
vendr-	(venir)

3. Verbs that drop the stem consonant, plus a vowel.

dir-	(decir)
har-	(hacer)

| Jaime no querrá quedarse en una casa tan desordenada. | Jaime will not want to stay in such a messy house. |

Jaime no querrá quedarse en una casa tan desordenada.

Jaime will not want to stay in such a messy house.

¡Limpia el piso!* —Lo haré mañana.

Clean the floor! —I'll do it tomorrow.

Tendrán que esperar.

They'll have to wait.

Podremos quedarnos en un cuarto cómodo con dos camas, televisor, baño y una buena vista.

We'll be able to stay in a comfortable room with two beds, a television, a bath, and a good view.

C. The future tense can also be used to express probability or doubt in the present.

¿Qué hora será?

What time can it be? (I wonder what time it is.)

Serán las ocho.

It must be eight o'clock. (It is probably eight o'clock.)

¿Dónde estará Tomás?

Where can Tomás be? (Where might Tomás be?)

Tomás estará en su dormitorio.

Tomás is probably (must be) in his room.

La Avenida Benavides, Lima, Perú

---

*El piso means *floor* (of a room), as opposed to **el cielo raso** *(ceiling);* a floor or story of a building is also **el piso. El suelo** means *floor* or *ground,* as opposed to **el techo** *(roof).*

EJERCICIOS

A. Planes futuros.   Complete el párrafo con el tiempo futuro de los verbos entre paréntesis.

El próximo verano mi familia y yo (1. ir) _____ a México. Primero (2. visitar) _____ la ciudad de Monterrey, donde papá (3. ver) _____ a un amigo. Después, mamá y él (4. ir) _____ a Guanajuato. Allí tenemos varios parientes y mis padres (5. sentirse) _____ muy felices de verlos. Sé que todos (6. querer) _____ tenerlos en su casa, pero estoy seguro de que papá y mamá (7. preferir) _____ estar solos en algún hotel. Ellos (8. necesitar) _____ un dormitorio cómodo. Durante ese tiempo, mi hermano y yo (9. viajar) _____ y (10. conocer) _____ muchos lugares interesantes. (11. hacer) _____ una visita a Guadalajara, donde mi hermano (12. poder) _____ ver algunos cuadros de Orozco, el famoso pintor *(painter)* mexicano, y yo (13. divertirse) _____ en la Plaza de los Mariachis. Finalmente, los cuatro (14. encontrarse) _____ en Ciudad de México. Mis padres (15. llegar) _____ allí en auto desde Guanajuato y nosotros en avión desde Guadalajara.

Use this activity as a composition topic or have students write about what their lives will be like in 2020.

B. En el año 2020.   En cinco oraciones, diga cómo será la vida en el año 2020.

MODELO   **En el año 2020 no tendremos que trabajar; la gente viajará más y los viajes costarán menos; se podrá curar el SIDA y otras enfermedades hoy día incurables, etc.**

C. Cuentos *(stories)* **progresivos.**   En grupos de cuatro o más estudiantes, preparen ustedes un cuento progresivo. La primera persona empieza el cuento con una oración como «Mañana saldré de casa temprano...». Luego, otra persona repetirá lo que dijo la primera y añadirá *(will add)* otra acción al cuento. Y así siguen las otras personas del grupo. Algunos cuentos pueden empezar así:

You may want to allow students to "prompt" whoever is reciting the sequence.

1. Mañana me despertaré a las seis y...
2. El año que viene mis amigos y yo iremos a...
3. Mi novio(-a) y yo nos casaremos el año próximo y...

D. ¡Los muebles hablan!   ¿Cómo serán los dueños de los muebles que se ven aquí? ¡Use su imaginación!

MODELO   **La dueña será una persona vieja, tal vez una profesora; tendrá unos setenta años.**

1.

2.

3.

4.

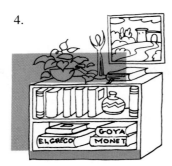

5.

Entrevista _____

Entreviste a un(a) compañero(-a) de clase sobre sus ideas y planes futuros. El cuestionario que sigue le puede servir de guía *(as a guide)* pero usted debe hacerle otras preguntas adicionales. Luego presente la información a la clase.

Variation: Have students work in small groups.

En el futuro lejano *(distant)*
1. ¿Dónde vivirás después de terminar tus estudios?   2. ¿Qué profesión tendrás?
3. ¿Cuándo te casarás?   4. ¿Harás muchos viajes en el futuro? ¿Adónde viajarás?
5. ¿Adónde irás el verano que viene?   6. ¿Quién será presidente(-a) en el futuro?

En un futuro más próximo
7. ¿Qué harás para divertirte este fin de semana?   8. ¿Te quedarás en casa o saldrás el domingo?   9. ¿A qué hora te acostarás esta noche?   10. ¿A qué hora te levantarás mañana? ¿Por qué?

II. THE CONDITIONAL MOOD

**Aural Comprehension.
¿Verdadero o falso?**
1. Pablo le hizo una promesa a Marisa la semana pasada. 2. Le dijo a Marisa que ellos irían al cine. 3. Le dijo a Marisa que él compraría un sillón nuevo para la sala. 4. Le prometió a Marisa que no fumaría más. 5. Marisa no quiere que Pablo fume.

En el apartamento de Pablo y Marisa.

MARISA ¿Recuerdas la promesa que me hiciste la semana pasada mientras pintábamos las paredes de la entrada?

PABLO ¿La semana pasada? ¡Ah!, te dije que *iríamos*° al cine, ¿no?   *we would go*

MARISA No, dijiste que *harías*° algo que me *gustaría*° muchísimo.   *– you would do
me... I would like very much*

PABLO ¿Qué te *prometería*° yo°? ¡No lo recuerdo! Tal vez dije que *limpiaría*° las alfombras... o que *compraría*° algo para la sala... ¿un sillón nuevo, tal vez...?   **¿Qué...** *What could I have promised you?*
limpiaría... *I would clean*
compraría... *I would buy*

MARISA ¡No! ¡Me prometiste que no *fumarías* más°!   **no...** *you wouldn't smoke any more*

PABLO ¡Y no fumo más, Marisa! Fumo exactamente igual que siempre°, querida.   **igual...** *the same as always*

1. ¿Recuerda Pablo su promesa?   2. ¿Le prometió él a Marisa que irían al cine? ¿que limpiaría la sala?   3. ¿Cuál fue la promesa de Pablo?   4. Según Marisa, ¿cuándo prometió Pablo que no fumaría más?   5. ¿Fuma más Pablo?

• •

A. To form the conditional mood, add to the infinitive the endings **-ía, -ías, -ía, -íamos, -íais, -ían.** The endings are the same for **-ar, -er,** and **-ir** verbs.

hablar		comer	
hablaría	hablaríamos	comería	comeríamos
hablarías	hablaríais	comerías	comeríais
hablaría	hablarían	comería	comerían

vivir	
viviría	viviríamos
vivirías	viviríais
viviría	vivirían

The conditional is used to express what would happen in a certain situation. It usually conveys the meaning *would* in English.*

Él no compraría una casa sin seis alcobas, dos baños y un comedor grande.	He wouldn't buy a house without six bedrooms, two bathrooms and a big dining room.
Yo no alquilaría ese cuarto.	I wouldn't rent that room.

B. The conditional often refers to an action that was projected as future or probable from the perspective of some time in the past.

Prometieron que traerían el sofá y los sillones antes de las dos.	They promised they would bring the sofa and the armchairs before two o'clock.
No sabíamos si el gerente llegaría hoy o mañana.	We didn't know if the manager would arrive today or tomorrow.
Dijo que alquilaría la casa que da al parque.	He said he would rent the house that faces the park.

---

*Remember that the imperfect in Spanish can also be translated as *would* when referring to a repeated event in the past: **Durante el verano comíamos en el patio todos los días.** *(During the summer we would eat on the patio every day.)*

Point out that **quisiera** is used with higher frequency in conversation than are conditional forms of **querer**.

Remind students that the impersonal forms of **haber** are always in the singular and review all impersonal forms of **haber** used so far: **hay, había, hubo, habrá,** and **habría**.

C. The verbs that have irregular stems in the future also have the same irregular stems in the conditional. The endings are the same as those for verbs with regular stems.

dir-	(decir)	**pondr-**	(poner)	**saldr-**	(salir)
har-	(hacer)	**querr-**	(querer)	**tendr-**	(tener)
		sabr-	(saber)	**vendr-**	(venir)
		habr-	(haber)		
		podr-	(poder)		

¡Lucía no diría eso, mamá!
Pedro prometió que pondría sus cosas y la lámpara en su cuarto.
Creo que ellos podrían ayudarte a arreglar el techo.

Lucía wouldn't say that, Mom!
Pedro promised he would put his things and the lamp in his room.
I think they could (would be able to) help you fix the roof.

D. The conditional may be used to express probability in the past.

¿Qué hora sería cuando ellos llegaron?
Serían las nueve.

What time was it (probably) when they arrived?
It must have been (was probably) nine o'clock.

¿Qué edad tendría Pepito cuando fueron a España?
Tendría once o doce años.

Approximately how old was Pepito when they went to Spain?
He was around eleven or twelve years old (he must have been eleven or twelve years old).

E. The conditional may also be used to indicate an attitude of politeness or deference. (You have seen the forms **podría** and **gustaría** in the **Funciones y actividades** sections, since they are frequently used in many expressions of request, permission, etc.)

¿Me podría decir usted cómo llegar al Hotel Continental? —Con mucho gusto.
El concierto empieza en diez minutos. Deberían tomar un taxi, ¿no?

Could you tell me how to get to the Continental Hotel? —Gladly.

The concert starts in ten minutes. You should take a taxi, right?

EJERCICIOS

Point out the use in conversation of **iba a** + *infinitive* for cases like these. (E.g., **Pedro me dijo que no me iba a gustar el barrio**.)

A. Yo te lo dije, Luisa. A pesar de *(In spite of)* todo lo negativo que le dijo su amigo Pedro, Luisa alquiló un apartamento en un barrio lejos de la universidad. Haga el papel de Luisa y complete las oraciones.

MODELO Pedro me dijo que (gustar) ...no me ___*gustaría*___ el barrio.

Pedro me dijo que...

1. (haber) ...en ese lugar, _____ mucho ruido.
2. (hacer) ...allí _____ mucho frío en el invierno.
3. (estar) ...yo _____ muy lejos de todo y de todos.
4. (llevar) ...el viaje a la universidad me _____ más de una hora.
5. (poder) ...(yo) no _____ vivir allí sin auto.
6. (deber) ...(yo) _____ alquilar un apartamento más cerca.

B. Para tener una vida mejor*... En Lima, Perú, entrevistaron a más de 200 mujeres. Les preguntaron: «De los siguientes, ¿qué aspectos mejorarían *(would improve)* la vida de una mujer?» Aquí van las respuestas, con el porcentaje (%) de mujeres que contestaron «Sí» a cada categoría. Trabaje con un(a) compañero(-a). Lean la información y hagan oraciones sobre la situación ideal para la mujer peruana; usen el modo condicional.

MODELO En el mundo ideal...
Los horarios de trabajo serían más flexibles.
Los hijos ayudarían más en la casa.

DE LOS SIGUIENTES,
¿QUE ASPECTOS MEJORARIAN LA VIDA DE UNA MUJER? % MULTIPLE

MAS DINERO 61
TRABAJO MÁS INTERESANTE 53
MAYOR AYUDA DEL ESPOSO 31
MAYOR AYUDA DE SUS HIJOS 24
MAS CONTROL SOBRE SU VIDA 18
MENOS STRESS EN LA CASA 16
MAS ENTRETENIMIENTO 16
UNA RELACION DIFERENTE 11
HORARIO DE TRABAJO MAS FLEXIBLE 10

C. ¿Qué diría?   Trabaje con un(a) compañero(-a). Hagan oraciones que una mujer peruana les diría a su esposo, a sus hijos y a su jefe, basadas en la información del ejercicio B. Usen su imaginación.

MODELOS   A su esposo: **Me prometiste que sacarías la basura.**
A sus hijos: **Me dijeron que me ayudarían a lavar los platos.**
A su jefe: **Me prometió que podría aprender a programar la computadora.**

Have students write a paragraph about their dream house.

D. La casa ideal.   Describa la casa ideal, usando el modo condicional. Incluya las respuestas a estas preguntas:

1.   ¿Dónde estaría?
2.   ¿Cuántos cuartos tendría? ¿Cuántos dormitorios? ¿baños? ¿Tendría más de un piso?
3.   ¿Tendría patio? ¿jardín? ¿garaje? ¿Para cuántos autos?
4.   ¿Sería nueva o vieja? ¿Qué estilo tendría? (¿español? ¿colonial? ¿moderno?)

III. THE PRESENT PARTICIPLE AND THE PROGRESSIVE TENSES

Dos amigos se encuentran en lo alto° de una montaña.

en... at the top

MANUEL	Alberto, ¿qué *estás haciendo* aquí?°
ALBERTO	*Estoy admirando°* esta vista estupenda, *descansando°* y *respirando°* aire puro... Hace más de dos horas que *estoy haciendo* planes para el futuro, *pensando°*... Y tú, ¿por qué viniste aquí?
MANUEL	Es que en casa había mucho ruido cuando salí: mi hijo *estaba tocando°* el piano, mi hija *estaba escuchando°* a Madonna, mi esposa *estaba cantando°*... ¡Y la verdad es que tanto ruido a mí me *estaba volviendo* loco°! Por eso estoy aquí...

¿qué... what are you doing here?
Estoy... I'm admiring
resting / breathing
thinking

estaba... was playing
estaba... was listening
estaba... singing
me... was driving me crazy

1. ¿Qué está haciendo Alberto en lo alto de la montaña?   2. ¿Cuánto tiempo hace que él está allí?   3. ¿Por qué está allí Manuel?   4. ¿Va usted a las montañas de vez en cuando? ¿Para qué? ¿Está pensando pasar unos días en las montañas? ¿Cuándo? ¿Qué piensa hacer allí?

A. To form the present participle of most Spanish verbs, **-ando** is added to the stem of the infinitive of **-ar** verbs and **-iendo** to the stem of the infinitive of **-er** and **-ir** verbs.*

hablando   *speaking*
comiendo   *eating*
viviendo   *living*

Hablando de viajes, ¿cuándo sales para Arequipa?	*Speaking of trips, when are you leaving for Arequipa?*

B. Present participles of verbs with a stem ending in a vowel take the ending **-yendo** rather than **-iendo,** since in Spanish an unaccented **i** between two vowels becomes a **y.**

creyendo	(creer)	leyendo	(leer)
oyendo	(oír)	trayendo	(traer)

C. Stem-changing **-ir** verbs show a change in the stem of the present participle from **e** to **i** or **o** to **u** (as they do in the third-persons singular and plural of the preterit).

---

*The present participle of **ir** is **yendo.**

diciendo	(decir)	pidiendo	(pedir)
prefiriendo	(preferir)	siguiendo	(seguir)
sirviendo	(servir)	durmiendo	(dormir)
muriendo	(morir)		

Students usually assimilate this form very easily, but watch for overuse.

D. A form of **estar** in the present tense can be combined with a present participle to form the present progressive tense. This tense is used to emphasize that an action is in progress—taking place—at a particular moment in time. It is used only to stress that an action is occurring at a specific point in time; otherwise, the present tense is used.

Estoy limpiando la cocina.   *I'm cleaning the kitchen.*
Estamos jugando al tenis ahora.   *We're playing tennis now.*

E. A form of **estar** in the imperfect tense can be combined with a present participle to form the past progressive tense, a tense that indicates that an action was in progress at a given moment in the past.

Estaba leyendo tu carta (cuando tuve la idea).   *I was reading your letter (when I had the idea).*

Ellos estaban comiendo (cuando llegué).   *They were eating (when I arrived).*

Mi esposa estaba cantando (a las seis de la mañana).   *My wife was singing (at six o'clock in the morning).*

Los niños estaban jugando en el patio.   *The children were playing on the patio (in the yard).*

lo que   *what*

HUMOR

EJERCICIOS

A. Contestando una carta.   Marisa está escribiéndole una carta a su abuela. Cambie las oraciones al tiempo progresivo.

> **MODELO**   Carlos busca trabajo.
> **Carlos está buscando trabajo.**

1.   Mamá admira su jardín.
2.   Papá lava el auto.
3.   Los chicos juegan en el patio.
4.   Alberto y Susana viajan por España.
5.   Yo sigo dos cursos de literatura española.
6.   Aquí hace mucho frío hoy.
7.   ¿Nieva mucho allí en estos días?

B. El terremoto.   ¿Qué estaban haciendo las siguientes personas cuando ocurrió el terremoto en Lima? Siga el modelo.

> **MODELO**   **La camarera estaba sirviéndoles café a unos comerciantes. Los comerciantes estaban hablando de una nueva tienda que iban a abrir.**

MODELO

1.

2.

3.

4.

5.

6.

7.

8.

C. En casa. Describa la siguiente tira cómica *(cartoon)* que apareció *(appeared)* en una revista peruana. Use el tiempo progresivo y conteste las preguntas que siguen.

Vocabulario: la escoba *broom* **la aspiradora** *vacuum cleaner*

1. ¿Quién está hablando?
2. ¿Qué está haciendo la sirvienta?
3. ¿Qué están haciendo los niños?
4. Según usted, ¿qué ideas tiene una persona feminista? ¿Se considera usted feminista? Diga por qué sí o por qué no.

 D. Un poco de pantomima. Trabajen en grupos. Un estudiante hace una acción y los otros tratan de adivinar *(try to guess)* lo que está haciendo.

Viñeta cultural ⎯⎯⎯⎯⎯⎯⎯⎯⎯⎯⎯⎯⎯

ENTREVISTAS
CON JÓVENES
PERUANOS

Por
Mariella
Balbi

Antes de leer ⎯⎯⎯⎯⎯⎯⎯⎯⎯⎯⎯⎯⎯

Cognados.   Para cada cognado de la columna izquierda, escoja una palabra de la derecha con un significado *(meaning)* similar.

f	1. motivar	a.	esperar
	2. vigilar	b.	observar
	3. reprochar	c.	poder
	4. aspirar	d.	usar
	5. convulsionada	e.	turbulenta
	6. utilizar	f.	causar
	7. autoridad	g.	aumentar *(increase)*
	8. incrementar	h.	criticar

Victor Hugo Torres M., vice-presidente de la Federación Universitaria de San Marcos, Lima

¿Por qué en San Marcos se enquistó° con tanta fuerza Sendero*?
Utiliza todas las universidades, pienso. La falta de autoridades, el que° nuestro local sea grande, difícil de vigilar...

se... *did (Sendero) become so strongly embedded*

el... *the fact that*

¿Por qué Sendero tiene aceptación entre los jóvenes?
Mire, en San Marcos, Sendero tiene mayor receptividad entre los estudiantes que sufren° mayor pobreza. Y nosotros deberíamos ofrecerles° algo...

suffer
offer them

En tu medio°, ¿el que estudia es mejor visto°?
Sí, es muy bien visto porque tiene deseo de superación.°

environment / **mejor...** *thought better of* / **de...** *to get ahead*

¿Y el que no estudia pero hace plata°?
Siempre tendrá la traba° de no tener educación, se le reprochará eso.

dinero
obstacle

¿Te casarás cuando termines tu carrera°?
¿Cómo lo sabe?

carrera de estudios

Muchos piensan como tú...
Es que yo quiero realizarme° en mi vida profesional y luego casarme.

fulfill myself

¿Tienes miedo al futuro?
No. Personalmente no. ¿Quién sabe? Me preocupa no conseguir° trabajo.

get

José Carlos Rodríguez, estudiante de psicología

¿Hay diferencias sociales en Villa El Salvador?
Sí. Hay pobres y otros que son recontra° pobres.
¿Y tú has pasado hambre, José Carlos?
Ha habido momentos en que sí. En un mismo cuarto vivíamos bastantes. Recuerdo que unos dormían en las sillas. Cuando vinimos acá fue tremendo, porque en Villa no había luz° ni agua.

muy

light

¿Qué es ser pobre para ti?
No tener posibilidades de trabajo, ni de educación, ni de recreación. Vivir en un medio injusto. Cuando sales de tu barrio, ves las diferencias. Pero la pobreza también motiva... a la organización.... Todos debemos tener las mismas posibilidades.

***Sendero luminoso** *(Shining Path)* is a radical left-wing group in Peru that uses violence and terrorist tactics.

¿Qué es lo que° *más les preocupa a los jóvenes?* **lo...** *that which*
Saber qué hacer cuando terminan la secundaria.° Se tiene *high school*
todo inseguro°... Además, uno ve la pobreza en la casa y **Se...** *Everything is uncertain*
tiene que hacer algo, aunque eso implica° no estudiar. *significa*

Jésica Tejada, deportista

¿A ti te interesa la política?
La verdad es que no tengo un interés a fondo.° **a...** *deep*

¿Por qué?
Es que todos los cambios de gobierno son iguales. Prometen
y nunca cumplen.

¿Qué es lo que más te impresiona de los políticos?
Hablan demasiado y la gente ya no cree. Bueno, es su trabajo.

¿Hay menos oportunidades para las mujeres que para los
hombres?
Las cosas son más difíciles para las mujeres.

Zorobabel Cancino, líder de la Asociación Cristiana de Jóvenes

¿Por qué hay violencia en el Perú?
Para mí, viene desde los inicios° del Perú. La crisis económica *beginnings*
y las diferencias sociales se han ido incrementando y han
llegado a situaciones desesperantes.° *causing despair*

¿Qué te preocupa del futuro?
Aspiro a ser un profesional y me pregunto si podré mante-
nerme,° si encontraré trabajo. *support myself*

¿Tú eres cristiano? ¿Te da la impresión que los jóvenes
creen en Dios?
No. ¿Y sabe por qué? Porque la religión no ha respondido
en los términos° que debe a una sociedad moderna y *terms*
convulsionada.

Después de leer

Escoja por lo menos *(Choose at least)* cuatro preguntas de la entrevista (por ejemplo: «¿Hay menos oportunidades para las mujeres?», «¿Qué es lo que más les preocupa a los jóvenes?») y hágaselas a varios(-as) compañeros(-as) de la clase. Compare y co-mente sus respuestas con las respuestas de los jóvenes peruanos.

PARA ESCUCHAR

A. El cuarto.   Escuche la conversación. ¿Quiénes hablan?

1. un chico y su tía
2. un señor y la recepcionista de un hotel
3. un estudiante y la dueña de una pensión

B. Ventajas y desventajas.   Escuche la conversación otra vez. ¿Cuáles son las ventajas y desventajas del cuarto?

VENTAJAS   DESVENTAJAS

—————   —————
—————   —————
—————   —————
—————   —————
—————   —————

FUNCIONES *y actividades*

In this chapter, you have seen examples of the following language functions, or uses. Here is a summary and some additional information about these functions of language.

Making requests or offering assistance

Here are some expressions that you can use when you need or want to ask for something:

¿Me hace el favor de + *inf.*...?   *Will you do me the favor of . . . ?*
¿Me puede + *inf.*...?   *Can you . . . (for me)?*
¿Me podría dar (pasar, prestar,   *Could you give (pass, loan, etc.) me . . . ,*
  etc.)..., por favor?   *please?*

In a shop, you should first greet the shopkeeper before making a request—it's considered rude not to: **Buenos días. Busco... Necesito...**

The words **quiero** and **deseo** are rarely used in requests; these words are very direct and can sound rude or childish. After all, you wouldn't normally phrase a polite request in English with *I want . . .* , but rather, *I would like . . .* or *Please give me . . . I would like* in Spanish is **Quisiera.**

Here are some ways to offer assistance:

¿En qué puedo servirlo(-la)?   *How can I help you?* (Shopkeepers and
                                       others use this quite often.)

Si quiere, podría...   *If you like, I could . . .*
Hago... con mucho gusto.   *I'll do . . . with pleasure (gladly).*
¿Le (Te) puedo + *inf.* ...?   *May I do . . . to (for) you?*

Stating intentions

In addition to using the future tense, you can state intentions with these expressions:

Pienso... *I intend (plan) . . .*
No pienso... *I don't intend (plan) . . .*
Voy a... *I'm going to . . .*
No voy a... *I'm not going to . . .*

Expressing probability and possibility

Besides the use of future and conditional forms to express probability and possibility, as you saw in this chapter, there are some other ways to express the same idea. The following are given in order, from most highly probable to least likely:

No hay duda de que (+ *indicative*)...   *There's no doubt that . . .*
Seguramente (+ *indicative*)...   *Surely . . . (also: Probably . . .)*
Estoy seguro(-a) que (+ *indicative*)...   *I'm sure (positive) that . . .*
Es verdad (indudable, etc.) que   *It's true (certain, etc.) that . . .*
   (+ *indicative*)...
Creo (Pienso) que (+ *indicative*)...   · *I believe (think) that . . .*
Es probable que (+ *subjunctive*)...   *It's probable that . . .*
Es posible que (+ *subjunctive*)...   *It's possible that . . .*
Tal vez (Quizás) (+ *subjunctive or*   *Perhaps . . .*
   indicative)...
Es poco probable que   *It's unlikely that . . .*
   (+ *subjunctive*). . .
No hay ninguna posibilidad de que   *There's no possibility (chance) that . . .*
   (+ *subjunctive*)...

For information on when to use the subjunctive and when to use the indicative with these forms, review Chapter 13.

Actividades _____

A.   ¿Qué dicen?   ¿Qué dicen estas personas para hacer un pedido (*request*) u ofrecer ayuda?

B. Intenciones. Trabaje con un(a) compañero(-a). Hágale preguntas sobre sus planes para el fin de semana. Trate de averiguar *(Try to find out)* tres cosas que él (ella) va a hacer.

> **MODELO** limpiar tu cuarto
> **¿Limpiarás tu cuarto? (¿Piensas limpiar tu cuarto? ¿Es posible que limpies tu cuarto?)**

1. ir a un concierto de música «rock»
2. estudiar
3. trabajar en el jardín
4. jugar al vólibol
5. celebrar un cumpleaños
6. hacer ejercicios
7. ir a alguna parte (a un sitio de interés, a un parque, etc.)

C. En treinta años... Las siguientes oraciones son predicciones que se han hecho sobre el mundo del futuro. Primero, dé las formas futuras de los verbos entre paréntesis. Después, exprese su opinión: ¿es posible o probable cada una de estas predicciones?

> **MODELO** En los países industrializados, casi todo el mundo (tener)
> ___*tendrá*___ un robot para limpiar la casa, cocinar,
> etc., y (ser) ___*será*___ muy común el uso de los robots en la industria.
> **Es posible que el uso de robots en la industria sea muy común; tal vez mucha gente también tenga robots en la casa.**

1. Mucha gente (vivir) _____ y (trabajar) _____ en colonias en el espacio; esas colonias (tener) _____ su propio *(own)* sistema de producción de comida.

2. (existir) _____ órganos humanos artificiales de toda clase y el transplante de órganos (ser) _____ algo muy común; también (haber) _____ sangre *(blood)* artificial que se (poder) _____ usar para cualquier persona—sin importar la clase de sangre que tenga (de tipo A, B, O, etc.).

3. La gente (hacer) _____ sus compras por computadora; (ser) _____ posible seleccionar *(select)* algo entre una gran variedad de artículos y comprarlo sin salir de la casa. También, gracias al uso de las computadoras, mucha más gente (trabajar) _____ en su casa en vez de ir a la oficina.

4. La gente (vivir) _____ hasta la edad de cien años o más porque (haber) _____ curas para muchas enfermedades (como el cáncer, por ejemplo). Como consecuencia, mucha gente (casarse) _____ más de una vez, y la jubilación *(retirement)* (ser) _____ a una edad más avanzada.

5. El 20 por ciento de los animales y plantas que ahora existen no (existir) _____ dentro de treinta años, por las grandes cantidades de bióxido de carbono *(quantities of carbon dioxide)* que (haber) _____ en la atmósfera.

6. Se (inventar) _____ píldoras para mejorar la memoria, para curar el miedo a las alturas *(heights)* y otras fobias y para hacer crecer el pelo *(make hair grow)*.

7. (aumentar) _____ dramáticamente el número de personas que vivan en nuestro planeta: la tierra (tener) _____ unos diez mil millones (10.000.000.000) de habitantes en el año 2030.

8. (haber) _____ menos gente «super-rica» y la situación económica de los países menos desarrollados *(less developed)* (estar) _____ peor que ahora.

9. Los futuros papás (poder) _____ seleccionar el sexo de sus hijos. Más padres (quedarse) _____ en su casa con los niños mientras las madres trabajen fuera de la casa.

10. Los trenes (ir) _____ a 300 millas por hora; los coches (ser) _____ más pequeños y más rápidos; los aviones (ser) _____ de plástico.

11. En Estados Unidos, el 60 por ciento de los jóvenes del futuro (asistir) _____ a una universidad o «college», en comparación con el 30 por ciento de ahora.

12. Los apartamentos y casas de Estados Unidos y de otras partes del mundo (ser) _____ más pequeños, pero muchos muebles (tener) _____ más de un uso y las paredes (ser) _____ movibles.

PARA ESCRIBIR

Describa el cuarto de usted. ¿Qué muebles tiene? ¿Tiene alguna vista? ¿Qué adornos *(decorations)* tiene? ¿Qué hay en las paredes? ¿Hay cuadros, fotos o carteles *(posters)*? ¿Es ordenado o desordenado su cuarto? ¿Le gusta su cuarto? ¿Por qué sí o por qué no?

VOCABULARIO ACTIVO

Cognados

el depósito	el patio
el garaje	el sofá

Verbos

alquilar	*to rent*
dar a	*to face, be facing*
limpiar	*to clean*
mejorar	*to improve*

La casa

la alcoba	*bedroom*
la alfombra	*rug, carpet*
el alquiler	*rent*
el baño (cuarto de baño)	*bathroom*
la cama	*bed*
la cocina	*kitchen*
el comedor	*dining room*
la cómoda	*chest of drawers*
el dormitorio	*bedroom*
la entrada	*entrance way*
el escritorio	*desk*
el estante de libros	*bookcase*
el jardín	*garden*
la lámpara	*lamp*
los muebles	*furniture*
el piso	*floor; story*
la sala	*living room*
el sillón	*armchair*
el suelo	*floor, ground*
el techo	*roof*
el televisor	*television set*

Otras palabras y frases

el cambio	*change*
cómodo	*comfortable*
el cuento	*story*
desordenado	*messy*
la edad	*age*
¿Qué edad tiene él?	*How old is he?*
el, la gerente	*manager*
igual	*the same, equal*
limpio	*clean*
ordenado	*neat*
el ruido	*noise*

Expresiones útiles

¿En qué puedo servirlo(la)?	*How can I help you?*
Hago... con mucho gusto.	*I'll . . . gladly.*
¿Me podría dar (pasar, prestar, etc.)..., por favor?	*Would you give (pass, loan, etc.) me . . . , please?*
Quisiera...	*I'd like . . .*

España hoy

En 1992 España proclamó con orgullo° su vinculación° con el mundo entero. En efecto, en ese año en que se conmemoraba el quinto centenario° de la llegada° de Cristóbal Colón a América, varios otros eventos afirmaron también la importante relación de España con otros países, y en especial con el mundo hispano. Madrid se convirtió° en la capital europea de la cultura y en la patria° de Cervantes tuvieron lugar° la Exposición Universal de Sevilla y los Juegos Olímpicos de Barcelona. Además, en 1992 se implementaron dos programas que tuvieron como objetivo el redescubrimiento° de las contribuciones judías y árabe - islámicas a España. Una evaluación rápida de la situación de España a fines de este siglo nos da un saldo° muy positivo: la madre patria de tantas naciones hispanoamericanas se acerca° al año 2000 con optimismo, orgullosa del progreso realizado° en dos décadas de gobierno liberal y democrático.

Sin embargo,° este siglo había empezado con un clima de inestabilidad causado por una serie de cambios frecuentes de gobierno, conflictos regionales y la guerra con Marruecos°, que en esa época luchaba° por su independencia. Para tratar de° mejorar esa difícil situación, el rey Alfonso XIII le había permitido establecer una dictadura militar° al general Miguel Primo de Rivera. Esa dictadura duró° desde 1923 hasta 1930, cuando Primo de Rivera finalmente se vio obligado a dejar° el poder.

La Segunda República se proclamó en 1931, después de un proceso de elecciones democráticas, pero la constitución republicana de 1931 era tan liberal que provocó una fuerte reacción de la derecha. Esto causó una serie de conflictos entre grupos de izquierda y de derecha que finalmente llevaron a la Guerra Civil, iniciada con el

con... *with pride/link*

quinto... *fifth centenary/ arrival*

se... *turned into/native land/***tuvieron...** *took place*

rediscovery

balance

approaches

carried out

Sin... *However*

Morocco/was fighting/ **Para...** *To try to*

establecer... *to establish a military dictatorship/lasted/* **se...** *was compelled to leave*

El General Francisco Franco

pronunciamiento° del 17 de julio de 1936. Después de casi tres años de muerte y destrucción, la guerra terminó con el establecimiento de la dictadura de Francisco Franco. España quedó aislada° del resto de Europa y el régimen de Franco impuso° una censura° rígida en la prensa y en las artes en general.

declaration

quedó... *remained isolated/ imposed/censorship*

El rey de España Juan Carlos I de Borbón y Borbón, con su esposa doña Sofía

Con la muerte de Franco en 1975, el gobierno pasó a manos de Juan Carlos de Borbón, nieto del rey Alfonso XIII. El rey nombró ministros progresistas y en 1977, después de cuatro décadas de gobierno dictatorial, tuvieron lugar las primeras elecciones nacionales desde 1936. En 1978 fue aprobada una nueva constitución. El Partido Socialista Obrero Español (PSOE), encabezado° por Felipe González Márquez, ganó las elecciones de 1982 y continuó en el poder después de las elecciones de 1989. Ahora el gobierno español —democrático, constitucional y monárquico— se mantiene fuerte y el amor a la libertad permanece° firme.

headed

remains

A. ¿Verdadero o falso?　Si el concepto es falso, corrija la frase.

1. En 1992 Madrid se convirtió en la capital europea de la cultura.
2. Los Juegos Olímpicos tuvieron lugar en Sevilla.
3. Actualmente España celebra dos décadas de democracia.
4. Durante la primera parte del siglo XX, España estaba en guerra con Marruecos.
5. El general Miguel Primo de Rivera estableció un gobierno liberal.
6. La Guerra Civil empezó en 1931.
7. El rey Juan Carlos es el nieto del rey Alfonso XIII.
8. Los franquistas ganaron las elecciones de 1989.

B. ¿Querría usted saber más?　¿Qué le preguntaría usted a un(a) amigo(-a) español(a)? Después de terminar esta lectura sobre España «hoy», ¿qué más querría saber usted? Haga una lista de cinco o seis preguntas que usted le haría a un(a) amigo(-a) español(a).

Vista panorámica de Asunción, Paraguay

SENTIMIENTOS Y EMOCIONES

VOCABULARIO. In this chapter you will talk about feelings and emotions.

GRAMÁTICA. You will discuss and use:

- Uses of the infinitive
- The subjunctive in dependent clauses that function as adjectives
- The subjunctive with certain adverbial conjunctions

CULTURA. This chapter focuses on Asunción, Paraguay, and the surrounding area.

FUNCIONES

- Apologizing and expressing forgiveness
- Expressing relief or surprise
- Expressing anger or disappointment

PARAGUAY

Capital: Asunción

Población: aproximadamente 4.400.000 habitantes

Ciudades principales: Asunción, Coronel Oviedo, Ciudad del Este, Encarnación, San Pedro, Paraguarí, San Lorenzo, Caacupé, Concepción, Pilar

Moneda: el guaraní

¿Sabía usted que...?

1. **Paraguay** es una palabra de origen guaraní *(Indian language)* que significa «agua que viene del mar», i.e.: **pará** = mar; **guá** = de origen, que viene de; **y** = agua.

2. La represa *(dam)* hidroeléctrica de Itaipú es la más grande del mundo y está situada entre Paraguay y Brasil, a unos 30 minutos (en auto) de las Cataratas *(Falls)* de Yguazú (**agua grande** en guaraní), las más anchas *(widest)* del mundo.

¿CÓMO ESTÁ ALBERTO?

¿CÓMO ESTÁ SUSANA?

Está orgulloso. Se siente orgulloso de ser el ganador *(winner).*

Está avergonzado.
Le da vergüenza la situación.

Está contenta. Se ríe.   Está triste (deprimida).
Se siente muy feliz.   Llora.

Se siente triste. Está desilusionado.
No ganó su equipo de fútbol.

Está enojada. Se enoja mucho.
Se pone furiosa.

Está alegre.
Le da risa el programa.

Está furioso.
Le da rabia la nota de su examen.

Está asustada. Se asusta fácilmente.

Palabras descriptivas. Dé el adjetivo que le corresponde a cada uno de los sustantivos *(nouns)* que siguen:

    MODELO   el orgullo
                  orgulloso

1. la tristeza
2. la alegría
3. la vergüenza
4. la depresión

5. el enojo
6. el susto
7. la desilusión
8. la furia

Preguntas

1. ¿Cómo está (se siente) la persona que tiene un mes de vacaciones? ¿que dice o hace algo malo en público? ¿que descubre que su mejor amigo va a mudarse a otra ciudad? ¿que pierde su pasaporte y su dinero?   2. ¿Qué hace la persona que ve una película trágica? ¿que escucha un chiste *(joke)*?   3. ¿Cómo se siente la persona que está sola en la casa a medianoche y oye ruidos extraños?   4. ¿Cómo se siente usted cuando gana en un deporte o juego?   5. Cuando esperamos a una persona por mucho tiempo, ¿cómo nos ponemos?   6. ¿Cuándo llora usted?   7. ¿Cuándo tiene vergüenza usted? ¿Qué cosas le dan vergüenza?   8. ¿Hay cosas que le asustan *(frighten)* a usted? ¿Puede dar un ejemplo?

· ·

I. USES OF THE INFINITIVE

Cuando el ingeniero Alejandro Méndez Mazó llega a su oficina, encuentra en su escritorio el memorandum que le dejó su secretario con la información sobre los viajes a Encarnación.

MEMO

```
 A: Ing. Méndez Mazó
DE: Mario
RE: horarios de salida para Encarnación
```

1. Ya *no es posible ir* a Encarnación en tren esta semana. Hay sólo un tren por semana y salió ayer.
2. Pero... *puede viajar* por ómnibus. Llamé a La Encarnacena y me informaron que hacen viajes a Buenos Aires todos los días y van por Encarnación. Tienen un «servicio común» y un «servicio diferencial». El servicio común tarda un poco más° pero es más barato.° El servicio diferencial cuesta más pero llega más rápido. Todos salen a las 9 de la mañana. El viaje de hoy *acaba de salir.°* Son las 9:30. ¡Mala suerte!°
3. Un pequeño problema: *Me olvidé de preguntar* si todavía tienen lugar para el viaje de mañana...

tarda... *takes a little longer/* **más...** *cheaper*

acaba... *has just left/* **¡Mala suerte!...** *Tough luck! (lit. Bad luck!)*

La estación de trenes de
Asunción, Paraguay

1. ¿Puede ir en tren a Encarnación esta semana el ingeniero Méndez Mazó? ¿Por qué?
2. ¿Es posible viajar en ómnibus a Encarnación? ¿Con qué compañía?   3. ¿Qué días tiene servicios a Buenos Aires La Encarnacena? ¿A qué hora salen de Asunción?   4. ¿Cuántos tipos de servicio tiene La Encarnacena? ¿Cuál es el servicio más rápido? ¿y el más económico?   5. ¿Puede viajar el ingeniero Méndez Mazó hoy a Encarnación con La Encarnacena? ¿Por qué?   6. ¿Sabemos si él podrá viajar mañana? ¿Por qué sí o por qué no?

• •

In Spanish the infinitive can be used in the following ways.

1. As a noun: The infinitive is often used as the subject or object of a verb in much the same way that the *-ing* form of the English verb is used. It can be used with or without the definite article.

Creo que (el) viajar es estupendo.	*I believe that traveling is great.*

2. As a verb complement: Most verbs may be followed directly by an infinitive. Certain verbs require a preposition (most often **a** or **de,** but in some cases **en** or **con**) before the infinitive. **Tener** and **haber** are followed by **que** to express obligation.

Francisca puede reír y llorar de alegría a la vez. ¡Qué increíble!	*Francisca can laugh and cry from happiness at the same time. How amazing!*
Fuimos a ver *La venganza del Zorro.*	*We went to see* The Revenge of Zorro.
Tratarán de llegar temprano. Tienen una sorpresa para ti.	*They'll try to arrive early. They have a surprise for you.*
Tenemos que comprar el pasaje. Hay que comprarlo hoy.	*We have to buy the ticket. It must be bought today.*

The expression **acabar de** is followed by the infinitive to mean *to have just* (done something).

Acabo de hablar con tus clientes. —¡Qué alivio!	*I have just spoken to your clients. —What a relief!*
Acabamos de oír las malas noticias. —¡Esto es demasiado!	*We've just heard the bad news. —This is too much!*

3. As the object of a preposition:

Antes de comprender el problema, Marta lo leyó muchas veces.	*Before understanding the problem, Marta read it many times.*
Después de llorar casi una hora, Ana se calmó.	*After crying almost an hour, Ana calmed down.*
En vez de trabajar, él va a la playa todos los días.	*Instead of working, he goes to the beach every day.*
Sin mentir, le conté todo.*	*Without lying, I told him everything.*
Para ir a Asunción, hay que manejar dos horas.	*To go to Asunción, you have to drive two hours.*

***Mentir** *(to lie)* is an **e** to **ie** stem-changing verb.

4. With **al: Al** + *infinitive* expresses the idea of *on* or *upon* + the *-ing* form of the verb.

Al hablar con mamá, me di cuenta que estaba enojada. —Lo siento, le dije.	*Upon talking to Mom (When I talked to Mom), I realized she was angry. —"I'm sorry," I said to her.*
Al recibir la noticia, Pedro se sintió avergonzado.	*Upon receiving the news (When he received the news), Pedro felt embarrassed.*
Al saber que su esposo tenía una amante, Olga se puso furiosa.	*Upon learning that her husband had a lover, Olga became furious.*

5. On signs, as an alternative to an **usted** command form.

Usar la escalera.	*Use the stairs.*
No fumar.	*No smoking.*

EJERCICIOS

A. ¡Vamos a darnos prisa! *(Let's hurry!)*   Lelia y Rolando están organizando una fiesta de despedida *(farewell)* para Alicia, una amiga que pronto viaja a Brasil. Haga el papel de Rolando y conteste las preguntas de Lelia siguiendo los modelos. Use pronombres objetos cuando sea posible.

> **MODELOS** ¿Quién llama a Paco? (yo/ir a)
> **Yo lo voy a llamar.**
>
> ¿Quién trae la torta? (Marisa/prometer)
> **Marisa prometió traerla.**

1. ¿Quién compra el regalo? (Daniel/ir a)
2. ¿Quién habla con Sofía? (mi hermana/pensar)
3. ¿Quién le da el regalo a Alicia? (yo/querer)
4. ¿Quién trae los discos? (Ernesto y Mario/prometer)
5. ¿Quién hace el postre? (Rogelio/tener ganas de)
6. ¿Quién prepara la sangría? (los muchachos/prometer)
7. ¿Quién toca la guitarra y canta? (tú y yo/poder)

 B. Sí, abuela, acabo de hacerlo.   La Sra. Bello habla con su nieto Pepito. Con un compañero(-a), hagan el papel de la abuela y del nieto. En forma alternada, pregunte o conteste afirmativamente las preguntas de la señora Bello, como lo haría Pepito. Siga el modelo y use pronombres objetos cuando sea posible.

> **MODELO** ¿Viste a tu prima?
> **Sí, acabo de verla.**

1. ¿Terminaron el trabajo tus padres?
2. ¿Lavaste el auto?
3. ¿Les habló Lucía a ustedes?
4. ¿Recibiste mi carta?
5. ¿Leyeron mis chistes tus hermanos?

C. Letreros *(Signs)* **del camino...**   José está viajando al Chaco y ve varios letreros. Siguiendo el modelo, diga qué indica cada uno de los letreros que siguen.

> **MODELO   No doblar a la derecha.**

1. 2. 3. 4. 5.

Entrevista

Hágale las siguientes preguntas a un(a) compañero(-a) y luego presente la información a la clase.

1. ¿Qué hiciste anoche al llegar a tu casa? ¿esta mañana al levantarte?   2. ¿Cómo te sentiste al terminar tus estudios secundarios? ¿al recibir la nota de tu primer examen de español?   3. Cuando tú viajas, ¿prefieres viajar de día o de noche? ¿Tienes miedo de viajar en avión? ¿Por qué sí o por qué no?

II. THE SUBJUNCTIVE IN DEPENDENT CLAUSES THAT FUNCTION AS ADJECTIVES

Un liceo en Asunción

En un liceo° de Asunción.		*high school*
SR. MÉNDEZ	¿Es usted la persona que quiere trabajar aquí?	
SR. GÓMEZ	Sí, señor, yo soy profesor y busco un empleo° *que me guste.* Puedo enseñar historia, literatura o cualquier otro curso *que usted mande°.*	*job* **cualquier...** *any other course you like* (literally "order")
SR. MÉNDEZ	¡Cuánto me alegro!° Por fin conozco a alguien que sabe más que yo... Dígame, ¿sabe usted quién mató° a Julio César?	**¡Cuánto...** *How happy I am!* *killed*
SR. GÓMEZ	Pero señor, pregúntele eso a alguien *que sea detective.*	
SR. MÉNDEZ	¡Bruto!°	*Brutus!* (also "Brute! Ignoramus!")
SR. GÓMEZ	Esto es demasiado, señor. Por favor, sin ofender...	

1. ¿Quién busca un empleo que le guste?   2. ¿Qué es el señor Gómez?   3. ¿Qué puede enseñar él? ¿Qué dice el señor Méndez cuando escucha que el profesor Gómez puede enseñar tantos cursos?   4. Aparentemente, ¿sabe él quién mató a Julio César?   5. Según el señor Gómez, ¿a quién hay que preguntarle quién lo mató?   6. ¿Sabe usted quién fue Julio César? ¿y Bruto?

• •

A. A dependent clause that modifies a noun or pronoun is called an adjective clause.

Asunción es una ciudad *que tiene más de 400 años*.	*Asunción is a city* that is over 400 years old.
Me da rabia pensar en eso *que me dio tanta vergüenza*.	*It makes me angry to think of that (thing, circumstance)* that made me so ashamed.

The noun or pronoun being described is called the antecedent. In the preceding sentences, the antecedents are **ciudad** and **eso.** Pronouns that often appear as the antecedents of adjective clauses include **alguien** (someone), **algo** (something), and **alguno** (some, someone).

Sandra habló con alguien que conoce a un buen detective.	*Sandra spoke to someone who knows a good detective.*
¿Dije algo que te ofendió?	*Did I say something that offended you?*

B. The verb in an adjective clause may be indicative or subjunctive, depending on whether the antecedent is definitely known to exist.

1. Antecedent definitely exists and is known: indicative.

El cliente es un abogado que sabe guaraní.*	*The client is a lawyer who knows Guaraní.*
La pobreza es algo que lo asusta.	*Poverty is something that scares him.*

2. Antecedent unknown, indefinite, uncertain, or nonexistent: subjunctive.

Necesitan un médico que sepa guaraní.	*They need a doctor who knows Guaraní.*
No haya nada que lo asuste.	*There isn't anything that scares him.*

Study the contrasts in the following examples.

¿Hay alguien aquí que comprenda la lengua de los guaraníes?	*Is there anybody here who understands the language of the Guaraní Indians?*
Sí, aquí hay alguien que la comprende.	*Yes, there's someone here who understands it.*
No, aquí no hay nadie que la comprenda.	*No, there's nobody here who understands it.*

---

*__Guaraní__ is the language of the Indians who inhabited Paraguay before the Spanish conquest. Paraguay is the only Latin American country that has adopted an Indian language as one of its two official languages, Spanish and Guaraní. p. 348.

C. The personal **a** is used before a direct object standing for a person when the speaker has someone definite in mind but not when the person is indefinite or unspecified. (However, when the pronouns **alguien, nadie, alguno,** and **ninguno** are used as direct objects referring to a person, the personal **a** is nearly always used, whether the person is known or not.)

Buscan un profesor que sea experto en lenguas indígenas.	*They're looking for a professor who is an expert on Indian languages.*
Le pagan 500 mil guaraníes por mes a un profesor que es experto en lenguas indígenas.	*They're paying 500 thousand guaranis per month to a professor who is an expert on Indian languages.*
Necesitamos a alguien que sepa hablar español y guaraní.	*We need someone who knows how to speak Spanish and Guaraní.*
Encontramos a alguien que sabe hablar español y guaraní.	*We found somebody who knows how to speak Spanish and Guaraní.*

EJERCICIOS

A. El (La) candidato(-a) ideal.   La universidad paraguaya busca a alguien que se encargue de *(would be in charge of)* la clase de lengua guaraní. ¿Cuál es la descripción del candidato ideal?

Señor profesional, señor empresario…

Anuncie en

ÑE-ËNGATÚ

La revista
PARAGUAYA
de difusión
INTERNACIONAL
Asunción:
205 192, 493 013
Buenos Aires:
255-4522, 37 6274

MODELO   tiene buen carácter
      Buscamos a alguien que tenga buen carácter.

1. sabe hablar bien el guaraní
2. es experto(-a) en culturas indígenas
3. tiene mucha experiencia
4. nunca se enoja con nadie
5. puede trabajar muchas horas por día
6. se lleva bien con los estudiantes
7. no es una persona racista

Have students explain why the subjunctive or indicative is used.

B. **¿Por qué se mudan?**   Los señores Ruiz piensan mudarse a otro barrio. Complete las oraciones para saber por qué.

MODELO   (gustar)   Vivimos en un barrio que no nos ___*gusta*___ mucho.
Buscamos un barrio que nos ___*guste*___ más.

1. (ser)   Tenemos una casa que _____ muy pequeña.
Necesitamos una casa que _____ más grande.
2. (estar)   Los niños quieren jugar en un parque que _____ cerca de casa. Ahora juegan en un parque que _____ muy lejos.
3. (haber)   Vivimos en un pueblo donde no _____ universidad.
Buscamos una ciudad donde _____ universidad.
4. (interesar) En este pueblo hay poca gente que nos _____ .
En realidad, aquí no hay nadie que nos _____ .
5. (enseñar) Mi hija asiste a una escuela donde no _____ música.
Quiere asistir a una escuela donde _____ música.

C. Opiniones personales.   En forma alternada, usted y un(a) compañero(-a) deben completar las oraciones que siguen con sus opiniones personales.

Give **coche** and **carro** as synonyms for **auto**. Have students write their answers and then interview their classmates to see how their answers compare.

1. Quiero casarme con un hombre (una mujer) que...
2. Quiero comprar un auto que...
3. Quiero trabajar en un lugar que...
4. Quiero votar por un(a) presidente(-a) que...
5. Quiero comer en un restaurante que...
6. Quiero ir al teatro (cine) con alguien que...

Entrevista _____

Hágale las siguientes preguntas a un(a) compañero(-a) y luego presente la información a la clase.

You might ask students to develop one or more of these topics for a written assignment, using as many subjunctive forms as possible.

1. ¿Tienes amigos que viven cerca de tu casa? ¿Prefieres que tus amigos vivan cerca o lejos de tu casa?   2. ¿Eres amigo(-a) de alguien que sea muy interesante? ¿que tenga muchos problemas? ¿que siempre esté contento(-a)?   3. ¿Conoces a alguien que tenga más de cien años? ¿que escriba poemas o cuentos? ¿que viaje mucho?   4. ¿Prefieres ver películas que te den risa? ¿que te hagan llorar? ¿que te hagan pensar?   5. ¿Sabes si hay alguien en esta clase que sepa hablar árabe? ¿japonés? ¿Conoces a alguien que pueda tocar la guitarra? ¿cantar?

• •

III. THE SUBJUNCTIVE WITH CERTAIN ADVERBIAL CONJUNCTIONS

Doña Ramona, sirviendo una típica comida paraguaya.

SENTIMIENTOS Y EMOCIONES **345**

¿Imposible / improbable
o posible / probable?
1. Luis no es muy buen
mecánico. 2. Doña
Ramona es paraguaya.
3. Jane es norteameri-
cana. 4. Jane y Teddy
son hermanos. 5. Teddy
sabe hablar guaraní.

En una casa paraguaya.

JANE	Discúlpeme°, doña Ramona. Me siento muy avergonzada. Creo que rompí este reloj.	*Forgive me*
DOÑA RAMONA	No importa°, Jane. Ya estaba roto, pero vamos a dejarlo aquí *para que Luis lo arregle° cuando llegue.* Él es muy bueno en estas cosas.	**No...** *It doesn't matter* **para...** *so that Luis will fix it*
JANE	Oh, ¡qué alivio!	
DOÑA RAMONA	Pero pareces un poco deprimida. Debe ser por° el viaje... Entonces, *para que no pienses* en eso, ¿qué te parece si te enseño algunas palabras en guaraní *antes de que vuelvas* a tu país?	**Debe...** *It must be because of*
JANE	¡Sí, doña Ramona! Las despedidas° siempre me causan tristeza.° Pero puede empezar a enseñarme guaraní *cuando desee.* Por ejemplo, ¿cómo se dice «yo te quiero»? Quiero decírselo a Teddy *en cuanto° lo vea.*	*farewells* *sadness* **en...** *as soon as*
DOÑA RAMONA	Pues eso se dice «che ro jaijhú». Sé que él se va a sentir muy feliz *tan pronto como° le digas* qué significa.	**tan...** *as soon as*

---

1. ¿Quién le dice «Discúlpeme» a quién...? ¿Por qué?   2. ¿Por qué está Jane un poco deprimida?   3. ¿Qué quiere aprender ella antes de volver a su país?   4. ¿Qué le causa tristeza a Jane?   5. ¿Qué le quiere decir Jane a Teddy cuando lo vea?   6. ¿Cómo se dice «yo te quiero» en guaraní?

• •

A. The following adverbial conjunctions always require the subjunctive in a clause that follows them; they indicate that an action or event is indefinite or uncertain (it may not necessarily take place):

Be aware that students
subsequently under-
stand the *use* of these
adverbial conjunctions
with the subjunctive, but
sometimes forget their
individual *meanings*.

a menos que	*unless*	para que	*so that*
antes (de) que*	*before*	sin que	*without*
en caso (de) que*	*in case*		

No voy a ir a menos que me sienta mejor.

I'm not going to go unless I feel better.

Sea cortés, para que no se ofendan.

Be polite, so that they are not offended.

¿Por qué no salen ahora, chicos, antes de que papá se ponga nervioso?

Why don't you go out now, children, before dad gets nervous?

Vamos ahora en caso de que ellos tengan prisa.

Let's go now in case they're in a hurry.

Ana ve a Carlos todos los días sin que su familia lo sepa.

Ana sees Carlos every day without her family knowing it.

---

* The **de** may be omitted.

B. Aunque is followed by the subjunctive to indicate conjecture or uncertainty, but by the indicative to indicate fact or certainty.

Voy a salir, aunque llueva.	*I am going to go out even though it may rain.*
Voy a salir, aunque llueve.	*I am going to go out even though it is raining.*

C. Either the subjunctive or the indicative may follow these conjunctions of time:

cuando	*when*	mientras (que)	*while*
después (de) que*	*after*	tan pronto como	*as soon as*
hasta que	*until*		

The indicative is used if the adverbial clause expresses a fact or a definite event; for instance, a customary or completed action. However, if the adverbial clause expresses an action that may not necessarily take place or that will probably take place but at an indefinite time in the future, the subjunctive is used.

A Elena le va a dar mucha rabia tan pronto como lo sepa.	*Elena is going to be very angry as soon as she finds out.*
A Elena le dio mucha rabia tan pronto como lo supo.	*Elena got very angry as soon as she found out.*
Cuando les cuente el chiste, ellos van a morirse de risa.	*When I tell them the joke, they're going to die of laughter.*
Cuando les conté el chiste, ellos se murieron de risa.	*When I told them the joke, they (nearly) died of laughter.*
No le digamos eso al detective hasta que se calme. Será otra desilusión más...	*Let's not tell the detective that until he calms down. It'll be yet another disappointment . . .*
No le dijimos eso al detective hasta que se calmó.	*We didn't tell the detective that until he calmed down.*
Vamos a poner la mesa después que llegue Jorge.	*We are going to set the table after Jorge arrives.*
Pusimos la mesa después que llegó Jorge.	*We set the table after Jorge arrived.*

D. Some of the conjunctions just discussed are prepositions or adverbs combined with **que (para que, sin que, antes de que, hasta que, después de que).** These prepositions are often followed by infinitives if there is no change in subject.

Después de enojarse, Juan se calmó pero se puso muy triste.	*After getting angry, Juan calmed down but became very sad.* (no change of subject)
Después de que ella se enojó, Juan se calmó pero se puso muy triste.	*After she got angry, Juan calmed down but became very sad.* (change of subject)

---

* The **de** may be omitted.

EJERCICIOS

A. Para completar...   Complete cada una de las siguientes oraciones con la forma correcta de uno de los verbos de la columna derecha y agregue *(add)* la información apropiada o necesaria.

> **MODELO**   Voy a pasar la noche aquí para que...
> **Voy a pasar la noche aquí para que tú no estés solo.**

1. Quieren irse antes de que...	volver
2. Pensamos llegar a las siete a menos que...	estar
3. ¿Por qué no vamos al cine antes de que...?	llover
4. Ellos van a clase a menos que...	entender
5. ¿Piensan hacerlo sin que ella...?	llegar
6. El profesor habla claramente para que nosotros lo...	saber

B. La historia de Inés.   Combine las frases usando la conjunción dada entre paréntesis y así sabrá algo de la vida personal de Inés. Siga los modelos.

> **MODELOS**   Inés vivió con sus padres. Compró un apartamento. (hasta que)
> **Inés vivió con sus padres hasta que compró un apartamento.**
>
> Inés y Bob van a trabajar. Ellos pueden casarse y mudarse a una casa grande. (hasta que)
> **Inés y Bob van a trabajar hasta que ellos puedan casarse y mudarse a una casa grande.**

1. Su papá se puso furioso. Inés se fue de la casa.   (cuando)
2. Ella no le habló más a su papá. Él se calmó.   (hasta que)
3. Inés se va a alegrar. Su padre la disculpa.   (cuando)
4. Inés le escribió una carta. Su padre la llamó.   (tan pronto como)
5. Su mamá se puso muy contenta. Inés le dio la noticia.   (después que)
6. Inés quiere mucho a su novio. Él es mucho mayor que ella.   (aunque)

C. Consejos.   Trabaje con un(a) compañero(-a) y dense consejos mutuamente. Uno(-a) de ustedes menciona un problema, real o imaginario; el otro (la otra) le aconseja qué hacer o no hacer.

> **MODELOS**   ESTUDIANTE 1   **Siempre estoy cansado(-a) cuando me despierto por la mañana.**
>   ESTUDIANTE 2   **Debes tomar vitaminas (tratar de meditar, hacer ejercicios) tan pronto como te levantes, antes de venir a clase.**
>
>   ESTUDIANTE 1   **Nunca me va bien en los exámenes, aunque estudie mucho.**
>   ESTUDIANTE 2   **Realmente lo siento. Debes hablar con tus profesores para que te ayuden (te den consejos, etc.)**

Entrevista

Con un(a) compañero(-a), háganse las siguientes preguntas. Luego presente a la clase un resumen *(summary)* de las respuestas de su compañero(-a).

1. ¿Adónde piensas ir cuando termine esta clase? ¿cuando lleguen las vacaciones? ¿cuando completes tus estudios universitarios?   2. ¿Qué quieres hacer cuando sepas hablar bien el español? ¿antes de que termine esta década *(decade)*?   3. ¿Asistes a clase aunque llueva? ¿aunque estés muy cansado(-a)?   4. ¿No puedes estudiar a menos que tomes café? ¿a menos que estés solo(-a)?   5. ¿Qué crees que debe hacer un(a) estudiante para que le sea más fácil aprender español?

Viñeta cultural

UNA CARTA Y UNA CANCIÓN GUARANÍ

Un conjunto musical paraguayo, cantando en guaraní

Querido Teddy:

En tu última carta me preguntaste si ya había aprendido algunas palabras en guaraní... ¡Por supuesto, «che ro jaijhú», mi amor! Ayer doña Ramona me enseñó esa frase y muchas otras más. Te la voy a traducir° personalmente en cuanto regrese a San Francisco, ¿de acuerdo, «che cambá»°? Aquí en Asunción prácticamente todo el mundo es bilingüe° y la verdad es que en Paraguay más gente hable guaraní que español. ¿Sabías que éste es el único país de América donde la lengua indígena es una de las dos lenguas oficiales del país? Creo que el 95% (noventa y cinco por ciento) de los paraguayos habla guaraní mientras que sólo el 60% habla español (i.e., más o menos el 55% es bilingüe, el 5% sólo habla español y el 40% sólo guaraní). En tu carta también me pediste dos o tres canciones paraguayas de protesta. El problema es que aquí no hay muchas canciones de ese tipo. Le pregunté a Luis si Paraguay tenía cantantes° conocidos por sus canciones de protesta como la argentina Mercedes Sosa, el uruguayo Alfredo Zitarrosa, el cubano Silvio Rodríguez o los chilenos Víctor Jara y Violeta Parra. Me dijo que la canción de contenido social° o testimonial, muy popular en casi todos los países de América Latina durante los años sesenta y setenta, no tuvo

translate
guaraní for "my darling"
bilingual

singers

contenido... *social content*

muchos representantes en Paraguay. Según Luis, ésa fue una de las consecuencias culturales de la dictadura° del general Alfredo Stroessner que, como tú sabes, fue dictador durante casi 35 años, de 1955 a 1989. Pero de todas maneras° aquí te mando la letra° y la música (en el casete adjunto°) de «Pájaro° Chogüí»°, una canción típicamente paraguaya, inspirada en una leyenda guaraní. Según la leyenda, un indiecito° guaraní se había subido a un árbol.° Allí estaba cuando escuchó el grito° de su madre que lo llamaba. El niño se asustó tanto que se cayó° del árbol y se murió. Después, mientras su madre lo tenía en brazos°, el cuerpo del indiecito se transformó, mágicamente, en un pájaro (el pájaro chogüí) y empezó a volar° hacia el cielo.° Según la leyenda, cuando oímos al pájaro chogüí, en realidad estamos oyendo el canto° del indiecito guaraní. ¿Verdad que es una hermosa leyenda, Teddy? Bueno, espero que escuches «Pájaro Chogüí» en cuanto recibas esto, antes de que yo vuelva... También te pido que me escribas o llames por teléfono tan pronto como puedas, ¿de acuerdo?

dictatorship
de... *in any case*
lyrics / enclosed / Bird / Guaraní name for a bluish green bird
little Indian boy / tree / cry
se... *fell down*
lo... *had him in her arms*
fly / sky
singing

Te abraza cariñosamente,

Pájaro Chogüí
(canción tradicional paraguaya)

Cuenta la leyenda que en un árbol
se encontraba encaramado°
un indiecito guaraní...
que sobresaltado° por un grito de su madre
perdió apoyo° y cayendo° se murió.
Y que entre los brazos maternales
por extraño sortilegio°
en chogüí se convirtió.°
¡Chogüí, chogüí, chogüí, chogüí!,
cantando está, mirando allá,
llorando y volando° se alejó.°
¡Chogüí, chogüí, chogüí, chogüí!,
qué lindo va, qué lindo es,
perdiéndose en el cielo guaraní.°

Y desde aquel día se recuerda°
al indiecito cuando se oye
como un eco a los chogüí.°

se... *was perched*

startled
perdió... *lost his support / falling down*

por... *by strange magic*
en... *changed into a chogüí bird*

flying / **se...** *moved away*

perdiéndose... *disappearing into the guaraní (Paraguayan) sky*
se... *people remember*

como... *like an echo the chogüí birds*

> *Es un canto alegre y bullanguero*°
> *del gracioso naranjero*°
> *que repite en su cantar.*°
> *Salta y picotea*° *las naranjas*
> *que es su fruta preferida*
> *repitiendo sin cesar:*°
> *¡chogüí, chogüí, chogüí, chogüí!,*
> *cantando está, mirando allá,*
> *llorando y volando se alejó.*
> *¡Choguíí, chogüí, chogüí, chogüí!,*
> *qué lindo va, qué lindo es,*
> *perdiéndose en el cielo guaraní.*
> *¡Chogüí, chogüí...!*

noisy

del... *of the charming orange lover song*

salta... *leaps and nibbles*

sin... *endlessly*

Después de leer

¿Probable o improbable? Deduciendo de la carta de Jane, indique si las siguientes afirmaciones son **probables** o **improbables,** y luego dé una explicación lógica a sus respuestas de **improbable.**

1. Jane es francesa.
2. Doña Ramona es bilingüe: habla español y guaraní.
3. Teddy está en San Francisco.
4. Doña Ramona es la tía de Teddy.
5. La mayoría de los paraguayos entiende guaraní.
6. Teddy sabe mucho de música paraguaya.
7. El gobierno de Stroessner fue muy popular y por eso duró *(lasted)* casi 35 años.
8. Jane y Teddy son novios.

Preguntas

1. ¿Qué le preguntó Teddy a Jane en su última carta? ¿y qué le respondió ella? 2. ¿Qué se habla más en Paraguay: español o guaraní? Explique. 3. Según la carta de Jane, ¿cuál es el contenido de las «canciones de protesta»? ¿Ha escuchado usted alguna vez a alguno de los cantantes mencionados en la carta? ¿A quién(es)? 4. Según Luis, ¿hay muchas canciones de protesta en Paraguay? ¿Por qué sí o por qué no? 5. ¿Quién fue Alfredo Stroessner? ¿Todavía sigue en el gobierno de Paraguay? 6. ¿Es «Pájaro Chogüí» una canción de protesta? ¿Por qué? 7. Según la leyenda que inspiró la canción, ¿cómo se murió el indiecito guaraní? ¿Qué pasó después...? 8. ¿Conoce usted alguna(s) leyenda(s) similar(es) a la del pájaro chogüí? ¿Cuál(es)? Comente.

PARA ESCUCHAR

A. **«Pájaro Chogüí», una canción paraguaya.** Escuche la carta y la canción. Para poder comprender mejor la canción, antes de empezar el casete, lea por lo menos una vez la letra *(lyrics)* que está en las páginas 349–350.

B. **Para completar.** Va a oír ocho frases incompletas basadas en lo que acaba de escuchar. Complételas marcando con un círculo las terminaciones *(endings)* correspondientes.

1.	Teddy	Jane	Stroessner
2.	maya	española	guaraní
3.	niño guaraní	hermoso pájaro	pájaro guaraní
4.	su mamá	su papá	un niño guaraní
5.	se despertó	se murió	se rompió el brazo
6.	un árbol	un pájaro	una naranja
7.	triste	trágico	alegre
8.	la manzana	la naranja	la banana

FUNCIONES *y actividades*

In this chapter, you have seen examples of some important language functions, or uses. Here is a summary and some additional information about these functions of language.

Apologizing and expressing forgiveness

Additional vocabulary: **No se (te) preocupe(s).** *Don't worry.* **No tiene importancia.** *It's not important.* **No es nada.** *It's nothing.*

Lo siento (mucho).	*I'm (very) sorry.*
Siento mucho que (+ *subj.*)...	*I'm very sorry that . . .*
Perdón. Perdóneme. (Perdóname.)	*Excuse me. (also Forgive me. I'm sorry.)*
Discúlpeme. (Discúlpame.)	*Excuse me. (also: I'm sorry.)*

Está bien.	*It's okay.*
No hay (ningún) problema.	*There's no problem.*
No importa.	*It doesn't matter.*
No hay pena.	*No need to be embarrassed.*
No hay de qué.	*It's nothing. (also: You're welcome.)*

Expressing relief or surprise

¡Qué bien!	*Good! (How nice!)*
¡Qué alivio!	*What a relief!*
¡Cuánto me alegro!	*How happy I am!*
¡Qué alegría!	*How wonderful! (How happy I am!)*
¡Por fin!	*Finally! (when something good has finally happened)*

Gracias a Dios.	*Thank God. (Thank goodness.)*
¡Qué suerte!	*How lucky! (How fortunate!)*
¡Qué sorpresa!	*What a surprise!*
¡Qué lindo (amable, etc.)!	*How pretty (nice, etc.)!*
¡Qué increíble!	*How amazing! (That's incredible!)*

Expressing anger or disappointment

¡Esto (Eso) es el colmo!	*This (That) is the last straw!*
¡Esto (Eso) es demasiado!	*This (That) is too much!*
¡Qué barbaridad!	*Good grief! (How terrible! How absurd!)*
¡Qué desilusión!	*What a disappointment!*

Actividades

Have students write additional situations. Working in pairs or groups, their classmates respond to them.

A. **¿Qué se dice?**   Reaccione de manera apropiada a cada una de las siguientes situaciones.

> **MODELO**   Recibió una F en un examen para el que usted estudió todo el fin de semana.
> **¡Qué barbaridad! (¡Qué desilusión!)**

1. Supo que su padre tuvo un accidente de auto, pero por suerte ya salió del hospital y está bien.
2. Recibió una A en un examen para el que *(for which)* usted sólo estudió diez minutos.
3. La semana pasada un compañero de clase le pidió un favor. Usted prometió hacérselo ese mismo día pero se olvidó *(you forgot)*... Ayer volvió a ver a su compañero.
4. Fue con un(a) amigo(-a) a cenar a un restaurante; pidieron bistec y vino. Les trajeron un bistec delicioso y un buen vino francés. La cena estuvo excelente pero no supieron el precio hasta que llegó la cuenta... ¿El precio total de la cena...? ¡Cincuenta dólares!
5. Su mamá lo (la) llamó para contarle que va a visitarlo(-la) este fin de semana.
6. Jugó al tenis con la raqueta de su compañero(-a) de cuarto y la perdió. No recuerda dónde la dejó... Su compañero(-a) está muy enojado(-a).
7. Recibió una carta de sus abuelos con un pasaje de avión y dos boletos para asistir al próximo campeonato mundial *(world championship)* de fútbol.
8. Ayer fue su cumpleaños (de usted) y creía que nadie lo sabía; cuando llegó a su casa por la noche, allí lo (la) esperaban treinta personas, con una torta de cumpleaños.
9. Le robaron la bicicleta.
10. Su compañero(-a) de cuarto le acaba de decir que siente mucho haberlo(-la) despertado a usted cuando llegó tan tarde anoche. Pero en realidad, no lo (la) despertó.

B. **Mini-drama.**   Dramatice la siguiente situación. Su novio(-a) la (lo) llama dos horas después de cuando ustedes tenían planeado salir. Él (Ella) se había olvidado totalmente de la cita. Usted está furiosa(-o) y le recuerda: «Ésta es la segunda *(second)* vez que pasa esto esta semana...» Él (Ella) le dice: «Discúlpame. Te prometo que no volverá a pasar.» Al principio *(At first)* usted no quiere perdonarlo(-la) pero después decide darle una oportunidad más...

C. Refranes *(Proverbs).*   Aquí hay algunos proverbios sobre el tema del amor y la amistad. ¿Qué significado tienen? ¿Está usted de acuerdo con estos refranes? Comente.

1. Donde hay amor, hay dolor.
2. Ni el que ama ni el que manda quieren compañía.
3. Un amor se cambia por otro.
4. Ni ir a la guerra ni casar se debe aconsejar.
5. Donde hay celos, hay amor.
6. Quien *(He who)* bien te quiere, te hará llorar.

Entrevista

Hágale las siguientes preguntas a un(a) compañero(-a) y luego presente la información a la clase.

1. ¿Qué cosas te dan rabia? ¿Te has enojado recientemente por alguna razón? ¿Por qué? ¿Cuándo fue la última vez que te enojaste?   2. ¿Cuál fue una de las sorpresas más lindas que has recibido últimamente?   3. A muchos hispanos la mujer norteamericana les parece «liberada», libre de hacer lo que quiera *(free to do whatever she likes).* Según tu opinión, ¿está «liberada» la mujer norteamericana? ¿Crees que las mujeres de este país tienen los mismos derechos que los hombres, tanto en el trabajo como en la casa?   4. ¿Existe la «norteamericana típica» o no? Si crees que existe, descríbela.   5. ¿Crees que es mejor que una mujer con hijos se quede en su casa en vez de trabajar fuera de casa *(outside the home)?* ¿Por qué sí o por qué no?   6. ¿Piensas que son más felices las mujeres casadas que las solteras? ¿los hombres casados que los solteros? ¿Por qué?

PARA ESCRIBIR

Querida Ramona...   A usted le gusta leer las cartas a **Querida Ramona** que se publican en el periódico de su ciudad. De las tres que leyó hoy, una refleja un problema muy similar al que usted tiene en este momento. Escríbale una carta de 50-70 palabras a **Querida Ramona** contándole su(s) problema(s) y pidiéndole consejos.

1. Acabo de pasar un fin de semana muy aburrido con mi novio. Creo que ya no lo quiero y no sé qué hacer... Tengo miedo de confesarle mis sentimientos porque no quiero que se deprima. ¿Qué debo hacer? Por favor, contésteme en su próxima «Columna sentimental». ABURRIDA
2. Ayer supe que mi novia se acostó ¡con mi mejor amigo! ¡Estoy furioso y necesito que me aconseje urgentemente! ¿Debo matarlos a los dos... o habrá alguna otra solución menos trágica...? DESILUSIONADO DEL AMOR
3. Durante los últimos tres meses yo subí unos ocho kilos *(approx. 18 lbs.)* y parece que mi novia se siente avergonzada de mí y no quiere que nuestros amigos nos vean juntos. ¿Cree usted que ella ya no me quiere porque estoy un poco gordo *(fat)*...? ¿Qué puedo hacer? GORDO TRISTE

VOCABULARIO ACTIVO

Cognados

ansioso	la depresión	furioso	el servicio
el, la cliente	el, la detective	la leyenda	la terminal
la cultura	expreso	el picnic	

Verbos

acabar de + *inf.*	*to have just* (done something)
asustar	*to frighten, scare*
asustarse	*to be frightened, scared*
comentar	*to comment*
darse cuenta de	*to realize*
disculpar	*to forgive, excuse*
enojarse	*to become angry, get mad*
llorar	*to cry*
manejar	*to drive*
matar	*to kill*
mentir (ie)	*to lie, tell a lie*
ofender	*to offend*
ofenderse	*to take offense*
olvidarse (de)	*to forget (to)*
ponerse + *adj.*	*to become* + adj.
reírse (i)	*to laugh*
tener prisa	*to be in a hurry*
tratar (de)	*to try (to)*

Sentimientos y emociones

alegre	*happy*
la alegría	*happiness*
asustado	*frightened, startled*
avergonzado	*embarrassed, ashamed*
deprimido	*depressed*
la desilusión	*disappointment*
desilusionado	*disappointed*
enojado	*angry*
el enojo	*anger*
orgulloso	*proud*
la rabia	*anger, rage*
la risa	*laughter*

el susto	*fright*
triste	*sad*
la tristeza	*sadness*
la vergüenza	*shame*
darle vergüenza a alguien	*to make someone ashamed*

Conjunciones

a menos que	*unless*
antes (de) que	*before*
aunque	*although*
en caso (de) que	*in case*
hasta que	*until*
mientras (que)	*while*
para que	*so that*
sin que	*without*
tan pronto como	*as soon as*

Otras palabras y frases

cualquier(a)	*any*
el chiste	*joke*
la despedida	*farewell, leave-taking*
la lengua	*language*
la noticia	*news item*

Expresiones útiles

¡Cuánto me alegro!	*How happy I am!*
Discúlpeme.	*Excuse me. (Forgive me.)*
¡Esto es demasiado!	*This is too much!*
Lo siento.	*I'm sorry.*
¡Qué alivio!	*What a relief!*

Uno puede comprar de todo en las tiendas de Caracas, Venezuela.

DE COMPRAS

VOCABULARIO. In this chapter you will talk about shopping and stores.

GRAMÁTICA. You will discuss and use:

- The imperfect subjunctive
- *If* clauses
- Other uses of **por** and **para**

CULTURA. This chapter focuses on Caracas, Venezuela, and the surrounding area.

FUNCIONES

- Making a purchase
- Expressing satisfaction and dissatisfaction

VENEZUELA

Capital: Caracas
Población: aproximadamente 19.750.000 habitantes
Ciudades principales: Caracas, Maracaibo, Los Teques, Valencia, Barquisimeto, Maracay, Ciudad Bolívar, Barcelona, San Cristóbal
Moneda: el bolívar

¿Sabía usted que...?

1. Venezuela significa "pequeña Venecia"; lleva ese nombre por la similitud *(similarity)* que vio Américo Vespucci (1499) entre las chozas *(huts)* indígenas en el lago Maracaibo y las casas flotantes de la ciudad italiana.

2. En Canaima, al sur de Venezuela, se encuentra el famoso Salto Ángel *(Angel Falls)* que tiene 980 metros (unos 3.200 pies) de altura *(height)* y es el salto más alto del mundo.

Note that a **poncho** is called a **ruana** in Venezuela and Colombia. A heavy blanket is **una frazada;** a light one **una manta.**

Remind students that **la papa** is *potato;* **el Papa** is *the Pope.*

Frazadas... *Wool blankets*

spend/cheap

save

En junio de 1993, 1 dólar = 89,30 bolívares

Note the following saying: **Quien tiene tienda, que la atienda** (*A storekeeper must mind* [*take care of*] *the store.*) Also note the use of **atender** meaning *to take care of.*

In general **una tienda** is a store that has clothing, fabrics, etc. for sale: **un almacén** sells mainly food and grocery items and is usually translated as *grocery store;* **un mercado** sells everything and is often in the open air. Cities also have **supermercados** similar to supermarkets, and **centros comerciales** similar to malls and shopping centers.

Note that there is no real equivalent for *loaf:* **Compramos un pan francés. Galletas** can also mean *cookies* (Mexico); **bizcochos** can mean *biscuits.*

En la tienda hay blusas, faldas, pantalones, calcetines...

En el almacén *(grocery store)* hay verduras, carne, queso, frutas...

En la panadería hay pan, galletas *(crackers),* bizcochos *(cookies)*...

En la farmacia compramos aspirinas, medicinas, cosméticos...

En el banco compramos cheques de viajero y cambiamos dinero...

En la mueblería compramos mesas, sillas, sofás...

En el mercado los artesanos muestran sus obras: alfarería *(pottery)*, tapices *(tapestries)*, cerámica *(pottery)*...

¿Verdadero o falso? Si es falso, diga por qué.

1. En el banco cambiamos y ahorramos dinero.
2. En Venezuela, para comprar tapices y alfarería vamos a la panadería.
3. Si necesitamos carne, vamos a la mueblería.
4. Si me duele la cabeza y necesito aspirinas, voy a la farmacia.
5. En el mercado hay de todo: papas, ponchos, frutas, tapices.

Preguntas _____

¿Cuánto vale...? is synonymous with ¿Cuánto cuesta...?

1. Cuando usted necesita ropa, ¿le gusta ir a tiendas grandes, a boutiques exclusivas, o prefiere hacer sus compras en tiendas más baratas? ¿Dónde compra su ropa?   2. Cuando va de compras, ¿busca ofertas o compra lo primero *(the first thing)* que le gusta?   3. ¿Ahorra usted dinero todos los meses?   4. ¿En qué gasta más dinero: en comida, en el costo de su apartamento, en su auto, en sus estudios —el costo de la universidad, de los libros, etc.— o en diversiones?   5. ¿Adónde va usted para comprar pan?   6. Si usted necesita medicina, ¿adónde va?   7. ¿Cuánto cuesta (vale) este libro? ¿un buen vestido? ¿un kilo de bananas? 8. Cuando usted tiene más dinero del que necesita *(than you need),* ¿qué hace con el resto?

• •

I. THE IMPERFECT SUBJUNCTIVE

El Ateneo, un teatro famoso en el centro de Caracas

En casa de los Bello.

RAÚL   ¿Dónde estabas, Marta?

MARTA   Ana me pidió que *fuera* de compras con ella.
Quería que la *ayudara* a escoger° unos zapatos   *choose*
para su entrevista en el centro mañana...

RAÚL   ¿Encontraron algo que les *gustara*?

MARTA   No, no compramos nada. A Ana no le gustaron
los zapatos que estaban en oferta.° Buscaba algo   *en... on sale*
que *hiciera* juego° con su traje nuevo.   *hiciera... would match*

RAÚL   ¿Así que no compraron nada? Y entonces, ¿por
qué tardaron tanto?°   *¿por qué... Why did you*
                                                          take so long (to get back)?

MARTA   Es que fuimos al Ateneo... y vimos *El último
verano de Blanche.* Como a Ana le encanta Tennessee Williams y a ti no te gusta el teatro, pensé
que no te importaría perder° la obra con tal de   *no... you wouldn't mind*
que *volviéramos* a casa para la hora de la cena.   *missing*

RAÚL   Y... perder la obra... no me importa, pero...
¡perder la cena... sí! ¡Estoy hambriento!°   *starving*

MARTA   Entonces, ¿dónde te gustaría que *fuéramos* a
cenar? Tú escoges el lugar... ¡y yo invito!°   *¡y... and it's my treat!*

Aural comprehension.
Correct any erroneous
statements. **1.** Ana
quería que Marta la
ayudara a escoger un
par de zapatos. **2.** Ana
buscaba algo que
hiciera juego con su
falda nueva. **3.** Marta y
Ana fueron al museo.
4. Ellas vieron *El último
tango en París.* **5.** A Raúl
no le gusta el teatro.

1. ¿Qué le pidió Ana a su madre?   2. ¿Por qué quería Ana zapatos nuevos?
3. ¿Compró ella los zapatos que estaban en oferta? ¿Por qué sí o por qué no?
4. ¿Adónde fueron Marta y su hija después? ¿Qué vieron allí?   5. ¿Por qué pensó Marta
que a su marido no le importaría perder *El último verano de Blanche?*   6. ¿Dónde van
a cenar ellos? ¿en su casa o en un restaurante? ¿Quién va a pagar la cuenta?

• •

A. To form the imperfect subjunctive of all verbs, remove the **-ron** ending from the
third-person plural form of the preterit and add the imperfect subjunctive endings:
-ra, -ras, -ra, ′ramos, -rais, -ran. Notice that the **nosotros** form requires a written
accent on the vowel preceding the ending.

hablar		comer		vivir	
hablar**a**	hablá**ramos**	comier**a**	comié**ramos**	vivier**a**	vivié**ramos**
hablar**as**	hablar**ais**	comier**as**	comier**ais**	vivier**as**	vivier**ais**
hablar**a**	hablar**an**	comier**a**	comier**an**	vivier**a**	vivier**an**

pensar		volver	
pensar**a**	pensá**ramos**	volvier**a**	volvié**ramos**
pensar**as**	pensar**ais**	volvier**as**	volvier**ais**
pensar**a**	pensar**an**	volvier**a**	volvier**an**

Verbs with spelling changes or irregularities in the third-person plural form of the preterit have the same changes in the imperfect subjunctive.

pedir		dormir	
pidie**ra**	pidié**ramos**	durmie**ra**	durmié**ramos**
pidie**ras**	pidie**rais**	durmie**ras**	durmie**rais**
pidie**ra**	pidie**ran**	durmie**ra**	durmie**ran**

Other verbs with irregular stems in the imperfect subjunctive are:

	Ustedes Form	*Yo* Form
Infinitive	*Preterit*	*Imperfect Subjunctive*
andar	anduvieron	anduviera
construir	construyeron	construyera
creer	creyeron	creyera
dar	dieron	diera
decir	dijeron	dijera
estar	estuvieron	estuviera
haber	hubieron	hubiera
hacer	hicieron	hiciera
ir, ser	fueron	fuera
leer	leyeron	leyera
morir	murieron	muriera
poder	pudieron	pudiera
poner	pusieron	pusiera
querer	quisieron	quisiera
saber	supieron	supiera
tener	tuvieron	tuviera
traer	trajeron	trajera
venir	vinieron	viniera
ver	vieron	viera

Watch for confusion between forms for **poner** and **poder,** and errors like **trayeron** or **trajieron** for **trajeron.** Review forms of the preterit before asking students to produce the imperfect subjunctive.

B. The imperfect subjunctive is used in the same situations as the present subjunctive but usually when the verb in the main clause is in some past tense rather than in the present. Compare the following examples.

No quiero que usted gaste tanto dinero.	*I don't want you to spend so much money.*
No quería que gastara tanto dinero.	*I didn't want you to spend so much money.*

Es mejor que ahorres parte de tu sueldo... ¡o nunca serás rico!	*It's better that you save part of your salary . . . or you'll never get rich!*
Era mejor que ahorraras parte de tu sueldo.	*It was better that you saved part of your salary.*
El dependiente dice el precio claramente para que los turistas lo puedan entender.	*The salesclerk is saying the price clearly, so the tourists can understand it.*
El dependiente dijo el precio claramente para que los turistas lo pudieran entender.	*The salesclerk said the price clearly so that the tourists could understand it.*

Sometimes the verb in the main clause is in the present, but the imperfect subjunctive is used in the dependent clause to refer to something in the past.

¿Es posible que el tapiz valiera tanto? Estaba en oferta, ¿no?	*Is it possible that the wall hanging was worth that much? It was on sale, right?*
Sí..., y no es posible que costara 500.000 bolívares. ¿Por qué no regateas?	*Yes . . . , and it's not possible that it cost 500,000 bolivars. Why don't you bargain (over the price)?*

C. The imperfect subjunctive of **querer** is often used in requests, as you saw in Chapter 6.

Quisiera hablar con el dueño.	*I'd like to speak to the owner.*
Vengo a pagar el alquiler...	*I come to pay the rent . . .*

EJERCICIOS

A. Consejos. Jaime, un estudiante venezolano, vino a Estados Unidos para estudiar ingeniería. Cuando sus padres se enteraron *(found out)* de que llevaba una vida un poco desordenada *(wild, unruly)*, le escribieron una larga carta. Complete las frases que siguen para saber lo que ellos le pidieron o aconsejaron a Jaime que hiciera en el futuro. Siga el modelo.

> **MODELO** (dormía poco) Le pidieron que...
> **Le pidieron que durmiera más (se acostara más temprano, etc.).**

1. (fumaba dos paquetes de cigarrillos por día)   Le dijeron que...
2. (miraba televisión todas las noches)   No les gustaba que...
3. (sólo comía sándwiches y papas fritas)   Le prohibían que...
4. (tomaba mucho café)   Querían que...
5. (se acostaba a las tres de la mañana)   Le pidieron que...
6. (salía muy poco)   Querían que...
7. (había recibido una «F» el semestre pasado)   Le pidieron que...

Note for **regatear** *(to haggle)* that haggling is the expected way of buying things in **el mercado.** You ask the price, then say it's too high. The salesperson proposes a lower price, and you accept it or continue to haggle for another reduction. Sometimes haggling includes several steps and comments on the article being bought. (See mini-dialogue II.) Haggling is generally not acceptable in **tiendas** and **almacenes** and many have a sign stating: **precio fijo** *(fixed price)*.

B. La historia se repite. Don Andrés se jubiló *(retired)* hace dos años y le dejó el restaurante a su nieto Ramón. Con un(a) compañero(-a) de clase, uno(-a) hace el papel de don Andrés, que responde a los comentarios de Ramón diciéndole que lo que pasa ahora también pasaba antes. Haga los cambios necesarios o lógicos.

> **MODELO** RAMÓN Necesito dos o tres personas que me ayuden los sábados.
>
> DON ANDRÉS **Antes yo también necesitaba algunas personas que me ayudaran los sábados.**

1. No puedo pagar buenos sueldos hasta que mejore la situación económica.
2. Siempre tengo platos especiales en oferta para que los clientes estén contentos.
3. Tengo miedo de que los precios sean muy altos.
4. Hoy día no hay nadie que sepa apreciar la buena comida.
5. La ley *(law)* no permite que tengamos bebidas alcohólicas.

Entrevista

Con un(a) compañero(-a), entrevístense sobre los temas *(topics)* que siguen o sobre otros temas de su interés. Después resuma *(summarize)* para la clase algunas de las respuestas de su compañero(-a).

> **MODELO** el tipo de compañero(-a) de cuarto que buscaba y el (la) compañero(-a) que tiene ahora...
>
> **Buscaba un(a) compañero(-a) que nadara o jugara al tenis y tengo un(a) compañero(-a) que no tiene ningún interés en los deportes.**

Any one of these topics may be used to generate a discussion of changes in the students' interests and ideas.

1. el tipo de casa, apartamento o residencia que quería antes y el tipo de casa, apartamento o residencia que quiere *(or: ...tiene)* ahora...
2. el tipo de universidad que buscaba antes y la universidad a la que asiste ahora...
3. las cualidades que buscaba en su novio(-a) ideal y las cualidades que ahora busca en un(a) novio(-a)... *(or: ...tiene su novio(-a) real...)*
4. algo que usted esperaba que pasara en su vida y algo que realmente pasó...
5. el tipo de auto con el que soñaba y el tipo de auto con el que sueña *(or: ...que tiene)* ahora...
6. el tipo de trabajo que le gustaba antes y el tipo de trabajo que le gusta *(or: ...que tiene)* ahora...

· ·

II. *IF* CLAUSES

En un mercado de artesanos, en Caracas.

DOÑA CARLA	¿Cuánto cuesta este poncho, señorita?
VENDEDORA	Quinientos bolívares, señora. Está en oferta... Es de lana° pura, sabe...
DOÑA CARLA	¿Quinientos bolívares? No los tengo... y *si* los *tuviera* no lo podría comprar... ¡Es demasiado caro!°

wool

¡Es... It's too expensive!

VENDEDORA	¿Y *si* se lo *vendiera* por cuatrocientos ochenta?	
DOÑA CARLA	Pues, lo *preferiría* en otro color. Éste no me gusta porque...	
VENDEDORA	Es el último que me queda.° Hace unos diez minutos vendí uno rojo muy bonito. ¿Sabe que en las tiendas del centro estos ponchos cuestan el doble?° ¡Y en esos lugares tienen precios fijos°...! Pero lléveselo por cuatrocientos cincuenta, señora...	**me...** *I have left* **el...** *double, twice as much* **precios...** *fixed prices*
DOÑA CARLA	*Si* me lo *diera* por cuatrocientos veinte, me lo llevaría.	
VENDEDORA	Está bien. Se lo doy por cuatrocientos veinte.	
DOÑA CARLA	¡De acuerdo!° Muchas gracias.	**¡De...** *Agreed!, OK!*

Venden alfombras *(rugs)* y
muchas cosas más en los
mercados venezolanos.

1. ¿Cuánto cuesta el poncho? 2. ¿Cree doña Carla que el poncho es muy caro o muy barato? 3. Si ella tuviera quinientos bolívares, ¿compraría el poncho? 4. Si la vendedora le vendiera el poncho por cuatrocientos ochenta bolívares, ¿lo compraría? 5. ¿De qué color era el poncho que la vendedora había vendido unos minutos antes? 6. Según la vendedora, ¿cuánto cuestan esos ponchos en el centro? En general, ¿es posible regatear en las tiendas del centro? ¿Por qué sí o por qué no? 7. ¿Compraría doña Carla el poncho si la vendedora se lo diera por cuatrocientos veinte bolívares?

● ●

A. When an *if* clause expresses a situation that the speaker or writer thinks of as true or definite, or makes a simple assumption, the indicative is used.

Si llueve, Carlos no va de compras.	*If it rains, Carlos isn't going shopping.*
Si llovió ayer, Carlos no fue de compras.	*If it rained yesterday, Carlos didn't go shopping.*
Si Manuel va al mercado, yo voy también.	*If Manuel goes to the market, I will go too.*

When the verb in an *if* clause is in the present tense, it is always in the indicative, whether the speaker is certain or not.

Si vienes, me alegraré.	*If you come, I'll be happy.*
Si esta bicicleta no funciona bien, vamos a devolverla.	*If this bicycle doesn't work well, we'll return it.*

Note that Mexican-American students may follow popular Mexican usage and use the imperfect subjunctive for the result clause as well, e.g., **si tuviera dinero, lo comprara.**

B. However, when the *if* clause expresses something that is hypothetical or contrary to fact and the main clause is in the conditional, the *if* clause is in the imperfect subjunctive.

Esa cámara es estupenda; si tuviera dinero, la compraría.	*That camera is wonderful; if I had money, I would buy it.*
Luis y Mirta irían con nosotros si estuvieran aquí.	*Luis and Mirta would go with us if they were here.*
Si las frazadas fueran de mejor calidad, las compraríamos.	*If the blankets were of better quality, we'd buy them.*
Si fueras más cuidadoso, no romperías las cosas.	*If you were more careful, you wouldn't break things.*

C. The expression **como si** *(as if)* implies a hypothetical, or untrue, situation. It is followed by the imperfect subjunctive.

¡Regateas como si supieras lo que haces!	*You bargain as if you knew what you were doing!*
Andrés gasta dinero como si fuera millonario.	*Andrés spends money as if he were a millionaire.*
Elena se viste como si tuviera una fortuna.	*Elena dresses as if she had a fortune.*

EJERCICIOS

Additional activity. Have students compose similar sentences, stating what they would do if they didn't have class that day.

A. Esperanzas frustradas. Raquel pensaba pasar el día con Isabel pero, cuando estaba por salir, su mamá le dijo que tenía que ayudarla a limpiar la casa. Haga el papel de Raquel y cambie las oraciones para decir qué haría o adónde iría si no tuviera que quedarse en casa.

MODELO Si hace buen tiempo, pasaremos todo el día en el parque.
Si hiciera buen tiempo, pasaríamos todo el día en el parque.

1. Si llueve, iremos de compras.
2. Si tengo dinero, compraré un vestido nuevo.
3. Si Carmen y su hermano tienen tiempo, nos acompañarán.
4. Si tenemos hambre, comeremos en un restaurante.
5. Si veo a Pedro y a Marisa, los invitaré a almorzar con nosotras.

B. Puros sueños. Complete las oraciones que siguen.

MODELO Si fuera actor (actriz), ...
Si fuera actor (actriz), saldría en muchas películas románticas.

If time permits, have students work in pairs to develop one or more of these topics for subsequent presentation to the rest of the class.

1. Si tuviera un millón de dólares, ...
2. Si yo fuera dueño(-a) *(owner)* de una tienda, ...
3. Si me quedaran sólo tres meses de vida, ...
4. Si tuviera que vivir solo(-a), ...
5. Si yo naciera otra vez en forma de (algún animal o planta...) ...
6. Si yo fuera hombre (mujer), ...
7. Si yo fuera invisible, ...
8. Si yo estuviera hoy en América del Sur, ...

C. Si así fuera... Para cada pregunta que le hace su compañero(-a), escoja una de las dos respuestas dadas *(a* o *b)* y agregue *(add)* otra de su propia invención. Siga el modelo.

MODELO ESTUDIANTE 1 ¿Qué harías si ganaras el Premio Nóbel?
a. no aceptarlo
b. seguir trabajando igual que antes
c. ?

ESTUDIANTE 2 **Si ganara el Premio Nóbel, yo seguiría trabajando igual que antes y ahorraría el dinero para gastarlo en el futuro.**

1. ¿Qué harías si fueras rico(-a)?
   a. viajar por todo el mundo
   b ayudar a los pobres
   c. ?
2. ¿Qué harías si estuvieras de vacaciones?
   a. esquiar en las montañas
   b. levantarme tarde todos los días
   c. ?
3. ¿Qué harías si recibieras malas notas?
   a. estudiar más
   b. pedirles ayuda a mis profesores
   c. ?
4. ¿Qué harías si tu novio(-a) se enamorara de tu mejor amiga(-o)?
   a. llorar mucho
   b. buscar otro(-a) novio(-a) («Un amor se cambia por otro», ¿no?)
   c. ?
5. ¿ Qué harías si pudieras viajar al pasado o al futuro?
   a. viajar a 1492 para estar con Colón durante su primer viaje a América
   b. visitar otra vez esta universidad en el año 2020
   c. ?

Entrevista _____

Con un(a) compañero(-a) y en forma alternada, haga y conteste las preguntas que siguen y otras que usted quiera agregar.

¿Qué harías si...?
1. tuvieras dolor de cabeza en este momento
2. fueras presidente de Estados Unidos
3. recibieras una «D» en tu próximo examen de español
4. no estuvieras en clase hoy
5. quisieras ser famoso(-a)
6. pudieras cambiar el mundo
7. no tuvieras dinero para asistir a la universidad

III. OTHER USES OF *POR* AND *PARA*

Raúl va al supermercado por pan, fruta y leche.

Allí venden las bananas por docena, no por kilo.

Catalina tiene que terminar su composición para el 20 de marzo.

Es una taza para té.

In Chapter 8 you saw some common uses of **por** and **para,** both often translated by *for* in English. Here is a review and some additional uses of **por** and **para.**

A. Por is generally used to express:

1. Cause or motive *(because of, on account of, for the sake of)*.

Lo hizo por amor.	*He (She) did it for (the sake of) love.*
No hay ninguna posibilidad de que encontremos trabajo aquí. Por eso, vamos a mudarnos a la capital.	*There's no possibility of our finding work here. That's why (Because of that) we're moving to the capital.*

Review and compare the constructions **a la(s) una (dos,** etc.**)** *and* **de la mañana, de la tarde, de la noche.**

2. Duration, length of time, including parts of the day.

Los García irán a Caracas por dos días.	*The Garcías will go to Caracas for two days.*
Voy a trabajar en casa por la tarde.	*I'm going to work at home in the afternoon.*

3. Exchange *(in exchange for)*.

Me gustaría cambiar nuestro televisor viejo por uno nuevo.	*I would like to exchange our old television set for a new one.*
Pagué cuatro mil pesos por ese pájaro. —¡Eso es increíble!	*I paid four thousand pesos for that bird — That's unbelievable!*

4. In place of, as a substitute for, on behalf of.

Juan vendió los tapices por Manuel.	*Juan sold the tapestries for (on behalf of) Manuel.*
Trabajé por Ana hoy.	*I worked for (as a substitute for, instead of) Ana today.*

5. The equivalent of *through, along,* or *by* (often with means of communication or transportation).

Lo vimos por televisión ayer.	*We saw it on TV yesterday.*
Pase por el parque.	*Go through the park.*
Caminaban por la calle principal.	*They were walking along the main street.*
Los Castro piensan viajar por tren.*	*The Castros plan to travel by train.*

6. The object of an errand.

Pepe fue al mercado por papas.	*Pepe went to the market for potatoes.*
Vendré por ti a las siete.	*I'll come for you at seven o'clock.*

7. Number, measure, or frequency *(per)*.

Venden huevos por docena.	*They sell eggs by the dozen.*
Van a ochenta kilómetros por hora. ¡Eso es demasiado peligroso!	*They are going eighty kilometers an (per) hour. That's too dangerous!*
Nos visitan tres veces por año.**	*They visit us three times a year.*

---

*The preposition **en** is often used for transportation also: **en avión, en tren.**
The phrase **al or **a la** may also be used with time periods: **Nos visitan tres veces al año (a la semana, etc.).**

B. Para is generally used to express:

1. An intended recipient (*for* someone or something).

Trabajo para una compañía que vende computadoras.	*I work for a company that sells computers.*
Ana compró la corbata para su esposo.	*Ana bought the tie for her husband.*

2. Direction or destination.

Salieron para Maracaibo ayer.	*They left for Maracaibo yesterday.*

3. Purpose *(in order to).*

Voy a la zapatería para comprar unos zapatos.	*I'm going to the shoe store (in order) to buy some shoes.*

4. Lack of correspondence in an expressed or implied comparison.

Pedrito es muy alto para su edad.	*Pedrito is very tall for his age.*
Esa lámpara es muy grande para la mesa.	*That lamp is too big for the table.*

5. A specific event or point in time.

Tienen que regresar para el jueves.	*They have to return by Thursday.*
Iré a visitarte para Navidad.	*I'll go visit you for Christmas.*

6. The use for which something is intended.

Un sillón es para descansar.	*An armchair is to rest in.*
Esta taza es para café.	*This cup is for coffee.*

Point out that **por eso** and **por fin** often begin a sentence.

C. In Chapter 7, Section IV, you saw some commonly used expressions with **por;** Here are some expressions with **por.** (You have already seen many of these in this book):

estar por (+ inf.)	*to be about to*	por lo general	*in general*
por casualidad	*by chance*	por lo menos	*at least*
por ciento	*percent*	por lo tanto	*therefore*
por cierto	*surely, certainly*	por primera	*for the first*
por estas razones	*for these reasons*	(última) vez	(*last) time*
por lo común	*commonly, usually*	por todas partes	*everywhere*

EJERCICIOS

A. La casa nueva. Complete el siguiente párrafo con **por** o **para.**

Esta mañana Luisa me llamó _____ teléfono _____ invitarme a cenar en su casa nueva. Ella y Pepe están muy contentos porque _____ fin pudieron comprarse una casa. _____ eso, ellos quieren reunir a todos sus amigos esta noche _____ enseñarnos la casa y _____ celebrar juntos esa ocasión. No sé cuánto pagaron _____ la casa, pero sé que _____ poder comprarla tuvieron que pedir prestado *(to borrow)* mucho dinero del banco y de sus padres. Vivieron en un apartamento _____ más de seis años, y pagaron unos $500,00 _____ mes. Decidieron buscar una casa sólo porque supieron que Luisa espera un bebé _____ agosto, y el apartamento va a ser muy pequeño _____ los tres. Roberto, Luis, Tina, Paulina y yo decidimos contribuir $15,00 cada uno _____ comprarles un lindo regalo _____ la sala. También vamos a llevarles las bebidas y el postre _____ la fiesta. Los muchachos van _____ el vino y la cerveza; Sonia y Paulina pasan _____ la panadería _____ comprar un postre; y yo debo ir _____ el regalo. Creo que les voy a comprar el cuadro que a Luisa le gustó tanto. Lo venden _____ $75,00.

B. En acción. Describa los dibujos que siguen. Use **por** o **para,** según sea apropiado.

MODELO **Aquí Pedro le trae algo a Lelia.**
—**¿Es para mí?**
—**Sí, por tu cumpleaños...**
¡y porque te quiero mucho!

1.

2.

3.

4.

5.

6.

7.

8.

C. Un viaje. Trabaje con dos o tres compañeros(-as) de clase y escojan un lugar que ustedes conocen y adonde quieren viajar. Imagínense que van a hacer un viaje allí. Escriban por lo menos cinco frases usando **por** y **para** para describir el viaje. Para empezar, lean la descripción del viaje que piensan hacer los Melgarejo; después contesten las preguntas que siguen con las respuestas de su grupo.

> Los Melgarejo piensan ir para Canaima por unos días. Van allí para visitar el famoso Salto Ángel.* Viajan por avión porque Julio César, uno de sus hijos, trabaja para la compañía Servivensa. Por eso el pasaje no les va a costar mucho. Creo que vuelven el domingo por la tarde.

1. ¿Por cuánto tiempo piensan viajar (ustedes)? ¿Para qué quieren hacer este viaje? (e.g., para descansar, para visitar a algún(a) amigo(-a), etc.)
2. ¿Cómo van a viajar? (¿por tren, por avión...?)
3. ¿Por cuánto tiempo se van a quedar?
4. ¿Cuánto piensan pagar por hoteles? ¿por comida?
5. ¿Viajan para hacer o ver algo en especial? ¿Qué? Expliquen.

*See **Nota Cultural 1** on p. 372.

Viñeta cultural

CARACAS, CIUDAD HISTÓRICA Y MODERNA

Vista de Caracas, Venezuela

Una pareja de un pequeño pueblo venezolano toma café con sus vecinos.

EL VECINO	No nos han dicho nada de su viaje a Caracas. ¿Qué les pareció la capital?
LA SEÑORA	¡Horrible!
EL SEÑOR	Una gran desilusión.° Todo era muy caro y de mala calidad. Además, las cosas tenían precios fijos y no se podía regatear. Nosotros hicimos el viaje principalmente para que los muchachos vieran los sitios importantes: los museos, la casa de Bolívar...[2]
LA SEÑORA	Pero también vieron otras cosas sin que lo pudiéramos evitar.°
LOS VECINOS	Total que° no les gustó Caracas... ¿Pero qué cosas tan horribles vieron?
EL SEÑOR	Fuimos al Parque del Este[3] y vimos novios que se besaban en público, como si estuvieran solos en el mundo. En resumen°, Caracas es un centro de perdición°...
EL VECINO	¡Qué escándalo!
EL SEÑOR	Pero eso no es todo... Había muchachos de once o doce años que fumaban en la calle.

disappointment

avoid

Total... *So*

En... *In conclusion*
immorality, sin

LA VECINA	¡Como si no tuvieran otra cosa que hacer!
EL SEÑOR	Por eso regresamos pronto. Queríamos volver antes de que los muchachos empezaran a imitar las malas costumbres.°

habits

En otra parte de la casa, el hijo de catorce años y la hija de dieciséis toman refrescos° con sus amigos.

soft drinks

EL AMIGO	¿Y el viaje a Caracas? ¿Qué les pareció la ciudad?
EL HIJO	¡Fabulosa! Allí todo es muy barato y de buena calidad. En las tiendas se venden miles de cosas.
LA HIJA	Sí, es un sueño. Los jóvenes se visten a la moda y tienen mucha libertad.
EL HIJO	Los edificios son muy lindos y modernos.[4]
LA AMIGA	¿Vieron la Rinconada?[5]
EL HIJO	Sí, por fuera.° Yo quería que entráramos, pero mi padre dijo que no.
LA HIJA	Es una lástima que no pudiéramos pasar más tiempo en las playas. Conocimos allá a un grupo de chicos que nos invitaron a una fiesta.
EL HIJO	Sí, pero mamá nos prohibió que aceptáramos la invitación.
LA AMIGA	¡Qué lástima! A mí me gustaría vivir algún día en Caracas.
EL HIJO	A mí también. Si yo pudiera vivir en esa ciudad, sería la persona más feliz del mundo.

por... *from the outside*

Preguntas

1. ¿A qué ciudad viajó la pareja venezolana? ¿Para qué hicieron el viaje?   2. ¿Qué vieron en el Parque del Este?   3. ¿Por qué querían volver los padres?   4. ¿Qué les pareció la ciudad a los jóvenes? ¿Por qué les gustó hacer compras allí?   5. ¿A quiénes conocieron en la playa?   6. ¿Por qué no aceptaron la invitación que les hicieron?   7. ¿Cómo se sentiría el hijo si pudiera vivir en Caracas?   8. ¿Hay muchas diferencias de opinión entre usted y sus padres? ¿Le gustaría a usted viajar con ellos? ¿Por qué sí o por qué no?

Notas Culturales

1. **Canaima** is part of what is known as **la Gran Amazonia** *(the Amazon),* one of the oldest territories of the planet. It contains one of the world's most spectacular natural marvels, **El Salto Ángel** *(Angel Falls),* the highest waterfall on earth, measuring 3,212 feet, over twice the height of the Empire State Building. Angel Falls owes its name to an American pilot, Jimmie Angel, who landed his plane on this majestic «tepuy» (as these giant truncated mountains are called) in 1937 looking for gold.

His plane may be seen today in a park by the Ciudad Bolívar airport. 2. Caracas is the birthplace of **Simón Bolívar,** one of South America's greatest heroes, and the site of the **Museo Bolívar,** which houses his personal effects and documents. **Bolívar** was born in 1783 and was a major figure in the movement for independence from Spain. He was a brilliant general and a greatly admired politician who dreamed of uniting the countries of South America as one nation. He died brokenhearted in 1830 without realizing his dream. 3. **El Parque del Este** in Caracas is a large park with artificial lakes, a zoo, playgrounds, and a train with fringe-topped cars. A great variety of orchids can be seen in its gardens, and in its excellent aviary there are specimens of the many tropical birds for which Venezuela is famous. 4. Caracas is a city of modern and ultramodern architecture. In the last several decades the government has sponsored many low-rent apartment complexes. The money for such projects comes from Venezuela's oil industry. 5. **La Rinconada** is one of the world's most luxurious racetracks, complete with escalators, an air-conditioned box for the president, and a swimming pool for the horses.

PARA ESCUCHAR

A. De compras.   Maricruz y Alejandro van a viajar a Boston. Necesitan hacer unas compras. Escuche las conversaciones y conteste las preguntas.

Vocabulario: tercer piso   *third floor*   **al contado**   *cash*

CONVERSACIÓN 1: En la sección informes del Centro Comercial Catedral, ¿qué busca Maricruz?

a. ropa de verano   b. ropa de invierno   c. una maleta

Vocabulario: talla   *(clothing) size* (See table of correspondences on p. 375.)
¿Qué número calza?   *What's your shoe size?*
¿...o se los envuelvo? . . .   *or should I wrap them for you?*

HANNSI
centro artesanal

Un Rincón Interesante
que Usted debe Conocer
Calle Bolívar, No. 12 - El Hatillo
Telfs.: 963.55.77 - 963.71.84 - 963.65.13 - 963.51.29

FAX - 963 - 5825

H O R A R I O
LUNES   9 a. m. a 1 p. m. y 2,30 a 7 p. m.
MARTES A VIERNES   8,30 a. m. a 1 p. m.
y 2,30 a 7 p. m.
SABADO   Corrido de 8,30 a. m. a 7 p. m.
DOMINGO   Corrido de 11 a. m. a 6 p. m.

CONVERSACIÓN 2: En la sección damas del Centro Comercial Catedral, ¿qué compra Maricruz?

a. unos pantalones y una blusa   b. unos pantalones
c. una blusa y unos mocasines   y unos mocasines

Vocabulario: los últimos   *the last ones*   **pesados** *heavy*

CONVERSACIÓN 3: En el Centro Artesanal Hannsi, ¿qué busca Alejandro?

a. unos regalos para unos amigos   b. cerámica para la
c. unas flores   casa

B.   ¿Verdadero o falso?   Escuche las conversaciones otra vez. Conteste **V** (verdadero) o **F** (falso).

1.   V   F   4.   V   F
2.   V   F   5.   V   F
3.   V   F   6.   V   F

FUNCIONES *y actividades*

In this chapter, you have seen examples of some important language functions, or uses. Here is a summary and some additional information about these functions of language.

Making a purchase

When asking for the price of an item, you'd usually say: **¿Cuánto cuesta(n)/vale(n)...?** + the item(s).

In a department store, you'd often find the following subdivisions when looking for clothing: **Sección Damas (ropa para damas), Sección Caballeros (ropa para caballeros), Sección Niños (ropa para niños).**

Most stores now accept payment with various **tarjetas de crédito.** You can also pay for your expenses **al contado** *(cash),* **con cheque,** or **con cheque de viajero.**

Other useful words and phrases when shopping are:

¿Qué talla (medida) usa? (¿Cuál es su talla?)	*What's your size?*
¿Qué número calza?	*What (shoe) size do you take?*
probarse (algo)	*to try on (something)*
el probador	*fitting room*
hacer juego con...	*to go with (match) . . .*
quedarle chico (grande) a uno	*to be too small (big) on someone*
llevar puesto(-a, -os, -as)	*to wear, have on*
envolver	*to wrap*

> Note the following correspondences for sizes in clothing:
> 36 = 8 *(American size)*, 38 = 10, 40 = 12, etc.

> For shoe sizes, the correspondences are:
> 36 = 6 *(American size)*, 38 = 8, 40 = 10, etc.

Expressing satisfaction and dissatisfaction

The following are some ways to express that you are pleased or displeased with something you have bought, seen, etc.

Esto (Eso) es buenísimo (fabuloso, justo lo que nos faltaba, etc.).	*This (That) is very good (great, just what we needed, etc.).*
¡Esto (Eso) es terrible (feo, malo, aburrido, insoportable)!	*This (That) is terrible (ugly, bad, boring, unbearable)!*
Esto (Eso) (no) es aceptable.	*This (That) is (un)acceptable.*
Es demasiado...	*It's too . . .*
Esto (Eso) no funciona (no sirve).	*This (That) doesn't work.*
(No) me gusta... porque...	*I (don't) like . . . because . . .*
Me gustaría + *infinitive*... porque (pero, etc.)...	*I would like + infinitive . . . because (but, etc.) . . .*

*Synonyms for **no funciona: no marcha, no anda.***

Actividades

A. ¿Qué dicen?   Observe los dibujos e imagine qué estarán diciendo estas personas. Exprese satisfacción o insatisfacción, según sea apropiado. Siga el modelo.

MODELO   **Esta maleta está rota.**
        Me gustaría devolverla.

*Remind students that **devolver** takes an object **(Devuelvo los libros a la biblioteca)**, but **volver** does not **(Vuelvo a la biblioteca esta noche).***

You might also have students describe the situations in the drawings before they dramatize them.

1.

2.

3.

4.

5.

B. Mini-dramas. Con un(a) compañero(-a), dramaticen las siguientes situaciones. En forma alternada, hagan el papel de vendedor(a) y cliente, respectivamente.

1. Usted y un(a) amigo(-a) van a pasar las vacaciones de primavera en Caracas. Su amigo(-a) tiene mucha ropa pero usted necesita comprar algunas cosas. Está en un gran centro comercial y quiere comprar algunas camisas (blusas), pantalones (faldas) y un traje elegante (un vestido de fiesta). Habla con un(a) vendedor(a); se prueba las ropas que le gustan y lleva todo lo que necesita para su viaje.

2. La semana que viene usted se va a Venezuela para visitar a sus amigos Maricruz y Alejandro. Quiere llevarles algunos recuerdos típicos de su ciudad (o de su país). ¿Qué les va a llevar? ¿Dónde cree que puede encontrar esos regalos? Usted está en una tienda que se especializa en regalos y objetos típicos. Habla con un(a) vendedor(a) y le pide consejos. Finalmente decide llevar dos regalos para la casa de sus amigos, un recuerdo para Alejandro y otro para Maricruz. ¿Cuáles son esas cuatro cosas que les va a llevar y cuánto pagó en total? ¿Pagó al contado...?

PARA ESCRIBIR

Escoja uno de los temas que siguen y escriba una breve composición con detalles y datos específicos.

1. Si le pudiera dar un millón de dólares a alguien o a alguna organización, ¿a quién o a qué organización se los daría? ¿Por qué?

2. Si el médico le dijera que sólo tiene un año de vida, ¿qué haría?

3. Si estuviera en una isla desierta, ¿con quién le gustaría estar? ¿Qué le gustaría hacer?

4. Si hiciera un viaje por un año y sólo pudiera llevar tres libros, ¿qué libros llevaría?

VOCABULARIO ACTIVO

Cognados

el artesano,	fabuloso	millonario	puro
la artesana	la fortuna	la organización	la residencia
la boutique	el kilo	el poncho	el tipo
el costo			

Verbos

agregar	*to add*
ahorrar	*to save* (time, money)
aumentar	*to increase, go up*
devolver (ue)	*to return* (something)
deber	*to owe*
escoger	*to choose*
gastar	*to spend; to waste*
rebajar	*to reduce; to mark down*
regatear	*to haggle, to bargain* (over prices)
valer	*to be worth*

De compras — *Shopping*

la alfarería	*pottery; potter shop*
el almacén	*grocery store*
barato	*cheap, inexpensive*
el bizcocho	*cookie, biscuit*
el bolívar	*bolívar* (monetary unit of Venezuela)
la calidad	*quality* (meaning *worth, class, excellence*)
la cerámica	*pottery*
la cualidad	*quality* (meaning *characteristic, virtue, good feature*)
el, la dependiente	*salesclerk; shop assistant; clerk*
el dueño, la dueña	*owner*
el empleado, la empleada	*employee*
la frazada	*blanket*

la galleta	*cracker*
la mueblería	*furniture store*
la oferta	*sale, (special) offer*
en oferta	*on sale*
la panadería	*bakery*
el precio fijo	*fixed price*
rebajado	*reduced; marked down; on sale*
el tapiz	*tapestry*
la venta	*sale, selling*
en venta	*for sale*

Otras palabras y frases

el coche	*car*
la lana	*wool*
los pobres	*the poor*
el sueldo	*salary*

Expresiones útiles

¿Cuánto cuesta (vale)...?	*How much is . . . ?*
Es demasiado...	*It's too . . .*
¡Eso es terrible (aburrido, etc.)!	*That's terrible (boring, etc.)!*
hacer juego con	*to match, go with*
Me gustaría + *infinitive*... porque (pero, etc.)...	*I would like + infinitive . . . because (but, etc.) . . .*

Vista panorámica de Quito, Ecuador

CAPÍTULO SUPLEMENTARIO

LA NATURALEZA

VOCABULARIO. In this chapter you will talk about nature.

GRAMÁTICA. You will discuss and use:

- The neuter **lo**
- Long forms of possessive adjectives; possessive pronouns
- The passive voice

CULTURA. This chapter focuses on Ecuador.

ECUADOR

Capital: Quito
Población: aproximadamente 11 millones de habitantes
Ciudades principales: Guayaquil, Quito y Cuenca
Moneda: el sucre

¿Sabía usted que...?

1. Ecuador es el país con la mayor producción de bananas y cacao del mundo.

2. El famoso sombrero «jipi japa» *(Panama hat)* no es de Panamá sino de Ecuador.

el amanecer (cuando empieza a salir el sol)   el anochecer (cuando empiezan a salir la luna y las estrellas)

Additional vocabulary: **el ave** (f.) *bird;* **la rama** *branch;* **el bosque** *forest;* **la selva** *jungle;* **los astros** *stars;* **la sierra** *mountain range.*

Review the weather expressions and names of the months in Chapter 4.

Have students describe the drawings in detail.

Preguntas

1. ¿Cómo se llama la parte del día cuando empieza a salir el sol? ¿Sabe usted a qué hora salió el sol esta mañana?   2. Una adivinanza *(riddle):* «¿Qué le dijo la luna al sol?» Respuesta: «¿Tan grande y no te dejan salir de noche?» ¿Qué sale de noche con la luna?   3. ¿Cómo se llaman los «animales» que viven en los árboles y cantan? ¿los que viven en el agua? ¿Qué diferencia hay entre un pez y un pescado? (Para el pez, la diferencia es muy importante.)   4. Describa cómo es el invierno donde usted vive. ¿Llueve mucho? ¿Nieva? (¿Hay nieve?) ¿Hay nubes? ¿niebla? ¿Qué le gusta del invierno? ¿de la primavera? ¿del verano? ¿del otoño?

• •

I. THE NEUTER *LO*

juego para armar *puzzle* (lit., *game to assemble)*   **era una idiotez** *was such a stupid thing*
aviso por TV *TV ad*   **refrán** *proverb*   **«No es oro todo lo que reluce»** *"All that glitters is not gold"*
Lo único *The only thing*   **es que el sol sea una baratija** *is that the sun turn out to be a trinket*

1. ¿Por qué le dice Mafalda a su amigo que «No es oro todo lo que reluce»?   2. ¿Qué dice el otro niño cuando escucha el comentario de Mafalda?

Consuelo y Pepe hablan de sus planes para el fin de semana.

CONSUELO	¿Te gustaría ir de campamento° con nosotros este fin de semana, Pepe?	**ir...** *to go camping*
PEPE	No, Consuelo. Realmente no tengo tiempo. *Lo* malo de° ir de campamento es que hay que dormir afuera... con los animales, los pájaros°, los insectos...	**Lo...** *The bad thing about* *birds*
CONSUELO	Por otra parte, *lo* bueno° es poder ver las estrellas° que salen al anochecer°, oír los pájaros que cantan por la mañana...	**lo...** *the good thing* *stars* / **que...** *that come out at dusk*
PEPE	*Lo que°* no me gusta es que los pájaros me despierten de mañana temprano. Y no me gusta vivir sin comodidades.°	**Lo...** *What* **sin...** *without conveniences*
CONSUELO	¿Qué es *lo que* llamas «vivir sin comodidades»?	
PEPE	Pues, déjame pensar... estar sin mi VCR, por ejemplo.	

1. ¿Le gusta a Pepe ir de campamento? ¿Qué es lo malo de ir de campamento, según él?
2. Según Consuelo, ¿qué es lo bueno de ir de campamento?   3. ¿Qué es lo que Pepe llama «vivir sin comodidades»?   4. ¿Le gusta a usted ir de campamento o prefiere pasar la noche en casa de amigos o en algún hotel? ¿Por qué?

● ●

A. The neuter article **lo** can be used with a masculine singular adjective to express an abstract quality or idea.

Lo malo de vivir en la ciudad es que hay mucho ruido.	*The bad thing about living in the city is that there is a lot of noise.*
En cambio, lo divertido de vivir en la ciudad es que hay muchas cosas que hacer los fines de semana.	*On the other hand, the fun thing about living in the city is that there are many things to do on the weekends.*
Lo maravilloso de ir de campamento es el contacto con la naturaleza.	*The wonderful part about going camping is the contact with nature.*

B. Lo can replace an adjective or refer to a whole idea previously stated.

—¿Estás cansado? —Sí, lo estoy.	*"Are you tired?" "Yes, I am."*
—¿Es aburrida la vida del campo? —No, no lo es.	*"Is life in the country boring?" "No, it isn't."*
—¿Sabes cómo se dice «pájaro» en inglés? —Sí, lo sé; se dice «bird».	*"Do you know how to say 'pájaro' in English?" "Yes, I know; you say 'bird.'"*

Aural Comprehension. Correct any incorrect statements. **1.** Consuelo invita a Pepe a ir a un concierto. **2.** Pepe dice que no tiene tiempo. **3.** Para Pepe, lo malo de ir de campamento es dormir afuera con los animales. **4.** Para Consuelo, lo bueno de ir de campamento es poder oír los insectos. **5.** Pepe no quiere estar sin su VCR.

Point out that when two **lo** phrases form a compound subject, the verb is often singular. Examples: **Lo más caro fueron las alfombras.** But: **Me encanta lo nuevo y lo original de su estilo.**

C. Lo que can be used to express something imprecise or to sum up a preceding idea, but it must precede a conjugated verb.

Lo que más me gusta de Florida es el clima.	*What I like most about Florida is the climate.*
Pedro vino a visitarnos ayer al anochecer, lo que nos alegró mucho.	*Pedro came to visit us yesterday at dusk, which made us very happy.*

D. However, **el, la, los,** or **las (el que, la que, los que, las que)** must be used to refer to a specific person or thing, the gender of which is known.

Esta composición es la más larga que escribí. La terminé al amanecer.	*This composition is the longest one I wrote. I finished it at dawn.*
—¿Tienes las plantas? —¿Cuáles?	*"Do you have the plants?" "Which ones?"*
—Las que te di ayer.	*"The ones I gave you yesterday."*

EJERCICIOS

A. Lo bueno y lo malo. Diga lo que es bueno y lo que es malo para cada una de las siguientes cosas. Siga el modelo.

> **MODELO** el verano **Lo bueno del verano es el calor.**
> **Lo malo del verano son los insectos.**

1. este país	6. los viajes
2. la televisión	7. la vida universitaria
3. el campo	8. este libro
4. muchas ciudades	9. el clima de esta región
5. el fútbol americano	10. los postres

B. ¿Le gusta o no le gusta? Trabaje con un(a) compañero(-a) de clase. Expresen sus opiniones sobre las siguientes personas y cosas.

> **MODELO** hacer/el presidente
> ESTUDIANTE 1 **¿Te gusta lo que hace el presidente? o ¿Qué te parece lo que hace el presidente?**
> ESTUDIANTE 2 **(No) me gusta lo que hace el presidente.**

1. pasar/en el mundo	4. servirse/en la cafetería
2. yo/ver/en la televisión	5. yo/leer/en el periódico
3. comprarme/mi novio(-a)	6. decir/los expertos en ecología

Entrevista _____

Trabaje con un(a) compañero(-a) de clase para hacerse y contestar las siguientes preguntas.

Focus on one or more of these topics to help generate brief conversations about particular sports, television shows, etc.

1. ¿Qué es lo más interesante de la vida universitaria? ¿lo más aburrido? ¿lo más divertido?
2. ¿Qué es lo mejor de tu vida? ¿lo peor?   3. ¿Qué es lo que más te gusta de tu familia? ¿y de tu casa?   4. ¿Qué es lo interesante de esta ciudad? ¿y de la ciudad donde vives?
5. ¿Qué es lo mejor de la ciudad? ¿lo peor?   6. ¿Qué es lo mejor de la vida en el campo? ¿lo peor?

• •

II. LONG FORMS OF POSSESSIVE ADJECTIVES; POSSESSIVE PRONOUNS

El aeropuerto de Quito, Ecuador

Aural Comprehension. ¿Verdadero o falso? If falso, students correct erroneous statements: 1. Óscar y Raúl están en el aeropuerto de Madrid. 2. Óscar busca su maleta pero no la encuentra. 3. Las maletas de los turistas venezolanos eran azules. 4. Óscar no pudo encontrar su maleta porque Raúl ya la había puesto en el auto.

Have students change the dialogue to represent a similar situation taking place in a nearby airport.

En el aeropuerto de Quito.

ÓSCAR	Esta llave es *mía,*° ¿no?	**Esta...** *This key is mine*
RAÚL	Sí, es *tuya.*° Y dime, ¿es éste el pasaporte de Enrique?	*yours*
ÓSCAR	Pues... sí, creo que es *el suyo.*° Pero... no veo mi maleta.	**el...** *his*
EMPLEADA	¿La maleta azul era de usted? ¡Yo creía que era de esos turistas venezolanos!	
ÓSCAR	No, señorita, *la mía* era la única azul.° Las de ellos eran todas negras.	**la...** *mine was the only blue one*
EMPLEADA	¡Dios *mío!*° Vino un hombre con barba°, dijo que era amigo de ellos... ¡y se la llevó!	**¡Dios...** *Good heavens! (literally, "My God!")/beard*

1. ¿Es de Óscar la llave?   2. ¿De quién es el pasaporte? ¿Es también suya la maleta perdida?   3. ¿De qué color era la maleta de Óscar?   4. ¿De quiénes eran las maletas negras?   5. ¿Quién se llevó la maleta azul?   6. ¿Cree usted que Óscar va a recuperar (*recover*) su maleta? ¿Por qué sí o por qué no?

● ●

A. There are other forms of possessive adjectives besides those you learned in Chapter 3. These longer forms follow rather than precede the nouns they modify, and they agree with them in gender and number.

la camisa mía	*my shirt*
el sueldo tuyo	*your salary*
los cuadernos nuestros	*our notebooks*

The longer forms are often used for emphasis, that is, to emphasize ownership.

B. Possessive pronouns have the same forms as the long forms of the possessive adjectives and are usually preceded by a definite article. The article and the pronoun agree in gender and number with the noun referred to, which is omitted.

el auto mío, el mío	*my car, mine*
la maleta tuya, la tuya	*your suitcase, yours*
la casa nuestra, la nuestra	*our house, ours*

C. Suyo(-a, -os, -as) can have several different meanings, depending on the possessor: for instance, **la casa suya** could mean *his house, her house, your house* (of **Ud.** or **Uds.**), or *their house.* For clarity, a prepositional phrase with **de** is sometimes used instead.

—¿Y las llaves? —Las suyas no están aquí. (Las de usted no están aquí.)	*"And the keys?" "Yours aren't here."*

D. After the verb **ser,** the definite article is usually omitted.

—¿Es mío este refresco? —Sí, es tuyo.	*"Is this soft drink mine?" "Yes, it's yours."*

EJERCICIOS

You might want to start with simpler substitution drills, e.g.: **1.** Anoche salí con una amiga mía. (pariente, primos, compañeras) **2.** Buscaremos el anillo suyo. (pasaportes, llaves, cámara) **3.** Verán a unas tías nuestras. (profesores, hermano, estudiante)

A. ¿Con quiénes vamos?   Su profesor(a) les ha pedido que visiten un mercado al aire libre *(open-air)*. Diga quién(es) fue(ron) con quién(es).

MODELO   yo/amigos
Yo fui con unos amigos míos.

1. Miguel y Jorge/compañeros
2. Susana/hermana
3. tú/primos
4. ustedes/tías
5. nosotros/vecino
6. la profesora de ecología/estudiantes

B. ¡Qué coincidencias tiene la vida!   El señor Ruiz le habla a su hijo Alberto de sus buenos tiempos pasados. Haga el papel de Alberto y respóndale a su padre que las cosas siguen igual que antes.

MODELO   SR. RUIZ   Mi apartamento era grandísimo.
              ALBERTO   **El mío es grandísimo también.**

1. Mis clases eran muy interesantes.
2. Mi compañero de cuarto era peruano.
3. Mis diversiones favoritas eran nadar y bailar.
4. Pagaba muy poco por mi apartamento.
5. Mis profesores eran muy buenos.

C. **¿Es tuyo esto?**   La señora Ruiz le está ayudando a una amiga a desempacar *(unpack)* las maletas. Con un(a) compañero(-a) de clase, hagan los papeles de la señora Ruiz y de su amiga. Sigan los modelos.

MODELOS   anillo/¿tú?   SRA. RUIZ   **¿Es tuyo este anillo?**
                                   AMIGA   **Sí, es mío.**

              llaves/¿Arturo?   SRA. RUIZ   **¿Son de Arturo estas llaves?**
                                   AMIGA   **Sí, son suyas.**

1. falda/¿tú?   4. poncho/¿Luis?
2. sandalias/¿Irene?   5. cuadros/¿ustedes?
3. camisa/¿Luisito?

• •

III. THE PASSIVE VOICE

La catedral de Quito, vista desde la Plaza de la Independencia

Querida Inés:

Desde hace dos días estoy aquí en Quito, la capital de Ecuador. Creo que me quedaré unos diez días más antes de volver a casa. Esta capital histórica y bonita *fue fundada*° en 1534. Hay jardines y pequeñas plazas por todas partes. La ciudad tiene edificios magníficos que *fueron construidos*° por los españoles en el siglo XVI. Ahora tiene más de un millón de habitantes. Hoy visité la Catedral donde está enterrado° Antonio José de Sucre, el héroe nacional de este país. También fui al Palacio Nacional. Hace varios siglos que ese palacio es el centro del gobierno ecuatoriano. Mañana iré a la Universidad Central que tiene muchos edificios modernos. Esa Universidad Central tiene sus orígenes en un seminario° que *fue fundado* en 1594. También visitaré el monumento que marca la línea ecuatorial. ¡Allí es posible tener un pie en el hemisferio norte y otro en el sur!* Además, hay un excelente museo etnográfico. ¿Qué te parece? ¡Todo esto es de lo más fascinante!°

    Bueno, como te darás cuenta°, ¡me encanta Ecuador! Te llamaré en cuanto llegue a Seattle, ¿OK?
    Cariños,°

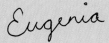

fue... was founded

fueron... were built

está... is buried

seminary

de... most fascinating
te... you probably can tell

Affectionately

¿Verdadero o falso? Si es falso, diga por qué.

1. La ciudad de Quito fue fundada en 1534.
2. Antonio José de Sucre fue un conquistador español.
3. La Universidad Central tiene muchos edificios de estilo colonial.
4. En Ecuador hay un monumento que marca la línea ecuatorial.
5. Eugenia volverá a Seattle el año que viene.

• •

A. In Spanish, as well as in English, sentences can be in either the active or the passive voice. In an active construction, the subject performs the action of the verb. In a passive construction, the subject is acted upon. Compare the following sentences. The subjects are shown in bold type.

1. Active voice:

Los incas construyeron la ciudad de Cuzco.	*The Incas built the city of Cuzco.*
(Ellos) hicieron esos muebles en México.	*They made those pieces of furniture in Mexico.*
Marta pagará el alquiler.	*Marta will pay the rent.*

*See **Nota Cultural** 1, page 390.

2. Passive voice:

La ciudad de Cuzco fue construida por los incas.	The city of Cuzco was built by the Incas.
Esos muebles fueron hechos en México.	Those pieces of furniture were made in Mexico.
El alquiler será pagado por Marta.	The rent will be paid by Marta.

B. The passive voice in Spanish consists of a form of **ser** (in any tense) plus a past participle. The past participle behaves like an adjective, changing its ending to agree in gender and number with the subject. When the agent (the "doer" of the action) is mentioned, it is generally introduced by the preposition **por.**

subject	+	**ser**	+	past participle	+	**por**	+	agent
La ciudad		fue		construida		por		los incas.

Las papas fueron descubiertas en América.	Potatoes were discovered in America.
A propósito, ¿sabías que los muros serían pintados por los chicos?	By the way, did you know that the walls would be painted by the boys?
La novela *Nada* fue escrita por Carmen Laforet.	The novel Nada *was written by Carmen Laforet.*

C. The passive voice is used less frequently in Spanish than in English. When no agent is expressed, **se** plus a verb in the third person is generally used instead. The verb is singular or plural to agree with its grammatical subject.

Se habla español.	Spanish is spoken.
Se necesitan muchos materiales para reparar la casa.	Many materials are needed to repair the house.
En 1735 se marcó la línea ecuatorial.	The line of the equator was marked in 1735.

You don't need to use the passive voice now, but the following exercises will help you learn to recognize and understand it.

EJERCICIOS

Answers to A: **1.** b. **2.** b. **3.** a. **4.** b. **5.** a.

A. Infórmese sobre Ecuador. Escoja la forma apropiada del verbo para completar la frase.

1. La línea ecuatorial _____ por algunos científicos *(scientists)* franceses en 1735.
   a. será marcada   b. fue marcada
2. El Ecuador _____ al noroeste del Perú y al sur de Colombia.
   a. fue encontrado   b. se encuentra

3. Las regiones de Ecuador y Perú _____ por Francisco Pizarro.
    a. fueron conquistadas   b. se conquistaron
4. El rey inca Atahualpa y muchos otros indios _____ por los españoles.
    a. eran matados   b. fueron matados
5. La ciudad de Guayaquil _____ en la costa de Ecuador.
    a. se encuentra   b. fue encontrada

Answers to B: **1.** a. **2.** b. **3.** a. **4.** c. **5.** a.

B. Dicho de otra manera.   Para cambiar las frases de la forma pasiva (en bastardilla) a la construcción con **se,** marque con un círculo la letra del verbo apropiado.

MODELO   Hoy día *son vistas* aquí muchas películas en español.
   a. se ve   (b.) se ven   c. se vieron

1. La vista desde esa montaña siempre *es muy admirada.*
    a. se admira mucho   b. se admiran mucho   c. será muy admirada
2. Ese museo *será visitado* todos los días del mes que viene.
    a. se visitaba   b. se visitará   c. se visita
3. Aquellos edificios *fueron construidos* antes de 1850.
    a. se construyeron   b. se construían   c. se construyen
4. Los regalos *serían comprados* en Ecuador.
    a. se comprarán   b. se compraron   c. se comprarían
5. Esas casas *fueron vendidas* el año pasado.
    a. se vendieron   b. se venderán   c. se venderían

Answers to C: **1.** b; **2.** b; **3.** a; **4.** a; **5.** b; **6.** a

C. ¿Cuál es la mejor traducción?   Escoja *a* o *b* para indicar la mejor traducción de las siguientes frases en bastardilla.

1. Those plants *were bought and brought* here last week.
    a. fueron comprados y traídos
    b. fueron compradas y traídas
2. The party *was organized* by Raquel.
    a. fue organizado
    b. fue organizada
3. These short stories *were written* by a famous writer.
    a. fueron escritos
    b. fueron escritas
4. Those two banks *were built* before 1850.
    a. fueron construidos
    b. fueron construidas
5. New flowers and plants *are cultivated* every year.
    a. son cultivados
    b. son cultivadas
6. When *was* that dessert *made?*
    a. fue hecho
    b. fue hecha

Viñeta cultural

QUITO, CIUDAD EN ETERNA° PRIMAVERA

eternal, everlasting

Una linda plaza colonial en Quito

En el restaurante del Hotel Colón, en Quito.

LAURA Así que piensan mudarse a Quito.[1] ¡Deben estar muy contentos! Pero, ¿cuándo?

PEDRO Pues, nos gustaría estar aquí para Año Nuevo. Yo me jubilo° el mes próximo, ¡por fin! Por ahora, buscamos casa. Lo malo es la inseguridad° de no saber dónde vamos a vivir.

Yo... I'm retiring
uncertainty

LUIS Realmente lo que me sorprende es que ya puedas jubilarte. ¿No eres muy joven para eso? Tienes un aspecto bastante juvenil° y cierto aire de juventud° y energía.

youthful
youth

ESTELA «Las apariencias engañan».° ¡Ya hace treinta años que Pedro trabaja para la misma compañía! Para nosotros, lo difícil será dejar Guayaquil[2] después de vivir tantos años allá. La compañía fue fundada por amigos del padre de Pedro, ¿lo sabían?

Appearances are deceiving

Point out the usage of the true passive voice in this case.

LUIS No lo sabíamos. Pero lo lindo, lo positivo, lo interesante de la vida en Quito es que aquí siempre hace un tiempo magnífico, ¿no?

LAURA Así es. Por algo llaman a Quito «la ciudad de la eterna primavera», ¿no? Estoy segura de que la vida aquí les gustará muchísimo. Lo bueno de vivir en la capital es que hay muchas actividades culturales, ¡y la ciudad ha sido construida con jardines y pequeñas plazas encantadoras!° Será un cambio muy beneficioso.°

*enchanting/***un cambio...** *a very beneficial change*

PEDRO	Eso espero. El ambiente° será bastante diferente al que estamos acostumbrados. Muchos edificios de Guayaquil fueron elevados° en los últimos quince años. Parece que se construyen nuevos edificios cada semana. Lo peor de la vida allá es el tráfico, ... y además° hace bastante calor.
LAURA	Cambiando de tema°, ¿arreglaron lo de la habitación que no les gustaba?
PEDRO	No. Pedí una habitación doble, con dos camas, pero no me la pudieron dar.
LAURA	¿Y por qué no se quedan con nosotros?
LUIS	¡Buena idea! Tenemos un dormitorio para huéspedes°, con baño, dos camas y una sala pequeña con sofá y sillones.
ESTELA	Es que no nos gustaría molestar...°
LAURA	¡Por favor! Esa habitación les va a gustar y la pueden usar por el tiempo que quieran. ¿Aceptan?
PEDRO	Bueno, si no les causamos problemas. Estela, ¿qué dices?
ESTELA	¡Pues yo digo que sí! Y un millón de gracias. Sé que con ustedes estaremos cien veces mejor que en el hotel.

environment

fueron... *were built, "put up"*

besides

Cambiando... *To change the subject*

guests

to bother

¿Cuál es la respuesta correcta?

1. ¿Cuándo se jubila Pedro?
   a. el año próximo
   b. el mes próximo
2. ¿Cuántos años hace que Pedro trabaja para la misma compañía?
   a. 20 años
   b. 30 años
3. ¿Qué es lo bueno de vivir en la capital?
   a. Siempre hace un tiempo magnífico allá.
   b. La capital está situada cerca del océano.
4. ¿Qué es lo peor de la vida en Guayaquil?
   a. los edificios nuevos
   b. el tráfico
5. ¿Por qué no les gusta la habitación en el hotel a Pedro y a Estela?
   a. No tiene camas.
   b. No es una habitación doble.
6. Describa el dormitorio para huéspedes que tienen Laura y Luis.
   a. Tiene baño y una sala pequeña.
   b. Tiene dos baños y dos camas.

Notas Culturales

1. Quito, the capital city of Ecuador (elevation 9,500 feet), has been aptly called "a great outdoor museum" because of its numerous buildings in the ornate Spanish colonial style. The city was founded in 1534 on the site of the capital city of the pre-Inca kingdom of the Scyris, which had fallen to the Incas shortly before the arrival of the Spaniards. There is little seasonal variation of temperature because the city is so close to the equator. In fact, the monument marking the equator is located about 15 miles north of Quito. There visitors enjoy crossing the equator several times and standing with one foot in the Southern Hemisphere and the other in the Northern.

2. Guayaquil and Quito strongly dominate the life of Ecuador. Quito, the government center, located high in the Andes, has a cool climate and outstanding colonial architecture. Guayaquil, with a tropical climate, is a fast-growing modern port as well as the country's largest city and banking center. Most of Ecuador's trade passes through Guayaquil.

PARA ESCUCHAR

A. Las islas fascinantes del Archipiélago de Colón. Escuche el siguiente informe sobre las Islas Galápagos.

Vocabulario: **obispo** *bishop* **marinero** *sailor* **refugio** *shelter* **tortugas** *tortoises* **pesar** *weigh* **focas** *seals* **conviven** *live together* **libras** *pounds*

Students may be studying Darwin in another class. Try initiating a simple conversation about his theories.

B. Preguntas. Escuche las siguientes preguntas y marque con un círculo la letra de la respuesta correcta.

1. a. Cristóbal Colón
   b. Charles Darwin
   c. Tomás de Berlanga
2. a. la iguana marina
   b. la foca
   c. la tortuga gigante
3. a. *Las curiosas formas biológicas*
   b. *El origen de las especies por medio de la selección natural*
   c. *Tortugas y más tortugas*
4. a. Porque varios piratas ingleses buscaron refugio allí.
   b. Porque los habitantes de esas islas hablan inglés.
   c. Porque los nombres de las islas les fueron dados por Darwin.
5. a. el pingüino
   b. la iguana
   c. la tortuga gigante

PARA ESCRIBIR

Usted tiene un(a) «pen pal» en Quito. Hágale algunas preguntas sobre la vida de allí y descríbale la vida en Estados Unidos, incluyendo su lugar de campamento favorito y el sitio donde le gusta (o gustaría) pasar sus próximas vacaciones.

VOCABULARIO ACTIVO

Cognados

el animal	la ecología	el monumento	tranquilo
la diferencia	el insecto	la planta	el valle
la costa	magnífico	el silencio	

Verbos

ir de campamento	*to go camping*

La naturaleza — *Nature*

el amanecer	*dawn, daybreak*
el anochecer	*twilight, dusk*
el campo	*country (as opposed to city)*
el cielo	*sky; heaven*
el clima	*climate*
la estrella	*star*
la flor	*flower*
la grandeza	*grandeur*
la hoja	*leaf*
la luna	*moon*
el pájaro	*bird*
el pez (los peces)	*fish*
la piedra	*stone*
la tierra	*earth, land*

Adjetivos

bajo	*low; short*
bello	*beautiful*
imponente	*impressive*

Otra palabras y frases

adentro	*inside*
afuera	*outside*
bajo	*beneath, under* (adv)
mientras tanto	*meanwhile*
mismo: lo mismo	*the same thing*
el muro	*wall*
por el contrario	*on the contrary*
por otra parte	*on the other hand*
el tema	*subject*

LECTURA VI

Hispanoamérica hoy

Para comprender la situación actual° de Hispanoamérica, hay que tener en cuenta° que el vínculo° permanente que une° los países hispanos está más en su pasado común como colonias españolas que en los acontecimientos° que ocurrieron después en cada una de estas naciones independientes. El imperio° español de las Américas —el imperio más grande de la historia— duró° aproximadamente 350 años, desde 1492 hasta mediados° del siglo diecinueve. Simón Bolívar, el gran Libertador, después de echar° al último ejército español del continente suramericano, trató con poco éxito° de unificar los nuevos países bajo un gobierno federal.

    Cuando los españoles se retiraron° del continente americano, dejaron como herencia° su idioma°, su cultura, su música y algunas instituciones sociopolíticas, pero no dejaron bases firmes para la democracia. Por todas partes° comenzaron luchas° internas, muchas veces originadas en los intereses de grupos particulares más que en el interés general. El caudillo, cabecilla de gente armada que imponía su voluntad°, era el seguro candidato a la presidencia de su país. Después vinieron los dictadores. Todos podemos nombrar a algunos de ellos: Rafael Trujillo de República Dominicana, «Tacho» Somoza de Nicaragua, Alfredo Stroessner de Paraguay y Augusto Pinochet de Chile.

current / **tener...** *take into account* / *link* / *unites*

events

empire

lasted

the middle / *throwing out*

success

withdrew

legacy / *language*

Por... *Everywhere* / *struggles*

cabecilla... *the ringleader of an armed group that imposed his will*

En Nicaragua, algunos «contras» descansan durante una pausa en una batalla contra los sandinistas en 1987.

You might want to provide more background information on Nicaragua, describing the bitter U.S. debate over funding of the **contras,** Violeta Chamorro's 1990 election, and the violence between the **recompas (Sandinistas rearmados)** and the **recontras (contras rearmados).**

Después de una revolución que duró unos diez años —entre 1910 y 1920— y muchas luchas internas, México es actualmente° una democracia, pero el término° *democracia* es relativo. Los presidentes gobiernan° por un período de seis años y no pueden ser reelegidos.° Sin embargo°, un solo partido° domina° el país. En México se habla mucho de la necesidad de tener una verdadera oposición al partido dominante. En elecciones pasadas, hubo muchas alegaciones de fraude durante el proceso electoral.

presently/term

govern

*reelected/**Sin...** However/ (political) party/dominates*

En 1991, el presidente de El Salvador, Alfredo Cristiani (a la derecha) habla con Javier Pérez de Cuéllar, Secretario General de las Naciones Unidas, después de firmar el tratado de paz.

Have students follow current events in Spanish America and bring in newspaper stories. Together, simplify and summarize in Spanish the major points.

Review the various constructions using the infinitive, focusing on examples in this reading; the preposition **para; hay que...; después de...; poder** and **querer; es imposible...** with no personal subject; **tratar de** and **empezar a.**

Desde hace unos años, en Centroamérica hay grandes problemas políticos y económicos. En El Salvador una larga guerra civil destruyó° la economía del país y dejó unos 75.000 muertos y un millón de desplazados.° En diciembre de 1991 se firmó° un acuerdo° de paz entre el gobierno salvadoreño y los guerrilleros° (Véase la foto). En Nicaragua, los «sandinistas» derrocaron° la dictadura de «Tacho» Somoza en 1979 y establecieron una democracia socialista. Pero Estados Unidos se opuso° a ese gobierno y ayudó a los «contras», grupo que luchó° para derrocar a los sandinistas. En 1990 hubo elecciones libres y Estados Unidos suspendió el bloqueo° contra Nicaragua. Los gobiernos de Guatemala y Honduras son democracias nominales que a veces funcionan como verdaderas democracias y otras veces no. El ejército tiene mucho poder y hay muchas alegaciones de violaciones a los derechos humanos. Panamá sufrió° una invasión en diciembre de 1989: Estados Unidos invadió ese país para derrocar al general Manuel Noriega. La invasión causó cientos de muertos y dejó a miles sin casa. Al año siguiente° se abolió° el ejército de Panamá. De todos los países centroamericanos, Costa Rica ha tenido el gobierno más estable y democrático, con una asamblea° legislativa que es elegida° por el pueblo cada cuatro años.

destroyed

*displaced/**se...** was signed*

agreement/guerrillas

overthrew

***se...** opposed*

fought

blockade

suffered

***Al...** The following year/**se...** was abolished*

assembly/elected

Los cinco países andinos° —Venezuela, Colombia, Ecuador, Perú y Bolivia— tienen, en general, gobiernos democráticos, pero no son muy estables debido° a los grandes problemas económicos de la región. Como en Centroamérica, hay grupos de guerrilleros que quieren cambiar las estructuras básicas de sus países y darle más poder a la gente necesitada.° En Colombia y en Perú especialmente ha habido mucha actividad guerrillera; en Perú el grupo radical «Sendero luminoso°» tiene mucho apoyo° popular, especialmente entre las mujeres jóvenes. En 1992 hubo un golpe de estado° en ese país, y se suspendió la constitución. El gran poder que tienen los narcotraficantes° también crea° muchos problemas en los países andinos.

Andean
due

needy, poor
Sendero... *Shining Path*
support / **golpe...** *coup d'etat*

drug traffickers / *is creating*

You might want to discuss the situation in Peru in more depth, mentioning the campaign between writer Mario Vargas Llosa and Alberto Fujimori, Fujimori's 1992 takeover, the immense support that **Sendero** has with young women in Peru because of its feminist stance, and the use of U.S. military to fight a drug war in that country.

Unos funcionarios *(officials)* verifican el registro de votación durante las recientes elecciones en Paraguay.

So many government-run companies have been bought by private companies, often foreign companies, that some analysts conclude that "Latin America is up for sale."

En el Cono Sur°, hubo graves problemas en Chile, Paraguay, Argentina y Uruguay durante la segunda mitad° de este siglo, pero esos cuatro países ahora tienen gobiernos democráticos. Chile tenía una larga tradición democrática, pero en 1973 el general Augusto Pinochet tomó el poder en un golpe de estado y se mantuvo° en el poder hasta 1989, cuando hubo elecciones libres. En ese mismo año, 1989, otro golpe de estado en Paraguay derrocó al dictador Alfredo Stroessner, cuya° dictadura había durado por casi treinta y cinco años. En 1984 los uruguayos también derrocaron una dictadura militar y eligieron como presidente a Julio María Sanguinetti. Y un año antes, en 1983, Argentina también había dado fin a° su gobierno militar. En los cuatro países mencionados hay muchos problemas económicos y se tiende hoy día a° la privatización de las industrias nacionales en un esfuerzo° por mejorar la situación económica. Esta tendencia se ve también en otros países latinoamericanos, especialmente en México y en Venezuela.

No hay mucha esperanza° de que pronto se realice° el sueño de Bolívar: la unificación de toda Hispanoamérica. Sin embargo,° existe cierto optimismo. A pesar de una pésima° situación económica (con una tasa° de inflación muy alta y serios problemas con la deuda externa°), parece que Latinoamérica sigue buscando el camino hacia la democracia total, tanto política como económica y social.

Cono... *Southern Cone*
half

se... *remained*

whose

había... *had put an end to*
se... *there's a tendency today toward* / *effort*

hope / **se...** *will be realized*
Sin... *However* / **A...** *In spite of a terrible* / *rate*
deuda... *foreign debt*

Comprensión.　Trabaje con un(a) compañero(-a). En forma alternada, háganse y contesten las siguientes preguntas.

1. ¿Qué hay que tener en cuenta para comprender la situación actual de Hispanoamérica? 2. ¿Cuál fue el sueño de Simón Bolívar? ¿Se ha realizado ese sueño?　3. ¿Qué dejaron los españoles cuando se retiraron del continente americano?　4. ¿Puede nombrar a algunos dictadores hispanoamericanos de este siglo?　5. ¿Qué ocurrió en México entre 1910 y 1920? ¿Qué problema político tiene México ahora?　6. ¿Qué pasó en El Salvador en diciembre de 1991?　7. ¿Quiénes derrocaron al dictator «Tacho» Somoza en Nicaragua? ¿Cuándo?　8. ¿Cómo son los gobiernos de Guatemala y Honduras?　9. ¿Qué pasó en Panamá en 1989?　10. ¿Cómo es el gobierno de Costa Rica?　11. ¿Por qué hay mucha actividad guerrillera en Colombia y en Perú? ¿Qué otro problema hay en los países andinos? 12. ¿Se puede ser optimista con respecto a la situación en el Cono Sur? ¿Por qué? Explique.

¿Verdadero o falso? 1. El imperio romano fue el más grande de la historia; duró 350 años. 2. Un caudillo siempre representaba los intereses del pueblo en general, no de ciertos grupos en particular. 3. «Tacho» Somoza fue un gran presidente de Nicaragua, elegido democráticamente por su pueblo. 4. Los países andinos son Perú, Colombia, Venezuela, Panamá y Costa Rica. 5. En Latinoamérica actualmente hay una tendencia a la nacionalización de las industrias.

Apéndice I

PROUNUNCIACIÓN: LAS VOCALES (VOWELS)

Spanish has five simple vowels, represented in writing by the letters **a, e, i** (or **y**), **o,** and **u**. Their pronunciation is short, clear, and tense. In the following examples the stressed syllables appear in bold type.

a Similar in sound to the *a* in the English word *father*, but more open, tense, and short.
  Ana, pa**pá,** ma**má,** Cata**li**na, ba**na**na, A**de**la

e Similar in sound to the *e* in the English word *met*.
  E**le**na, **Pe**pe, Te**re**sa, ele**fan**te, Fede**ri**co

i(y) Pronounced like the *i* in the English word *police*.
  y, di**fí**cil, sí, Cris**ti**na, cafete**rí**a, Mi**guel,** Isa**bel**

o Similar in sound to the **o** in the English words *cord* and *cold*.
  no, An**to**nio, ofi**ci**na, hospi**tal**, **Pa**co, Teo**do**ro, doc**tor**

u Pronounced like the *oo* in the English words *cool* and *fool* (never the sound of *oo* in *book* or of *u* in *cute* or *university*).
  Ra**úl**, **Úr**sula, **Cu**ba, univer**sal**, oc**tu**bre, universi**dad**

PRONUNCIACIÓN: LOS DIPTONGOS

Nearly every stressed vowel in English is pronounced as a diphthong, a gliding from one vowel position to another. Spanish vowels, pronounced in isolation, are never diphthongs, but when two of them occur side by side, partial fusions sometimes result, and a diphthong is produced. Of the five Spanish vowels, **i** and **u** are classified as weak; **a, e,** and **o** are strong. Two strong vowels next to each other remain as two separate sounds, or syllables: **real (re-al), Laos (La-os).** Two weak vowels, or a weak plus a strong vowel, form a diphthong, a single syllable with a glide from one sound to the other. Listen to the following examples, and repeat each one, placing the most stress on the boldfaced syllable.

ia	Pa**tri**cia, A**li**cia, San**tia**go, **gra**cias	**ui (uy)**	Luis, muy, **rui**na
ua	Juan, E**duar**do, **cua**tro, Guate**ma**la	**ai (ay)**	hay, **ai**re, **bai**lan, **Jai**me
ie	Ga**briel**, **Die**go, diez, **cier**to	**au**	**Pau**la, **au**to, Au**re**lio.
ue	Con**sue**lo, Ma**nuel**, **bue**no, pues		restau**ran**te
io	**Ma**rio, **ra**dio, a**diós,** An**to**nio	**ei (ey)**	rey, seis, **trein**ta, **vein**te
uo	an**tiguo**, **cuo**ta	**eu**	feu**dal**, Eu**ro**pa, Eu**ge**nio
iu	**triun**fo, ciu**dad,** vein**tiu**no	**oi (oy)**	hoy, soy, es**toi**co

PRONUNCIACIÓN: LAS CONSONANTES

Many consonants are pronounced similarly in Spanish and English. Others are pronounced very differently.

b, v In Spanish, the letters **b** and **v** are pronounced in precisely the same way. At the beginning of a word, both sound much like an English *b,* whereas in the middle of a word they sound somewhere between *b* and *v* in English.
  Bo**gotá**, Va**len**cia, Ve**ró**nica, **bu**rro, ven**ta**na, **E**va, Sebas**tián**

c, z In Spanish America, the letters **c** (before **e** and **i**) and **z** are pronounced like an English *s.**
  A**li**cia, Ga**li**cia, Ce**ci**lia, Zara**go**za, La **Paz**, pi**za**rra, **lá**piz

---

*In most parts of Spain a **c** before **e** or **i**, a **z** before **a, e, i, o,** or **u**, and a final **z** are pronounced like *th* in the English word *thin*. This is a characteristic feature of the peninsular accent.

A **c** before **a, o, u,** or any consonant other than **h** is pronounced like a *k*.

   inca, **co**ca, **co**sta, **Cuz**co, se**cre**to, **cla**se

ch   The combination of **c** and **h, ch** is a separate Spanish letter, with its own section in word lists and dictionaries. It is pronounced like the *ch* in the English words *change, check, chip*.

   choco**la**te, **Chi**le, cha-cha-**chá**

d   The letter **d** has two sounds. At the beginning of a word or after an **n** or **l,** it is somewhat like *d* in English, but softer, with the tongue touching the upper front teeth.

   día, **Die**go, Mi**ran**da, Ma**til**de

   In all other positions, it is similar to *th* in the English word *then*.

   Feli**ci**dad, **Eduar**do, Ri**car**do, pa**red,** estu**dian**te

g,j   The **g** before **i** or **e,** and the **j,** are both pronounced approximately like an English *h*.

   Jorge, Jose**fi**na, geolo**gí**a, Ja**lis**co, re**gión, pá**gina, e**jem**plo

g   The **g** before **a, o,** or **u** is pronounced approximately like the English *g* in gate. In the combinations **gue** and **gui** the **u** is not pronounced, and the **g** has the same sound as the English *g*.

   a**mi**go, a**mi**ga, Gus**ta**vo, Mi**guel,** gui**ta**rra

   In the combinations **gua** and **guo,** the **u** is pronounced like a *w* in English.

   an**ti**guo, Guate**ma**la

h   Spanish **h** is silent.

   La Ha**ba**na, Hon**du**ras, her**nán**dez, ho**tel, Hu**go, **Hil**da

ll   The **ll** is a separate Spanish letter, with its own section in word lists and dictionaries. Although there are some regional variations in pronunciation, in most Spanish-speaking countries its sound is much like that of *y* in the English word *yes*.

   llama, Va**lle**jo, Se**vi**lla, Mu**ri**llo, **si**lla

ñ   The sound of **ñ** is roughly equivalent to the sound of *ny* in the English word *canyon*.

   se**ñor,** ca**ñón,** es**pa**ñol

q   A **q** is always followed in Spanish by a silent **u;** the **qu** combination represents the sound of *k* in English.

   Quito, En**ri**que

r   The letter **r** is used to represent two different sounds. At the beginning of a word or after **l, n,** or **s,** it has the same sound as **rr** (see below). Elsewhere, it represents an **r** sound so soft that it is close to the British pronunciation of *very* or the *tt* in the American English words *kitty* and *Betty*.

   Pa**tri**cia, El**vi**ra, tor**ti**lla, Pi**lar,** profe**sor**

rr   The letter sequence **rr,** while not a separate letter, and alphabetized in Spanish as in English, represents a special trilled sound, like a Scottish *burr* or a child imitating the sound of a motor. The same sound is represented by a single **r,** not **rr,** at the beginning of a word or after **l, n,** or **s.**

   e**rror,** ho**rror,** ho**rri**ble, te**rri**ble

   Rosa, **Ri**ta, Ro**ber**to, **ra**dio

   En**ri**que, Isra**el,** alrede**dor** (*around*)

   Listen to the difference between **perro** (*dog*) and **pero** (*but*).

   perro, **pe**ro

x   The letter **x** represents several different sounds in Spanish. Before a consonant, it is often pronounced like an English *s*, although some Latin Americans pronounce it like the English *x*.

   exte**rior, tex**to

   Before a vowel, it is like the English *gs*.

   e**xa**men, exis**ten**cia

   In many words **x** used to have the sound of the Spanish **j.** In most of these words the spelling has been changed, but a few words can be spelled either with an **x** or a **j: Mé**xico (**Mé**jico), Qui**xo**te (Qui**jo**te).

Don't forget that **ch** and **ll** are separate Spanish letters. When you are searching in a dictionary or vocabulary list for a word beginning with either letter, remember that they follow **c** and **l**, respectively.

clase	coco	chocolate	libro	Lupe	llama

The same principle of alphabetization holds when the letter occurs in the middle of a word.

lección   lectura (*reading*)   leche (milk)   silogismo   silueta   silla

EL ENLACE

Linking—the running together of words—occurs in every spoken language. In American English, *Do you want an orange?* becomes approximately "D'ya wan' a norange? Anyone who attempts to speak English only as it is written is sure to sound like a computerized toy. Linking in Spanish is influenced by the following considerations.

1. The final vowel of a word links with the initial vowel of the next word.

Mi amiga se llama Amalia.   *My friend's name is Amalia.*
Ella estudia inglés.   *She studies English.*
La señorita Rivas ama a Andrés.   *Miss Rivas loves Andrés.*

2. Two identical consonants are pronounced as one.

el loco   *the crazy one*
los señores   *the gentlemen*

3. A final consonant usually links with the initial vowel of the next word.

Es estudiante.   *He's a student.*
Son excelentes.   *They are excellent.*

DIVISIÓN EN SÍLABAS

Spanish words of more than one syllable always have a syllable that is accentuated, or spoken more forcefully than the the others. Here is how to recognize the syllables in Spanish words.

A. Every Spanish syllable contains only one vowel, diphthong, or triphthong. Diphthongs and triphthongs are not divided, but two strong vowels are.

cre-o   le-al   adiós   lim-piáis

B. A single consonant (including **ch** and **ll**) between two vowels begins a new syllable.

co-mo   mu-cho   fe-li-ci-da-des
a-pe-lli-do   gra-cias   Te-re-sa

C. When two consonants occur between vowels, they are usually divided.

ex-ce-len-te   cua-der-no   Ca-li-for-nia
es-pa-ñol   u-ni-ver-si-dad   Jor-ge

D. However, most consonants, when followed by **l** or **r,** form a cluster with the **l** or **r**. Such clusters are not divided.

ha-blar   es-cri-to-rio
in-glés   pi-za-rra

Acentuación y el uso del acento

A few short rules describe the way most Spanish words are accentuated, or stressed.

A. Most words ending in a vowel, **-n,** or **-s** are stressed on the next-to-last syllable.

cla-ses   **co**-mo   re-**pi**-tan   his-**to**-ria   **bue**-nos   e-le-**fan**-te

B. Most words ending in consonant other than **-n** or **-s** are stressed on the last syllable.

es-pa-**ñol**   fa-**vor**   a-**rroz**   se-**ñor**   us-**ted**   pre-li-mi-**nar**

C. Words that are stressed in any other way carry a written accent on the vowel of the syllable that is stressed.

ca-**fé**   **a-le**-mán   in-**glés**   **a**-diós   **lá**-piz   di-**fí**-cil

D. Written accent marks are also used to mark the difference between pairs of words with the same spelling, and also on all question words.

el   *the*   él   *he*   si   *if*   sí   *yes*   como   *as*   ¿cómo?   *how*

Apéndice II

EL USO DE LAS LETRAS MAYÚSCULAS

Capital letters are used in Spanish, as in English, to begin proper names and for the first word in a sentence. But Spanish does not use capital letters in the following cases:

Words used to address someone (except abbreviations).

Perdón, profesor(a)	*Excuse me, Professor.*
Perdón, señorita.	*Excuse me, Miss.*
Perdón, señor Robles.	
Perdón, Sr. Robles.	*Excuse me, Mr. Robles.*

Book titles—except for the first letter and proper names.

¿Habla español?	*Do You Speak Spanish?*
La muerte de Artemio Cruz	*The Death of Artemio Cruz*
Cien años de soledad	*One Hundred Years of Solitude*

The names of languages.

el español	*Spanish*
el inglés	*English*

Nouns and adjectives of nationality.

los mexicanos	*the Mexicans*
la bandera argentina	*the Argentine flag*

Days, months, and seasons of the year.

lunes	*Monday*
julio	*July*
primavera	*Spring*

VERBOS

Regular Verbs—Simple Tenses

INDICATIVE

	Present	Imperfect	Preterit	Future	Conditional
hablar	hablo	hablaba	hablé	hablaré	hablaría
hablando	hablas	hablabas	hablaste	hablarás	hablarías
hablado	habla	hablaba	habló	hablará	hablaría
	hablamos	hablábamos	hablamos	hablaremos	hablaríamos
	habláis	hablabais	hablasteis	hablaréis	hablaríais
	hablan	hablaban	hablaron	hablarán	hablarían
comer	como	comía	comí	comeré	comería
comiendo	comes	comías	comiste	comerás	comerías
comido	come	comía	comió	comerá	comería
	comemos	comíamos	comimos	comeremos	comeríamos
	coméis	comíais	comisteis	comeréis	comeríais
	comen	comían	comieron	comerán	comerían
vivir	vivo	vivía	viví	viviré	viviría
viviendo	vives	vivías	viviste	vivirás	vivirías
vivido	vive	vivía	vivió	vivirá	viviría
	vivimos	vivíamos	vivimos	viviremos	viviríamos
	vivís	vivíais	vivisteis	viviréis	viviríais
	viven	vivían	vivieron	vivirán	vivirían

Regular Verbs—Perfect Tenses

INDICATIVE

Present Perfect		Past Perfect		Future Perfect		Conditional Perfect	
he		había		habré		habría	
has		habías		habrás		habrías	
ha	hablado	había	hablado	habrás	hablado	habría	hablado
hemos	comido	habíamos	comido	habremos	comido	habríamos	comido
habéis	vivido	habíais	vivido	habréis	vivido	habríais	vivido
han		habían		habrán		habrían	

Regular Verbs—Progressive Tenses

INDICATIVE

Present		Imperfect	
estoy		estaba	
estás	hablando	estabas	hablando
está	comiendo	estaba	comiendo
estamos	viviendo	estábamos	viviendo
estáis		estabais	
están		estaban	

Regular Verbs—Simple Tenses

SUBJUNCTIVE

Present	Imperfect	Commands
hable	hablara (-se)	—
hables	hablaras (-ses)	habla (no hables)
hable	hablara (-se)	hable
hablemos	habláramos (´-semos)	hablemos
habléis	hablarais (-seis)	hablad (no habléis)
hablen	hablaran (-sen)	hablen
coma	comiera (-se)	—
comas	comieras (-ses)	come (no comas)
coma	comiera (-se)	coma
comamos	comiéramos (´-semos)	comamos
comáis	comierais (-seis)	comed (no comáis)
coman	comieran (-sen)	coman
viva	viviera (-se)	—
vivas	vivieras (-ses)	vive (no vivas)
viva	viviera (-se)	viva
vivamos	viviéramos (´-semos)	vivamos
viváis	vivierais (-seis)	vivid (no viváis)
vivan	vivieran (-sen)	vivan

Regular Verbs—Perfect Tenses

SUBJUNCTIVE

Present Perfect		Past Perfect	
haya		hubiera (-se)	
hayas		hubieras (-ses)	
haya	hablado	hubiera (-se)	hablado
hayamos	comido	hubiéramos (´-semos)	comido
hayáis	vivido	hubierais (-seis)	vivido
hayan		hubieran (-sen)	

Stem-Changing, Spelling-Changing, and Irregular Verbs

These charts contain the principal irregular verbs from the text plus model verbs showing standard patterns of stem and spelling changes. The verbs are numbered for easy reference to the Spanish-English vocabulary. Forms containing an irregularity are printed in **bold type.** In the text, verb changes are in parentheses. These verbs show the patterns signaled.

STEM-CHANGING VERBS							SPELLING-CHANGING VERBS						
i,i	pedir	24		ue	jugar	21	c	empezar	14	j	escoger	15
ie	pensar	25		ue	volver	43	gu	pagar	23	qu	buscar	3
ie	perder	26		ue, u	dormir	13	i,g	seguir	34	z	vencer	40
ie,i	sentir	35		y	construir	7	í	esquiar	16	zc	conocer	6
ú	continuar	9		y	creer	10	í	prohibir	29	zc,j	conducir	6
ue	contar	8										

INFINITIVE PRESENT PARTICIPLE PAST PARTICIPLE	INDICATIVE				
	Present	Imperfect	Preterit	Future	Conditional
1. **andar**	ando	andaba	**anduve**	andaré	andaría
andando	andas	andabas	**anduviste**	andarás	andarías
andado	anda	andaba	**anduvo**	andará	andaría
	andamos	andábamos	**anduvimos**	andaremos	andaríamos
	andáis	andabais	**anduvisteis**	andaréis	andaríais
	andan	andaban	**anduvieron**	andarán	andarían
2. **avergonzar**	**avergüenzo**	avergonzaba	**avergoncé**	avergonzaré	avergonzaría
avergonzando	**avergüenzas**	avergonzabas	avergonzaste	avergonzarás	avergonzarías
avergonzado	**avergüenza**	avergonzaba	avergonzó	avergonzará	avergonzaría
	avergonzamos	avergonzábamos	avergonzamos	avergonzaremos	avergonzaríamos
	avergonzáis	avergonzabais	avergonzasteis	avergonzaréis	avergonzaríais
	avergüenzan	avergonzaban	avergonzaron	avergonzarán	avergonzarían

This verb combines the changes illustrated in charts 8 and 14; **g** also changes to **gü** before **e.**

3. **buscar (qu)**	busco	buscaba	**busqué**	buscaré	buscaría
buscando	buscas	buscabas	buscaste	buscarás	buscarías
buscado	busca	buscaba	buscó	buscará	buscaría
	buscamos	buscábamos	buscamos	buscaremos	buscaríamos
	buscáis	buscabais	buscasteis	buscaréis	buscaríais
	buscan	buscaban	buscaron	buscarán	buscarían

In verbs ending in **-car** the **c** changes to **qu** before **e: ataqué, busqué, critiqué, provoqué, toqué.**

4. **caer**	**caigo**	caía	caí	caeré	caería
cayendo	caes	caías	**caíste**	caerás	caerías
caído	cae	caía	**cayó**	caerá	caería
	caemos	caíamos	**caímos**	caeremos	caeríamos
	caéis	caíais	**caísteis**	caeréis	caeríais
	caen	caían	**cayeron**	caerán	caerían
5. **conducir (j,zc)**	**conduzco**	conducía	**conduje**	conduciré	conduciría
conduciendo	conduces	conducías	**condujiste**	conducirás	conducirías
conducido	conduce	conducía	**condujo**	conducirá	conduciría
	conducimos	conducíamos	**condujimos**	conduciremos	conduciríamos
	conducís	conducíais	**condujisteis**	conduciréis	conduciríais
	conducen	conducían	**condujeron**	conducirán	conducirían

In verbs ending in **-ducir,** the **c** changes to **zc** before **a** or **o: conduzco, traduzca.** In the preterit they follow pattern 12.

6. **conocer (zc)**	**conozco**	conocía	conocí	conoceré	conocería
conociendo	conoces	conocías	conociste	conocerás	conocerías
conocido	conoce	conocía	conoció	conocerá	conocería
	conocemos	conocíamos	conocimos	conoceremos	conceríamos
	conocéis	conocíais	conocisteis	conoceréis	conoceríais
	conocen	conocían	conocieron	conocerán	conocerían

In verbs ending in a *vowel* + **-cer** or **-cir** the **c** changes to **zc** before **a** or **o: agradezca, conozca, parezca, ofrezca.**

SUBJUNCTIVE

Present	Imperfect	commands
ande	**anduviera (-se)**	—
andes	**anduvieras (-se)**	anda (no andes)
ande	**anduviera (-se)**	ande
andemos	**anduviéramos (´-semos)**	andemos
andéis	**anduviérais (-seis)**	andad (no andéis)
anden	**anduvieran (-sen)**	anden
avergüence	avergonzara (-se)	—
avergüences	avergonzaras (-ses)	**avergüenza** (no **avergüences**)
avergüence	avergonzara (-se)	**avergüenza**
avergoncéis	avergonzarais (-seis)	avergonzad (no **avergoncéis**)
avergüencen	avergonzaran (-sen)	**avergüencen**
busque	buscara (-se)	—
busques	buscaras (-ses)	busca (no **busques**)
busque	buscara (-se)	**busque**
busquemos	buscáramos (´-semos)	**busquemos**
busqueis	buscarais (-seis)	buscad (no **busquéis**)
busquen	buscaran (-sen)	**busquen**
caiga	**cayera (-se)**	—
caigas	**cayeras (-ses)**	cae (no **caigas**)
caiga	**cayera (-se)**	**caiga**
caigamos	**cayéramos (´-semos)**	**caigamos**
caigais	**cayerais (-seis)**	caed (no **caigáis**)
caigan	**cayeran (-sen)**	**caigan**
conduzca	**condujera (-se)**	—
conduzcas	**condujeras (-ses)**	conduce (no **conduzcas**)
conduzca	**condujera (-se)**	**conduzca**
conduzcamos	**condujéramos (´-semos)**	**conduzcamos**
conduzcáis	**condujerais (-seis)**	conducid (no **conduzcáis**)
conduzcan	**condujeran (-sen)**	**conduzcan**
conozca	conociera (-se)	—
conozcas	conocieras (-ses)	conoce (no **conozcas**)
conozca	conociera (-se)	**conozca**
conozcamos	conociéramos (´semos)	**conozcamos**
conozcáis	conocierais (-seis)	conoced (no **conozcáis**)
conozcan	conocieran (-sen)	**conozcan**

INFINITIVE
PRESENT PARTICIPLE
PAST PARTICIPLE **INDICATIVE**

	Present	Imperfect	Preterit	Future	Conditional
7. **construir (y)**	**construyo**	construía	construí	construiré	construiría
construyendo	**construyes**	construías	construiste	construirás	construirías
construido	**construye**	construía	**construyó**	**construirá**	**construiría**
	construimos	**construíamos**	**construimos**	**construiremos**	**construiríamos**
	construís	**construíais**	**construisteis**	**construiréis**	**construiríais**
	construyen	construían	**construyeron**	construirán	construirían

In **construir** and **destruir,** a **y** is inserted before any ending that does not begin with **i: constuyo, destruyo,** etc. An **i** changes to **y** between two vowels: **construyó, destruyó.**

	Present	Imperfect	Preterit	Future	Conditional
8. **contar (ue)**	**cuento**	contaba	conté	contaré	contaría
contando	**cuentas**	contabas	contaste	contarás	contarías
contado	**cuenta**	contaba	contó	contará	contaría
	contamos	contábamos	contamos	contaremos	contaríamos
	contáis	contabais	contasteis	contaréis	contaríais
	cuentan	contaban	contaron	contarán	contarían

Numerous **-ar** verbs change their stem vowel form **o** to **ue** in the shoe-pattern forms of the present indicative and present subjunctive and in the affirmative **tú** command.

	Present	Imperfect	Preterit	Future	Conditional
9. **continuar (ú)**	**continúo**	continuaba	continué	continuaré	continuaría
continuando	**continúas**	continuabas	continuaste	continuarás	continuarías
continuado	**continúa**	continuaba	continuó	continuará	continuaría
	continuamos	continuábamos	continuamos	continuaremos	continuaríamos
	continuáis	continuabais	continuasteis	continuaréis	continuaríais
	continúan	continuaban	continuaron	continuarán	continuarían

In verbs ending in **-uar,** the **u** changes to **ú** in the shoe-pattern forms of the present indicative and present subjunctive and in the affirmative **tú** command.

	Present	Imperfect	Preterit	Future	Conditional
10. **creer (y)**	creo	creía	creí	creeré	creería
creyendo	crees	creías	**creíste**	creerás	creerías
creído	cree	creía	**creyó**	creerá	creería
	creemos	creíamos	**creímos**	creeremos	creeríamos
	creéis	creíais	**creísteis**	creeréis	creeríais
	creen	creían	**creyeron**	creerán	creerían

In verbs ending in **-eer,** the **i** changes to **y** between vowels. The stressed **i** of an ending takes a written accent: **creído.**

	Present	Imperfect	Preterit	Future	Conditional
11. **dar**	**doy**	daba	**di**	daré	daría
dando	das	dabas	**diste**	darás	darías
dado	da	daba	**dio**	dará	daría
	damos	dábamos	**dimos**	daremos	daríamos
	dais	dabais	**disteis**	daréis	daríais
	dan	daban	**dieron**	darán	darían

SUBJUNCTIVE

Present	Imperfect	Commands
construya	**construyera (-se)**	—
construyas	**construyeras (-ses)**	**construye** (no **construyas**)
construya	**construyera (-se)**	**construya**
construyamos	**construyéramos (´-semos)**	**construyamos**
construyáis	**construyerais (-seis)**	construid (no **construyáis**)
construyan	**construyeran (-sen)**	**construyan**

cuente	contara (-se)	—
cuentes	contaras (-ses)	**cuenta** (no **cuentes**)
cuente	contara (-se)	**cuente**
contemos	contáramos (´-semos)	contemos
contéis	contarais (-seis)	contad (no contéis)
cuenten	contaran (-sen)	**cuenten**

continúe	continuara (-se)	—
continúes	continuaras (-ses)	**continúa** (no **continúes**)
continúe	continuara (-se)	**continúe**
continuemos	continuáramos (´-semos)	continuemos
continuéis	continuarais (-seis)	continuad (no continuéis)
continúen	**continuaran (-sen)**	continúen

crea	**creyera (-se)**	—
creas	**creyeras (-ses)**	cree (no creas)
crea	**creyera (-se)**	crea
creamos	**creyéramos (´-semos)**	creamos
creáis	**creyerais (-seis)**	creed (no creáis)
crean	**creyeran (-sen)**	crean

dé	**diera (-se)**	—
des	**dieras (-ses)**	da (no des)
dé	**diera (-se)**	**dé**
demos	**diéramos (´-semos)**	demos
deis	**dierais (-seis)**	dad (no deis)
den	**dieran (-sen)**	den

INFINITIVE
PRESENT PARTICIPLE
PAST PARTICIPLE **INDICATIVE**

	Present	Imperfect	Preterit	Future	Conditional
12. **decir**	**digo**	decía	**dije**	**diré**	**diría**
diciendo	**dices**	decías	**dijiste**	**dirás**	**dirías**
dicho	**dice**	decía	**dijo**	**dirá**	**diría**
	decimos	decíamos	**dijimos**	**diremos**	**diríamos**
	decís	decías	**dijisteis**	**diréis**	**diríais**
	dicen	decían	**dijeron**	**dirán**	**dirían**
13. **dormir (ue,u)**	**duermo**	dormía	dormí	dormiré	dormiría
durmiendo	**duermes**	dormías	dormiste	dormirás	dormirías
dormido	**duerme**	dormía	**durmió**	dormirá	dormiría
	dormimos	dormíamos	dormimos	dormiremos	dormiríamos
	dormís	dormíais	dormisteis	dormiréis	dormiríais
	duermen	dormían	**durmieron**	dormirán	dormirían

Selected **-ir** verbs change their stem vowel from **o** to **ue** in the shoe-pattern forms of the present indicative and present subjunctive and in the affirmative **tú** command. They show an additional stem-vowel change of **o** to **u** in the **nosotros** and **vosotros** forms of the present subjunctive, the **usted** and **ustedes** forms of the preterit, all forms of the imperfect subjunctive, and the present participle.

14. **empezar (c)**	**empiezo**	empezaba	**empecé**	empezaré	empezaría
empezando	**empiezas**	empezabas	empezaste	empezarás	empezarías
empezado	**empieza**	empezaba	empezó	empezará	empezaría
	empezamos	empezábamos	empezamos	empezaremos	empezaríamos
	empezáis	empezabais	empezasteis	empezaréis	empezaríais
	empiezan	empezaban	empezaron	empezarán	empezarían

In verbs ending in **-zar,** the **z** changes to **c** before an **e: almorcé, comencé, empecé. (Empezar** also follows stem-change pattern 25.)

15. **escoger (j)**	**escojo**	escogía	escogí	escogeré	escogería
escogiendo	escoges	escogías	escogiste	escogerás	escogerías
escogido	escoge	escogía	escogió	escogerá	escogería
	escogemos	escogíamos	escogimos	escogeremos	escogeríamos
	escogéis	escogíais	escogisteis	escogeréis	escogeríais
	escogen	escogían	escogieron	escogerán	escogerían

In verbs ending in **-ger** or **gir,** the **g** changes to **j** before **a** or **o: escoja, proteja, corrija.**

16. esquiar (í)	esquío	esquiaba	esquié	esquiaré	esquiaría
esquiando	esquías	esquiabas	esquiaste	esquiarás	esquiarías
esquiado	esquía	esquiaba	esquió	esquiará	esquiaría
	esquiamos	esquiábamos	esquiamos	esquiaremos	esquiaríamos
	esquiáis	esquiabais	esquiasteis	esquiaréis	esquiaríais
esquían	esquían	esquiaban	esquiaron	esquiarán	esquiarían

Two other verbs conjugated like **esquiar** are **enviar** and **variar;** the **i** changes to **í** in the shoe-pattern forms of the present indicative and present subjunctive and in the affirmative **tú** command.

SUBJUNCTIVE

Present	Imperfect	Commands
diga	**dijera (-se)**	—
digas	**dijeras (-ses)**	**di** (no **digas**)
diga	**dijera (-se)**	**diga**
digamos	**dijéramos (´-semos)**	**digamos**
digáis	dijerais (-seis)	decid (no **digáis**)
digan	**dijeran (-sen)**	**digan**
duerma	**durmiera (-se)**	—
duermas	**durmieras (-ses)**	**duerme** (no **duermas**)
duerma	**durmiera (-se)**	**duerma**
durmamos	**durmiéramos (´-semos)**	**durmamos**
durmáis	**durmierais (-seis)**	dormid (no **durmáis**)
duerman	**durmieran (-sen)**	**duerman**
empiece	empezara (-se)	—
empieces	empezaras (-ses)	**empieza** (no **empieces**)
empiece	empezara (-se)	**empiece**
empecemos	empezáramos (´-semos)	**empecemos**
empecéis	empezarais (-seis)	empezad (no **empecéis**)
empiecen	empezaran (-sen)	**empiecen**
ecoja	escogiera (-se)	—
escojas	escogieras (-ses)	escoge (no **escojas**)
escoja	escogiera (-se)	**escoja**
escojamos	escogiéramos (´-semos)	**escojamos**
escojáis	escogierais (-seis)	escoged (no **escojáis**)
escojan	escogieran (-sen)	**escojan**
esquíe	esquiara (-se)	—
esquíes	esquiaras (-ses)	**esquía** (no **esquíes**)
esquíe	esquiara (-se)	**esquíe**
esquiemos	esquiáramos (´-semos)	esquiemos
esquiéis	esquiarais (-seis)	esquiad (no esquiéis)
esquíen	esquiaran (-sen)	**esquíen**

INFINITIVE PRESENT PARTICIPLE PAST PARTICIPLE	**INDICATIVE**				
	Present	Imperfect	Preterit	Future	Conditional
17. **estar** estando estado	**estoy** **estás** **está** estamos estáis **están**	estaba estabas estaba estábamos estabais estaban	**estuve** **estuviste** **estuvo** **estuvimos** **estuvisteis** **estuvieron**	estaré estarás estará estaremos estaréis estarán	estaría estarías estaría estaríamos estaríais estarían
18. **haber** habiendo habido	**he** **has** **ha** **hemos** habéis **han**	había habías había habíamos habíais habían	**hube** **hubiste** **hubo** **hubimos** **hubisteis** **hubieron**	**habré** **habrás** **habrá** **habremos** **habréis** **habrán**	**habría** **habrías** **habría** **habríamos** **habríais** **habrían**
19. **hacer** haciendo **hecho**	**hago** haces hace hacemos hacéis hacen	hacía hacías hacía hacíamos hacíais hacían	**hace** **hiciste** **hizo** **hicimos** **hicisteis** **hicieron**	**haré** **harás** **hará** **haremos** **haréis** **harán**	**haría** **harías** **haría** **haríamos** **haríais** **harían**
20. **ir** **yendo** **ido**	**voy** **vas** **va** **vamos** **vais** **van**	**iba** **ibas** **iba** **íbamos** **ibais** **iban**	**fui** **fuiste** **fue** **fuimos** **fuisteis** **fueron**	iré irás irá iremos iréis irán	iría irías iría iríamos iríais irían
21. **jugar (ue)** jugando jugado	**juego** **juegas** **juega** jugamos jugáis **juegan**	jugaba jugabas jugaba jugábamos jugabais jugaban	**jugué** jugaste jugó jugamos jugasteis jugaron	jugaré jugarás jugará jugaremos jugaréis jugarán	jugaría jugarías jugaría jugaríamos jugaríais jugarían

The verb **jugar** changes its stem vowel from **u** to **ue** in the shoe-pattern forms of the present indicative and present subjunctive and in the affirmative **tú** command. (**Jugar** also follows spelling change pattern 23.)

22. **oír** **oyendo** **oído**	**oigo** **oyes** **oye** **oímos** oís **oyen**	oía oías oía oíamos oíais oían	oí **oíste** **oyó** **oímos** **oísteis** **oyeron**	oiré oirás oirá oiremos oiréis oirán	oiría oirías oiría oiríamos oiríais oirían

SUBJUNCTIVE

Present	Imperfect	Commands
esté	**estuviera(-se)**	—
estés	**estuvieras (-ses)**	**está** (no **estés**)
esté	**estuviera (-se)**	**esté**
estemos	**estuviéramos (´-semos)**	estemos
estéis	**estuvierais (-seis)**	estad (no estéis)
estén	**estuvieran (-sen)**	**estén**
haya	**hubiera (-se)**	—
hayas	**hubieras (-ses)**	**he** (no **hayas**)
haya	**hubiera (-se)**	**haya**
hayamos	**hubiéramos (´semos)**	**hayamos**
hayáis	**hubierais (-seis)**	habed (no **hayáis**)
hayan	**hubieran (-sen)**	**hayan**
haga	**hiciera (-se)**	—
hagas	**hicieras (-ses)**	**haz** (no **hagas**)
haga	**hiciera (-se)**	**haga**
hagamos	**hiciéramos (´-semos)**	**hagamos**
hagáis	**hicierais (-seis)**	haced (no **hagáis**)
hagan	**hicieran (-sen)**	**hagan**
vaya	**fuera (-se)**	—
vayas	**fueras (- ses)**	**vé** (no **vayas**)
vaya	**fuera (-se)**	**vaya**
vayamos	**fuéramos (´-semos)**	**vayamos**
vayáis	**fuerais (-seis)**	id (no **vayáis**)
vayan	**fueran (-sen)**	**vayan**
juegue	jugara (-se)	—
juegues	jugaras (-ses)	**juega** (no **juegues**)
juegue	jugara (-se)	**juegue**
juguemos	jugáramos (´-semos)	**juguemos**
juguéis	jugarais (-seis)	júgad (no **juguéis**)
jueguen	jugaran (-sen)	**jueguen**
oiga	**oyera (-se)**	—
oigas	**oyeras (-ses)**	**oye** (no **oigas**)
oiga	**oyera (-se)**	**oiga**
oigamos	**oyéramos (´-semos)**	**oigamos**
oigáis	**oyerais (-seis)**	**oíd** (no **oigáis**)
oigan	**oyeran (-sen)**	**oigan**

INFINITIVE PRESENT PARTICIPLE PAST PARTICIPLE	INDICATIVE				
	Present	Imperfect	Preterit	Future	Conditional
23. **pagar (gu)**	pago	pagaba	**pagué**	pagaré	pagaría
pagando	pagas	pagabas	pagaste	pagarás	pagarías
pagado	paga	pagaba	pagó	pagará	pagaría
	pagamos	pagábamos	pagamos	pagaremos	pagaríamos
	pagáis	pagabais	pagasteis	pagaréis	pagaríais
	pagan	pagaban	pagaron	pagarán	pagarían

In verbs ending in **- gar,** the **g** changes to **gu** before an **e: juegue Ud., llegué.**

24. pedir (i,i)	pido	pedía	pedí	pediré	pediría
pidiendo	pides	pedías	pediste	pedirás	pedirías
pedido	pide	pedía	pidió	pedirá	pediría
	pedimos	pedíamos	pedimos	pediremos	pediríamos
	pedís	pedíais	pedisteis	pediréis	pediríais
	piden	pedían	pidieron	pedirán	pedirían

Selected **-ir** verbs change their stem vowel from **e** to **i** in the shoe-pattern forms of the present indicative and present subjunctive and in the affirmative **tú** command. They show an additional stem-vowel change of **e** to **i** in the **nosotros** and **vosotros** forms of the present subjunctive, the **usted** and **ustedes** forms of the preterit, all forms of the imperfect subjunctive, and the present participle.

25. **pensar (ie)**	**pienso**	pensaba	pensé	pensaré	pensaría
pensando	**piensas**	pensabas	pensaste	pensarás	pensarías
pensado	**piensa**	pensaba	pensó	pensará	pensaría
	pensamos	pensábamos	pensamos	pensaremos	pensaríamos
	pensáis	pensabais	pensasteis	pensaréis	pensaríais
	piensan	pensaban	pensaron	pensarán	pensarían

Numerous **-ar** verbs change their stem vowel from **e** to **ie** in the shoe-pattern forms of the present indicative and present subjunctive and in the affirmative **tú** command.

26. **perder (ie)**	**pierdo**	perdía	perdí	perderé	perdería
perdiendo	**pierdes**	perdías	perdiste	perderás	perderías
perdido	**pierde**	perdía	perdió	perderá	perdería
	perdemos	perdíamos	perdimos	perderemos	perderíamos
	perdéis	perdíais	perdisteis	perderéis	perderíais
	pierden	perdían	perdieron	perderán	perderían

Numerous **-er** and **-ir** verbs change their stem vowel from **e** to **ie** in the shoe-pattern forms of the present indicative and present subjunctive and in the affirmative **tú** command.

27. **poder**	**puedo**	podía	**pude**	**podré**	**podría**
pudiendo	**puedes**	podías	**pudiste**	**podrás**	**podrías**
podido	**puede**	podía	**pudo**	**podrá**	**podría**
	podemos	podíamos	**pudimos**	**podremos**	**podríamos**
	podéis	podíais	**pudisteis**	**podréis**	**podríais**
	pueden	podían	**pudieron**	**podrán**	**podrían**

SUBJUNCTIVE

Present	Imperfect	Commands
pague	pagara (-se)	—
pagues	pagaras (-ses)	paga (no **pagues**)
pague	pagara (-se)	**pague**
paguemos	pagáramos (´-semos)	**paguemos**
paguéis	pagarais (-seis)	pagad (no **paguéis**)
paguen	pagaran (-sen)	**paguen**

Present	Imperfect	Commands
pida	**pidiera (-se)**	—
pidas	**pidieras (-ses)**	**pide** (no **pidas**)
pida	**pidiera (-se)**	**pida**
pidamos	**pidiéramos (´-semos)**	**pidamos**
pidáis	**pidierais (-seis)**	(no **pidáis**)
pidan	**pidieran (-sen)**	**pidan**

Present	Imperfect	Commands
piense	pensara (-se)	—
pienses	pensaras (-ses)	**piensa** (no **pienses**)
piense	pensara (-se)	**piense**
pensemos	pensáramos (´-semos)	pensemos
penséis	pensarais (-seis)	pensad (no penséis)
piensen	pensaran (-sen)	**piensen**

Present	Imperfect	Commands
pierda	perdiera (-se)	—
pierdas	perdieras (-ses)	**pierde** (no **pierdas**)
pierda	perdiera (-se)	**pierda**
perdamos	perdiéramos (´-semos)	perdamos
perdáis	perdierais (-seis)	perded (no perdáis)
pierdan	perdieran (-sen)	pierdan

Present	Imperfect	Commands
pueda	**pudiera (-se)**	—
puedas	**pudieras (-ses)**	—
pueda	**pudiera (-se)**	—
podamos	**pudieramos (´semos)**	—
podáis	**pudierais (-seis)**	—
puedan	**pudieran (-sen)**	—

INFINITIVE
PRESENT PARTICIPLE
PAST PARTICIPLE   **INDICATIVE**

	Present	Imperfect	Preterit	Future	Conditional
28. **poner**	**pongo**	ponía	**puse**	**pondré**	**pondría**
poniendo	pones	ponías	**pusiste**	**pondrás**	**pondrías**
puesto	pone	ponía	**puso**	**pondrá**	**pondría**
	ponemos	poníamos	**pusimos**	**pondremos**	**pondríamos**
	ponéis	poníais	**pusisteis**	**pondréis**	**pondríais**
	ponen	ponían	**pusieron**	**pondrán**	**pondrían**
29. **prohibir (í)**	**prohíbo**	prohibía	prohibí	prohibiré	prohibiría
prohibiendo	**prohíbes**	prohibías	prohibiste	prohibirás	prohibirías
prohibido	**prohíbe**	prohibía	prohibió	prohibirá	prohibiría
	prohibimos	prohibíamos	prohibimos	prohibiremos	prohibiríamos
	prohibís	prohibías	prohibisteis	prohibiréis	prohibiríais
	prohíben	prohibían	prohibieron	prohibirán	prohibirían

In verbs with the stem root **ahi, ahu, ehi, ehu,** and **ohi,** the **i** when stressed is written **í.**

	Present	Imperfect	Preterit	Future	Conditional
30. **querer**	**quiero**	quería	**quise**	**querré**	**querría**
queriendo	**quieres**	querías	**quisiste**	**querrás**	**querrías**
querido	**quiere**	quería	**quiso**	**querrá**	**querría**
	queremos	queríamos	**quisimos**	**querremos**	**querríamos**
	queréis	queríais	**quisisteis**	**querréis**	**querríais**
	quieren	querían	**quisieron**	**querrán**	**querrían**
31. **reí**	**río**	reía	reí	reiré	reiría
riendo	**ríes**	reías	**reíste**	reirás	reirías
reído	**ríe**	reía	**rió**	reirá	reiría
	reímos	reíamos	**reímos**	reiremos	reiríamos
	reís	reíais	**reísteis**	reiréis	reiríais
	ríen	reían	**rieron**	reirán	reirían
32. **saber**	**sé**	sabía	**supe**	sabré	**sabría**
sabiendo	sabes	sabías	**supiste**	sabrás	**sabrías**
sabido	sabe	sabía	**supo**	sabrá	**sabría**
	sabemos	sabíamos	**supimos**	sabremos	**sabríamos**
	sabéis	sabíais	**supisteis**	sabréis	**sabríais**
	saben	sabían	**supieron**	sabrán	**sabrían**
33. **salir**	**salgo**	salía	salí	**saldré**	**saldría**
saliendo	sales	salías	saliste	**saldrás**	**saldrías**
salido	sale	salía	salió	**saldrá**	**saldría**
	salimos	salíamos	salimos	**saldremos**	**saldríamos**
	salís	salíais	salisteis	**saldréis**	**saldríais**
	salen	salían	salieron	saldrán	saldrían

SUBJUNCTIVE

Present	Imperfect	Commands
ponga	**pusiera (-se)**	—
pongas	**pusieras (-ses)**	**pon** (no **pongas**)
ponga	**pusiera (-se)**	**ponga**
pongamos	**pusiéramos (´-semos)**	**pongamos**
pongáis	**pusierais (-seis)**	poned (no **pongáis**)
pongan	**pusieran (-sen)**	**pongan**
prohíba	prohibiera (-se)	—
prohíbas	prohibieras (-ses)	**prohíbe** (no **prohíbas**)
prohíba	prohibiera (-se)	**prohíba**
prohibamos	prohibiéramos (´-semos)	prohibamos
prohibáis	prohibierais (-seis)	prohibid (no prohibáis)
prohíban	prohibieran (-sen)	**prohíban**
quiera	**quisiera (-se)**	—
quieras	**quisieras (-ses)**	**quiere** (no **quieras**)
quiera	**quisiera (-se)**	**quiera**
queramos	**quisiéramos (´-semos)**	queramos
queráis	**quisierais (-seis)**	quered (no queráis)
quieran	**quisieran (-sen)**	**quieran**
ría	**riera (-se)**	—
rías	**rieras (-ses)**	**ríe** (no **ríe** (no **rías**)
ría	**riera (-se)**	**ría**
riamos	**riéramos (´-semos)**	**riamos**
ríais	**rierais (-seis)**	**reíd** (no **riáis**)
rían	**rieran (-sen)**	**rían**
sepa	**supiera (-se)**	—
sepas	**supieras (-ses)**	sabe (no **sepas**)
sepa	**supiera (-se)**	**sepa**
sepamos	**supiéramos (´-semos)**	**sepamos**
sepáis	**supierais (-seis)**	sabed (no **sepáis**)
sepan	**supieran (-sen)**	**sepan**
salga	saliera (-se)	—
salgas	salieras (-ses)	**sal** (no **salgas**)
salga	saliera (-se)	**salga**
salgamos	saliéramos (´-semos)	**salgamos**
salgáis	salierais (-seis)	salid (no **salgáis**)
salgan	salieran (-sen)	**salgan**

INFINITIVE
PRESENT PARTICIPLE
PAST PARTICIPLE | **INDICATIVE**

	Present	Imperfect	Preterit	Future	Conditional
34. **sigo** **siguiendo** seguido	sigo **sigues** **sigue** seguimos seguís **siguen**	seguía seguías seguía seguíamos seguíais seguían	seguí seguiste **siguió** seguimos seguisteis **siguieron**	seguiré seguirás seguirá seguiremos segiuiréis seguirán	seguiría seguirías seguiría seguiríamos seguiríais seguirían

In verbs ending in **-guir,** the **gu** changes to **g** before **a** and **o: siga.** (**Seguir** also follows stem-change pattern 24).

	Present	Imperfect	Preterit	Future	Conditional
35. **sentir (ie,i)** **sintiendo** sentido	**siento** **sientes** **siente** sentimos sentís **sienten**	sentía sentías sentía sentíamos sentíais sentían	sentí sentiste **sintió** sentimos sentisteis **sintieron**	sentiré sentirás sentirá sentiremos sentiréis sentirán	sentiría sentirías sentiría sentiríamos sentiríais sentirían

Certain **-ir** verbs change their vowel from **e** to **ie** in the shoe-pattern forms of the present indicative and present subjunctive and in the affirmative **tú** command. They show an additional stem-vowel change of **e** to **i** in the **nosotros** and **vosotros** forms of the present subjunctive, the **usted** and **ustedes** forms of the preterit, all forms of the imperfect subjunctive, and the present participle.

	Present	Imperfect	Preterit	Future	Conditional
36. **ser** siendo sido	**soy** **eres** **es** **somos** **sois** **son**	**era** **eras** **era** **éramos** **erais** **eran**	**fui** **fuiste** **fue** **fuimos** **fuisteis** **fueron**	seré serás será seremos seréis serán	sería serías sería seríamos serías serían
37. **tener** teniendo tenido	**tengo** **tienes** **tiene** tenemos tenéis **tienen**	tenía tenías tenía teníamos teníais tenían	**tuve** **tuviste** **tuve** **tuvimos** **tuvisteis** **tuvieron**	**tendré** **tendrás** **tendrá** **tendremos** **tendréis** **tendrán**	**tendría** **tendrías** **tendría** **tendríamos** **tendrías** **tendrían**
38. **traer** **trayendo** **traído**	**traigo** traes trae traemos traéis traen	traía traías traía traíamos traíais traían	**traje** **trajiste** **trajo** **trajimos** **trajisteis** **trajeron**	traeré traerás traerá traeremos traeréis traerán	traería traerías traería traeríamos traeríais traerían
39. **valer** **valiendo** valido	**valgo** **vales** vale valemos valéis valen	valía **valías** valía valíamos valíais valían	valí **valiste** valió valimos valisteis valieron	**valdré** valdrás **valdrá** **valdremos** **valdréis** **valdrán**	**valdría** valdrías **valdría** **valdríamos** **valdríais** **valdrían**

SUBJUNCTIVE

Present	Imperfect	Commands
siga	**siguiera (-se)**	—
sigas	**siguieras (-ses)**	**sigue** (no **sigas**)
siga	**siguiera (-se)**	**siga**
sigamos	**siguiéramos (´-semos)**	**sigamos**
sigáis	**siguierais (-seis)**	seguid (no **sigáis**)
sigan	**siguieran (-sen)**	**sigan**
sienta	**sintiera (-se)**	—
sientas	**sintieras (-ses)**	**siente** (no **sientas**)
sienta	**sintiera (-se)**	**sienta**
sintamos	**sintiéramos (´-semos)**	**sintamos**
sintáis	**sintierais (-seis)**	sentid (no **sintáis**)
sientan	**sintieran (-sen)**	**sientan**
sea	**fuera (-se)**	—
seas	**fueras (-ses)**	**sé** (no **seas**)
sea	**fuera (-se)**	**sea**
seamos	**fuéramos (´-semos)**	**seamos**
seáis	**fuerais (-seis)**	sed (no **seáis**)
sean	**fueran (-sen)**	**sean**
tenga	**tuviera (-se)**	—
tengas	**tuvieras (-ses)**	**ten** (no **tengas**)
tenga	**tuviera (-se)**	**tenga**
tengamos	**tuviéramos (´-semos)**	**tengamos**
tengáis	**tuvierais (-seis)**	tened (no **tengáis**)
tengan	**tuvieran (-sen)**	**tengan**
traiga	**trajera (-se)**	—
traigas	**trajeras (-ses)**	trae (no **traigas**)
traiga	**trajera (-se)**	**traiga**
traigamos	**trajéramos (´-semos)**	**traigamos**
traigáis	**trajerais (-seis)**	traed (no **traigáis**)
traigan	**trajeran (-sen)**	**traigan**
valga	valiera (-se)	—
valgas	valieras (-ses)	**val** (no **valgas**)
valga	valiera (-se)	**valga**
valgamos	valiéramos (´-semos)	**valgamos**
valgáis	valierais (-seis)	valed (no **valgáis**)
valgan	valieran (-sen)	**valgan**

INFINITIVE PRESENT PARTICIPLE PAST PARTICIPLE	INDICATIVE				
	Present	Imperfect	Preterit	Future	Conditional
40. **vencer (z)** venciendo vencido	**venzo** vences vence vencemos vencéis vencen	vencía vencías vencía vencíamos vencíais vencía	vencí venciste venció vencimos vencisteis vencieron	venceré vencerás vencerá venceremos venceréis vencerán	vencería vencerías vencería venceríamos venceríais vencerían

In verbs in *consonant* **cer** or **cir,** the **c** changes to **z** before **a** or **o.**

41. **venir** **viniendo** venido	**vengo** **vienes** **viene** venimos venís **vienen**	venía venías venía veníamos veníais venían	**vine** **viniste** **vino** **vinimos** **vinisteis** **vinieron**	**vendré** **vendrás** **vendrá** **vendremos** **vendréis** **vendrán**	**vendría** **vendrías** **vendría** **vendríamos** **vendríais** **vendrían**
42. **ver** viendo **visto**	**veo** ves ve vemos veis ven	**veía** **veías** **veía** **veíamos** **veíais** **veían**	**vi** viste **vio** vimos visteis vieron	veré verás verá veremos veréis verán	vería verías vería veríamos veríais verían
43. **volver (ue)** volviendo **vuelto**	**vuelvo** **vuelves** **vuelve** volvemos volvéis **vuelven**	volvía volvías volvía volvíamos volvíais volvían	volví volviste volvió volvimos volvisteis volvieron	volveré volverás volverá volveremos volveréis volverán	volvería volverías volvería volveríamos volveríais volverían

Numerous **-er** and **-ir** verbs change their stem vowel from **o** to **ue** in the shoe-pattern forms of the present indicative and present subjunctive and in the affirmative **tú** command.

SUBJUNCTIVE

Present	Imperfect	Command
venza	venciera (-se)	—
venzas	vencieras (-ses)	vence (no **venzas**)
venza	venciera (-se)	**venza**
venzamos	venciéramos (´-semos)	**venzamos**
venzáis	vencierais (-seis)	venced (no **venzáis**)
venzan	vencieran (-sen)	**venzan**
venga	**viniera (-se)**	—
vengas	**vinieras (-ses)**	**ven** (no **vengas**)
venga	**viniera (-se)**	**venga**
vengamos	**viniéra,ps (´-semos)**	**vengamos**
vengáis	**vinierais (-seis)**	venid (no **vengáis**)
vengan	**vinieran (-sen)**	**vengan**
vea	viera (-se)	—
veas	vieras (-ses)	ve (no **veas**)
vea	viera (-se)	**vea**
veamos	viéramos (´-semos)	**veamos**
veáus	vierais (-seis)	ved (no **veás**)
vean	vieran (-sen)	**vean**
vuelva	volviera (-se)	—
vuelvas	volvieras (-ses)	**vuelve** (no **vuelvas**)
vuelva	volviera (-se)	**vuelva**
volvamos	volviéramos (´-semos)	volvamos
volvéis	volvierais (-seis)	volved (no volváis)
vuelvan	volvieran (-sen)	**vuelvan**

Apéndice III _____

THE FUTURE AND CONDITIONAL PERFECT TENSES

A. The future perfect tense is formed with the future tense of the auxiliary verb **haber** + a past participle. The past participle always ends in **-o** when used to form a perfect tense.

haber		
habré	habremos	
habrás	habréis	+ past participle
habrá	habrán	

The future perfect tense expresses a future action with a past perspective—that is, an action that will have taken place (or may have taken place) by some future time. It can also express probability, an action that must have or might have taken place.

En unas semanas me habré acostumbrado al frío.	*In a few weeks I will have become accustomed to the cold.*
Mañana a esta hora ya nos habremos ido al campo.	*Tomorrow at this time we will have already left for the country.*
Creo que Mario ya habrá llamado.	*I think that Mario must (might) have called already.*

B. The conditional perfect tense is formed with the conditional tense of the auxiliary verb **haber** + a past participle. It often corresponds to the English *would have* + past participle.

haber		
habría	habríamos	
habrías	habríais	+past participle
habría	habrían	

Habrían llamado.	*They would have called.*
¿Qué habría hecho usted?	*What would you have done?*
Habría sido mejor quedarnos adentro porque ahora está nevando.	*It would have been better to stay inside because it's snowing now.*

THE PRESENT PERFECT AND PAST PERFECT SUBJUNCTIVE

A. The present perfect subjunctive is formed with the present subjunctive of **haber (haya, hayas, haya, hayamos, hayáis, hayan)** + a past participle. It is used in a dependent clause that expresses an action that happened (or was supposed to have happened) before the time indicated by the verb in the main clause. Compare the following examples.

Espero que ellos lleguen.	*I hope they arrive.*
Espero que ellos hayan llegado.	*I hope they have arrived.*
Dudo que tengas tiempo.	*I doubt that you have time.*
Dudo que hayas tenido tiempo.	*I doubt that you have had time.*
Es una lástima que no coman bien.	*It's a shame they don't eat well.*
Es una lástima que no hayan comido bien.	*It's a shame they haven't eaten well.*

B. The past perfect subjunctive is formed with the past subjunctive of **haber (hubiera, hubieras, hubiera, hubiéramos, hubierais, hubieran)** + a past participle.* Compare the following examples.

Esperaba que llegaran.	*I was hoping they might arrive (were going to arrive).*
Esperaba que hubieran llegado.	*I was hoping they had arrived.*
Ella dudaba que tuvieras tiempo.	*She doubted that you had time.*
Ella dudaba que hubieras tenido tiempo	*She doubted that you had had time.*
Fue una lástima que no comieran bien.	*It was a shame they weren't eating well.*
Fue una lástima que no hubieran comido bien.	*It was a shame they hadn't eaten well.*

---

*The **-iese** variant (**hubiese, hubieses, hubiese, hubiésemos, hubieseis, hubiesen**) is commonly used in Spain, but the **-iera** form is more frequent in Spanish America.

Glossary of Grammatical Terms

As you learn Spanish, you may come across grammatical terms in English with which you are not familiar. The following glossary is a reference list of grammatical terms and definitions with examples. You will find that these terms are used in the grammatical explanations of this book. If the terms are unfamiliar to you, it will be helpful to refer to this list.

adjective   a word used to modify, qualify, define, or specify a noun or noun equivalent (*intricate* design, *volcanic* ash, *medical* examination)

A **demonstrative adjective** designates or points out a specific item. (*this* area)

A **descriptive adjective** provides description. (*narrow* street)

An **interrogative adjective** asks or questions. (*Which* page?)

A **possessive adjective** indicates possession. (*our* house)

A **predicate adjective** forms part of the predicate, complements a verb phrase. (His chances are *excellent*.)

In Spanish, the adjective form must agree with or show the same gender and number as the noun it modifies.

See **clause, adjective.**

adverb   a word used to qualify or modify a verb, adjective, another adverb, or some other modifying phrase or clause (soared *gracefully, very* sad)

See **clause, adverbial.**

agreement   the accordance of forms between subject and verb, in terms of person and number

In Spanish, the form of the adjective must also conform in gender and number with the modified noun or noun equivalent.

antecedent   the noun or noun equivalent referred to by a pronoun (The *book* is interesting, but *it* is difficult to read.)

article   a determining or nondetermining word used before a noun

A **definite article** limits, defines, or specifies. (*the* village)

An **indefinite article** refers to a nonspecific member of a group or class. (*a* village, *an* arrangement)

In Spanish, the article takes different forms to indicate the gender and number of a noun.

auxiliary   a verb or verb form used with other verbs to construct certain tenses, voices, or moods (He *is* leaving. She *has* arrived. You *must* listen.)

clause   a group of words consisting of a subject and a predicate and functioning as part of a complex or compound sentence rather than as a complete sentence.

An **adjective clause** functions as an adjective. (The ad calls for someone *who can speak Spanish*)

An **adverbial clause** functions as an adverb. (*Clearly aware of what he was saying*, he answered our question.)

A **dependent clause** modifies and is dependent upon another clause. (*Since the rain has stopped,* we can have a picnic.)

A **main clause** is capable of standing independently as a complete sentence. (If all goes well, *the plane will depart in twenty minutes.*)

A **noun clause** functions as subject or object. (I think *the traffic will be heavy.*)

cognate   a word having a common root or being of the same or similar origin and meaning as a word in another language (*university* and *universidad*)

command   See **mood (imperative).**

comparative   level of comparison used to show an increase or decrease of quantity or quality or to compare or show inequality between two items (*higher* prices, the *more* beautiful of the two mirrors, *less* diligently, *better* than)

comparison   the forms an adjective or adverb takes to express change in the quantity or quality of an item or the relation, equal or unequal, between items

conditional   a verb construction used in a contrary-to-fact statement consisting of a condition or an *if* clause and a conclusion (If you had told me you were sick, *I would have offered* to help.)
See **mood (subjunctive).**

conjugation   the set of forms a verb takes to indicate changes of person, number, tense, mood, and voice

conjunction   a word used to link or connect sentences or parts of sentences

contraction   an abbreviated or shortened form of a word or word group (*can't, we'll*)

diminutive   a form of a word, usually a suffix added to the original word, used to indicate a smaller or younger version or variety and often expressive of endearment (duck*ling*, pup*py*, novel*lette*)

diphthong   in speech, two vowel sounds changing from one to the other within one syllable (*soi*l, b*oy*)

gender   the class of a word by sex, either biological or linguistic. In English, almost all nouns are classified as masculine, feminine, or neuter according to the biological sex of the thing named; in Spanish, however, a word is classified as feminine or masculine (there is no neuter classification) on the basis of grammatical form or spelling.

idiom   an expression that is grammatically or semantically unique to a particular language (*I caught a cold. Happy birthday.*) It must be learned as a unit because its meaning cannot be derived from knowing its parts.

imperative   See **mood.**

indicative   See **mood.**

infinitive   the basic form of the verb, and the one listed in dictionaries, with no indication of person or number; it is often used in verb constructions and as a verbal noun, usually with "to" in English or with "-ar", "-er" or "-ir" in Spanish.

inversion   See **word order (inverted).**

mood   the form and construction a verb assumes to express the manner in which the action or state takes place.
The **imperative mood** is used to express commands. (*Walk* to the park with me.)
The **indicative mood,** the form most frequently used, is usually expressive of certainty and fact. (My neighbor *walks* to the park every afternoon.)
The **subjunctive mood** is used in expressions of possibility, doubt, or hypothetical situations. (If I *were* thin, I'd be happier.)

noun   word that names something and usually functions as a subject or an object (*lady, country, family*)
See **clause, noun.**

number   the form a word or phrase assumes to indicate singular or plural (*light/lights, mouse/mice, he has/they have*)
A **cardinal number** is used in counting or expressing quantity. (*one, twenty-three, 6,825*)

An **ordinal number** refers to sequence. (*second, fifteenth, thirty-first*)

object a noun or noun equivalent
A **direct object** receives the action of the verb. (The boy caught a *fish.*)
An **indirect object** is affected by the action of the verb. (Please do *me* a favor.)
A **prepositional object** completes the relationship expressed by the preposition. (The cup is on the *table.*)

participle a verb form used as an adjective or adverb and in forming tenses
A **past participle** relates to the past or a perfect tense and takes the appropriate ending. (*written* proof, the door has been *locked*)
A **present participle** assumes the progressive "-ing" ending in English. (*protesting* loudly; will be *seeing*)
In Spanish, a participle used as an adjective or in an adjectival phrase must agree in gender and number with the modified noun or noun equivalent.

passive See **voice (passive).**

person designated by the personal pronoun and/or by the verb form
first person the speaker or writer (*I, we*)
second person the person(s) addressed (*you*)
In Spanish, there are two forms of address: the familiar and the polite.
third person the person(s) or thing(s) spoken about (*she, he, it, they*)

phrase a word group that forms a unit of expression, often named after the part of speech it contains or forms
A **prepositional phrase** contains a preposition. (*in the room, between the window and the door*)

predicate the verb or that portion of a statement that contains the verb and gives information about the subject (He *laughed.* My brother *commutes to the university by train.*)

prefix a letter or letter group added at the beginning of a word to alter the meaning (*non*committal, *re*discover)

preposition a connecting word used to indicate a spatial, temporal, causal, affective, directional, or some other relation between a noun or pronoun and the sentence or a portion of it (We waited *for* six hours. The article was written *by* a famous journalist.)

pronoun a word used in place of a noun
A **demonstrative pronoun** refers to something previously mentioned in context. (If you need hiking boots, I recommend *these.*)
An **indefinite pronoun** denotes a nonspecific class or item. (*Nothing* has changed.)
An **interrogative pronoun** asks about a person or thing. (*Whose* is this?)
An **object pronoun** functions as a direct, an indirect, or a prepositional object. (Three persons saw *her.* Write *me* a letter. The flowers are for *you.*)
A **possessive pronoun** indicates possession. (The blue car is *ours.*)
A **reciprocal pronoun** refers to two or more persons or things equally involved. (María and Juan *saw each other* today.)
A **reflexive pronoun** refers back to the subject. (They introduced themselves.) A **subject pronoun** functions as the subject of a clause or sentence. (*He* departed a while ago.)

reciprocal construction See **pronoun (reciprocal).**

reflexive construction See **pronoun (reflexive).**

sentence a word group, or even a single word, that forms a meaningful complete expression
A **declarative sentence** states something and is followed by a period. (*The museum contains many fine examples of folk art.*)

An **exclamatory sentence** exhibits force or passion and is followed by an exclamation point. *(I want to be left alone!)*

An **interrogative sentence** asks a question and is followed by a question mark. *(Who are you?)*

subject   a noun or noun equivalent acting as the agent of the action or the person, place, thing, or abstraction spoken about (*The fishermen* drew in their nets. *The nets* were filled with the day's catch.)

suffix   a letter or letter group added to the end of a word to alter the meaning or function (like*ness,* transport*ation,* joy*ous,* love*ly*)

superlative   level of comparison used to express the highest or lowest level or to indicate the highest or lowest relation in comparing more than two items (*highest* prices, the *most* beautiful, *least* diligently)

The **absolute superlative** expresses a very high level without reference to comparison. (the *very beautiful* mirror, *most diligent, extremely well*)

tense   the form a verb takes to express the time of the action, state, or condition in relation to the time of speaking or writing

The **future tense** relates something that has not yet occurred. (It *will* exist. We *will* learn.)

The **future perfect tense** relates something that has not yet occurred but will have taken place and be complete by some future time. (It *will have* existed. We *will have* learned.)

The **past tense** relates to something that occurred in the past, distinguished as **preterit** (It *existed.* We *learned.*) and **imperfect.** (It *was* existing. We *were learning.*)

The **past perfect tense** relates to an occurrence that began and ended before or by a past event or time spoken or written of. (It *had existed.* We *had learned.*)

The **present tense** relates to now, the time of speaking or writing, or to a general, timeless fact. (It *exists.* We *learn.* Fish *swim.*)

The **present perfect tense** relates to an occurrence that began at some point in the past but was finished by the time of speaking or writing (It *has existed.* We *have learned.*)

The **progressive tense** relates an action that is, was, or will be in progress or continuance. (It *is* happening. It *was happening.* It *will be happening.*)

triphthong   in speech, three vowel sounds changing from one to another within one syllable (*wire, hour*)

verb   a word that expresses action or a state or condition (*walk, be, feel*)

A **spelling-changing verb** undergoes spelling changes in conjugation (infinitive: *buy;* past indicative: *bought*)

A **stem-changing verb** undergoes a stem-vowel change in conjugation (infinitive: *draw;* past indicative: *drew*)

voice   the form a verb takes to indicate the relation between the expressed action or state and the subject

The **active voice** indicates that the subject is the agent of the action (The child *sleeps.* The professor *lectures.*)

The **passive voice** indicates that the subject does not initiate the action but that the action is directed toward the subject. (I *was contacted* by my attorney. The road *got slippery* from the rain. He *became* tired.)

word order   the sequence of words in a clause or sentence

In **inverted word order,** an element other than the subject appears first. (*If the weather permits,* we plan to vacation in the country. *Please* be on time. *Have* you met my parents?)

In **normal word order,** the subject comes first, followed by the predicate. *(The people celebrated the holiday.)*

Vocabulario español-inglés

This vocabulary includes contextual meanings of all active vocabulary and idiomatic expressions as well as passive words. It excludes most cardinal numbers; diminutives; superlatives ending in **-ísimo;** most adverbs ending in **-mente;** most proper names; most conjugated verb forms and certain exact or very close cognates (such as those ending in **-ión, -dad,** or **-tad**) that are not active vocabulary. The entries are arranged according to the Spanish alphabet; that is, words beginning with **ch, ll,** and **ñ** are found listed separately after all words beginning with **c, l,** and **n,** and **r,** respectively. In the same way, words containing **ch, ll, ñ,** and **rr** are placed alphabetically after words containing **c, l,** and **n,** respectively. Active vocabulary and functional expressions are followed by the chapter number in which they occur. **CP** refers to the **Capítulo preliminar** and **CS** refers to **Capítulo suplementario.** Stem and spelling changes are given in parentheses after a verb entry; see the verb charts on pages 402–419 for specific conjugations.

The following abbreviations are used:

adj	adjective	*p*	plural
adv	adverb	*pp*	past participle
contr	contraction	*prep*	preposition
dir obj	direct object	*pres*	present
f	feminine	*pres p*	present participle
fam	familiar	*pret*	preterit
imp	imperfect	*pron*	pronoun
indic	indicative	*recip*	reciprocal
indir obj	indirect object	*refl*	reflexive
inf	infinitive	*rel pron*	relative pronoun
m	masculine	*subj*	subject
n	noun	*subjunc*	subjunctive
obj of prep	object of preposition		

A

a at, to **1; a la derecha** on (to) the right **2; a la izquierda** on (to) the left **2; a la moda** in style, fashionable **7; a menos que** unless **15; a pesar de** in spite of; **A propósito de...** Regarding . . . ; **A propósito...** By the way . . . ; **a tiempo** on time **10; a través** through; **a veces** sometimes **5**
abandonar to abandon
abierto open

el **abogado,** la **abogada** lawyer **3**
abolir to abolish
abrazar (c) to hug, embrace **10**
el **abrazo** hug, embrace **9**
el **abrigo** (winter) coat **7**
abril April **4**
abrir to open **3**
abstracto abstract **12**
absurdo absurd
la **abuela** grandmother **1**
el **abuelo** grandfather **1**
aburrido boring; bored **2**
acá here
acabar to finish, end; **acabar de** (+ *inf*) to

have just (done something) **15**
acariciar to caress
el **acceso** access
el **accidente** accident
la **acción** action
el **aceite** oil
la **aceptación** acceptance
aceptar to accept **15**
acerca de concerning
acompañar to accompany, go with **9**
aconsejar to advise **13**
el **acontecimiento** event, happening
acordarse de (ue) to remember
acostar (ue) to put to

bed **7**
acostarse (ue) to go to bed **7**
acostumbrarse to get used to **7**
activo active
el **actor** actor
la **actriz** actress
actual current, present
acuerdo: ponerse de acuerdo to agree; **¿de acuerdo?** okay?, all right?, agreed? **1**
acusado accused
adelante straight, straight ahead **10; Siga adelante.** Keep going straight. **10**

además moreover, besides; in addition to

adentro inside **CS**

adicional additional

Adiós. Good-bye. **CP**

adivinar to guess

el **adjetivo** adjective

admirar to admire **10**

¿Adónde? To what place? Where? **1**

adornar to decorate

el **adorno** decoration; ornament **12**

la **aduana** customs; customs house **10**

la **aerolínea** airline

el **aeropuerto** airport **1**

la **afirmación** statement **11**

afirmar to affirm, state

afuera outside **CS**

la **agencia de viajes** travel agency **2**

el, la **agente de viajes** travel agent **2**

agosto August **4**

agregar (gu) to add **16**

la **agricultura** agriculture

el **agua** _f_ water **5**

ahora now **1; ahora mismo** right away **3**

ahorrar to save _(time, money, etc.)_ **16**

el **aire** air **2; aire acondicionado** air conditioning

al _(contr of_ **a** + **el**_)_ to the; **Al contrario...** On the contrary . . . **11; al lado (de)** beside, next to **2**

la **alcoba** bedroom **14**

la **alegación** allegation, charge

alegrarse (de) to be glad, happy _(about)_ **13**

alegre happy **15**

la **alegría** happiness; **15 ¡Qué alegría!** How

happy I am! I'm so happy! **15**

alemán German **3**

la **alfarería** pottery; potter's shop **16**

la **alfombra** rug, carpet **14**

algo something **4**

alguien someone, anyone **4**

algún, alguno(s), alguna(s) some, any **4**

alguna parte somewhere **10**

alivio: ¡Qué alivio! What a relief! **15**

el **almacén** department store **16**

almorzar (ue) to have lunch **6**

el **almuerzo** lunch **6**

alquilar to rent **14**

el **alquiler** rent **14**

alrededor around

alternado: en forma alternada (10) taking turns

alto tall **7;** high

altruista altruistic **2**

allí _(or_ **allá**_)_ there **1**

el **ama de casa** _f_ housewife **3**

el **amanecer** dawn, daybreak **CS**

el, la **amante** lover

amar to love **9**

amarillo yellow **7**

el **ambiente** atmosphere

el **amigo,** la **amiga** friend **1**

la **amistad** friendship **6**

el **amor** love **6**

anaranjado orange

andar to walk; to run _(as a watch, car);_ **andar en bicicleta** to ride a bicycle

andino Andean

el **ángel** angel

anglosajón Anglo-Saxon

el **anillo** ring **9**

el **aniversario** anniversary **12**

anoche last night **7**

el **anochecer** twilight, dusk **CS**

anochecer to grow dark

ansioso anxious, nervous **15**

anterior earlier, previous

antes first **6; antes de** before **6; antes (de) que** before **15**

antiguo ancient; _(before noun)_ former **10**

la **antropología** anthropology **3**

el **antropólogo,** la **antropóloga** anthropologist

anunciar to announce

el **anuncio** announcement; advertisement **10**

añadir to add

el **año** year **3;** el **Año Nuevo** New Year's Day; **los años 70** the seventies

apagar (gu) to turn off, extinguish **11**

aparecer (zc) to appear

aparente apparent

el **apartamento** apartment **5**

apoyar to support

el **apoyo** support

aprender to learn **3**

aprobar (ue) to approve to pass _(an exam)_

apropiado appropriate

aproximadamente approximately

aquel, aquella _adj_ that

(over there) **5**

aquél, aquélla _pron_ that _(over there)_ **5**

aquello _neuter pron_ that _(over there)_ **5**

aquellos, aquellas _adj_ those _(over there)_ **5**

aquéllos, aquéllas _pron_ those _(over there)_ **5**

aquí here **CP**

árabe Arabian

el **árbol** tree **12;** el **árbol de Navidad** Christmas tree **12**

ardiente ardent, passionate

argentino Argentinean **2**

el **arma** _f_ arm, weapon

la **arqueología** archaeology

arqueológico archaeological

el **arquitecto** architect

la **arquitectura** architecture **3**

arreglar to fix, arrange

arreglarse to be okay, turn out all right

arriba above

el **arroz** rice **8**

el **arte** _f_ art **8**

el **artesano,** la **artesana** artisan **16**

el **artículo** article

el, la **artista** artist; actor, actress **7**

la **asamblea** assembly

el **ascensor** elevator

asesinar to assassinate

el **asesino** assassin

así like that; thus **5; así que** so; **Sí, así es.** Yes, that's so; **Así pienso.** That's how I think.

el **asiento** seat

asistir a to attend **7**

asociar to associate

el **aspecto (físico)**

(physical)
appearance
aspirar to aspire
la **aspirina** aspirin **4**
asustado frightened,
startled **15**
asustar to frighten,
scare **15**
asustarse to be
frightened **15**
atacar (qu) to attack **11**
aumentar to gain,
increase **16**
el **aumento** increase, raise
11; el **aumento de
sueldo** raise in
salary **11**
aunque although **15**
el **auto** automobile **4**
el **autobús** bus **2**
el **autor,** la **autora** author
la **autoridad** authority
el **autostop** hitchhiking
10; hacer autostop
to hitchhike **10**
avanzado advanced
la **avenida** avenue **1**
avergonzado
embarrassed,
ashamed **15**
el **avión** airplane **1**
ayer yesterday **7**
la **ayuda** help
ayudar to help **5**
azteca Aztec **3**
el **azúcar** sugar **8**
azul blue **7**

B

bailable danceable
bailar to dance **6**
el **bailarín,** la **bailarina**
dancer
el **baile** dance **6**
bajar to go down,
decrease; **bajar (de)**
to get off, descend **2**
bajo *adv* beneath,
under **CS;** *adj* low;

short **CS**
la **banana** banana **8**
el **banco** bank **10**
la **bandera** flag
bañarse to bathe
el **baño** bathroom **6;** el
traje de baño
swimming suit **7**
barato inexpensive,
cheap **16**
la **barba** beard
la **barbaridad: ¡Qué
barbaridad
(bárbaro)!** Good
grief!
el **barco** ship, boat **10**
el **barrio** neighborhood,
community **5**
basar (en) to base (e.g.,
an opinion) (on)
básico basic
el **básquetbol** basketball **6**
¡Basta! That's enough!
bastante *adj* enough **3;**
adv quite, rather,
fairly
bastar to be enough
la **bastardilla** italics
la **basura** garbage, trash **5**
la **batalla** battle
la **batería** battery
el, la **bebé** baby
la **bebida** beverage, drink **8**
el **béisbol** baseball **6**
bello beautiful **CS;**
bellas artes *f* fine arts
besar to kiss **9**
el **beso** kiss **9**
la **biblioteca** library **3**
la **bicicleta** bicycle **5;**
andar en bicicleta
to ride a bicycle
bien okay; well **CP;**
Muy bien. Very
well. **CP; ¡Qué
bien!** Good! (How
nice!); **estar bien** to
be well **CP; Está
bien.** It's all right

(okay). **13**
el **bienestar** well-being
la **bienvenida** welcome
**10; darle la
bienvenida a
alguien** to welcome
someone **10**
¡Bienvenidos!
Welcome! **CP**
el **billete** ticket
la **biología** biology **3**
biológico biological
el **bistec** (beef) steak **8**
el **bizcocho** cookie,
biscuit **16**
blanco white **7**
bloquear to block
el **bloqueo** blockade
la **blusa** blouse **7**
la **boca** mouth **13**
la **boda** wedding **9**
el **boleto** ticket *(for an
event or
transportation)* **6;** el
**boleto de ida y
vuelta** round-trip
ticket
el **bolígrafo** ballpoint pen
CP
el **bolívar** *monetary unit
of Venezuela* **6**
el **bolso** purse,
pocketbook **7**
bonito pretty **2**
el **bosque tropical**
tropical forest **11**
la **bota** boot **7**
la **botella** bottle
el **botón** button
la **boutique** boutique **18**
el **brazo** arm **13**
breve brief
brindar to toast
bueno *(shortened form,*
buen) good; OK; **2;**
¡Buen provecho!
Enjoy the meal! **8;**
¡Buena lección!
That's a good lesson

for you! **5; Buenas
noches.** Good night.
Good evening. *(after
sunset)* **CP; Buenas
tardes.** Good
afternoon. *(until
about sunset)* **CP;
Bueno...** Well . . . **7;
Bueno, nos vemos.**
We'll be seeing each
other.; **Buenos días.**
Good morning.
Good day. Hello. **CP**
buscar (qu) to look for;
to search **1**

C

la **cabecilla** head, leader
la **cabeza** head **4**
cada each, every **3;**
cada vez más more
and more
la **cadena** chain
caerse (g) to fall down
el **café** coffee; café **5**
la **cafeína** caffeine **13**
la **caja** cashier's office;
cash register **10**
el **cajero,** la **cajera**
cashier **10**
el **calcetín** sock **7**
el **calendario** calendar **3**
la **calidad** quality **16**
caliente hot (not used
for weather or
people) **4**
calmar to calm **10**
calmarse to calm
down, be calm **10**
calor warmth, heat;
tener calor to be
warm *(a person or
animal)* **4**
**calzar: ¿Qué número
calza?** What size
(shoe) do you wear?
la **calle** street **5**
la **cama** bed **13**
la **cámara** camera **1**

la **camarera** waitress **3**
el **camarero** waiter **3**
   cambiar to change,
      exchange **10;**
      **Cambiando de
      tema...** To change
      the subject . . .
el **cambio** change **14; En
      cambio...** On the
      other hand . . . **11**
   caminar to walk **10;
      Camine dos
      cuadras...** Walk two
      blocks . . . **10**
el **camino** road, way
la **camisa** shirt **7**
la **camiseta** T-shirt **7**
   **campamento: ir de
      campamento** to go
      camping **CS**
el **campeonato**
      championship
el **campo** country (as
      opposed to city) **CS**
el **canal** channel **11**
la **canción** song **6**
el **candelabro** candelabra
      12
el **candidato** candidate
   cansado tired **4**
el, la **cantante** singer
   cantar to sing **6**
la **cantidad** quantity,
      number
la **capa** layer
la **capacidad** capacity;
      capability
la **capital** capital (city) **1**
el **capítulo** chapter **CP**
la **cara** face **13**
el **carácter** character;
      disposition
la **característica**
      characteristic
   ¡Caramba! Good
      grief! **5**
el **cariño** affection
la **carne** meat **8;** la **carne
      de vaca** beef **8**

caro expensive **7**
la **carta** letter **3;** las
      cartas playing cards
el, la **cartero** mail carrier
la **carrera** career
la **casa** house; home **CP;
      en casa** at home **CP**
el **casamiento** marriage;
      wedding
   casarse (con) to get
      married (to) **9**
   casi almost
el **caso** case **6; en caso
      (de) que** in case
la **castañuela** castanet
el **castillo** castle
   **casualidad: por
      casualidad** by chance
   catalán Catalonian **7**
el **catarro** cold (sickness)
      13
la **catedral** cathedral **6**
   católico Catholic
   catorce fourteen
el **caudillo** leader
la **causa** cause
   causar to cause
la **celebración** celebration
      12
   celebrar to celebrate **4**
los **celos** jealousy **9; tener
      celos de** to be
      jealous of **9**
   celoso jealous **9**
la **cena** dinner **6**
   cenar to have dinner **8**
la **censura** censorship
el **centavo** cent
el **centenario** centennial
el **centro** downtown;
      center **4**
la **cerámica** ceramics,
      pottery **6**
   cerca (de) near (to),
      nearby **2**
el **cerdo** pork **8**
los **cereales** grains;
      cereals **8**
la **ceremonia** ceremony

cero zero
   cerrar (ie) to close **5**
la **cerveza** beer **8**
el **cielo** sky; heaven **CS;
      cien(to)** one hundred
la **ciencia** science; las
      **ciencias de
      computación**
      computer science **3;**
      las **ciencias
      naturales** natural
      science; las **ciencias
      políticas** political
      science **3;** las
      ciencias sociales
      social sciences **3**
el, la **científico** scientist
   cierto certain, sure **13;
      Es cierto.** It's true.
el **cigarrillo** cigarette **13**
el **cigarro** cigar
   cinco five
   cincuenta fifty
el **cine** movie theater,
      movies **6**
la **cinta** tape **6**
el **cinturón** belt **7**
el **círculo** circle
la **ciruela** plum
la **cita** date, appointment
      9; tener una cita to
      have a date or an
      appointment **9**
la **ciudad** city **1**
la **civilización** civilization
      3
   clamar to speak out
el **clamor** outcry
   claramente clearly
   claro clear, light;
      certain **13;** certainly
      12; ¡Claro! Of
      course! **3; Es (Está)
      claro.** It's clear.
la **clase** class(room) **CP**
   clásico classical
el, la **cliente** client **15**
el **clima** climate **CS**
la **clínica** clinic

la **cocina** kitchen **14**
   cocinar to cook **8**
el **coche** car **16**
   cognado cognate **CP**
la **coincidencia**
      coincidence; **¡Qué
      coincidencia!** What
      a coincidence! **4**
   colectivo collective
el **colmo** the last straw
   colombiano Colombian
      2
el **colón** monetary unit of
      Costa Rica
la **colonia** colony
el **colonizador,** la
      colonizadora
      colonist
el **color** color; **¿De qué
      color es?** What
      color is it? **7**
la **combinación** slip;
      combination
la **comedia** comedy
el **comedor** dining room **12**
   comentar to explain; to
      comment **15**
el **comentario** comment
   comenzar (,ie) to begin
   comer to eat **3**
el, la **comerciante**
      businessperson **3**
la **comida** food; meal **2**
   como as, since; **Como
      consecuencia
      (resultado)...** As a
      consequence
      (result) . . . ; **tan
      (+ adj or adv +)
      como** as . . . as **7;
      tanto como** as much
      as **7 ¿Cómo?** How?
      What? Pardon me.
      1; ¿Cómo está(s)?
      How are you? **CP;
      Cómo no.** Of
      course. Certainly. **6;
      ¿Cómo se dice...?**
      How do you say . . . ?

CP; ¿**Cómo se llama...?** What is the name of . . . ? **CP**
la **cómoda** chest of drawers **14**
cómodo comfortable **14**
el **compañero** (la **compañera**) **de clase (cuarto)** classmate (roommate) **9;** partner; companion
la **compañía** company **10**
la **comparación** comparison
comparar to compare
completamente completely
completar to complete
la **composición** composition **3**
comprar to buy **5**
compras: de compras shopping
comprender to understand **3**
la **comprensión** comprehension
la **computación: ciencias de computación** computer science **3**
la **computadora** computer **6**
común common
la **comunidad** community
con with **CP; con mucho gusto** gladly **6; Con permiso.** Excuse me. (With your permission.) **9; conmigo** with me **6; contigo** with you **6**
el **concierto** concert **6**
el **conductor,** la **conductora** driver
la **conferencia** lecture
confesar (ie) to confess
confirmar to confirm
el **congreso** congress

la **conjunción** conjunction
conmemorar to commemorate
conocer to be familiar with, to know **5;** to meet **2**
la **conquista** conquest
el **conquistador,** la **conquistadora** conqueror
conquistar to conquer
la **consecuencia** consequence
conseguir (i,g) to obtain, get
el **consejo** advice, piece of advice **6;** los **consejos** advice
conservar to preserve, save **11**
construir (y) to build **12**
consultar to consult **10**
contado: al contado in cash
la **contaminación del aire (del agua)** air (water) pollution **5**
contaminado polluted **2**
contar (ue) to tell (a story); to count **10; contar (ue) con** to count on
contento content; happy **2**
contestadora: contestadora automática answering machine
contestar to answer **4; Conteste, por favor.** Answer, please. **CP**
continuar (ú) to continue
contra against **5**
contrario: Al contrario... On the contrary . . . **11**
conversar to converse

convertirse (ie,i) to become
convulsionado convulsed
coordinar to match
la **copa** wine glass
la **copia** copy
el **corazón** heart
la **corbata** tie **7**
la **cordillera** mountain chain
correcto right, correct **11**
corregir (i,i,j) to correct
el **correo** post office; mail **10; la oficina de correos** post office
correr to run **6**
correspondiente corresponding
la **corrida de toros** bullfight
la **corte** court
cortés courteous, polite **2**
corto brief, short *(not used in reference to people)*
la **cosa** thing **6**
cosmopolita cosmopolitan **7**
la **costa** coast **CS**
costar (ue) to cost **6**
el **costo de la vida** cost of living **11**
la **costumbre** custom; habit
crear to create
crecer (zc) to grow
creer to believe, think **3; ¡Ya lo creo!** I believe it!
el **crimen** crime **5**
cristiano Christian
los **críticos** critics
cruzar (c) to cross **10**
el **cuaderno** notebook, workbook **CP**
la **cuadra** (city) block **10**

el **cuadro** painting **7**
¿**Cuál? ¿Cuáles?** Which? Which one(s)? What? **1**
la **cualidad** quality **16**
cualquier(a) any **15**
cuando when; **de vez en cuando** from time to time
¿**Cuándo?** When? **1**
¿**Cuánto(-a, -os, -as)?** How much? How many? **3; ¿Cúanto cuesta (vale)...?** How much is . . . ? **16; ¡Cuánto me alegro!** How happy I am! **15**
cuarenta forty
el **cuarto** room **6;** quarter; **cuarto de baño** bathroom
cuatro four
cuatrocientos four hundred
cubano Cuban **13**
cubrir to cover **11**
la **cuchara** spoon **8**
el **cuchillo** knife **8**
el **cuello** neck **13**
la **cuenta** bill, check **8; darse cuenta de** to realize **15; La cuenta, por favor.** The check, please. **8**
el **cuento** story **14**
el **cuerpo** body **13**
el **cuestionario** questionnaire
la **cueva** cave
¡**Cuidado!** Be careful! Watch out! **4**
cuidar to take care of
cuidarse to take care of oneself
la **culpa** guilt **5; Es su (tu) propia culpa.** It's your own fault. **5; Tiene(s) la culpa.**

It's your fault.
cultivar to cultivate
la **cultura** culture **15**
el **cumpleaños** birthday
4; feliz cumpleaños
happy birthday
cumplir to carry out, to
fulfill; **cumplir...
años** to turn . . .
years old
el **cura** priest **3**
la **cura** cure **13**
curar to cure **13**
curativo healing,
curative
curioso curious
el **curso** course **6**
cuyo (-a, -os, -as)
whose

CH

el **champán** champagne
el **cheque** check **10;** el
cheque de viajero
traveler's check **10**
la **chica** girl, young
person **2**
chicano Chicano,
Mexican-American
el **chico** boy, guy, young
person **2**
el **chile** (sweet or hot)
pepper
chileno Chilean **2**
el **chiste** joke **15**
el **chocolate** chocolate **8**

D

la **dama** lady
la **danza** dance
dar to give **6; dar a** to
face, be facing **14;
dar las gracias** to
thank **6; dar un
paseo** to take a walk,
go for a stroll **6;
darle hambre (sed,
sueño)** to make

(someone) hungry
(thirsty, sleepy);
**darle la bienvenida
a alguien** to
welcome someone
**11; darle rabia (a
alguien)** to make
(someone) angry;
**darle risa (a
alguien)** to make
(someone) laugh;
**darle vergüenza (a
alguien)** to make
(someone) ashamed;
darse cuenta de to
realize **15**
de of, from **CP;** about;
made of; **¿de
acuerdo?** okay?, all
right?, agreed?
1; ¿de dónde? from
where?; **de habla
hispana** Spanish-
speaking; **de la
mañana** A.M. **3; de
la tarde (noche)**
P.M. **3; de moda** in
style, fashionable;
De nada. You're
welcome. **9; ¿De
qué color es?** What
color is it? **7; ¿De
qué es?** What is it
made of? **7; ¿De
qué tamaño es?**
What size is it?; **¿De
quién?** Whose?; **¿De
veras?** Really? **7**
debajo (de) under
deber (+ *inf*) should,
ought to, must **3;** to
owe **16 ¡Debe(n)
estar muy
contento(s)!** You must
be very happy!; **Eso
debe ser terrible.**
That must be terrible;
¿Se debe (+ *inf*)...?
Should (May) one

(we, I) . . . ? **16**
los **deberes** homework
debido a due to
la **década** decade
decidir to decide **3**
decir (i) to say, tell **6;
Se dice...** You say . . .
**CP; ¿Cómo se
dice...?** How do you
say . . . ? **CP**
declarar to declare **11**
decorar to decorate
dedicar (qu) to
dedicate
el **dedo** finger **13;** el **dedo
del pie** toe **13**
definido definite
dejar to leave
(something behind)
10; to let, allow **10;
dejar de** to stop
del (*contr of* **de + el**)
from the; of the **2**
delante de in front of
delgado slim
delicioso delicious,
good, tasty **2**
demasiado too much
**13; ¡Esto es
demasiado!** This is
too much! **15; Es
demasiado...** It's
too . . . **16**
el **demonio** demon
dentro (de) inside,
within; **dentro de
poco** soon
depender (de) to
depend (on) **7**
el, la **dependiente** clerk,
salesperson **16**
deportar to deport
el **deporte** sport **6**
el, la **deportista** athlete
el **depósito** deposit **14**
deprimido depressed **15**
deprimirse to become
depressed
el **derecho** right **11;** los

derechos humanos
human rights **11**
derecho *adv* straight,
straight ahead **10;
Siga derecho.** Keep
going straight. **10**
derrocar (qu) to
overthrow
el **desacuerdo**
disagreement
desaparecer (zc) to
disappear
el **desaparecido,** la
desaparecida
missing person **4**
el **desayuno** breakfast **6**
descansar to rest **13**
el **descanso** rest
el, la **descendiente**
descendent
descortés impolite **2**
describir to describe **1**
el **descubrimiento**
discovery
descubrir to discover **3**
el **descuento** discount
desde from (a certain
time); since; **desde
un principio** from
the very beginning
desear to want, wish **1**
el **desempleo**
unemployment **5**
el **deseo** desire, wish
desesperante desperate
el **desfile** parade **2**
el **desierto** desert
la **desilusión**
disappointment **15**
desilusionado
disappointed **15**
desnutrido
malnourished
desordenado messy **14**
despacio slowly; **Más
despacio, por favor.**
Slower, please.
la **despedida** farewell,
leave-taking **15**

despejado clear
despertar (ie) to awaken *(someone)* **6**
despertarse (ie) to awaken, wake up **7**
despierto awake, alert
el **desprecio** contempt
después afterward **6**; **después de** after **6**; later; then **Después...** Then . . . ; **Después de pasar...** After passing . . . ; **después (de) que** after; **Después de todo...** After all . . . ; **¿Y después?** And then what? **11**; **¿Y qué pasó después?** And then what happened? **11**
destruir (y) to destroy
la **desventaja** disadvantage
el, la **detective** detective **15**
deteriorar to deteriorate
detrás (de) behind **2**
devolver (ue) to return (something) **16**
el **día** day **CP**; **Buenos días.** Good morning. Good day. **CP**; el **Día de Acción de Gracias** *(U.S.)* Thanksgiving; **Día de la Madre** Mother's Day; el **Día de los Muertos** Day of the Dead; el **Día de (los) Reyes** Epiphany; **el Día de los Trabajadores** Labor Day; **el día feriado** holiday
el **diario** newspaper; diary
diario daily **7**
dibujar to draw **13**
el **dibujo** drawing

el **diccionario** dictionary
diciembre December
el **dictador** dictator
la **dictadura** dictatorship
dieciséis sixteen
el **diente** tooth **13**
la **dieta** diet **8**; **estar a dieta** to be on a diet **8**
diez ten
la **diferencia** difference **CS**
difícil difficult **2**
la **dificultad** difficulty **3**
Dígame. Hello (literally, "Speak to me").
el **dinero** money **5**
el **dios** god **3**; **¡Dios mío!** My goodness! My God!
la **dirección** address **1**; direction
el **disco** record (music) **6**
discreto discreet
la **discriminación** discrimination **5**
disculpar to forgive, excuse **15**; **Discúlpeme.** Excuse me. (Forgive me.) **5**
distinto different
la **diversión** diversion; amusement **6**
divertir (ie) to amuse, entertain **7**
divertirse (ie) to enjoy oneself, have a good time **7**
divorciarse to (get a) divorce **9**
el **divorcio** divorce **5**
doblar to turn **10**; **Doble a la izquierda (derecha).** Turn left (right). **10**
doce twelve
la **docena** dozen
el **doctor,** la **doctora** doctor **2**

el **dólar** dollar **6**
doler (ue) to ache, hurt **13**
el **dolor** pain; **tener dolor de cabeza (estómago)** to have a headache (stomachache) **4**
dominar dominate; rule
el **domingo** Sunday
el **dominio** rule
don, doña titles of respect used with first names
¿Dónde? Where? **1**
dormir (ue) to sleep **6**
dormirse (ue) to fall asleep
el **dormitorio** bedroom **14**
dos two
doscientos two hundred
dramatizar (c) to dramatize
la **droga** drug **5**
la **duda** doubt; **No hay duda de que** (+ *indic*)... There's no doubt that . . .
dudar to doubt **13**
dudoso doubtful **13**
el **dueño,** la **dueña** owner **12**
los **dulces** sweets **8**
durante during
durar to last

E

la **ecología** ecology **CS**
la **economía** economy
económico economical
el **ecoturismo** ecotourism
ecuatoriano Ecuadorian
echar to throw out
la **edad** age **14**; era; **¿Que edad tienes?** How

old are you? **14**
el **edificio** building **5**
efecto: en efecto as a matter of fact
egoísta selfish **2**
el **ejemplo** example; **por ejemplo** for example
el **ejercicio** exercise **CP**
el **ejército** army **11**
él *subj* he **CP**; **él** *obj of prep* him
el the
la **elección** election **11**
el **elefante** elephant
elegante elegant **2**
elegido elected
elegir (j) to elect
ella *subj* she **CP**; **ella** *obj of prep* her
ellos, ellas *subj* they **CP**; *obj of prep* them
embarazada pregnant **13**
embargo: sin embargo nevertheless, however
la **emoción** emotion
emocionante exciting
empezar (ie) to begin, start **5**
el **empleado,** la **empleada** employee **16**
el **empleo** employment; job **5**
en in, on, at **1**; **en cambio** on the other hand **11**; **en casa** at home **CP**; **en caso (de) que** in case; **en cuanto** as soon as; **En fin...** Finally . . . ; Well . . . *(as an expletive)* **9**; **en general** in general; **en punto** on the dot **3**; **En resumen...** In short . . . (In conclusion . . .) **en seguida** at once,

immediately **10**;
¿**En serio?** Really?
9
enamorado de in love
with **9**
enamorarse (de) to fall
in love (with) **9**
encabezar (c) to head
encantar to delight **8**;
Me encanta(n)... I
love . . . **8**
encargarse (gu) de to
take charge of
encontrar (ue) to find;
to meet **6**
encontrarse (ue) con
to meet (up with); to
run into
la **enchilada** enchilada **8**
la **energía** energy **11**
enero January **4**
enfermarse to get sick
13
la **enfermedad** illness,
sickness **3**
el **enfermero,** la
enfermera nurse **13**
enfermo ill, sick **13**
enfrente (de) in front
(of); across (from),
opposite **2**
enojado angry **15**
enojarse to become
angry, get mad **15**
el **enojo** anger **15**
la **ensalada** salad **8**
el, la **ensayista** essayist
el **ensayo** essay
enseñar to teach **1**; to
show **13**
entender (ie) to
understand **5**
el **entendimiento**
understanding
enterarse (de) to find
out (about)
entero whole
entonces then, well **8**
la **entrada** ticket (for an

event) **6**; entrance
way **14**
entrar (en) to enter,
come or go into **9**
entre between, among
7; **Entre**
paréntesis...
Incidentally . . . ;
entre sí among
themselves
el **entrenador,** la
entrenadora trainer
entrenar to train
la **entrevista** interview
enviarí to send **11**
envolver (ue) to wrap
epistolar pertaining to
letters
la **época** epoch, era; time
el **equipaje** luggage **10**
el **equipo** team
escaparse to escape
la **escena** scene
el **escenario** setting
escoger (j) to choose
escribir to write **3**
escrito *pp* written
el **escritor,** la **escritora**
writer **3**
el **escritorio** desk **14**
escuchar to listen to **1**
la **escuela** school **3**; la
escuela secundaria
high school
la **escultura** sculpture
ese, esa *adj* that **5**
ése, ésa *pron* that **5**
el **esfuerzo** effort
eso *neuter pron* that **5**;
Eso debe ser
terrible. That must
be terrible.; **Eso es.**
That's it.; **¡Eso es**
demasiado! That is
too much!; **¡Eso es**
terrible (aburrido)!
That's terrible
(boring)! **16**; **Eso no**
se hace. That's not

done (allowed).
esos, esas *adj* those **5**
ésos, ésas *pron* those **5**
el **espacio** space
la **espalda** back **13**
el **español** Spanish **CP**
la **especialidad** specialty **8**
especializarse (c) to
specialize
especialmente
especially
la **especie** species, kind
el **espejo** mirror
la **esperanza** hope
esperar to wait for; to
hope; to expect **5**;
Es de esperar. It's
to be expected. **5**;
¡Espere(n)! Wait!
el **espíritu** spirit
la **esposa** wife **1**
el **esposo** husband **1**
esquiarí to ski **4**
la **esquina** corner **10**
estable stable
establecer (zc) to
establish
la **estación** station **10**;
season **4**
el **estadio** stadium
el **estado** state **2**
la **estancia** ranch
el **estante: estante de**
libros bookcase **14**
estar to be **CP**
la **estatua** statue
el **este** east
este, esta *adj* this **5**
éste, ésta *pron* this **5**
el **estilo** style
estimular to stimulate
esto *neuter pron* this **5**;
¡Esto es demasiado!
This is too much! **5**;
¡Esto es el colmo!
This is the last
straw!
el **estómago** stomach **4**
estornudar to sneeze

estos, estas *adj* these **5**
éstos, éstas *pron* these **5**
la **estrella** star **CS**
la **estructura** structure
el, la **estudiante** student
CP
estudiar to study **1**
el **estudio** study **3**
la **estufa** stove
estupendo great,
wonderful **3**
estúpido stupid
etnográfico
ethnographic
europeo European
evitar to avoid
exacto exact **8**; exactly
10
el **examen** exam, test **CP**
excelente excellent **CP**
la **excursión** excursion **10**
la **excusa** excuse
el **exiliado,** la **exiliada**
exile
el **exilio** exile
existir to exist **9**
el **éxito** success
experto expert; el
experto, la **experta**
expert **10**
explicar (qu) to explain
la **exposición** exhibit,
exhibition **2**
expresar to express
la **expresión** expression **CP**
expreso express, fast **15**
el **extranjero,** la
extranjera foreigner
extraño strange
extremo extreme

F

la **fábrica** factory
fabuloso fabulous **16**
fácil easy **2**
fácilmente easily
la **falda** skirt **7**
falso false **1**
faltar to be missing or

lacking **8; Me falta(n)...** I need . . . **8**

la **fama** fame; **tener fama** to be famous

la **familia** family **CP**

famoso famous **2**

la **farmacia** pharmacy **1**

fascinante fascinating **10**

el **favor** favor **6; Por favor.** Please. **CP**

favorito favorite **4**

la **fe** faith

febrero February **4**

la **fecha** date (day of year) **4**

¡Felicitaciones! Congratulations! **9**

felicitar to congratulate

feliz happy **9; feliz cumpleaños** happy birthday; **Feliz fin de semana.** Have a good weekend.

el **fenicio,** la **fenicia** Phoenician

feo ugly

el **ferrocarril** railroad **10**

la **fiebre** fever; **tener fiebre** to have a fever **4**

la **fiesta** party, holiday **3;** celebration; la **fiesta de Janucá** Chanukah

fijarse to notice

fijo: precio fijo fixed price

la **filosofía** philosophy **3**

el **filósofo,** la **filósofa** philosopher

el **fin** end; purpose; **a fin de cuentas** after all, all things considered; **al fin y al cabo** in the end; el **fin de semana** weekend **1; En fin...** Finally . . . ;

Well . . . *(as an expletive)* **10; Feliz fin de semana.** Have a good weekend *(literally,* Happy end of week).; **por fin** finally **7**

final: al final at the end

financiar to finance

fino fine; excellent

firmar to sign

la **física** physics **3**

físico physical

el **flan** caramel custard **8**

la **flor** flower **CS**

flotante floating

la **fobia** phobia

la **foca** seal

fondo: a fondo in depth

la **forma** form, shape; way

formar to form

la **fortuna** fortune **16**

la **foto(grafía)** photograph **4**

el **francés** French **1**

franco frank

el, la **franquista** supporter of Franco

la **frase** phrase; sentence

la **frazada** blanket **16**

la **fresa** strawberry

fresco fresh; cool

los **frijoles** beans, kidney beans **8**

el **frío** cold; **tener frío** to be cold *(a person or animal)*

frito fried **8**

el **frontón** jai alai court; wall

frustrado frustrated

la **fruta** fruit **8**

el **fuego** fire; los **fuegos artificiales** fireworks

la **fuente** fountain; source

fuera outside; **por fuera** from or on the outside

fuerte strong

la **fuerza** force, power

el **fumador,** la **fumadora** smoker

fumar to smoke **12**

la **función** show, performance; function

funcionar to work *(an appliance or machine);* **Esto (Eso) no funciona.** This (That) doesn't work.

la **fundación** founding; establishment

fundar to found

la **furia** fury; rage

furioso furious **15**

el **fútbol** soccer **6;** el **fútbol americano** football **6**

el, la **futbolista** football player

el **futuro** future **3**

G

la **galería** gallery **12**

la **galleta** cracker **16**

el **ganado** cattle

ganar to win; to earn **11**

ganas: tener ganas de (+ *inf*) to feel like *(doing something)* **3**

el **garaje** garage **14**

la **garganta** throat **13**

gastar to spend; to waste **16**

el **gasto** expense; waste

el **gato** cat **6**

el **gazpacho** cold soup made of tomatoes, cucumbers, onions

la **generación** generation

generalmente generally **9**

generoso generous

la **gente** people **5**

el, la **gerente** manager **14**

el **gigante** giant; *adj* giant

gobernar (ie) to govern

el **gobierno** government **11**

la **golondrina** swallow (bird)

el **golpe:** el **golpe de estado** coup d'état

gordo fat

Gracias. Thank you. **CP;** Thanks.; **Gracias a Dios.** Thank God.; **Mil gracias.** Thank you very much *(literally,* A thousand thanks).; **Muchas gracias.** Thank you. Thank you very much.; **dar las gracias** to thank **6**

el **grado** degree **4**

gran great

grande (gran *before a masculine singular noun)* big, tall; great **2**

la **grandeza** grandeur **CS**

la **grasa** grease

gratis free of charge

grave serious **11**

el **griego,** la **griega** Greek

la **gripe** flu **13; tener (la) gripe** to have the flu

gris gray **7**

gritar to shout

el **grito** shout; scream

el **grupo** group

el **guante** glove **7**

guatemalteco Guatemalan

la **guerra** war; **en guerra** at war **11**

el **guerrillero,** la **guerrillera** guerrilla *(warrior)* **11**

la **guitarra** guitar **6**

gustar to please, be pleasing, to like **8;**

Me gusta(n)... I like . . . **8; Me gustaría** + *inf* . . . **porque (pero,** *etc.***)** I would like + *inf* . . . because (but, *etc.*) **16; A mí me gustaría tomar (comer)...** I would like . . . to drink (eat). **8**

el **gusto** pleasure **6; con mucho gusto** gladly **6; ¡Qué gusto!** What a pleasure!; **Mucho gusto.** Glad to meet you. **CP**

H

haber: hay (*impersonal*) there is, there are **1; hay que** (+ *inf*) it's necessary; one (we, you, and so on) must **4**

la **habitación** room **10**

el, la **habitante** inhabitant

hablar to talk, speak **1; ¡Ni hablar!** Don't even mention it!; **¿Quién habla?** Who is this?

hacer to do; to make **3; Eso no se hace.** That's not done (allowed).; **Hace buen (mal) tiempo.** The weather is nice (bad). **4; Hace calor (fresco, frío, sol, viento).** It is warm (cool, cold, sunny, windy). **4; hace un rato** a short while ago; **hace... que** (+ *pres*) to have been -ing for . . . **9; hace... que** (+ *pret* or *imp*)

ago **9; hacer ejercicios** to do exercises **3; hacer el papel (de)** to play the role (of); **hacer juego con** to match, to go with **16; hacer la maleta** to pack one's suitcase **3; hacer un viaje** to take a trip; **hacía... que** (+ *imp*) had been -ing for . . . **9; hacerse** to become, turn into

el **hambre** *f* hunger **5; tener hambre** to be hungry **4**

hambriento hungry

la **hamburguesa** hamburger **8**

hasta until; as far as; even; **Hasta la próxima.** Until next time.; **Hasta luego.** See you later. **1; Hasta mañana.** See you tomorrow. **1; Hasta (muy) pronto.** See you (very) soon. **1; hasta que** until **15**

hay there is, there are (*see* **haber**) **1; ¿Qué hay de nuevo?** What's new?; **No hay de qué.** You're welcome. (It's nothing.) **9; hay que** (*from* **haber**) it's necessary; one (we, you, *and so on*) must (+ *inf*) **4**

el **hecho** fact, act

el **helado** ice cream **8**

la **herencia** heritage

la **hermana** sister **1**

el **hermano** brother **1**

hermoso beautiful **7**

la **hija** daughter **1**

el **hijo** son **1**

hispano Hispanic **CP**

la **historia** history **3**

el **hogar** home

la **hoja** leaf **CS**

Hola. Hello. Hi. **CP**

el **hombre** man **1**

el **hombro** shoulder

la **honra** honor

la **hora** hour **3; No veo la hora de** (+ *inf*). I can't wait (+ *inf*).**12; ¿Qué hora es?** What time is it? **3**

el **horario** schedule; timetable **11**

el **hospital** hospital

el **hotel** hotel **1**

hoy today **1**

la **huelga** strike **5**

el **huésped,** la **huéspeda** guest

el **huevo** egg **8**

humano human **11**

humilde humble

I

ida: de ida y vuelta round-trip **10**

la **idea** idea **2**

idealista idealist **2**

identificar (qu) to identify

el **idioma** language

la **iglesia** church **9**

igual the same, equal **14**

igualmente likewise **CP**

la **imagen** image

imaginar to imagine

imaginario imaginary

imitar to imitate

el **imperio** empire

el **impermeable** raincoat **7**

implementar to implement

implicar (qu) to imply

imponente impressive **CS**

imponer to impose

la **importancia** importance **3**

importante important **3**

importar to matter; to be important **8; No importa.** It doesn't matter.

imposible impossible

impresionante impressive

improvisar improvise

el **impuesto** tax

inca Inca

el **incendio** fire **11**

incluir (y) to include

increíble incredible **7; ¡Qué increíble!** How amazing!

incrementar to increase

indicar (qu) to indicate, show

indígena native, indigenous

indio Indian **2**

indocumentado undocumented

indudable certain

la **inestabilidad** instability

la **infancia** infancy

la **inflación** inflation **5**

la **influencia** influence

la **información** information **1**

informarse sobre to find out about; inform oneself **11**

el **informe** report

la **ingeniería** engineering **3**

el **ingeniero,** la **ingeniera** engineer **3**

el **inglés** English **1**

iniciar to begin

la **injusticia** injustice **2**

inmediato immediate

inmenso immense
el, la **inmigrante**
   immigrant
inmortalizar to
   immortalize
inolvidable
   unforgettable
el **insecto** insect **CS**
la **inseguridad** insecurity
inseguro insecure;
   unsafe
insensible insensitive **2**
insistir (en) to insist
   (on) **13**
insociable unsociable **2**
el **insomnio** insomnia
insoportable
   intolerable
inspirar to inspire
el **instructor,** la
   instructora
   instructor **2**
intelectual intellectual **2**
inteligente intelligent **2**
el **interés** interest; **sitio de
   interés** point (site)
   of interest **11**
interesante interesting **2**
interesar to interest **8;
   Me interesa(n)...** I
   am interested in . . . **8**
internacional
   international **2**
interno internal
interpretar to interpret
interrogativo
   interrogative
invadir to invade
el **invasor,** la **invasora**
   invader
el **inventario** inventory
investigar (gu) to
   investigate
el **invierno** winter **4**
el **invitado,** la **invitada**
   guest **8**
invitar to invite **8**
ir to go **4; ir a** (+ *inf*) to
   be going to (+ *inf*) **4;**

ir de campamento
   to go camping **CS,**
ir de compras to go
   shopping **4; ir de
   vacaciones** to go on
   vacation **4; ir en
   auto (autobús,
   avión, tren)** to go by
   car (bus, plane,
   train) **4; ¡Qué va!**
   Oh, come on! **8;
   Vaya derecho hasta
   llegar a...** Go
   straight until you get
   to . . . **10**
irresponsable
   irresponsible **2**
irse to go away; leave **7**
la **isla** island
italiano Italian **2**
izquierdo left; **a la
   izquierda** to the left,
   on the left

J

el **jai alai** jai alai
   jamás never, not ever **4**
el **jamón** ham **8**
   Janucá Chanukah **12**
   japonés Japanese
el **jardín** (flower) garden
   14
los **jeans** jeans **7**
el **jefe,** la **jefa** leader;
   boss; chief
   joven young **2;** *n* young
   person
la **joya** jewel
las **joyas** jewelry
la **jubilación** retirement
   jubilarse to retire
   judío Jewish **9**
el **juego** game; **hacer
   juego con** to match,
   to go with
el **jueves** Thursday
   jugar (ue) a to play
   (sport or game) **6;
   jugar a las cartas** to

play cards
el **jugo** juice **8**
la **juguetería** toy store
   julio July **4**
   junio June **4**
   juntos together **9**
   justo just
la **juventud** young people

K

el **kilograma** kilogram **16**

L

   la the **1;** *dir obj* her, it,
   you **5**
el **lado** side; **al lado (de)**
   beside, next to
el **lago** lake **4**
la **lámpara** lamp **14**
la **lana** wool **16**
el **lápiz** pencil **CP**
   largo long
   las the **1;** *dir obj* them,
   you
la **lástima** pity; **¡Qué
   lástima!** What a pity
   (shame)! **5; Es (una)
   lástima.** It's a pity.
   latino Latin **9**
   lavar to wash **7**
   lavarse to wash oneself
   7
   le *indir obj* (to, for)
   you, him, her, it
la **lección** lesson **CP**
la **lectura** reading **12**
la **leche** milk **8**
la **lechuga** lettuce **8**
   leer (y) to read **3**
   lejano distant, far
   lejos (de) far (from) **2**
la **lengua** language **15**
   lentamente slowly **4**
   lento slow
el **león** lion
   les *indir obj* (to, for)
   you, them **6**
la **letra** letter *(of*

alphabet); lyrics; las
   letras letters, writing
el **letrero** sign
   levantar to raise **7**
   levantarse to get up,
   stand up **7**
la **ley** law
la **leyenda** legend **15**
la **liberación** liberation **1**
   liberar to liberate
la **libertad** freedom
el **libertador,** la
   libertadora
   liberator
   libre free, at liberty
la **librería** bookstore **3**
el **libro** book **CP**
el, la **líder** leader
   limpiar to clean **14**
   limpio clean **14**
   lindo beautiful, pretty **2**
la **línea** line
la **liquidación** sale
el **líquido** liquid
   listo ready; clever;
   ¡Listo! I'm ready (to
   go)! **12**
la **literatura** literature **3**
   lo *dir obj* him, it, you **5;**
   neuter article the; **lo
   que** which; that
   which, what; **lo**
   (+ *adj*) the . . . thing,
   part **lo que es hoy**
   what is today; **Lo
   siento.** I'm sorry.
   loco crazy
   lógico logical
   los the **1;** *dir obj* them,
   you **5**
   lucrativo profitable
la **lucha** fight, struggle
   luchar to fight
   luego then, next **6;
   Hasta luego.** See
   you later. **1**
el **lugar** place; room
   (space) **5**
el **lujo** luxury

la **luna** moon **CS; luna de miel** honeymoon
el **lunes** Monday
la **luz** light

LL

la **llamada** call
llamar to call **2**
llamarse to be called, to be named **7; ¿Cómo se llama...?** What is the name of . . . ? **CP; Me llamo...** My name is . . . **CP**
la **llave** key
la **llegada** arrival
llegar to arrive **1; llegar a ser** to become; **llegar tarde** to be late, arrive late
lleno (de) filled, full of **13**
llevar to carry; to take **1;** to wear **7;** to take (*a period of time*); **llevar (a)** to lead (to); **para llevar** to take out **8**
llevarse (bien, mal) con to get along (well, poorly) with **9**
llorar to cry **5**
llover (ue) to rain **6; Llueve.** It's raining. **4**
la **lluvia** rain **4**

M

la **madera** wood **2**
la **madre** mother **1**
la **madrina** godmother
el **maestro,** la **maestra** teacher, master, scholar **9**
magnífico great, magnificent **CS**
el **maíz** corn **8**
mal *adv* badly

el **mal** evil
la **maleta** suitcase **3**
malo bad; sick **2; estar mal** to be unwell **CP**
mandar to order, command; to send **12; ¿Mande?** What? (*Mexico*)
el **mandato** command **10**
manejar to drive **15**
manera: ¡De ninguna manera! No way! **11; de todas maneras** anyway
la **manifestación** demonstration **11**
la **mano** hand **13; en manos de** in the possession of; **a mano** by hand
mantener to maintain; **mantenerse** to support one's self
la **mantequilla** butter **8**
la **manzana** apple **8**
la **mañana** morning **4;** *adv* tomorrow **1; de la mañana** A.M. **3; por la mañana** in the morning **3; Hasta mañana.** See you tomorrow. **1.**
el **mapa** map
el **mar** sea **4**
la **maravilla** miracle
maravilloso marvelous, wonderful **10**
la **marca** stamp, trademark, seal
marcar (qu) to mark
el **mareo** dizziness, nausea, motion sickness **13; tener mareos** to be dizzy, nauseous **13**
el **marido** husband
el **marisco** shellfish **8**
marrón brown

el **martes** Tuesday **4**
marzo March **4**
más (que) more (than); el **más** the most; **más o menos** more or less; so-so **CP**
la **masa** dough
matar to kill **15**
las **matemáticas** mathematics **3**
el **matrimonio** married couple; marriage **9**
máximo maximum, high
maya Maya **3**
mayo May **4**
mayor older; greater; larger **7**
el, la **mayor** oldest, eldest; greatest; largest **7**
la **mayoría** majority
me *dir obj* me **5;** *indir obj* (to, for) me **6;** *refl pron* myself
la **medianoche** midnight **12**
las **medias** stockings **7**
el **medicamento** medication, medicine **13**
la **medicina** medicine **3**
el **médico,** la **médica** doctor **13**
la **medida** size
el **medio** means; middle; environment **medio** half **9; en medio de** in the middle of; **...y media** half past . . .
el **mediodía** noon **11**
mejor better **7;** el, la **mejor** the best; **Es mejor que usted (tú) (+ subjunc)** . . . It's better for you to . . . **13**
mejorar to improve **14**
mencionar to mention

menor smaller; lesser; younger; smallest; least; youngest **7;** el, la **menor** youngest **7; No tengo la menor idea.** I don't have the slightest idea.
menos less, fewer; **menos (que)** less (fewer) (than); el **menos** the least; **más o menos** more or less; so-so **CP; a menos que** unless **15; por lo menos** at least
el **mensaje** message **12**
mentir (ie) to lie, tell a lie **15**
el **mercado** market **10**
el **mes** month **4; el mes que viene** next month
la **mesa** table **CP**
la **mesera** waitress
el **mesero** waiter
mestizo person of mixed Indian and European ancestry
el **metro** subway **5;** meter
mexicano Mexican **2**
la **mezquita** mosque
mi my **3**
mí *obj of prep* me, myself **6**
el **miedo** fear **13**
el **miembro** member
mientras while **6; mientras (que)** while **15; mientras tanto** meanwhile **CS**
el **miércoles** Wednesday **4**
mil one thousand; **Mil gracias.** Thank you very much (*literally, A thousand thanks*).
militar *adj* military
los **militares** the military

un **millón (de)** million
el **millonario** millionaire
16
mineral mineral
mínimo minimum, low
el **ministro,** la **ministra**
minister
la **minoría** minority **5**
el **minuto** minute
mío, mía, míos, mías
my, of mine
mirar to look at; to
watch **1**
la **misa** mass (*church*) **12**
mismo same **9; ahora**
mismo right away;
lo mismo the same
thing **CS; al mismo**
tiempo at the same
time **9**
el **misterio** mystery
misterioso mysterious **9**
la **mitad** half
la **moda** fashion, style **7;**
a la moda (de
moda) in style,
fashionable **7**
el **modelo** model,
example; el, la
modelo model
(*person*)
moderno modern **2**
el **modo** mood
mojado wet
molestar to bother,
annoy; **¿Le**
molestaría que... (+
subjunc)? Would it
bother you if . . . ?
el **momento** moment **3**
la **montaña** mountain **4**
moreno brunette
morir(se) (ue) to die **7**
el **moro** Moor
mostrar (ue) to show **6**
motivar to motivate
la **motocicleta** motorcycle
el **movimiento** movement
la **muchacha** girl **3**

el **muchacho** boy **3**
mucho much; many; a
lot (*very*) **1;** *adv*
very much; **Mucho**
gusto. Glad to meet
you. **CP; Muchas**
gracias. Thank you.
Thank you very
much.
mudarse to move,
change residence **7**
la **mueblería** furniture
store **16**
los **muebles** furniture **14**
la **muerte** death
muerto dead
la **mujer** woman **1**
mulato mulatto
mundial worldwide;
world; World Cup
el **mundo** world **4; todo**
el mundo everyone **4**
el **muro** wall **CS**
el **museo** museum **2**
la **música** music **6**
el, la **músico** musician **3**
musulmán Moslem
mutuamente mutually
muy very **1; Muy**
agradecido(-a).
(I'm) very grateful.;
Muy bien. Very
good (well). **CP**

N

nacer (zc) to be born **7**
la **nación** nation **11;** las
Naciones Unidas
United Nations **11**
la **nacionalidad**
nationality
nada nothing, not
anything **4; De**
nada. You're
welcome. **9**
nadar to swim **4**
nadie no one, not
anyone **4**
la **naranja** orange **8**

el **narcotraficante** drug
trafficker
la **nariz** nose **13**
el **narrador,** la
narradora narrator
narrar to narrate
la **naturaleza** nature
naturalmente
naturally, sure, of
course
la **Navidad** Christmas **12;**
el árbol de Navidad
Christmas tree **12**
necesario necessary **4**
la **necesidad** necessity,
need
necesitado needy,
underprivileged
necesitar to need **1**
negar (ie,gu) to deny
el **negocio** business **10**
negocios: el hombre
(la mujer) de
negocios
businessperson
negro black **7**
nervioso nervous **1**
nevar (ie) to snow **5;**
Nieva. It's snowing. **4**
ni... ni neither . . . nor
4; ¡Ni hablar! Don't
even mention it!; **¡Ni**
por todo el dinero
del mundo! Not for
all the money in the
world!; **ni siquiera**
not even
nicaragüense
Nicaraguan
la **niebla** fog **4; Hay**
niebla. It's foggy. **4**
la **nieve** snow **4**
ningún, ninguno(-s),
ninguna(-s) none,
not any, no, neither
(of them) **4;**
ninguna parte
nowhere **10**
la **niña** girl, child **1**

el **niñero,** la **niñera**
baby-sitter
la **niñez** childhood
el **niño** boy, child **1**
no no; **No hay**
(ningún) problema.
There's no problem.;
No hay de qué.
You're welcome.
(It's nothing.) **9; No**
importa. It doesn't
matter. **8; No veo la**
hora de (+ *inf*). I
can't wait (+ *inf*) **12**
la **noche** night, evening;
por la noche at
night **3; de la noche**
P.M. **3; Buenas**
noches. Good night.
Good evening. **CP**
la **Nochebuena** Christmas
Eve **12**
nombrar to name
el **nombre** name **4**
nominal nominal; in
name
el **noroeste** northwest
el **norte** north **10**
norteamericano North
American **2**
nos *dir obj* us **5;** *indir*
obj (to, for) us **6;** *refl*
pron ourselves; *recip*
each other, one
another
nosotros, nosotras *subj*
we **CP;** *obj of prep*
us, ourselves **6**
la **nota** grade **9; sacar**
una nota to get a
grade **9**
la **noticia** news item **15**
las **noticias** news **11**
el **noticiero** news
program **11**
novecientos nine
hundred
la **novela** novel
noventa ninety

la **novia** girlfriend; bride; fiancé **9**

noviembre November **4**

el **novio** boyfriend; groom; fiancé **9**

la **nube** cloud **4**

nublado cloudy; **Está nublado.** It's cloudy. **4**

nubloso cloudy

nuestro(s), nuestra(s) our, (of) ours **3**

nueve nine

nuevo new **2**; **¿Qué hay de nuevo?** What's new?

la **nuez, las nueces** nut

el **número** number; el **número de teléfono** telephone number **1**

numeroso numerous

nunca never, not ever **4**

O

o or; **o...o** either . . . or **4**

el **objetivo** objective

el **objeto** objective

obligar (gu) to compel

la **obra** work, artistic work **6**; la **obra de teatro** play **6**; la **obra maestra** masterpiece

el **obrero**, la **obrera** worker **11**

obsesionado obsessed

occidental western

octavo eighth

octubre October **4**

ocupado busy **11**

ocurrir to happen, occur

ochenta eighty

ocho eight

ochocientos eight

hundred

el **odio** hatred

el **oeste** west

ofender to offend **15**

ofenderse to take offense; to be (get) offended **15**

la **oferta** sale, (special) offer **16**; **en oferta** on sale **16**

la **oficina** office **1**; la **oficina de correos** post office

el **oficio** job

ofrecer (zc) to offer

oír to hear; to listen **8**; **Oiga, señor(-a)...** Excuse me, sir (madam) . . . (*literally,* Listen, sir (madam) . . .) **10**

Ojalá que... I (we, let's) hope (it is to be hoped) that . . . **13**

el **ojo** eye **13**

la **ola** wave

olvidar to forget

olvidarse de to forget to **15**

once eleven

la **ópera** opera **2**

la **operación** operation

opinar to think of

oponerse to oppose

la **oportunidad** opportunity **5**

oprimido oppressed

optimista optimistic **2**

la **oración** sentence

el **orden** order, sequence

la **orden** order **10**

ordenado neat **14**

la **oreja** ear **13**

organizar to organize

el **orgullo** pride

orgulloso proud **15**

el **origen** origin

originar to create

el **oro** gold **2**

os *dir obj* you **5**; *indir obj* (to, for) you **6**; *refl pron* yourselves

oscuro dark

el **otoño** fall; autumn **4**

otro other, another **2**; **otra vez** again, once more **2**; **Otro día tal vez...** Another day perhaps . . .

el **ozono** ozone

P

la **paciencia** patience

el, la **paciente** patient **13**

el **padre** father **1**

los **padres** parents **1**

el **padrino** godfather

los **padrinos** godparents; host family

la **paella** dish with rice, shellfish, chicken, and vegetables **8**

pagano pagan

pagar to pay (for)

la **página** page **CP**

el **país** country; nation **2**

el **pájaro** bird **CS**

la **palabra** word

el **palacio** palace

pálido pale

el **pan** bread **8**

la **panadería** bakery **16**

panameño Panamanian

el **pantalón** pair of pants **7**

los **pantalones** pants **7**

la **pantomima** pantomime

el **Papa** Pope **11**

la **papa** potato **8**; las **papas fritas** french fries **8**

el **papel** paper **CP**; role **12**; **hacer el papel (de)** to play the role (of) **12**

el **paquete** package

el **par** pair

para for; in order to **1**;

para que so that **15**; **¿Para qué sirve?** What do you use it for? **7**

la **parada** stop **6**

el **paraguas** umbrella **7**

paraguayo Paraguayan

parar to stop **10**

parecer (zc) to seem, appear **9**; **¿Qué le (te) parece si vamos a...?** How do you feel about going to . . . ?

la **pared** wall **CP**

la **pareja** pair, couple **9**

los **paréntesis** parentheses

el **pariente** relative *(family)* **1**

el **parque** park **9**; el **parque de diversiones** amusement park; el **parque zoológico** zoo

la **parte** part; **alguna parte** somewhere **10**; **la mayor parte** most, greater part, majority **13**; **ninguna parte** nowhere **10**; **Por otra parte...** On the other hand . . . ; **¿De parte de quién?** Who's speaking?

participar to participate

el **participio** participle

la **partida** departure

el **partido** match, game; *(political)* party; el **partido de fútbol** soccer game

partir: a partir de from

el **párrafo** paragraph

la **parrilla** grill

el **pasado** past
pasado past; last **7**
el **pasaje** ticket; fare **10**
el **pasajero**, la **pasajera** passenger **2**
el **pasaporte** passport **1**
pasar to pass; to spend time **1**; to happen, occur **11; pasar hambre** to go hungry; **pasarlo bien** to have a good time; **¿Qué te pasa?** What's wrong? What's the matter with you?
el **pasatiempo** pastime **6**
pasear to stroll, walk **10**
el **paseo** walk, stroll, ride **6**; trip, outing **10; dar un paseo** to take a walk **6**
el **pastel** pastry, cake
la **pastilla** tablet **13**
patinar to skate **6**
el **patio** patio **14**
la **patria** native land
patrón patron; master, boss
el **pavo** turkey **12**
la **paz** peace **1**
pedir (i) to ask, ask for; to order (in a restaurant) **6**
la **película** film, movie **5**
peligroso dangerous
el **pelo** hair **13**
la **pelota** ball
penitente penitent
pensar (ie) to think; to plan; to intend **5; pensar de** to think about, have an opinion **5; pensar en** to think about, reflect on **5; Pienso...** I intend (plan) . . .

la **pensión** boardinghouse **10**
peor worse **7**; el, la **peor** the worst **7**
el **pepino** cucumber
pequeño small, little **2**
la **pera** pear
perder (ie) to lose; to miss (train, plane, etc.); to waste (time) **5; perder (el) tiempo** to waste time
perdición: el **centro de perdición** den of iniquity
perdido lost **2**
Perdón. Excuse me. **9; Perdóneme. (Perdóname.)** Forgive me. (also: Excuse me., I am sorry.)
perdonar to forgive, pardon **10**
el **periódico** newspaper **11**
periodístico journalistic
el **período** period
permanecer (zc) to remain
el **permiso** permission; **Con permiso.** Excuse me. (With your permission.) **9**
permitir to permit, allow **12**
pero but **1**
la **persona** person **2**
la **pertenencia** possession
perturbar to disturb
peruano Peruvian
pesar to weigh
pesar: a pesar de in spite of
el **pescado** fish **8**
pescar to fish
la **peseta** monetary unit of Spain **CP**

pésimo terrible
pesimista pessimistic **2**
el **peso** monetary unit of Mexico
el **petróleo** petroleum
el **pez**, los **peces** fish **CS**
el **piano** piano **6**
picante hot, spicy (said of foods) **8**
el **picnic** picnic **15**
el **pie** foot **13; a pie** on foot **10**
la **piedra** stone **CS**
la **pierna** leg **13**
el **pijama** pajamas **7**
la **píldora** pill **13**
la **pimienta** (black) pepper **8**
pintar to paint **6**
el **pintor**, la **pintora** painter
pintoresco picturesque
la **pintura** painting; paint
la **piña** pineapple **8**
la **piñata** piñata, hanging pot filled with candy which is broken with a stick at a party **12**
la **pirámide** pyramid
el **pirata** pirate
el **piso** floor, story **14**
la **pizarra** blackboard **CP**
el **plan** plan
planear to plan
la **planta** plant **CS**
plantar to plant
la **plata** silver; money
la **plataforma** platform
el **plátano** banana; plaintain **8**
el **plato** plate; dish **2**
la **playa** beach **4**
la **plaza** plaza, square
la **pluma** pen
la **población** population
pobre poor; **¡Pobrecito!** Poor thing! **5**; los **pobres** the poor **16**

la **pobreza** poverty **5**
poco little; pl few, **6; dentro de poco** soon; **poco a poco** little by little
poder (ue) to be able, can **6; ¿Me podría dar (pasar, prestar, etc.)..., por favor?** Could you give (pass, loan, etc.) me . . . , please? **14; No puede ser.** It can't be. **7; ¿Nos (me) puede traer...?** Can you bring us (me) . . . ? **8; Le (te) puedo (+ inf)...?** May I . . . to (for) you? **6; Puede (Podría) ser.** It could be.; **¿Se puede (+ inf)...?** Can one (we, I) . . . ? **¿En qué puedo servirlo(-la)?** How can I help you? **14**
poderoso powerful
el **poema** poem **6**
la **poesía** poetry
el **policía**, la **mujer policía** police officer **3**
la **policía** police force
el, la **político** politician; adj political
el **pollo** chicken **8**
el **poncho** poncho **16**
poner (g) to put; to place **3**; to turn on; to light **11; poner atención** to pay attention; **poner la mesa** to set the table **8**
ponerse (g) to put on (clothing) **7; ponerse (+ adj)** to become (+ adj) **15;**

ponerse de acuerdo
to agree
popular popular **2**
por by; for; through;
because of **1**; per;
por cierto (+
indic)... Certainly ... ;
¡Por Dios! Good
Lord!; **¿Por dónde
va uno a...?** How do
you get to . . . ? **10;
por ejemplo** for
example **3; por el
contrario** on the
other hand **CS; por
esas razones** for
those reasons; **Por
eso...** For that reason
. . . ; **Por favor.**
Please. **CP; por fin**
finally **9; por la
mañana** in the
morning **3; por la
noche** in the evening
(night) **3; por la
tarde** in the
afternoon **3; Por lo
tanto...** Therefore . . . ;
por otra parte on
the other hand **CS;
¿Por qué?** Why?;
por suerte luckily;
por supuesto of
course, naturally;
por todas partes
everywhere
porque because **1**
posible possible **13**
posiblemente possibly
la **postal** postcard
el **postre** dessert **8**
practicar to practice **3**
práctico practical **3**
el **precio** price; el **precio
fijo** fixed price **16**;
el **precio rebajado**
reduced price
preferir (ie) to prefer **5**
la **pregunta** question **1**;

Buena pregunta.
Good question. **7**
preguntar to ask **2**
el **prejuicio** prejudice
preliminar preliminary
el **premio** prize **11**
prender to turn on; to
light; to grasp **11**
la **prensa** press
preocupado worried
preocuparse (de) (por)
to worry (about) **10**
preparar to prepare **2**
la **presencia** presence
la **presentación**
introduction
presentar to introduce
12; to present
la **presidencia** presidency
el, la **presidente** president
2
prestar to loan; lend **6**
la **primavera** spring **4**
primero (*shortened
form* **primer**) first **4**
el **primo**, la **prima** cousin
1
principal principal,
main **7**
principio: al principio
at first
prisa: tener prisa to be
in a hurry
privado private
probablemente
probably
el **probador** fitting room
probar(se) (ue) to try
(on)
el **problema** problem **4**;
**No hay (ningún)
problema.** There's
no problem.
proclamar to proclaim
la **profesión** profession **3**
el **profesor**, la **profesora**
professor **CP**
profundo deep
el **programa** program **3**;

el **programa
documental**
documentary
program
programar to program
6
progresista progressive
el **progreso** progress **2**
prohibido prohibited;
prohibir (í) to
forbid, prohibit; **Se
prohíbe** (+ *inf*)... It's
prohibited,
forbidden.
la **promesa** promise **6**
prometer to promise **6**
el **pronombre** pronoun
pronto soon; fast **3**;
tan pronto como as
soon as
el **pronunciamiento** edict
la **propiedad** property,
real estate
propio own; **Es su (tu)
propia culpa.** It's
your own fault. **5**
el **propósito** purpose; **A
propósito de...**
Regarding . . . ; **A
propósito...** By the
way . . .
próspero prosperous
protestar to protest **11**
el **provecho** benefit;
¡Buen provecho!
Enjoy the meal! **8**
provocar (qu) to
provoke
próximo next **12**
la **psicología** psychology
3
el **psicólogo**, la **psicóloga**
psychologist
el **público** public **11**
el **pueblo** town; people **11**
el **puente** bridge
la **puerta** door **CP**
el **puerto** port **10**
puertorriqueño Puerto

Rican **5**
Pues... Well . . . **7**
la **pulsera** bracelet
el **punto** point
puntual punctual
puro pure **16**

Q

que *rel pron* that;
which, who **9**;
¿Qué? What? **1**;
¿Por qué? Why? **1**;
¡Qué alegría! How
happy I am! I'm so
happy!; **¡Qué alivio!**
What a relief! **15**;
¡Qué barbaridad!
Good grief (*literally,*
What barbarity)! **5**;
¿Qué es esto? What
is this? **CP; ¿Qué
escándalo!** What a
scandal!; **¿Qué
espera(s)?** What do
you expect? **5; ¡Qué
gusto!** What a
pleasure!; **¿Qué hay
de nuevo?** What's
new?; **¿Qué hora
es?** What time is it?
3; ¡Qué horror!
How horrible!;
**¿Qué importancia
tiene?** What's so
important (about
that)? **5; ¡Qué
increíble!** How
amazing! **15; ¡Qué
injusticia!** How
unfair! **12; ¡Qué
lástima!** What a
shame (pity)! **5**;
¡Qué mala suerte!
What bad luck! **5**;
**¡Qué mundo más
pequeño!** What a
small world!; **¿Qué
nos recomienda?**
What do you

recommend (to us)?; **¡Qué sorpresa!** What a surprise!; **¡Qué suerte!** What luck!; **¿Qué tal?** How are things? **CP;** **¿Qué tal el examen?** How was the exam? **CP; ¿Qué te pasa?** What's wrong? What's the matter with you?; **¿Qué tiempo hace?** What's the weather like? **4; ¡Qué tontería!** What nonsense! **11; ¡Qué va!** Oh, come on! **7**
quebrar (ie) to break
quedar to be left, remain **7**
quedarse to stay **7**
la **queja** complaint
quejarse to complain **12**
la **quena** kind of Indian flute
querer (ie) to want, to love **5; querer decir** to mean **6**
querido dear
el **queso** cheese **8**
el **quetzal** monetary unit of Guatemala
quien *rel pron* who, whom **9**
¿Quién? ¿Quiénes? Who? Whom? **1**
la **química** chemistry **3**
quince fifteen
quinientos five hundred
quinto fifth
Quisiera... I would like . . . **14**
quitar to remove; take away
quitarse to take off (clothing) **7**
quizás perhaps **2;**

Quizás (+ *indic or subjunc*)... Perhaps . . . **13**

R

la **rabia** anger, rage **15**
la **radio** radio **1**
la **raíz** root; origin
rápidamente rapidly, fast **4**
la **raqueta** racket
raramente rarely
el **rato** short time; **hace un rato** a short while ago
el **ratón** mouse
la **raza** race
la **razón** reason; **tener razón** to be right **4; por esas razones** for those reasons
la **realidad** reality; **en realidad** in reality, really
realista realist **2**
realizar to realize, perform, fulfill
realmente really **5**
rebajado reduced; marked down; on sale **16**
rebajar to lower; to reduce; to mark down **16**
el, la **rebelde** rebel
la **recepción** reception desk
el, la **recepcionista** receptionist **6**
la **receta** prescription; recipe **13**
recibir to receive **3**
reciclar to recycle
recientemente recently
recoger (j) to pick up
recomendar (ie) to recommend **13**
reconstruir (y) to reconstruct

recordar (ue) to remember **6**
el **recreo** recreation
el **recuerdo** souvenir; remembrance
recuperar to recover
rechazar to reject
la **red** net
reelegir (i,i, j) to reelect
reflejar to reflect
el **refresco** soft drink
el **refugiado, la refugiada** refugee
el **refugio** refuge
el **regalo** gift **1**
regatear to bargain **16**
el **régimen** regime
regresar to return, go back **5**
regularmente regularly
rehusar to refuse
el **reino** kingdom
reírse (i) to laugh **15**
religioso religious **9**
el **reloj** watch; clock **2**
relucir (zc) to glitter
relleno stuffed
reparar to repair
el **repaso** review
repetir (i) to repeat **6; Repitan.** Repeat. **CP; Repita, por favor.** Repeat that, please.
el **reportaje** report **11**
el **reportero, la reportera** reporter **4**
representar to represent **3**
reprochar to reproach
reproducir (zc/j) to reproduce
el **resentimiento** resentment
la **reservación** reservation **6**
reservar to reserve **6**
el **resfrío** cold **13; tener**

resfrío to have a cold **13**
la **residencia estudiantil** dorm
resolver (ue) to solve
respetar to respect, esteem
respeto: con respeto a with respect to
respirar to breathe
responder to answer, respond
la **responsabilidad** responsibility
responsable responsible **2**
la **respuesta** answer; response **10**
el **restaurante** restaurant **1**
resuelto *pp* solved
el **resultado** result
resumen summary; **En resumen...** In short . . . (In conclusion . . .)
retirarse to withdraw
retomar to retake; conquer
el **retrato** portrait
la **reunión** meeting **11**
reunirse to meet, get together **12**
revisar to check, examine
la **revista** magazine **11**
el **rey** king **9;** los **Reyes Magos** Three Kings (Three Wise Men) **12**
rico rich (*in property*) **8;** delicious, good tasty **8**
ridículo ridiculous **7; ¡Qué ridículo!** How ridiculous! **7**
rígido strict
el **río** river
la **riqueza** wealth, splendor

la **risa** laughter **15; darle risa (a alguien)** to make (someone) laugh

el **ritmo** rhythm

robar to rob; steal

el **robo** theft, robbery **5**

Rocosas: las Rocosas Rockies

la **rodilla** knee **13**

rojo red **7**

romano Roman

romántico romantic

romper to break **9; romper con** to break up with **9**

la **ropa** clothing **7;** la **ropa interior** underwear

el **ropero** closet

la **rosa** rose

rosa rose-colored

el **rostro** face

roto *pp* broken

el **ruido** noise **14**

la **ruina** ruin **10**

la **rutina** routine **7**

s

el **sábado** Saturday **4**

saber to know (*facts, information*), know how to **5; ¿Sabías que...?** Did you know that . . . ? **9**

sabroso delicious **8**

sacar to take (out); to get **9**
sacar fotos to take pictures **6; sacar una nota** to get a grade **9**

el **sacerdote** priest

sagrado sacred

la **sal** salt **8**

la **sala** living room **14;** la **sala de clase** classroom; **sala de estar** living room

la **salida** exit; departure

salir (g) to leave, go out **3;** to come out **3**

la **salud** health **13; ¡Salud!** Cheers! Gesundheit! (*literally,* Health!) **9; Salud y plata y un(a) novio(-a) de yapa.** Health, money (silver), and a sweetheart besides.; **Salud, amor y pesetas y el tiempo para gozarlos (gastarlos).** Health, love, and money, and the time to enjoy (spend) them.

saludar to greet **12**

salvadoreño Salvadoran

salvar to save

la **sandalia** sandal **7**

el **sándwich** sandwich **8**

la **sangre** blood

la **sangría** sangría, drink made with fruit and wine

sano healthy

el **santo,** la **santa** saint

la **sardana** Catalonian dance

se *indir obj* (to) him, her, it, you, them; *impersonal subj pron* one, people, they; *refl pron* himself, herself, itself, yourself, yourselves, themselves; *recip* each other, one another

el **secretario,** la **secretaria (bilingüe)** (bilingual) secretary **3**

secundario secondary; la **escuela secundaria** high school

la **sed** thirst; **tener sed** to be thirsty **4**

seguida: en seguida at once, immediately **10**

seguir (i) to continue, to follow **6; seguir un curso** to take a course **6; Siga adelante (derecho).** Keep going straight. **10; Siga por la calle...** Follow . . . Street **10**

según according to **2**

segundo second

seguro sure; certain **13;** safe; **Seguro.** Certainly; Sure; Of course; Naturally.

seis six **1**

seiscientos six hundred

seleccionar to choose

la **selva** jungle

la **semana** week **1;** la **semana que viene** next week

el **semestre** semester **9**

el **seminario** seminary

sencillo simple

el **sendero** path

sensible sensitive **2**

sentarse (ie) to sit down, be seated **7**

el **sentimiento** feeling

sentir (ie) to feel; to sense **13; sentir que** to be sorry that **13; Lo siento (mucho).** I'm (very) sorry.

sentirse (ie) (+ *adj*) to feel a certain way **13**

el **señor** man; gentleman; sir; Mr. **CP**

la **señora** lady; ma'am;

Mrs. **CP**

la **señorita** young lady; miss; Miss **CP**

separar to separate

septiembre (setiembre) September **4**

ser to be **2; ¿De qué es?** What is it made of? **7; Es...** It's . . . **CP; Es de esperar.** It's to be expected. **5; Es demasiado...** It's too . . . **16; Es que...** The thing is that . . . **7; No puede ser.** It can't be. **7**

la **serie** series

serio serious; **¡Pero no habla(s) en serio!** But you're not serious! **7; ¿En serio?** Really? **9**

el **servicio** service **15;** benefit

servir (i) to serve **6; ¿En qué puedo servirlo(-la)?** How can I help you? **6; Esto (Eso) no sirve.** This (That) doesn't work.; **¿Para qué sirve?** What do you use it for? **7**

sesenta sixty

setecientos seven hundred

setenta seventy

los **shorts** shorts **7**

si if, whether **3; Si quiere, podría...** If you like, I could . . . **6**

Sí yes **CP**

el **SIDA** AIDS (Acquired Immune Deficiency Syndrome) **5**

siempre always **3**

la **sierra** mountain range

la **siesta** siesta, *afternoon*

nap or *rest*
siete seven
el **siglo** century **3**
el **significado** meaning
significar to mean
el **signo** sign
siguiente following;
next **10**
el **silencio** silence **CS**
la **silla** chair **CP**
el **sillón** armchair **14**
el **símbolo** symbol **7**
simpático nice **2**
simple single; simple
simultáneo
simultaneous
sin without; **sin**
embargo however;
sin que without **15**
la **sinagoga** synagogue
sincero sincere
sino if not; but
sinónimo synonymous
el **síntoma** symptom **13**
el **sistema** system
el **sitio** place **10**; **sitio de**
interés point (site)
of interest **10**
la **situación** situation **1**
situar (ú) to situate,
locate
sobre on, about; over,
on, upon **1**
sobrevivir to survive,
remain
la **sobrina** niece
el **sobrino** nephew
la **sociedad** society
la **sociología** sociology
sociopolítico
sociopolitical
el **sofá** sofa **14**
el **sol** sun; **hacer sol** to be
sunny **4**
solamente only **6**
el **soldado** soldier
solitario solitary
solo *adj* alone, single **9**
sólo *adv* only **7**

soltero single,
unmarried **9**
el **sombrero** hat **7**
sonoro harmonious
soñar (ue) con to
dream about, to
dream of **6**
la **sopa** soup **8**
sorprender to surprise
13
la **sorpresa** surprise **12**;
¡Qué sorpresa!
What a surprise! **12**
el **sostén** brassiere
su(s) his, her, its, your,
their, one's **3**
subir to climb, go up
10; **subir a** to get
on; to go up; to get
into **10**
el **sueldo** salary **16**
el **suelo** floor, ground **14**
el **sueño** dream
la **suerte** luck **5**; **por**
suerte luckily **7**;
¡Qué suerte! What
luck!
el **suéter** sweater **7**
sufrir to suffer
el **supermercado**
supermarket
la **superpoblación**
overpopulation **11**
supuesto: por
supuesto of course,
naturally
el **sur** south **10**
suramericano South
American
el **sustantivo** noun
el **susto** fright **15**
suyo, suya, suyos,
suyas his, of his,
her, of hers; your, of
yours; their, of theirs

T

tal: such; **con tal de**
que provided that;

tal vez perhaps,
maybe; **Tal vez** (+
indic or *subjunc*)...
Perhaps . . . **13**;
¿Qué tal? How are
things? **CP**
la **talla** size,
measurement
el **tamaño** size; **¿De**
qué tamaño es?
What size is it?
también also, too **1**
tampoco not either,
neither **4**; **Ni yo**
tampoco. I don't
either.
tan so; as **7**; **tan** (+ *adj*
or adv +) **como** as . . .
as **7**; **tan pronto**
como as soon as **15**
tanto (-a, -os, -as) so
much **7**; so many;
tanto como as much
as **7**; **Por lo tanto...**
Therefore . . . ;
Tanto mejor. So
much the better.
el **tapiz** tapestry **16**
tardar en to take (a
long time) to
tarde late **5**; la **tarde**
afternoon; evening
(before sunset) **4**;
por la tarde in the
afternoon **3**; **de la**
tarde P.M. **3**;
Buenas tardes.
Good afternoon. **CP**
la **tarea** task, assignment
la **tarjeta** card **12**
el **taxi** taxi **10**
la **taza** cup **8**
el **té** tea **8**
te *dir obj* you **5**; *indir*
obj (to, for) you **6**;
refl pron yourself
el **teatro** theater **2**
el **techo** roof **14**
telefónico (by) telephone

el **teléfono** telephone **1**
la **televisión** television **1**
el **televisor** television set
14
el **tema** subject, topic **CS**
temer to fear
la **temperatura**
temperature **4**
el **templo** temple **7**
temprano early **5**
la **tendencia** tendency
el **tenedor** fork **8**
tener to have **3**; **tener**
que (+ *inf*) to have
to (+ *inf*) **3**; **tener...**
años to be . . .
years old **4**; **tener**
calor (frío) to be
warm (cold) *(a*
person or animal) **4**;
tener celos (de) to
be jealous (of);
tener cuidado to be
careful **4**; **tener**
dolor de cabeza
(estómago) to have
a headache
(stomachache) **4**;
tener en cuenta to
take into account;
tener éxito to be
successful; **tener**
fiebre to have a
fever **4**; **tener ganas**
de (+ *inf*) to feel
like *(doing*
something) **3**; **tener**
hambre to be
hungry **4**; **tener la**
oportunidad de to
have the opportunity
to; **tener lugar** to
take place; **tener**
miedo (de) que to
be afraid that **13**;
tener prisa to be in
a hurry **15**; **tener**
razón to be right **4**;
tener sed to be

thirsty **3; tener
sueño** to be sleepy
3; tener suerte to be
lucky **3; tener tos** to
have a cough **13;
tener una cita** to
have a date; to have
an appointment **9;
No tengo la menor
idea.** I don't have
the slightest idea.
**13; ¿Qué edad
tienes?** How old are
you? **14; Tengo mis
dudas.** I have my
doubts.; **Tiene(s) la
culpa.** It's your
fault. **5; Sí, tiene(s)
razón.** Yes, you're
right.
el **tenis** tennis **6**
teóricamente
theoretically
tercero (*shortened
form* **tercer**) third
la **terminación** ending
la **terminal** terminal **15**
terminar to finish, end
9
el **terremoto** earthquake
11
terriblemente terribly
el **tesoro** treasure
ti *obj of prep* you,
yourself **6**
la **tía** aunt **1**
tibio lukewarm
el **tiempo** time (*in a
general sense*) **3;**
weather **4; a tiempo**
on time; **¿Qué
tiempo hace?**
What's the weather
like? **4; Hace buen
(mal) tiempo.** The
weather is nice
(bad). **4**
la **tienda** shop, store **5**
la **tierra** earth, land,

country **CS**
tímido timid, shy
el **tío** uncle **1**
típico typical **2**
el **tipo** type **9;** (*slang*) guy
9
tira: la **tira cómica**
comic strip
el **titular** headline
la **tiza** chalk
tocar (qu) to touch; to
play (*music or a
musical instrument*)
6
todavía still, yet **3**
todo all, every **3;**
whole, entire; **todo
el mundo** everyone
4
todos all, every,
everyone **3; todos
los días** every day **4;
todas las semanas**
every week **4**
tomar to take; to drink
4; tomar sol to
sunbathe
el **tomate** tomato **8**
la **tontería** nonsense
tonto stupid, silly
el **toro** bull
la **torta** cake **8**
la **tortilla** omelet
la **tortuga** tortoise; turtle
la **torre** tower
la **tos** cough **13; tener tos**
to have a cough
total: Total que... So . . .
trabajador
hardworking **2**
el **trabajador,** la
trabajadora
worker; el **Día de
los Trabajadores**
Labor Day
trabajar to work **1**
el **trabajo** work **5;** la
agencia de trabajo
employment agency

traducir (zc, j) to
translate
traer to bring, carry **8**
el **tráfico** traffic **2**
el **traje** suit; outfit **7;** el
traje de baño swim
suit **7**
tranquilo tranquil,
calm **CS**
el **transplante** transplant
el **transporte**
transportation
tratar (de) to try (to) **5**
trece thirteen
treinta thirty
tremendo tremendous
el **tren** train
tres three
trescientos three
hundred
la **tribu** tribe
el **trimestre** trimester
triste sad **15**
la **tristeza** sadness **15**
las **tropas** troupes; troops
tú *subj pron* you (*fam*)
CP
tu(s) your **5**
la **tumba** tomb
turbulento turbulent;
stormy
el **turismo** tourism
el, la **turista** tourist **1**
turístico tourist
**tuyo, tuya, tuyos,
tuyas** your, of yours

U

u or (*replaces* **o** *before
words beginning* **o**
or **ho-**)
último most recent,
latest; last
un, una a, an; one
único unique; only; el
único the only one
la **unidad** unity
unificar (qu) to unify
unir to unite

la **universidad** university **1**
universitario *adj*
university **3**
uno one
unos, unas some; a few
urbano urban
la **urgencia** urgency
urgente urgent **5**
uruguayo Uruguayan **10**
usar to use **10**
el **uso** use
usted *subj* you (*formal*)
CP; *obj of prep* you
ustedes *subj* you
(*formal pl*) **CP;** *obj
of prep* you
útil useful
la **utilización** use
utilizar use, utilize
la **uva** grape

V

la **vaca** cow; la **carne de
vaca** beef **8**
las **vacaciones** vacation **1;
estar de vacaciones**
to be on vacation; **ir
de vacaciones** to go
on vacation **4**
vacío empty
la **vainilla** vanilla
valer to be worth **16;
¿Cuánto vale...?**
How much is . . . ?;
valer la pena to be
worth it
el **valor** value, price
el **valle** valley **CS**
la **vanidad** vanity
vanidoso vain
variado varied
la **variedad** variety
varios several, some;
various **9**
el **vaso** glass **8**
el **vecino,** la **vecina**
neighbor **12**
veinte twenty
veintiuno twenty one

el **vendedor,** la
vendedora
salesperson **3**
vender to sell **3**
venezolano Venezuelan
la **venganza** revenge
venir (ie) to come **3**
la **venta** sale, selling **16;**
en venta for sale **16**
la **ventaja** advantage
la **ventana** window **CP**
ver to see **5; Bueno,
nos vemos.** We'll be
seeing each other.; **A
ver.** Let's see. **7; No
veo la hora de**
(+ *inf*). I can't wait
(+ *inf*). **12**
el **verano** summer **4**
veras: ¿De veras?
Really? **7**
el **verbo** verb
la **verdad** truth **1; Es
verdad.** It's true.;
¿verdad? right?,
true? **1**
verdaderamente truly

verdadero true; real **1**
verde green **7**
la **verdura** vegetable **8**
la **vergüenza** shame **15;
darle vergüenza a
alguien** to make
someone ashamed
15
el **vestido** dress **7**
vestir (i) to dress **7**
vestirse (i) to get
dressed **7; vestirse
de** to dress as
la **vez** time, instance **2; a
veces** sometimes **5;
cada vez más** more
and more; **de vez en
cuando** from time to
time
viajar to travel **1**
el **viaje** journey, trip **10;**
el **viaje de negocios**
business trip **10**
el **viajero,** la **viajera**
traveler **10**
la **vida** life **3**
viejo old **2**

el **viento** wind **4**
el **viernes** Friday **4**
vigilar to watch (over)
el **vino** wine **8**
la **viñeta** vignette
violento violent
violeta violet **7**
el **violín** violin **6**
visigodo Visigothic
la **visita** visit; **estar de
visita** to be visiting
visitar to visit **1**
la **vista** view **10**
la **vitamina** vitamin **13**
vivir to live **3**
el **vocabulario**
vocabulary **CP**
volar (ue) to fly
el **volcán** volcano **11**
el **vólibol** volleyball **6**
la **voluntad** will
volver (ue) to return,
come back, go back
6
volverse (ue) to
become; **volverse
loco** to go crazy

vosotros, vosotras *subj*
you *(fam pl)* **CP;** *obj
of prep* you,
yourselves
votar to vote
la **voz** voice; **voces** *pl*
voices
el **vuelo** flight **4**
la **vuelta** return; **de ida y
vuelta** round-trip
vuestro your **3**

y and **CP; ¿Y qué?** So
what? **5**
ya already **9;** now; **¡Ya
lo creo!** I believe it!;
ya no no longer, not
any longer **9**
yanqui Yankee
yo *subj* I **CP**

Z

la **zapatería** shoe store
el **zapato** shoe **7**
la **zona** zone
el **zoológico** zoo

Index of Grammar and Functions

Literature Credits _____

The authors would like to thank the following copyright holders for the use of the following selections in this text:

Page 104, "Album de fotografías" by Marjorie Agosín, copyright by Marjorie Agosín; **Page 128,** "Ay bendito" is reprinted from *AmeRican*, by Tato Laviera (Copyright Houston: Arte Publico Press, University of Houston, 1985); **Page 192,** "En el Taco Bell" by Jesús Solís, copyright by Jesús Solís; "Lujo" and "Kitchen Talk," reprinted from *Thirty an' Seen a Lot* by Evangelina Vigil (Copyright Houston: Arte Publico Press, University of Houston, 1982); **Page 216,** "No hay que complicar la felicidad," reprinted from Antología Precoz by Marco Denevi (Editorial Universitaria, Santiago de Chile, 1973); **Page 325,** "Entrevistas con jóvenes peruanas" by Mariella Balbi, copyright by Mariella Balbi.

Realia Credits _____

The authors would like to thank the following for the use of the following pieces of realia in this text:

Page 21, Iberia Airlines, Madrid; **Page 36,** Metro de Madrid S.A.; **Page 52,** Restaurante La Chacra, Buenos Aires, Argentina; **Page 53,** Secretaría de Turismo de la Nación, Argentina; **Page 72,** *T.V. Guía* magazine, San Francisco, CA; **Page 72,** Quino, Ediciones de la Flor, 1984 **Page 77,** Editorial Nueva Imagen, Mexico, 1982; **Page 77,** Editorial Nueva Imagen, Mexico, 1981; **Page 92,** Skorpios Tours, Santiago, Chile; **Page 96,** Diario *El Mercurio,* Santiago, Chile; **Page 109,** Diario *El Mercurio,* Santiago, Chile; **Page 123,** Réplica Publishing, Miami, FL; **Page 125,** American Red Cross; **Page 125,** Cambridge Adv. Inc., New York, NY; **Page 125,** U.S. Department of Housing and Urban Development; **Page 126,** *Vanidades* Año 32 #12, 6/9/92; **Page 126,** *T.V. Guía* magazine, San Francisco, CA; **Page 136,** Teatro Nacional, Bogotá, Colombia; **Page 147,** Casa Editorial *El Tiempo,* Bogotá, Colombia; **Page 148,** (Feliz día...)Diario *El Tiempo,* Bogotá, Colombia; **Page 148,** Noches de Colombia, Bogotá, Colombia; **Page 148,** (Calendario...) Diario *El Tiempo,* Bogotá, Colombia; **Page 148,** (Querubin) Taller de Humor Colombiano, Bogotá, Colombia; **Page 155,** Editorial Fermentera, Barcelona, Spain; **Page 155,** Editorial Fermentera, Barcelona, Spain; **Page 173,** Nike Inc., Beaverton, Oregon; **Page 173,** Lâncome Paris, New York, N.Y.; **Page 173,** *Vanidades,* Miami, FL.; **Page 196,** La Golondrina Restaurant, Los Angeles, CA; **Page 197,** *Vanidades,* Miami, FL.; **Page 218,** Viajes Meliá, Madrid, Spain; **Page 256,** Marcia Scott, Livingstone, TX; **Page 256,** Costa Rica Tourist Board; **Page 257,** (Top and Bottom) Costa Rica Tourist Board; **Page 259,** *El Diario*/La Prensa, New York, NY; **Page 256,** *Diario Las Americas,* Miami, FL; **Page 259,** *La Estrella de El Salvador*; **Page 291,** *Vanidades,* Miami, FL; **Page 318,** *Debate,* Lima, Peru; **Page 319,** *Mujer y sociedad,* Lima, Peru, 1991; **Page 321,** *Mujer y sociedad,* Lima, Peru, 1991; **Page 323,** *Mujer y sociedad,* Lima, Peru, 1991; **Page 337,** La Encarnacena, Asunción, Paraguay; **Page 343,** Ñe-ëngatú, Asunción, Paraguay; **Page 370,** Ateneo de Caracas, Caracas, Venezuela; **Page 370,** Avensa Airlines, New York, NY; **Page 373,** Hannsi, Centro Artesanal, Caracas, Venezuela; **Page 374,** Banco Metropolitano, Caracas, Venezuela; **Page 380,** Editorial Nueva Imagen, Mexico, 1981; **Page 391,** FEPROTUR, Fundación Ecuatoriana de Promoción Turística, Miami, FL.

Photo Credits